OVER SCHOONHEID

Vertaald door Monique Eggermont en Kitty Pouwels

Zadie Smith

Over schoonheid

2005 Prometheus Amsterdam

Voor mijn lieve Laird

Oorspronkelijke titel *On Beauty*
© 2005 Zadie Smith
© 2005 Nederlandse vertaling Uitgeverij Prometheus, Monique Eggermont en
Kitty Pouwels
Omslagontwerp Johny van de Vyver
Foto omslag Corbis/TCS
Foto auteur Roderick Field
www.uitgeverijprometheus.nl
ISBN 90 446 0638 7

I

Kipps en Belsey

'We weigeren elkaar te zijn.'
H.J. BLACKHAM

I

We kunnen net zo goed beginnen met Jeromes e-mails aan zijn vader:

Aan: howardbelsey@fas.wellington.edu
Van: jeromeabroad@easymail.com
Datum: 5 november
Onderwerp: (geen)

Ha, pap, ik blijf maar gewoon doorgaan met deze e-mails, al verwacht ik niet meer dat je antwoord geeft, maar ik hoop het nog wel, als dat tenminste ergens op slaat.

Nou, ik heb het reuze naar mijn zin. Ik werk op Monty Kipps' eigen kantoor (weet je dat het eigenlijk *sir* Monty is??), in de buurt van Green Park. Ik werk samen met ene Elly, een meisje uit Cornwall. Ze is tof. Er zitten beneden ook nog een paar stagiairs, yanks (eentje uit Boston!), dus ik voel me best thuis. Ik ben zo'n stagiair die het werk doet van een persoonlijk assistent: lunches organiseren, documenteren, mensen te woord staan aan de telefoon, dat soort dingen. Monty's werk houdt veel meer in dan alleen het gedoe op de universiteit: hij zit in de Race Commission en kerkelijke liefdadigheidsverenigingen in Barbados, Jamaica, Haïti enzovoort; hij houdt me aardig bezig. Omdat het zo'n kleine organisatie is, werk ik vrij nauw met hem samen, en natuurlijk woon ik nu bij de familie in huis, waardoor ik het gevoel heb dat ik een totaal ander leven leid. Tja, de familie. Je reageerde niet, dus ik kan me je reactie wel voorstellen (niet al te moeilijk...). De waarheid is dat het me in feite gewoon het best uitkwam op dat moment. En het was zo aardig van ze om het me aan te bieden – ik werd uit mijn *bedsit* in Marylebone gezet, en hoewel de familie Kipps mij niets verplicht is, nam ik hun aanbod dankbaar aan. Ik zit nu een week bij hen en nog steeds geen woord over huur, dat moet je toch genoeg zeggen. Ik weet dat je wilt horen dat het een nachtmerrie is, maar dat is het niet; ik vind het hier heerlijk! Het is een totaal andere wereld. Het huis is helemaal te gek, vroeg-Victoriaans, een typisch Engels rijtjeshuis: vanbuiten niets bijzonders maar vanbinnen gigantisch, met een eenvoud die me heel erg aanspreekt: bijna alles is wit, en er zijn veel zelfgemaakte spullen en quilts en donkere houten planken en kroonlijsten en een trappenhuis van vier verdiepingen; en in het hele huis is maar één televisie en die staat zelfs nog in het souterrain zodat Monty het nieuws kan zien en een paar dingen die hij voor tv doet, maar dan heb je het ook wel gehad. Ik zie het soms als de tegenovergestelde versie van ons huis... Het staat in die Noord-Londense wijk Kilburn; dat klinkt dorps maar sjonge jonge, dorps is het dus helemaal niet, behalve dan de straat waar wij wonen bij de *high road*, ineens heb je het idee dat je niets meer hoort en dat je gewoon in de tuin in de schaduw van zo'n gigantische boom – vijfentwintig meter hoog en helemaal omwikkeld met klimop – kunt zitten lezen, net als in een boek... Het najaar is hier anders, veel minder heftig en de bomen worden eerder kaal; alles heeft een veel melancholiekere sfeer.

De familie is weer een ander verhaal – die verdient meer ruimte en tijd dan ik nu heb (ik schrijf dit tijdens mijn lunchpauze). Maar even in het kort: een zoon, Michael, aardig, sportief. Een beetje saai, denk ik. Jíj zou dat in elk geval vinden. Hij zit in zaken – wat voor zaken heb ik nog niet kunnen achterhalen. En lang dat hij is! Vijf centimeter langer dan jij, minstens. Ze zijn allemaal lang en atletisch, zoals Caribiërs. Hij is vast wel 1,92 meter. Er is ook een heel lange, mooie dochter, Victoria, van wie ik alleen nog maar een glimp heb opgevangen (ze reist met de trein door Europa), maar vrijdag komt ze geloof ik voor een tijdje thuis. Monty's vrouw, Carlene: perfect. Ze komt alleen niet uit Trinidad, maar van een klein eiland, Sint-nog-wat, dat weet ik niet precies. Toen ze het de eerste keer zei, heb ik het niet goed verstaan en nu is het zo raar om ernaar te vragen. Ze probeert me constant vet te mesten en komt steeds met eten aandraven. De rest van de familie discussieert over sport en God en politiek, en Carlene zweeft daar als een soort engel boven – en ze helpt me met bidden. Ze weet echt hoe je moet bídden, en het is echt fantastisch om te kunnen bidden zonder dat een familielid de kamer binnen komt en a) een wind laat, b) begint te schreeuwen, c) de 'nepmetafysica' van het gebed analyseert, d) keihard loopt te zingen en e) schaterlacht.

Dat is dus Carlene Kipps. Zeg maar tegen mama dat ze zelf bakt. Zeg dat maar gewoon en loop daarna met een grijns weg...

Nou, kijk goed naar wat er nu komt: 's ochtends ontbijt DE HELE FAMILIE samen en praten ze MET ELKAAR en dan stappen ze MET Z'N ALLEN in de auto (heb je het genoteerd?) – oké – ik weet het – het valt niet mee om dit tot je te laten doordringen. Ik heb nog nooit een familie gezien die zo veel tijd met elkaar wil doorbrengen.

Ik hoop dat je na alles wat ik heb geschreven inziet dat die ruzie van jullie of wat het ook is, gewoonweg zonde van de tijd is. Het is trouwens jouw probleem, Monty doet niet aan ruzies. Jullie hebben elkaar niet eens echt ontmoet – op een paar openbare debatten en stomme brieven na. Het is zo'n verspilling van energie. De meeste wreedheden in de wereld zijn gewoon verknoeide energie. Ik moet gaan, het werk roept!

Liefs voor mama en Levi, plus een beetje voor Zora,
en vergeet niet: ik hou van je, pap (en ik bid ook voor jou).
Poeh! De langste mail die ik ooit heb geschreven!

Jerome xxxxx

Aan: howardbelsey@fas.wellington.edu
Van: jeromeabroad@easymail.com
Datum: 14 november
Onderwerp: ben ik weer

Pap,
    Bedankt voor de bijzonderheden over de scriptie die je me hebt gestuurd. Kun je misschien bellen naar Brown en uitstel voor me aanvragen? Nu begin ik te begrijpen waarom Zora zich heeft opgegeven voor Wellington... lang niet zo erg om de deadline te overschrijden als je pappie daar lesgeeft ☺. Toen ik je berichtje van één regel zag staan, ging ik als een gek op zoek naar een attachment (een brief bijvoorbeeld???), maar ik neem aan dat je te druk bezig/boos/enzovoort bent om te schrijven. Nou, ik niet. Hoe gaat het met het boek? Mama zei dat je niet zo goed op gang komt. Heb je al een manier gevonden om te bewijzen dat Rembrandt niet deugde?
    De familie Kipps blijft me bezighouden. Dinsdag zijn we met z'n allen naar de schouwburg geweest (de hele zwik is nu thuis), naar een Zuid-Afrikaanse dansgroep, en toen we met de *tube* teruggingen hebben we een van de melodietjes uit de voorstelling geneuried, en uiteindelijk begonnen we allemaal te zingen, onder leiding van Carlene (ze heeft echt een schitterende stem) en zelfs Monty deed mee, hij is namelijk heus niet die 'psychoot vol zelfhaat' die je mij hebt voorgespiegeld. Het was echt leuk om daar te zitten zingen toen de trein weer bovengronds kwam en daarna door de regen naar dat prachtige huis te lopen om zelfgemaakte kipcurry te eten. Maar ik zie je gezicht al voor me, dus ik zal erover ophouden.
    Nog meer nieuws: Monty probeert me bij te brengen wat ik gemist heb bij de Belseys: logica. Hij leert me schaken, en vandaag ben ik voor de eerste keer in een week tijd niet binnen zes zetten verslagen, maar verslagen ben ik natuur-

lijk wel. Alle Kipps vinden me een warhoofd en een dichterlijke figuur – ik weet niet wat ze van me zouden vinden als ze wisten dat ik zo ongeveer de Wittgenstein van de familie Belsey ben. Maar ik geloof dat ze me wel amusant vinden en Carlene ziet me graag in de keuken, waar mijn dwangmatige zindelijkheid eerder als iets positiefs wordt beschouwd dan als een afwijking... maar ik moet toegeven, ik vind het wel een klein beetje eng om 's ochtends wakker te worden in die vredige stilte (ze FLUISTEREN op de gangen om de anderen niet wakker te maken) en mijn rug mist de opgerolde natte handdoek van Levi een beetje, net zoals mijn oor een beetje van slag is nu Zora er niet langer in schreeuwt. Mama mailde me om te vertellen dat Levi het aantal hoofddeksels heeft uitgebreid tot VIER (strak petje, honkbalcap, capuchon van zijn trui, muts, plus een oortelefoon, zodat je nog maar een piepklein stukje van zijn gezicht rond zijn ogen kunt zien. Geef hem daar maar een kus van me. En geef ook mama een kus en denk eraan dat ze morgen over een week jarig is. En een kus voor Zora en vraag of ze Mattheus 24 leest. Ik weet dat ze het heerlijk vindt om elke dag een stukje in de bijbel te lezen.

Heel veel liefde en vrede,

Jerome xxxxx

PS Als antwoord op je 'beleefde vraag': ja ik ben het nog... ondanks je duidelijke minachtig voel ik me er heel goed bij, bedankt... twintig is tegenwoordig voor jongeren echt niet zo laat, vooral niet als ze hebben besloten om Christus te volgen. Merkwaardig dat je daarnaar vroeg, aangezien ik gisteren door Hyde Park liep en eraan dacht dat jij de jouwe bent kwijtgeraakt aan iemand die je nooit eerder had ontmoet en daarna nooit meer zou zien. En nee, ik kwam niet in de verleiding om dat scenario van jou te herhalen...

Aan: howardbelsey@fas.wellington.edu
Van: jeromeabroad@easymail.com
Datum: 19 november
Onderwerp:

Beste dr. Belsey!
   Ik heb geen idee wat je hiervan zult vinden! Maar we zijn verliefd! De dochter des huizes en ik! Ik ga haar ten huwelijk vragen, pap! En ik denk dat ze ja zal zeggen!!! Je begrijpt de uitroeptekens zeker wel!!!! Haar naam is Victoria, maar

iedereen noemt haar Vee. Ze is fantastisch, prachtig, briljant. Ik ga haar vanavond 'officieel' vragen, maar ik wilde het eerst aan jou vertellen. Het is ons overkomen als het 'Lied van Salomon' en het is niet te verklaren, alleen als een soort wederzijdse openbaring. Ze is pas vorige week aangekomen – het klinkt waanzinnig maar het is waar!!!! Serieus: ik ben gelukkig. Neem maar twee valiumpjes en vraag mam me ASAP te mailen. Ik heb geen beltegoed meer op deze telefoon en ik gebruik die van hen liever niet.

Jxx

2

'Wat bedoel je, Howard? Waar moet ik nu precies kijken?'

Howard Belsey wees zijn Amerikaanse vrouw Kiki Simmonds op het bewuste deel van de e-mail die hij had uitgeprint. Ze plantte haar ellebogen aan weerskanten van het papier en liet haar hoofd zakken zoals ze altijd deed wanneer ze kleine lettertjes moest lezen. Howard liep naar de andere kant van de keuken annex zitkamer waar de ketel stond te fluiten. Alleen die ene hoge noot was te horen, voor de rest was het stil. Hun enige dochter Zora zat op een kruk met haar rug naar de kamer met een koptelefoon op vol eerbied naar de televisie te kijken. Levi, de jongste zoon, stond naast zijn vader voor de keukenkast. En nu begonnen die twee in zwijgzame harmonie het ontbijt samen te stellen. De een gaf de cornflakes door aan de ander, daarna wisselden ze bestek uit, ze vulden hun kommen en schonken melk uit een roze porseleinen kan met een zongele rand. Het huis lag op het zuiden. Het licht scheen naar binnen door de dubbele deuren die op de tuin uitkwamen en viel gefilterd onder de boog door die de keuken van de kamer scheidde. Het viel zacht op het stilleven van Kiki, die aan de ontbijttafel roerloos zat te lezen. Een donkerrode Portugese aardewerken schaal stond voor haar, met daarop appels, hoog opgestapeld. Op dit tijdstip reikte het licht nog verder, tot achter de ontbijttafel door de gang naar de kleinste van hun twee woonkamers. Hier bevond zich een plank met hun oudste paperbacks naast een suède zitzak en een bank waarop Murdoch, hun teckel, vol overgave in een bundel zonlicht lag.

'Is dit serieus bedoeld?' vroeg Kiki, maar er kwam geen antwoord.

Levi sneed aardbeien in stukjes, spoelde ze af onder de kraan en stortte ze in twee cornflakesbakjes. Het was Howards taak om de afgesneden kroontjes in de afvalbak te doen. Net toen ze daar bijna mee klaar waren, draaide Kiki het papier om op tafel, haalde haar handen van haar slapen en begon zacht te lachen.

'Is het grappig?' vroeg Howard, terwijl hij naar de ontbijtbar liep en er zijn ellebogen op zette. Bij wijze van antwoord nam Kiki's zwarte gezicht een onbewogen uitdrukking aan. Het was deze sfinxachtige blik waardoor hun Amerikaanse vrienden haar soms een exotischer afkomst toedichtten dan ze feitelijk bezat. In werkelijkheid kwam ze uit een eenvoudige boeren-familie in Florida.

'Lieverd, probeer eens niet zo geestig te zijn,' opperde ze. Ze greep een appel en begon die met een van de fruitmesjes met transparant handvat in ongelijke stukjes te snijden. Die at ze langzaam, één voor één, op.

Howard streek met twee handen zijn haar uit zijn gezicht weg.

'Sorry... ik dacht... jij lachte, dus ik dacht dat er misschien iets grappigs was.'

'Hoe moet ik dan reageren?' zei Kiki met een zucht. Ze legde haar mes neer en stak haar hand uit naar Levi, die net met zijn schaaltje langsliep. Aan zijn denim broekband kon ze haar forsgebouwde vijftienjarige zoon gemakkelijk naar zich toe trekken, waarmee ze hem dwong twintig centi-meter door zijn knieën te zakken zodat ze het labeltje van zijn honkbalshirt in zijn kraag kon stoppen. Ze haakte haar duimen aan weerskanten van zijn boxershort om daar ook iets aan te veranderen, maar hij rukte zich los.

'Ma-am...'

'Levi, schat, trek dat ding dan ook een stukje op... hij zit zo laag... hij be-dekt nauwelijks je kont.'

'Dus het is níet grappig,' concludeerde Howard. Deze manier van vra-gen stellen zinde hem niet bepaald en het was ook niet zijn bedoeling ge-weest om het zo aan te pakken, maar hij begreep dat er niets anders op zat als hij nog iets wilde bereiken.

'O, godnogantoe, Howard,' zei Kiki. Ze draaide zich naar hem toe. 'We kunnen hier over een kwartiertje toch wel verder over praten? Als de kin-deren...' Kiki kwam even overeind van haar stoel toen ze het slot van de voordeur een keer hoorde klikken en toen nog eens. 'Zoor, liefje, wil jij even gaan, ik heb vandaag zo'n last van mijn knie. Ze kan er niet in, kom, ga haar even helpen...'

Zora, die een geroosterde dubbele boterham met kaas zat te eten, wees naar de televisie.

'Zora, ga nú opendoen, alsjeblieft, het is die nieuwe vrouw, Monique; om de een of andere reden doet haar sleutel het niet, volgens mij heb ik jóu gevraagd een nieuwe sleutel voor haar te laten maken, ik kan niet altijd maar thuis op haar zitten wachten... Zoor, wil je nu met je luie kont van die kruk...'

'Al de tweede kont vanochtend,' merkte Howard op. 'Dat gaat goed. Beschaafd.'

Zora liet zich van haar kruk glijden en liep door de gang naar de voordeur. Kiki keek nogmaals met een vragende, intense blik naar Howard, waarop hij zijn meest onschuldige gezicht trok. Ze pakte de e-mail van haar afwezige zoon, greep haar bril die aan een kettinkje op haar indrukwekkende boezem lag en zette hem op het puntje van haar neus.

'Je moet het Jerome nageven,' mompelde ze tijdens het lezen, 'die jongen is niet gek... als hij jouw aandacht wil, dan weet hij heel goed hoe hij die moet krijgen.' Ze keek op naar Howard en benadrukte de lettergrepen één voor één, als een bankmedewerker die biljetten telt. 'De dochter van Monty Kipps. Beng, boem. Ineens ben je een en al aandacht.'

Howard fronste zijn wenkbrauwen. 'Is dat alles wat je te zeggen hebt?'

'Howard, er staat een ei te koken, ik weet niet wie het heeft opgezet maar het water is al verdampt, het stinkt. Zet het alsjeblieft uit.'

'Is dat alles wat jij erover te zeggen hebt?'

Howard keek toe terwijl zijn vrouw kalm een derde glas tomatensap voor zichzelf inschonk. Ze pakte het op en bracht het naar haar lippen, maar verder kwam het niet toen ze weer begon te praten.

'Hoor eens, Howie. Die jongen is twíntig. Hij wil de aandacht trekken van zijn pappie, en dat doet hij heel goed. Zelfs het feit dat hij stage loopt bij de Kipps – dat had hij bij miljoenen andere mensen kunnen doen. En nu gaat hij trouwen met de dochter van Kipps? Je hoeft Freuds theorieën niet te kennen om te begrijpen wat dat betekent. Ik denk dat hem serieus nemen het ergste is wat we kunnen doen.'

'De familie Kipps?' vroeg Zora luidkeels terwijl ze weer binnenkwam. 'Wat is er aan de hand... is Jerome daar gaan wonen? Wat krankzinnig... stel je voor: Jerome... Monty Kipps,' zei Zora, terwijl ze twee denkbeeldige figuren rechts en links van haar aanduidde en daarna nog eens herhaalde: 'Jerome... Monty Kipps. Samen in hetzelfde huis.'

Zora maakte een hele voorstelling van haar afgrijzen.

Kiki goot haar sap in één keer naar binnen en zette het lege glas met een klap neer.

'Genoeg over Monty Kipps, ik meen het. Ik wil zijn naam vanochtend niet meer horen, ik zweer het bij God.' Ze keek op haar horloge. 'Hoe laat is jouw eerste les? Wat doe je hier eigenlijk nog, Zoor? Luister je? Wat – doe – jij – nog – hier. O, goedemorgen Monique,' zei Kiki op een heel andere, formele toon, zonder dat zangerige uit Florida. Monique deed de deur achter zich dicht en kwam verder.

Kiki schonk Monique een vermoeide glimlach. 'We zijn vandaag helemaal van slag, iedereen is te laat of gaat te laat komen. Hoe is het met jou, Monique, alles goed?'

De nieuwe werkster was een gedrongen Haïtiaanse, ongeveer zo oud als Kiki maar met een nog donkerdere huid. Ze kwam pas voor de tweede keer. Ze droeg een US Navy-bomberjack met een rechtopstaande bontkraag en in haar ogen lag de angstige verontschuldiging voor alles wat fout zou gaan nog voordat het was fout gegaan. Dit alles werd volgens Kiki nog schrijnender door Moniques kapsel: haar goedkope, oranje synthetische haarstukje was hard aan een opknapbeurt toe en was, met dunne draadjes vastgemaakt aan haar eigen spaarzame haren, nog verder naar achteren geschoven dan ooit.

'Zal ik hier beginnen?' vroeg Monique timide. Haar hand bleef boven haar jas hangen voor de ritssluiting, maar ze trok hem niet open.

'Nou, Monique, begin maar in de werkkamer – míjn werkkamer,' zei Kiki snel omdat Howard net ook iets wilde zeggen. 'Is dat goed? Maar wil je alsjeblieft geen papieren verplaatsen, stapel ze alleen maar op, als het kan.'

Monique bleef staan waar ze stond en trok aan haar ritssluiting. Kiki vroeg zich nerveus af wat deze vrouw ervan zou denken dat een andere zwarte vrouw haar betaalde voor schoonmaakwerk. 'Zora laat het je wel zien... Zora, laat Monique even zien waar het is, toe.'

Zora rende de trap met drie treden tegelijk op terwijl Monique achter haar aan sjokte. Howard kwam achter de coulissen vandaan en stapte zijn huwelijk in.

'Als het doorgaat,' zei Howard vlak, tussen een paar slokken koffie door, 'dan wordt Monty Kipps familie. Van ons. Niet familie van iemand anders. Onze familie.'

'Howard,' zei Kiki even onbewogen, 'geen dramatische voorstellingen alsjeblieft. We staan hier niet op het toneel. Ik heb zojuist gezegd dat ik er op dit moment niet over wil praten. Ik weet best dat je me hebt gehoord.'

Howard boog even naar voren.

'Levi moet geld mee voor een taxi. Als je je ergens druk over wilt maken, doe het dan daarover. En niet over de familie Kipps.'

'Kipps?' riep Levi ergens op een plek waar hij niet te zien was. 'Welke Kipps? Over wie hebben jullie het?'

Zijn aangeleerde Brooklyn-accent had hij noch van Howard noch van Kiki, en Levi was er pas drie jaar geleden mee begonnen, in het jaar dat hij dertien werd. Jerome en Zora waren geboren in Engeland, Levi in Amerika. Maar al hun verschillende Amerikaanse accenten hadden in Howards oren iets kunstmatigs, niet iets wat van hier thuis of van zijn vrouw afkomstig was. Maar geen van die accenten was zo onverklaarbaar als dat van Levi. Brooklyn? De Belseys woonden bijna vierhonderd kilometer noordelijker. Howard had er deze ochtend bijna iets van gezegd – hij was door zijn vrouw gewaarschuwd dat niet te doen – maar net op dat moment dook Levi uit de gang op met een ontwapenende glimlach voordat hij zijn tanden zette in de bovenkant van zijn muffin die hij in zijn hand hield.

'Levi...' begon Kiki, 'lieverd, ik ben benieuwd: weet je nog wie ik ben? Heb je ook maar een beetje in de gaten wat hier gebeurt? Kun je je Jerome herinneren? Je broer? Jerome die niet hier is? Jerome die over een grote plas water naar een land dat Engeland heet is gegaan?'

Levi had een paar sportschoenen in zijn hand. Daarmee zwaaide hij met een kwaaie blik in de richting van zijn moeder als reactie op haar sarcasme, en hij ging zitten om ze aan te trekken. 'Nou en? Wat dan nog? Moet ik soms iets van Kipps weten? Ik weet helemaal niks niet van Kipps.'

'Jerome, ga naar school.'

'O, ben ik nu ook al Jerome?'

'Levi, ga naar schóól.'

'Jemig zeg, waarom doen jullie altijd zo... ik stel alleen maar een vraag, en dan krijg je van dat...' Hierbij trok Levi een twijfelachtig gezicht dat niets zei over het woord dat hij wegliet.

'Monty Kipps. De man voor wie je broer in Engeland werkt,' informeerde Kiki hem uiteindelijk vermoeid. Howard vond het boeiend om te zien hoe Levi deze informatie van Kiki had losgekregen door haar bijtende spot met het tegendeel te beantwoorden.

'Zie je nou?' zei Levi alsof er nu alleen door zijn toedoen verstandige taal werd gesproken. 'Was dat nou zo moeilijk?'

'Dus dit is een brief van Kipps?' vroeg Zora die de trap af was gekomen en nu achter haar moeders rug stond. In deze houding, dochter gebogen over moeder, deden ze Howard denken aan de twee mollige waterdraagsters van Picasso. 'Pap, alsjeblieft, laat me je deze keer echt helpen met een reactie, dan maken we hem helemaal af. Voor welke krant is het? De *Republic*?'

'Nee. Nee, daar heeft het niets mee te maken. Hij is trouwens van Jerome. Hij gaat trouwen,' zei Howard en zijn badjas viel open toen hij zich omdraaide. Hij slenterde naar de deuren die uitkeken op hun tuin. 'Met Kipps' dochter. Blijkbaar is dat grappig. Je moeder vindt het hilarisch.'

'Nee, schat,' zei Kiki, 'ik dacht dat ik net had duidelijk gemaakt dat ik het níet hilarisch vind, volgens mij weten we niet wat er precies gaande is. Dit is een e-mail van zeven regels, we weten totaal niet wat die te betekenen heeft en ik ga niet uit mijn dak om iets...'

'Serieus?' onderbrak Zora haar. Ze rukte het papier uit haar moeders handen en hield het vlak voor haar bijziende ogen. 'Dit is zeker een of andere kutgrap?'

Howard liet zijn voorhoofd tegen de dikke glazen ruit rusten en voelde de condens in zijn wenkbrauwen trekken. Buiten viel nog steeds de democratische oostkustsneeuw waardoor de tuinstoelen er hetzelfde uitzagen als de tuintafeltjes, de planten, de brievenbussen en de hekpalen. Hij ademde een wolkje in de vorm van een paddestoel uit en veegde het daarna met zijn mouw weer weg.

'Zora, jij moet naar school, oké? En het is nergens voor nodig om dat soort taal uit te slaan in mijn huis – Uh! Uh! Uh! Nee!' zei Kiki elke keer dat Zora haar mond open wilde doen. 'Oké? Breng Levi naar de taxistandplaats. Ik kan hem vandaag niet brengen – je kunt wel vragen of Howard hem rijdt, maar het ziet er niet naar uit dat dat gaat lukken – ik bel Jerome wel.'

'Ik hoef niet gebracht te worden,' zei Levi en nu zag Howard pas goed wat er anders was aan Levi: hij had een dunne, zwarte dameskous op zijn hoofd, die achter in zijn nek was vastgeknoopt en onbedoeld een soort tuitje erbovenop had, als een tepel..

'Je kunt hem niet bellen,' zei Howard rustig. Hij bewoog zich doelbewust, buiten het zicht van de anderen, naar de linkerkant van hun ontzagwekkende koelkast, 'zijn beltegoed is op.'

'Wat zei je?' vroeg Kiki. 'Wat zei je? Ik kan je niet verstaan.'

Ineens stond ze achter hem.

'Waar staat het nummer van de Kipps?' wilde ze weten, ook al wisten ze allebei het antwoord op die vraag.

Howard zei niets.

'O ja, dat is waar ook,' zei Kiki, 'dat staat in de agenda, de agenda die in Michigan is blijven liggen tijdens die beroemde conferentie, toen jij belangrijkere dingen aan je hoofd had dan je vrouw en kinderen.'

'Kunnen we dit op een ander...?' opperde Howard. Wie zich schuldig voelt, kan alleen maar vragen om uitstel van het vonnis.

'Wat je maar wilt, Howard. Het maakt niets uit, ik ben toch degene die hiermee moet omgaan, met de gevolgen van jouw daden, zoals altijd, dus...'

Howard bonsde met de zijkant van zijn vuist tegen de vrieskist.

'Howard, laat dat alsjeblieft. Die deur sluit niet goed, hij is... straks ontdooit alles nog, doe hem goed dicht, tot hij... oké: het is treurig. Als het tenminste serieus is, en dat weten we niet. We zullen stap voor stap te weten moeten zien te komen wat er in godsnaam aan de hand is. Dus we laten het hierbij en dan, ik weet niet... dan praten we erover... als Jerome hier is bijvoorbeeld en er dus echt iets te bepraten valt, ja? Eens?'

'Hou op met dat geruzie,' klaagde Levi vanaf de andere kant van de keuken, en toen zei hij het nog een keer, harder.

'We maken geen ruzie, liefje,' zei Kiki en boog zich vanuit haar heupen voorover. Ze boog haar hoofd naar voren en bevrijdde haar haren uit de vuurrode doek die ze om haar hoofd had gewikkeld. Ze droeg het haar in twee dikke vlechten die tot op haar billen vielen, als de nog ongeschonden horens van een ram. Zonder op te kijken streek ze de stof aan beide kanten glad en gooide toen in één beweging haar hoofd weer naar achteren, waarbij ze de doek tweemaal rond haar hoofd wikkelde en op precies dezelfde manier vastknoopte, maar dan strakker. Alles zat nu ruim twee centimeter hoger en met dit nieuwe, gezag uitstralende gezicht leunde ze op de tafel en richtte zich tot haar kinderen.

'Oké, de voorstelling is afgelopen. Zoor, misschien ligt er een paar dollar in het potje bij de cactus. Geef die maar aan Levi. Zo niet, dan leen je hem maar wat, dan betaal ik het je later terug. Ik zit deze maand een beetje krap. Oké. En nu aan de studie. Wat dan ook. Als je maar wat leert.'

Een paar minuten later, toen de deur achter haar kinderen was dichtgevallen, kwam Kiki terug naar haar man met een gezicht als een open boek waarvan alleen Howard elke regel en elke passage kende. Hij glimlachte maar wat. Er volgde geen enkele reactie. Howard hield op met glimlachen. Als het op een ruzie uitdraaide, dan zou alleen een gek op zijn overwinning wedden. Kiki, die ooit, tweeëntwintig jaar geleden, in hun eerste huis door Howard over zijn schouder was gegooid als een rol vloerbedekking, om neer te leggen en op te gaan liggen, woog tegenwoordig honderdveertien kilo en zag er twintig jaar jonger uit dan hij. Haar huid had die voor haar ras kenmerkende eigenschap lang glad te blijven, maar die van Kiki was onder invloed van haar gewichtstoename zelfs nog strakker. Op haar twee-envijftigste had ze een gezicht als van een jong meisje. Een prachtig stoere-meisjesgezicht.

Nu liep ze de kamer door en duwde hem met zo veel kracht opzij dat hij in een schommelstoel belandde. Terug aan de keukentafel begon ze met veel omhaal een tas in te pakken met spullen die ze niet nodig had op haar werk. Ze praatte tegen hem zonder hem aan te kijken.

'Weet je wat raar is? Dat iemand professor kan zijn in een specifieke richting, en in alle andere dingen ongelooflijk stom is. Sla het ABC van het ouderschap er eens op na, Howie. Dan lees je daar dat je, als je zo door-gaat, precies, maar dan ook precies het tegenovergestelde bereikt van wat je wilt. Precies het tegenovergestelde.'

'Maar precies het tegenovergestelde van wat ik wil,' peinsde Howard, schommelend in zijn stoel, 'gebeurt altijd al, verdomme.'

Kiki hield op met waar ze mee bezig was en keek hem ongelovig aan.

'Juist. Jij krijgt nooit wat je wilt. Jouw leven is een en al ontbering.'

Dit sloeg op hun problemen van de laatste tijd. Het was een aanbod om in de woning van hun huwelijk een deur open te trappen naar een kamer vol ellende. Het aanbod werd afgeslagen. Kiki begon daarom aan haar da-gelijkse gehannes om haar kleine rugzak in het midden van haar giganti-sche rug te hangen. Howard stond op en maakte zich weer toonbaar door zijn ochtendjas dicht te doen.

'Hebben we hun adres dan tenminste?' vroeg hij. 'Hun huisadres?'

Kiki duwde haar vingers tegen haar slapen, als een waarzegster op een kermis. Ze sprak langzaam en hoewel haar houding sarcasme uitstraalde, waren haar ogen vochtig. 'Ik wil weten wat wij jou volgens jou hebben aan-gedaan. Je gezin. Wat hebben we misdaan? Hebben we je iets ontnomen of zoiets?'

Howard zuchtte en keek de andere kant uit. 'Ik moet dinsdag toch een lezing geven in Cambridge, dan kan ik net zo goed een dagje eerder naar Londen vliegen, al was het maar omd...'

Kiki gaf een mep op de tafel.

'Godsamme, het is geen 1910 meer. Jerome mag verdomme trouwen met wie hij wil, of gaan we nu visitekaartjes laten drukken en hem vragen alleen in contact te treden met de dochters van academici die jij toevallig...'

'Zou dat adres niet in dat groenleren boekje kunnen staan?'

Nu knipperde ze haar beginnende tranen weg. 'Ik heb geen idéé waar het adres zou kúnnen staan,' zei ze, zijn accent nabauwend, 'ga het zelf maar zoeken. Misschien ligt het verstopt onder de troep in die verrekte keet van je.'

'Dank je zeer,' zei Howard en liep naar boven, op weg naar zijn studeerkamer.

3

Het huis van de familie Belsey, een hoog, granaatrood gebouw in de stijl van New England, bestaat uit vier krakerige verdiepingen. De datum waarop het is opgeleverd (1856) staat gegraveerd in een tegel boven de voordeur en in de ramen zit nog dat gespikkelde groene glas waardoor de plankenvloer onder invloed van het zonlicht de dromerige sfeer van een weiland ademt. Die ramen zijn niet de originele, maar vervangingen, aangezien de originele te kostbaar waren om in gebruik te blijven. Zwaar verzekerd zijn ze opgeslagen in een grote brandkast in de kelder. Een aanzienlijk deel van de waarde van het huis van de Belseys zit in de ramen waar niemand door kan kijken en die niemand kan openzetten. Het enige originele raam zit helemaal bovenaan in het huis, een veelkleurige ruit die op verschillende plekken op de bovenste overloop een kleurig licht werpt als de zon boven Amerika voorbijtrekt, waarbij hij bijvoorbeeld een wit overhemd roze kleurt, of een gele stropdas blauw. Als halverwege de ochtend het schijnsel de vloer heeft bereikt, mag daar op grond van een familiebijgeloof niemand in lopen. Tien jaar geleden waren hier nog kinderen te zien die probeerden elkaar die plek op te duwen. Zelfs nu ze volwassen zijn, lopen ze er op weg naar beneden nog steeds omheen.

De trap zelf is een steile wenteltrap. Op weg naar beneden hangt er in elke bocht ter verpozing een aantal foto's van de familie aan de muur. Eerst foto's van de kinderen, in zwart-wit: mollig, met kuiltjes, en een stralenkrans van krullen om hun hoofd. Het lijkt of ze van alle kanten op de toeschouwer af komen of over elkaar heen tuimelen op hun worstenbeentjes. Een fronsend kijkende Jerome met baby Zora in zijn armen, terwijl hij zich afvraagt wat ze eigenlijk is. Zora die een kleine, gerimpelde Levi wiegt met die verdwaasde, bezitterige blik van zo'n vrouw die kinderen steelt uit ziekenhuizen. Daarna schoolfoto's, kiekjes van diploma-uitreikingen, in zwembaden, restaurants, tuinen en vakanties die getuigen van hun groei en hun karakter vastleggen. Na de kinderen komen vier generaties van de familie Simmonds, van moeders kant. Ze zijn opgehangen in een triomferende, weloverwogen volgorde: Kiki's betovergrootmoeder, huisslavin; haar overgrootmoeder, dienstmeid; en daarna haar grootmoeder, verpleegster. Het was deze Lily die dit hele huis erfde van een vrijgevige blanke arts met wie ze twintig jaar in Florida nauw had samengewerkt. Door een zo omvangrijke erfenis wordt het leven voor een arme familie in Amerika totaal anders: ineens behoren ze daardoor tot de middenklasse. En Langham 83 is een mooi middenklassehuis, nog groter dan het er aan de buitenkant uitziet, met erachter een klein zwembad zonder verwarming waarin veel van de witte tegels ontbreken, als een Britse glimlach. Het huis is inmiddels een beetje vervallen geraakt, en toch maakt dit deel uit van zijn grandeur. Het heeft niets nouveau-richeachtigs. Het huis is veredeld door wat het voor deze familie heeft gedaan. Met de huuropbrengst is de opleiding van Kiki's moeder – juridisch medewerkster die afgelopen voorjaar is gestorven – betaald en die van Kiki zelf. Jarenlang was het het appeltje voor de dorst en het vakantiehuis van de Simmonds; ze kwamen er elk jaar in september vanuit Florida om de kleuren te bekijken. Toen haar kinderen eenmaal groot waren en haar eerwaarde echtgenoot was gestorven, nam Howards schoonmoeder Claudia Simmonds voorgoed haar intrek in dit huis en woonde ze er gelukkig als hospita voor tal van studenten die de logeerkamers huurden. Al die jaren had Howard op het huis geaasd. Claudia, die dat doorhad, besloot hem te laten hongeren. Ze wist heel goed dat dit huis ideaal was voor Howard: groot, mooi en op een steenworp afstand van een fatsoenlijke Amerikaanse universiteit die hem eventueel zou aannemen. Het gaf mevrouw Simmonds een kick, althans dat dacht Howard, om hem al die jaren te laten wachten. Ze haalde zonder ernstige gezondheidsproblemen de zeventig. Intussen voerde Howard zijn jonge gezin mee langs een aantal tweederangs centra van geleerdheid: zes jaar in de staat New York, elf jaar in Londen, een jaar in de buitenwijken van Parijs. Pas tien jaar geleden had Claudia de strijd opgegeven en had ze het huis verruild voor een bejaardenwoning in Florida. Omstreeks die tijd was deze foto genomen van Kiki als ziekenhuisadministratrice en laatste erfgename van Langham Drive 83. Op de foto is ze een en al tanden en haren terwijl ze een staatsprijs in ontvangst neemt voor wat ze in de plaatselijke gemeenschap had gedaan op het gebied van de thuiszorg. Een blanke arm is rond een toentertijd nog bijzonder smalle taille in strak denim geslagen; die arm, slechts te zien vanaf de elleboog, is van Howard.

Als mensen gaan trouwen begint er vaak een strijd over welke familie – die van de man of die van de vrouw – de overhand krijgt. Howard had die strijd blijmoedig verloren. De Belseys – bekrompen, goedkoop en hard – waren geen familie die de moeite van een strijd rechtvaardigde. En omdat Howard zich zo gemakkelijk gewonnen had gegeven, was het voor Kiki gemakkelijk om zich grootmoedig te gedragen. En dus hangt hier, op de eerste overloop, de enige afbeelding in huis van de Engelse familie Belsey, een houtskoolportret van Howards vader, Harold, zo hoog als net nog betamelijk is, met zijn werkmanspet op zijn hoofd. Hij heeft zijn ogen neergeslagen, alsof hij wanhoopt over de exotische wijze waarop Howard heeft verkozen de familielijn voort te zetten. Het had Howard zelf verbaasd dit portret – beslist het enige stukje kunst dat de familie Belsey ooit had bezeten – tussen de schamele hoeveelheid waardeloze troep die te voorschijn kwam na de dood van zijn moeder aan te treffen. In de jaren daarna had het portret zich opgewerkt, net als Howard zelf. Veel ontwikkelde Amerikanen uit de betere kringen met wie de Belseys omgaan, spreken er hun bewondering voor uit. Het wordt 'stijlvol' genoemd, 'mysterieus' en vaag riekend naar de 'Engelse aard'. Naar Kiki's oordeel is het iets wat de kinderen als ze wat ouder zijn zullen waarderen, een argument dat slinks voorbijgaat aan het feit dat de kinderen al wat ouder zijn en er geen interesse voor lijken te hebben. Howard zelf heeft er een hartgrondige hekel aan, zoals hij een hartgrondige hekel heeft aan alle vormen van representatieve kunst – en aan zijn vader.

Na Harold Belsey volgt een aantal vrolijke foto's van Howard zelf in de jaren zeventig, tachtig en negentig. Ondanks zijn veranderende kleding blijven zijn belangrijkste kenmerken door de jaren vrijwel gelijk. Zijn tanden – uniek voor zijn familie – zijn recht en allemaal ongeveer even groot; het volle van zijn onderlip compenseert aardig de afwezigheid van een bovenlip en zijn oren vallen niet op – en meer kun je van oren niet verlangen. Hij heeft geen kin, maar zijn ogen zijn heel groot en heel groen. Hij heeft een dunne, fraaie, aristocratische neus. Als je hem naast mannen van zijn eigen leeftijd en achtergrond zet, heeft hij twee belangrijke voordelen: zijn haar en gewicht. Beide zijn weinig veranderd. Het haar vooral is bijzonder vol en gezond. Een grijze lok valt over zijn rechterslaap. Deze herfst besloot hij om het voor een groot deel over zijn gezicht te laten vallen, zoals hij het sinds 1967 niet meer had gedragen – en dat was een groot succes. Een grote foto van Howard, uittorenend boven andere leden van de faculteit der Geesteswetenschappen terwijl die netjes rond Nelson Mandela gegroepeerd staan, geeft hier wel een aardig beeld van: hij heeft onmiskenbaar het meeste haar van alle mannen. De foto's van Howard worden talrijker naarmate we dichter bij de benedenverdieping komen: Howard in een bermudashort met spierwitte, wasachtige knieën; Howard in academisch tweed onder een boom, in de vlekkerige schaduw van het licht van Massachusetts; Howard in een grote hal, bij zijn benoeming tot professor in de esthetica; Howard met een honkbalpet op, wijzend naar het huis van Emily Dickinson; Howard met een baret op, zonder duidelijke reden; Howard in een felgekleurde overall in Eatonville, Florida, met Kiki naast hem die haar ogen tegen hem beschermt, of tegen de zon, of tegen de camera.

Howard bleef even op de middelste overloop staan om te telefoneren. Hij wilde spreken met dr. Erskine Jegede, docent van a-leerstoel van Soyinka in de Afrikaanse literatuur en assistent-directeur van de afdeling Afro-Amerikaanse Wetenschappen. Hij zette zijn koffer op de grond en stak zijn vliegticket onder zijn oksel. Hij toetste het nummer in en wachtte al die tijd dat de telefoon overging, terwijl hij huiverde bij de gedachte dat zijn goede vriend in zijn tas liep te zoeken, zich verontschuldigend bij zijn collega's en zich een weg banend uit de bibliotheek, de kou in.

'Hallo?'

'Hallo, met wie spreek ik? Ik ben in de bibliotheek.'

'Ersk, met Howard. Sorry, sorry, ik had eerder moeten bellen.'

'Howard? Ben jij niet boven?'

Meestal was hij daar wel, lezend in zijn geliefde studiecel 187, op de allerhoogste verdieping van Greenman, de bibliotheek van Wellington College. Al jarenlang deed hij dat elke zaterdag, behalve bij ziekte of sneeuwstormen. Hij las dan de hele ochtend en trof Erskine daarna rond lunchtijd op de benedenverdieping voor de lift. Erskine sloeg graag kameraadschappelijk een arm om Howards schouders wanneer ze samen naar de kantine liepen. Ze vormden een grappig stel. Erskine was bijna dertig centimeter kleiner, volledig kaal, zijn schedel glom als ebbenhout en hij had de typische kippenborst van een kleine man, die hij altijd naar voren stak. Overal en altijd verscheen hij in kostuum (Howard droeg al tien jaar lang verschillende versies van dezelfde zwarte spijkerbroek) en de potentaatachtige indruk die Erskine wekte, werd gecompleteerd door zijn keurig bijgehouden peper-en-zoutkleurige baard, puntig als van een Wit-Rus, met een bijpassende snor en driedimensionale sproeten op zijn neus en wangen. Tijdens hun lunch liet hij zich altijd verbazend grof en slechtgehumeurd uit over zijn collega's – niet dat die dat ooit te weten kwamen of vermoedden: Erkines sproeten hadden een ongelooflijk diplomatiek effect. Howard had vaak gewenst dat hij net zo'n goedmoedig gezicht had kunnen tonen. Na de lunch gingen Erskine en Howard ieder hun eigen weg, altijd met enige tegenzin. Tot etenstijd verbleven ze in hun studiecel. Howard beleefde veel genoegen aan deze zaterdagse gewoonte.

'Hè, dat treft ongelukkig,' zei Erskine toen hij Howards nieuws hoorde, en zijn opmerking betrof niet alleen Jerome maar ook het feit dat de twee mannen het nu zonder elkaars gezelschap moesten stellen. En daarna: 'Arme Jerome. Het is een goeie jongen. Hij probeert hiermee vast iets te bewijzen.' Erksine zweeg even. 'Wat, dat weet ik niet.'

'Maar Monty Kípps,' herhaalde Howard wanhopig. Hij wist dat hij van Erskine de gewenste reactie zou krijgen. Ze waren niet voor niets bevriend.

Erskine floot vol medeleven. 'God, Howard, vertel mij wat. Ik herinner me die gek van een Monty nog van de rellen in Brixton, in 1981, ik probeerde bij de bbc World Service wat te vertellen over de context, deprivatie, et cetera,' – Howard genoot van de Nigeriaanse zangerige toon waarop hij 'et cetera' zei – 'toen hij daar tegenover me zat, met zijn Trinidad cricketclubdas, en zei: "Een kleurling moet zorgen voor zijn eigen thuis, de kleurling moet verantwoordelijkheid nemen." De kleurling! En dat zegt hij nog steeds! Elke keer als we een stap vooruit waren, bracht Monty ons allemaal weer twee stappen terug. Wat een triest figuur. Ik heb eigenlijk wel medelijden met hem. Hij is te lang in Engeland gebleven. Dat heeft een vreemde invloed op hem gehad.'

Howard zweeg aan de andere kant van de lijn. Hij keek of zijn paspoort in zijn computertas zat. Hij voelde zich doodmoe bij het vooruitzicht van de reis en de strijd die hem aan het einde daarvan wachtte.

'En zijn werk wordt elk jaar slechter. Ik vond dat boek over Rembrandt bijzonder laag-bij-de-gronds,' vervolgde Erskine op beminnelijke toon.

Howard voelde dat het niet fair was om Erskine in zo'n oneerlijke positie te dwingen. Monty was een eikel, maar gek was hij niet. Monty's boek over Rembrandt was naar Howards oordeel retrogressief, pervers, gekmakend essentialistisch, maar het was niet laag-bij-de-gronds en ook niet dom. Het was goed. Gedetailleerd en grondig. Het had ook het grote voordeel dat het in een harde kaft was gebonden en gedistribueerd in de hele Engelssprekende wereld, terwijl Howards boek over hetzelfde onderwerp maar niet afkwam en verspreid voor zijn printer op de grond lag op vellen papier die, zo leek het hem soms, vol walging uit het apparaat waren gespuugd.

'Howard?'

'Ja, ik ben er nog. Maar ik moet nu gaan. Ik heb een taxi besteld.'

'Voorzichtig aan, kerel. Jerome is... nou ja, tegen de tijd dat je daar bent aangekomen zal heus wel blijken dat het om een storm in een glas water gaat.'

Op de zesde tree vanaf beneden werd Howard verrast door Levi. Weer die kous over zijn kop. Hij keek van onderaf naar hem op, dat opvallende, leeuwachtige gezicht met die mannelijke kin, waarop al twee jaar haar groeide dat zich er toch nog niet helemaal thuis leek te voelen. Hij droeg geen shirt en liep op blote voeten. Zijn slanke bovenlijf rook naar cacao-boter en was onlangs geschoren. Howard strekte zijn armen uit om hem de weg te versperren.

'Wat stelt dit voor?' vroeg zijn zoon.

'Niets. Ik vertrek zo.'

'Wie had je aan de telefoon?'

'Erskine.'

'Dus je vertrekt echt?'

'Ja.'

'Nu meteen?'

'Wat stelt dit voor?' vroeg Howard, de rollen omdraaiend terwijl hij Levi's hoofd aanraakte. 'Is dat uit politieke overwegingen?'

Levi wreef in zijn ogen. Hij bracht zijn armen achter zijn rug, sloeg zijn handen in elkaar en strekte zijn armen naar beneden, waardoor zijn borst enorm uitzette.

'Het stelt niets voor. Het is gewoon wat het is,' zei hij alsof hij een spreuk voorlas. Hij beet op zijn duim.

'O, dus...' zei Howard, in een poging dit te vertalen, 'het is dus voor het esthetische, om er mooi uit te zien.'

'Zoiets,' zei Levi en haalde zijn schouders op. 'Tja. Gewoon wat het is, gewoon iets wat ik draag. Je weet wel. Het houdt mijn hoofd warm, man! Gewoon praktisch, zeg maar.'

'Het maakt je hoofdhuid nogal... strak. Glad. Net een boon.'

Hij kneep even vriendschappelijk in de schouders van zijn zoon en druk-te hem tegen zich aan.

'Ga je naar je werk? Laten ze je daarmee lopen, bij die hoe-heet-het, die platenzaak?'

'Tuurlijk... Het is geen platenzaak, dat zeg ik steeds al, het is een mega-store. Met zeven verdiepingen... Je maakt me aan het lachen, man,' zei Levi rustig, terwijl zijn lippen door Howards overhemd heen tegen diens huid zoemden. Levi maakte zich los en tikte een paar keer op zijn vaders hoofd. 'Dus je gaat nu weg of zo? Wat ga je tegen J zeggen? Met welke maatschappij vlieg je?'

'Ik weet het niet, niet zeker. Waarschijnlijk met de airmiles. Iemand op het werk heeft voor me geboekt. Luister... ik ga alleen maar met hem praten, gewoon een redelijk gesprek als redelijke mensen.'

'Jezus...' zei Levi en klakte met zijn tong. 'Kiki vindt het onwijs stom... En ik ook. Ik vind dat je het gewoon voorbij moet laten gaan, gewoon over laten waaien. Jerome gaat echt niet trouwen. Hij kan zijn pik met twee handen nog niet vinden.'

Howard was het ergens wel eens met deze vaststelling, al wilde hij dat niet laten merken. Jeromes langdurige staat van maagdelijkheid – waarvan Howard had verondersteld dat die nu wel ten einde was gekomen – vertegenwoordigde in Howards ogen een ambivalente relatie tot de aarde en haar bewoners, waar Howard nauwelijks een reden tot vreugde in zag of begrip voor kon opbrengen. Jerome was op de een of andere manier niet zo fysiek ingesteld, en dit had zijn vader altijd een ongemakkelijk gevoel gegeven. En nu maakte die rottige toestand in Londen zeker een einde aan de vage geur van morele superioriteit die Jerome in zijn tienerjaren om zich heen had hangen.

'Dus als iemand een fout maakt in zijn leven,' zei Howard in een poging het gesprek wat verder uit te diepen, 'een verschrikkelijke fout, dan zou jij dat maar gewoon laten gebeuren?'

Levi moest hier even over nadenken.

'Nou... Al zóu hij gaan trouwen, ik begrijp niet waarom trouwen ineens zoiets vreselijks is... Dan kan hij in elk geval nog íemand in zijn bed krijgen...' Levi liet een diepe, bulderende lach horen waardoor zijn schitterende buikpartij werd ingetrokken en plooien vormde alsof het een shirt was. 'Je wéét dat hij anders echt geen kans maakt.'

'Levi, dat is...' begon Howard, maar toen kwam er een beeld bij hem boven van Jerome, met zijn onregelmatige afrokapsel en zijn zachte, gevoelige trekken, zijn vrouwelijke heupen en zijn spijkerbroek die altijd iets te hoog in de taille zat, het kleine gouden kruisje om zijn hals – die fundamentele onschuld.

'Wat? Is dat soms niet waar of zo? Je weet dat het waar is, man... nou lach je zelf!'

'Het gaat niet om trouwen op zich,' zei Howard boos. 'Het ligt ingewikkelder. De vader van dat meisje is... iemand die we in onze familie niet kunnen gebruiken, om het zo maar te zeggen.'

'O, nou ja...' zei Levi, terwijl hij zijn vaders stropdas zo draaide dat de voorkant goed zat, 'ik begrijp niet wat dat daar allemaal mee te maken heeft.'

'We willen gewoon niet dat Jerome er een potje van maakt als hij...'

'We?' zei Levi, met een bedreven opgetrokken wenkbrauw – genetisch gezien een direct erfstuk van zijn moeder.

'Luister... heb je geld nodig of zoiets?' vroeg Howard. Hij tastte in zijn portemonnee en haalde er twee verkreukelde biljetten van twintig dollar uit, opgepropt als zakdoekjes. Na al die jaren kon hij het smerig groene gevoel van Amerikaans geld nog steeds niet erg serieus nemen. Hij stopte ze in Levi's laaghangende broekzak.

'Wordt gewaardeerd, pa,' zei Levi lijzig, zijn moeders zuidelijke accent nabootsend.

'Ik weet niet wat voor uurloon ze je daar betalen...' mopperde Howard. Levi zuchtte dramatisch. 'Stelt bijna niets voor, man... echt bijna niets.'

'Als je wilt dat ik daar eens met iemand ga praten om...'

'Nee!'

Howard veronderstelde dat zijn zoon zich voor hem geneerde. Schaamte leek het erfstuk in de mannelijke lijn van de Belseys. Wat had Howard op die leeftijd zijn eigen vader niet verschrikkelijk gevonden! Hij had gewild dat hij iets anders was dan slager, iemand die zijn hersenen moest gebruiken bij zijn werk in plaats van messen en een weegschaal – meer een man zoals Howard nu was. Maar mensen veranderen, en kinderen veranderen ook. Zou Levi liever een slager als vader hebben?

'Ik bedoel,' zei Levi, argeloos zijn eerste reactie aanpassend, 'ik kan het zelf wel regelen, maak je maar geen zorgen.'

'Juist. Heeft je moeder nog een boodschap achtergelaten of...?'

'Een boodschap? Ik heb haar niet eens gezien. Ik heb geen idee waar ze is, ze is heel vroeg weggegaan.'

'Goed. En jij? Nog een boodschap voor je broer misschien?'

'Ja... zeg maar,' begon Levi lachend, terwijl hij zich omdraaide en aan weerszijden de trapleuningen vastgreep, waarbij hij zijn voeten optrok als een turner op de brug, 'zeg maar dat ik gewoon een zwarte gast ben in de smeltkroes die probeert van een dubbeltje een kwartje te worden.'

'Goed. Doe ik.'

Er werd aangebeld. Howard daalde een tree, drukte een kus op het achterhoofd van zijn zoon, dook onder zijn arm door en liep naar de deur. Een bekend, grijnzend gezicht stond aan de andere kant, blauw van de kou. Howard hief ter begroeting een vinger op. Het was een Haïtiaan, Pierre, een van de velen van dat penibele eiland, die nu werk had in New England en discreet Howards gebrek aan een rijbewijs compenseerde.

'Hé, waar is Zoor?' riep Howard vanaf de drempel over zijn schouder naar Levi.

Levi haalde zijn schouders op. 'Kwee-nie,' zei hij, het antwoord dat hij op bijna elke vraag gaf. 'Zwemmen?'

'Met dit weer? Jezus.'

'Het is wel een binnenbad. Natuurlijk.'

'Zeg haar maar gedag van me, oké? Ben woensdag terug. Nee, donderdag.'

'Goed, pa. Voorzichtig, yo.'

In de auto schreeuwden mannen op de radio naar elkaar in een soort Frans dat niet echt Frans was, voorzover Howard dat kon horen.

'Naar het vliegveld, graag,' riep Howard eroverheen.

'Oké. We moeten wel langzaam rijden. De straten zijn niet best.'

'Oké, maar niet te langzaam.'

'Terminal?'

Hij sprak het woord met zo'n accent dat Howard meende de titel van Zola's boek, *Germinal*, te verstaan.

'Wat is daarmee?'

'U weet waar de terminal is?'

'O... nee... daar kom ik wel achter, ergens daar, maak je geen zorgen... rij maar door. Ik vind het wel.'

'Altijd maar vliegen...' zei Pierre wat droefgeestig, en lachend keek hij Howard via het spiegeltje aan. Howard viel de enorm brede neus op, die een flink deel van het goedmoedige gezicht bestreek.

'Altijd op weg, ja,' zei Howard joviaal, al had hij niet het idee dat hij zo heel veel reisde, maar als hij het deed, was het vaker en verder dan hem lief was. Hij moest weer aan zijn eigen vader denken – vergeleken met hem had Howard meer weg van Phileas Fogg. Reizen had hem vroeger de sleutel naar het geluk geleken. Je droomde van een leven vol reizen. Howard keek door zijn raampje naar een lantaarnpaal die voor de helft in de sneeuw stond en als steun diende voor twee vastgeketende, bevroren fietsen, slechts herkenbaar aan de uiteinden van de handgrepen. Hij stelde zich voor dat hij die ochtend wakker was geworden, zijn fiets uit de sneeuw had gegraven en naar zijn werk was gereden, een fatsoenlijke baan van het soort dat de Belseys generaties lang hadden gehad, en constateerde dat hij zich zoiets toch niet kon voorstellen. Howard vond het interessant genoeg om even over na te denken: het idee dat hij niet langer de luxe van zijn eigen leven kon meten.

Toen ze weer thuis was nam Kiki voor ze naar haar eigen werkkamer ging de gelegenheid te baat om die van Howard te bekijken. Het was er half-donker, de gordijnen waren dicht. Hij had de computer aan laten staan. Net toen ze zich omdraaide om weer weg te lopen hoorde ze het apparaat tot leven komen, dat zwoegende, elektronische geluid dat computers on-geveer om de tien minuten produceren als ze niet worden gebruikt, alsof ze iets missen en daarom iets ongezonds de ether in sturen om ons te be-rispen voor het feit dat we ze in de steek hebben gelaten. Ze liep ernaartoe en sloeg een toets aan – daar verscheen het beeld: zijn inbox, met één nieuw e-mailbericht. In de juiste veronderstelling dat dat van Jerome was (Howard onderhield mailcontact met zijn onderwijsassistent Smith J. Mil-ler, met Jerome, met Erskine Jegede en nog een stel kranten en bladen, verder met niemand) klikte Kiki op het bericht.

Aan: howardbelsey@fas.wellington.edu
Van: jeromeabroad@easymail.com
Datum: 21 november
Onderwerp: LEES DIT ALSJEBLIEFT

Pap – foutje. Ik had niets moeten zeggen. Helemaal voorbij – als het al ooit was begonnen. Vertel het alsjeblieft, alsjeblieft, alsjeblieft niet verder, vergeet het gewoon. Ik heb me volkomen belachelijk gemaakt! Ik zou nu liefst in de grond kruipen en sterven.

Jerome

Kiki liet een kreet van ongerustheid horen, vloekte toen en draaide twee keer rond haar as, waarbij ze haar sjaaltje rond haar vingers wikkelde, tot-dat haar lichaam haar geest inhaalde en zich vermande, want ze kon er nu eenmaal niets meer aan veranderen. Howard was nu waarschijnlijk toch al bezig zijn knieën in de onmogelijk krappe ruimte voor zijn stoel te wringen, zichzelf kwellend met de vraag welke boeken hij bij zich zou houden voordat hij zijn tas achter het bagageluik boven hem opborg – het was te laat om hem tegen te houden en ze kon hem niet bereiken. Howard had een diepe angst voor kankerverwekkende stoffen: hij controleerde alle etenswaren op diethylstilbestrol, hij verafschuwde magnetrons en had nooit een mobiele telefoon gewild.

4

Wat het weer betreft leven de bewoners van New England in een illusie. In de tien jaar dat Howard aan de oostkust woonde, was hij de tel kwijtgeraakt van het aantal keren dat een of andere mafkees uit Massachusetts hem bij het horen van zijn accent meewarig had aangekeken en iets had gezegd in de trant van: *Koud daar, hè?* Howard zou dan het liefst zeggen: luister, laten we even een paar dingen rechtzetten. In Engeland is het in juli en augustus niet warmer dan in New England, dat klopt. Waarschijnlijk ook niet in juni. Maar het is er wel warmer in oktober, november, december, januari, februari, maart, april en mei – in alle maanden dat warmte ertoe doet. In Engeland zitten de brievenbussen niet vol sneeuw. Je ziet er zelden een eekhoorn bibberen. Je hoeft geen schep te hanteren om je vuilnisbakken uit te graven. Dat komt doordat het in Engeland nooit echt heel erg koud is. Het motregent er vaak, en het waait er; het hagelt ook wel eens, en je hebt wel eens zo'n dinsdag in januari dat de tijd niet opschiet en het maar geen dag wil worden en de lucht vol vocht zit en niemand echt om een ander geeft, maar een dikke trui en een waxjas met wollen voering zijn afdoende voor elk weertype dat Engeland kent. Dat wist Howard, en dus was hij gekleed op Engeland in november: zijn enige 'mooie' pak, met daarover een lichtgewicht trenchcoat. Zelfvoldaan keek hij naar de vrouw uit Boston tegenover hem die het veel te warm had in haar rubberjas en bij wie het zweet langs haar haargrens parelde en over haar wang naar beneden droop. Hij zat in de trein van Heathrow richting centrum.

Bij Paddington gingen de deuren open en stapte hij de warme smog van het station in. Hij maakte een prop van zijn sjaal en stopte hem in zijn zak. Hij was geen toerist en hij keek niet om zich heen, niet naar de pure pracht van het interieur, niet naar het fraai bewerkte plafond van glas en staal. Hij liep rechtstreeks naar buiten waar hij een sigaretje kon rollen en roken. De afwezigheid van sneeuw was een openbaring. Een sigaret vast te kunnen houden zonder handschoenen, je hele gezicht bloot te stellen aan de frisse lucht! Howard voelde zich zelden geroerd door een Engelse skyline, maar vandaag had hij bij het zien van een eik en een kantorenblok, omringd door een blauwachtige hemel zonder een glimpje wit, het idee een landschap te zien van een zeldzame schoonheid en beschaving. Ontspannen leunde hij in een smalle bundel zonlicht tegen een zuil. Een rij zwarte taxi's kwam achter elkaar aanrijden. Mensen zeiden waar ze naartoe wilden en werden genereus geholpen hun bagage achter in de auto te zetten. Howard was onthutst toen hij twee keer in vijf minuten als bestemming 'Dalston' hoorde opgeven. Dalston was in de tijd dat Howard daar was geboren een gore achterbuurtwijk in East End, vol gore mensen die hadden geprobeerd hem kapot te maken – zijn familie voorop. Nu was het blijkbaar een plek waar normale mensen woonden. Een blondje in een lange poederblauwe overjas die een draagbare computer en een kamerplant vasthield, een Aziatische jongen gekleed in een goedkoop, glimmend pak waarin het licht werd weerkaatst als in bladstaal. Het was voor hem onmogelijk zich deze mensen voor te stellen in het East Londen zoals hij zich dat van vroeger herinnerde. Howard liet zijn peuk vallen en trapte hem uit in de goot. Hij liep terug door het station en hield gelijke tred met een aantal mannen in pak, door wie hij zich de trap naar de metro af liet jagen. In een metrowagen met alleen staanplaatsen probeerde Howard, tegen een hardnekkige lezer aan geperst, zijn kin te beschermen tegen de harde kaft van het boek en dacht hij na over zijn missie. Hij was nog niets opgeschoten met zijn hoofdpunten: wat hij zou zeggen, hoe hij het zou zeggen en tegen wie. Het was allemaal veel te ondoorzichtig en uit zijn verband gerukt door de ondraaglijke herinnering aan de volgende twee zinnen:

Zelfs in het licht van de bijzonder armzalige argumenten die hij gebruikt, zou het geheel natuurlijk heel wat boeiender zijn als Belsey wist over welk schilderij ik het had. In zijn brief richt hij zijn aanval op het *Zelfportret* uit 1629 dat in München hangt. Helaas voor hem heb ik in mijn artikel meer dan duidelijk gemaakt dat het om het *Zelfportret met Kanten Kraag* gaat, uit hetzelfde jaar, dat in Den Haag hangt.

Dit waren de zinnen die Monty Kipps had geschreven. Drie maanden lang bleven ze hangen, steken, soms leken ze zelfs een heus gewicht te hebben – wanneer hij eraan dacht, zakten Howards schouders naar voren alsof plotseling iemand achter hem was verschenen en hem had beladen met een rugzak vol stenen. Howard stapte uit bij Baker Street en liep over het perron naar de Jubilee-lijn naar het noorden, waar hem een wachtende trein begroette. Natuurlijk was het wel zo dat op beide zelfportretten van Rembrandt een witte kraag stond afgebeeld, godnogaantoe; bij beide doemen de gezichten op uit sombere, dreigende schaduwen, en allebei met de angstige blik van een jongvolwassene – maar dat deed er niet toe. De positie van het hoofd die Monty in het artikel had beschreven, was Howard ontgaan. Hij maakte toen een bijzonder moeilijke tijd door en had zijn aandacht er niet helemaal bij gehad. Monty had zijn kans schoon gezien. Howard zou hetzelfde hebben gedaan. Iemand in één klap, als een jongen die voor de ogen van het andere team de korte broek van het achterwerk van zijn vriendje trekt, voor gek te zetten, hem te kakken zetten – dat is een van de grootste genoegens van academici. Je hoeft het niet eens te verdienen; je hoeft er alleen maar gelegenheid voor te geven. Maar wat een stunt! Vijftien jaar lang hadden de twee mannen in dezelfde kringen verkeerd, dezelfde universiteiten bezocht, bijdragen geleverd aan dezelfde tijdschriften, soms het podium gedeeld – maar nooit een mening – tijdens forumgesprekken. Howard had altijd de pest gehad aan Monty, zoals iedere liberaal met een beetje verstand de pest heeft aan een man die zijn hele leven wijdt aan de perverse politiek van de rechtse beeldenstorm, maar hij had hem nooit écht gehaat totdat hij twee jaar geleden het nieuws hoorde dat Kipps ook bezig was met een boek over Rembrandt. Een boek dat, zo voelde Howard aan, zelfs al voordat het werd gepubliceerd, enorm populair – en populistisch! – zou worden en een halfjaar boven aan de bestsellerlijst van New York zou prijken om daar alle andere boeken onder zich te verpletteren. Het was de gedachte aan dat boek en het lot dat het zou zijn beschoren – vergeleken met Howards eigen onvoltooide werk dat, in het gunstigste geval, niet verder zou komen dan de boekenplanken van een stuk of duizend studenten kunstgeschiedenis – die hem ertoe hadden gebracht die vreselijke brief te schrijven. Ten overstaan van de gehele academische wereld had Howard een touw gepakt en zichzelf opgeknoopt.

Vlak voor station Kilburn vond Howard een telefooncel en belde hij inlichtingen. Hij gaf het volledige adres van Kipps op en kreeg daarop een telefoonnummer te horen. Een paar minuten lang bleef hij daar treuzelen, terwijl hij de kaartjes van de prostituees bestudeerde. Vreemd dat er zo veel van die dames van lichte zeden waren, verstopt in Victoriaanse erkers, weggekropen in naoorlogse halfvrijstaande huizen. Hij merkte op dat velen van hen zwart waren – veel meer dan je in een telefooncel in Soho zou aantreffen, natuurlijk – en hoeveel, als je de foto's mocht geloven (mag je die geloven?) bijzonder knappe meisjes erbij zaten. Hij pakte de hoorn weer op. Hij wachtte. In het afgelopen jaar was hij zich schuwer gaan gedragen tegenover Jerome. Hij was bang voor die nieuwe religieuze hang van de jongvolwassene, die morele ernst en stiltes waar altijd iets van kritiek in verscholen lag. Howard vatte moed en toetste het nummer in.

'Hallo?'

'Ja, hallo.'

De stem – jong en zeer Londens – bracht Howard even van zijn stuk.

'Hoi.'

'Sorry, met wie?'

'Ik ben... met wie spreek ik?'

'Familie Kipps. Met wie spréék ik?'

'Aha... de zoon, juist.'

'Pardon? Wie bent u??'

'Eh... luister, ik moet – dit is lastig – ik ben de vader van Jerome en...'

'O, oké, ik zal hem even roepen...'

'Nee, nee, wacht... heel even...'

'Het geeft niet, hij zit te eten, maar ik kan hem wel roepen –'

'Nee, nee, ik... luister, ik wil niet... Het zit zo, ik kom net aan uit Boston... we hebben nog maar net gehoord, eh...'

'Oké,' zei de stem op een vragende manier waar Howard niet goed raad mee wist.

'Tja,' zei Howard, en slikte moeizaam, 'ik zou graag iemand van de familie spreken die een beetje... voordat ik echt met Jerome ga praten. Hij heeft niet veel uitgelegd en kennelijk... je vader zal vast wel...'

'Mijn vader zit ook te eten. Wilt u...?'

'Nee... nee, nee, nee, néé, ik bedoel, hij zal niet... néé, nee, nee, ik... het is natuurlijk een vreselijke toestand, de kwestie is alleen...' begon Howard, maar hij kon niet bedenken wat voor kwestie het eigenlijk was. Er klonk een kuchje aan de andere kant.

'Luister, ik begrijp het niet. Wilt u nu dat ik Jerome haal?'

'Ik ben eigenlijk heel dicht in de buurt...' flapte Howard eruit.

'Pardon?'

'Ja... ik sta in een telefooncel... ik ken dit deel van de stad niet zo goed... geen kaart, weet je. Je kunt me zeker... niet even ophalen? Ik ben nogal...

ik raak de weg kwijt als ik jullie huis probeer te vinden, totaal geen richtingsgevoel... ik sta vlak voor het station...'

'Juist. Het is niet zo moeilijk hoor, ik kan wel zeggen hoe u moet lopen.'

'Het zou echt heel fijn zijn als je me even oppikt. Het wordt al donker en ik weet zeker dat ik verkeerd loop, en...'

Howard kromp zwijgend ineen.

'Ik zou jullie namelijk eerst graag een paar dingen vragen, voordat ik Jerome spreek.'

'Goed,' zei de stem nu eindelijk een tikje geïrriteerd, 'nou, ik trek even mijn jas aan, oké? Voor het station? Queen's Park.'

'Queens...? Nee, ik eh... o god, ik sta bij Kilburn... is dat niet goed? Ik dacht dat jullie in Kilburn woonden.'

'Nou, niet echt. We wonen daartussenin, maar dichter bij Queen's Park. Luister... ik kom u halen, maakt u zich geen zorgen. Kilburn Jubilee, ja?'

'Ja, dat klopt, dat is heel aardig van je. Bedankt. Ben jij Michael?'

'Ja. Mike. En u bent...?'

'Belsey, Howard Belsey. Jeromes...'

'O ja. Blijf staan waar u staat, professor. Ik ben er over een minuut of zeven.'

Een grove blanke jongen stond voor de telefooncel te wachten, met een pafferig gezicht en drie puisten op gelijke afstand van elkaar: een op zijn neus, een op zijn wang en een op zijn kin. Toen Howard met zo'n typisch verontschuldigend lachje de deur opendeed, reageerde de jongen op de typische ik-lap-conventies-aan-mijn-laars-manier daarop met 'dat werd verdomme eens tijd' en maakte het vervolgens zo moeilijk mogelijk voor Howard om naar buiten te komen en voor hemzelf om naar binnen te gaan. Howards gezicht gloeide. Waarom schaamde hij zich terwijl iemand anders zo onbeschoft was dat hij hem opzij duwde – vanwaar die schaamte? Maar het was meer dan schaamte, het was ook de fysieke capitulatie. Op zijn twintigste zou Howard iets grofs teruggezegd hebben of hem hebben uitgedaagd, en ook nog op zijn dertigste, zelfs nog op zijn veertigste, maar niet nu hij zesenvijftig was. Uit angst voor een escalatie (*Wat mot je? Kijk voor je!*) haalde Howard de benodigde drie pond uit zijn broekzak voor de fotoautomaat vlakbij. Hij boog door zijn knieën en trok het oranje minigordijntje opzij alsof hij een piepkleine harem betrad. Hij ging op het krukje zitten, zette een vuist op elke knie en boog zijn hoofd. Toen hij opkeek, zag hij zichzelf weerspiegeld in de smerige perspex plaat, met een grote rode kring om zijn gezicht. De eerste flits ging af zonder dat Howard erop voorbereid was. Hij had zijn handschoenen laten vallen en net toen hij omlaag keek om te kijken waar ze lagen, moest hij opspringen toen hij hoorde dat het apparaat in werking trad, waarbij zijn hoofd omhoogschoot zodat zijn haar voor zijn rechteroog hing. Hij zag er geïntimideerd, verslagen uit. Voor de tweede flits hief hij zijn kin en probeerde hij de camera uit te dagen zoals die jongen misschien zou doen – nu keek hij nog onzekerder. Daarna volgde een volkomen onechte glimlach die Howard normaal nooit zou laten zien. En de reactie na deze onechte glimlach was bedroefd, open, beteuterd, bijna alsof hij iets opbiechtte, zoals mannen vaak op het eind van hun leven kijken. Howard gaf het op. Hij bleef waar hij was en wachtte tot de jongen de telefooncel had verlaten en wegliep. Toen raapte hij zijn handschoenen van de grond en verliet hij het hokje.

Buiten stonden de kale bomen achter elkaar langs de weg, hun gesnoeide takken staken omhoog in de lucht. Howard liep erop af om tegen een ervan aan te leunen, waarbij hij ervoor oppaste dat hij niet tegen de smerige plek van de stam ging staan. Vandaar af kon hij zowel beide kanten van de straat als de ingang van het station in de gaten houden. Toen hij een paar minuten later opkeek, zag hij de jongen op wie hij waarschijnlijk wachtte de hoek om komen. Volgens Howard, die zich erop liet voorstaan dat hij dit soort dingen wist, zag hij eruit als een Afrikaan. Zijn huid had die okerkleurige gloed, het duidelijkst zichtbaar op de plek waar de huid dicht tegen het bot aan zat: op de jukbeenderen en het voorhoofd. Hij droeg leren handschoenen, een lange grijze overjas en een donkerblauwe kasjmieren das die hij zwierig had vastgeknoopt. Hij had een bril met een dun, goudkleurig montuur. Zijn schoenen vielen op: bijzonder vieze sportschoenen, van die smakeloze, goedkope, die Levi volgens Howard nooit zou dragen. Toen hij het station naderde, vertraagde hij zijn pas en keek hij rond naar de paar mensen die op andere mensen stonden te wachten. Howard was ervan uitgegaan dat hij even gemakkelijk te herkennen zou zijn als deze Michael Kipps, maar hij was degene die met uitgestoken hand op hem moest aflopen.

'Michael – Howard. Hallo. Bedankt dat je me bent komen halen, ik zou niet...'

'Was het goed?' kapte Michael hem kortweg af, terwijl hij naar het station knikte. Howard, die de vraag niet begreep, grinnikte stompzinnig terug. Michael was een heel stuk langer dan Howard, iets wat Howard niet gewend was en wat hem niet beviel. Hij was ook breed gebouwd, niet zoals de studenten met wie Howard vaak te maken had: een breedte die boven in de nek begint waardoor jongemannen de vorm krijgen van een trapezium, nee, deze jongen was eleganter. Een geboorterecht. Hij is een van die mensen, dacht Howard, die opvallen door een bepaald kenmerk, en dat kenmerk is in dit geval nobel. Howard vertrouwde dit soort mensen niet, als waren het boeken met een schreeuwerig omslag.

'Deze kant op,' zei Michael, en deed een stap naar voren, maar Howard greep zijn schouder vast.

'Even hierop wachten... nieuw paspoort,' zei hij, terwijl de foto's in het bakje gleden, waar een kunstmatig briesje ze begon droog te blazen.

Howard bukte al om de foto's te pakken, maar Michaels hand hield hem tegen.

'Wacht, laat ze even drogen, anders gaan ze vlekken.'

Howard ging weer rechtop staan en ze bleven allebei staan kijken naar de foto's die opdroogden. Hoewel Howard geen moeite had met de stilte, hoorde hij zichzelf ineens zeggen: 'Eh...' heel lang, zonder precies te weten wat er op dat 'eh' zou volgen. Michael draaide zich met een norse, afwachtende blik naar hem toe.

'Eh,' zei Howard weer. 'Wat doe jij voor werk, Mike, Michael?'

'Ik ben risicoanalist bij een handelshuis.'

Zoals veel academici wist Howard niets van dit soort zaken. Hij kon dertig verschillende ideologische trends in de sociale wetenschap onderscheiden maar wat een software-engineer deed, wist hij eigenlijk niet.

'O, juist... dat is heel... in de binnenstad?'

'In de binnenstad, ja. In de buurt van de St. Paul's.'

'Maar je woont nog wel thuis.'

'Alleen in het weekend. Eerst naar de kerk, dan de zondagse lunch. Familiedingetjes.'

'Woon je dichtbij of...?'

'Camden, vlak bij de...'

'O, maar Camden ken ik wel. Eens in de honderd jaar struinde ik daar zo'n beetje rond, je weet misschien wel waar de...'

'Uw foto's zijn klaar, geloof ik,' zei Michael, en pakte ze uit het bakje. Hij wapperde ermee en blies erover.

'De eerste drie kunt u niet gebruiken, die zijn niet recht in de camera,' zei Michael bars. 'Daar zijn ze heel streng in tegenwoordig. Misschien is die laatste bruikbaar.'

Hij gaf ze aan Howard, die ze zonder te kijken in zijn zak stak. Dus hij heeft nog meer moeite met dat huwelijk dan ik, dacht Howard. Hij kan het niet eens opbrengen om beleefd tegen me te doen.

Samen wandelden ze de straat in waar Michael zojuist uit was gekomen. Zelfs in de manier waarop de jongeman liep school een noodlottige ernst, elke stap leek bedoeld om zijn status te handhaven, alsof hij een agent moest bewijzen dat hij heus wel langs een rechte witte lijn kon lopen. Een minuut, twee minuten gingen voorbij zonder dat een van hen iets zei. Ze liepen langs huizen en nog meer huizen, nergens onderbroken door een openbaar toilet, winkel, bioscoop of wasserette. Overal rijen dicht op elkaar gebouwde Victoriaanse huizen, de ongetrouwde tantes van de Engelse architectuur, die cultuurmusea van burgerlijke Victoriaanse kunstvoorwerpen... Dit was iets waar Howard over kon doordraven. Hij was opgegroeid in een van die huizen. Eenmaal bevrijd van zijn eigen familie had hij geëxperimenteerd met extreme woonvormen – communes en kraakpanden. En toen waren de kinderen gekomen, de tweede familie, en werden al die woonvormen onmogelijk. Hij dacht niet graag terug aan hoezeer en hoe lang hij op het huis van zijn vrouw had geaasd – we vergeten wat we liever niet meer willen weten. Hij zag zichzelf in plaats daarvan als een man die door omstandigheden was gedwongen in ruimtes te wonen die hij in politiek, persoonlijk en esthetisch opzicht verwierp, als een concessie aan zijn familie. Een van de vele concessies.

Ze liepen een straat in die kennelijk in de oorlog was gebombardeerd. Hier stonden kolossen van rond 1950 met imitatie-Tudor-voorgevel en fantasiebestrating. Pluimen pampasgras hingen, als de staarten van enorme katten in buitenwijken, over de muren.

'Leuke buurt,' zei Howard, en verwonderde zich over dat instinct van hem waardoor hij zomaar precies het tegenovergestelde zei van wat hij dacht.

'Ja. U woont in Boston?'

'Net erbuiten. Vlak bij de universiteit waar ik lesgeef: Wellington. Waarschijnlijk hebben jullie er hier nog nooit van gehoord,' zei Howard met valse bescheidenheid, want Wellington was verreweg het meest gerespecteerde instituut waar hij ooit had gewerkt, bijna van Ivy League-niveau.

'Jerome zit daar toch?'

'Nee, nee... nee, zijn zusje... Zora. Jerome zit op Brown. Waarschijnlijk veel verstandiger,' zei Howard, hoewel hij in werkelijkheid gekwetst was geweest door die keuze. 'Zijn eigen vrijheid, geen knellende familieband en zo.'

'Die hoeft niet per se te knellen.'

'Denk jij van niet?'

'Ik heb op de universiteit gezeten waar mijn vader werkte. Ik vind het positief als een gezin een hechte band heeft.'

De hoogdravende manier van doen van de jonge man concentreerde zich volgens Howard in de kaak van de jongen, die hij tijdens hun wandeling steeds rondmaalde, alsof hij de mislukkingen van anderen liep te herkauwen.

'O, ja, absoluut,' zei Howard op een manier die volgens hem grootmoedig overkwam. 'Jerome en ik zijn alleen niet... nou ja, we denken over bepaalde dingen anders en... jij en je vader hebben waarschijnlijk een hechtere band dan wij. Misschien kunnen jullie beter... tja, ik weet niet.'

'We hebben een heel hechte band.'

'Nou,' zei Howard, die zich moest beheersen, 'dan hebben jullie erg veel geluk.'

'Het gaat erom dat je je best ervoor doet,' zei Michael fel, het onderwerp leek hem te inspireren, 'het gaat erom dat je er moeite voor doet. En ik denk dat het feit dat mijn moeder altijd thuis is, heel wat uitmaakt. Dat je een moederfiguur hebt en zo. Gekoesterd wordt. Het is een Caribisch ideaal, veel mensen vergeten dat.'

'Ja,' zei Howard, en terwijl hij de volgende twee straten afliep, langs een Hindoestaanse tempel in de vorm van een ijslepel en door een laan met afgrijselijke bungalows, sloeg hij in gedachten de jongen met zijn kop tegen een boom.

De straatlantaarns brandden nu in elke straat. Howard zag dat ze bij Queen's Park waren, waar Michael het over had gehad. Het had niets weg van de goed onderhouden koninklijke parken in het centrum. Niet meer dan een dorpsweide met een kleurig verlichte muziektent in het midden.

'Michael... mag ik iets zeggen?'

Michael zei niets.

'Luister, ik wil niemand van je familie beledigen, en ik zie wel dat we het in wezen eens zijn... dus ik begrijp niet waarom we er ruzie over zouden maken. We moeten echt even de koppen bij elkaar steken en iets bedenken... nou ja, een of andere manier, iets om hen er allebei van te overtuigen, je weet wel... dat dit een waanzinnig idee is... ik bedoel, daar komt het in feite toch op neer, vind je niet?'

'Luister, man,' zei Michael kortaf, en hij ging sneller lopen, 'ik ben geen intellectueel. Ik heb niets te maken met woordenwisselingen tussen u en mijn vader, oké? Ik ben een vergevingsgezinde christen, en wat mij betreft doet wat er tussen jullie speelt niets af aan wat wij van Jerome vinden. Het is een goeie knul, man, en daar gaat het om, dus van een ruzie is geen sprake.'

'Ja, nee... natuurlijk, natuurlijk, natúúrlijk, niemand heeft het hier ook over een ruzie... ik zeg alleen, en ik hoop dat je vader dit inziet, dat Jerome echt nog te jong is. Hij is in feite nog jonger dan hij in jaren is. In emotioneel opzicht is hij veel jonger, volkomen onervaren, veel meer nog dan jullie misschien beseffen –'

'Sorry, misschien ben ik gek, maar wat wilt u nu zeggen?'

Howard haalde bewust diep adem.

'Ik geloof dat ze allebei nog veel te jong zijn om te trouwen, Michael, echt. Dat is het, kort samengevat. Niet dat ik ouderwets ben, maar ik geloof echt, hoe je het ook bekijkt...'

'Trouwen?' zei Michael, terwijl hij bleef staan waar hij stond en zijn bril een stukje omhoogduwde, 'wie gaan er trouwen? Wat loopt u nou te bazelen?'

'Jerome. En Victoria, sorry... ik dacht echt dat...'

Michael trok nu op een andere manier met zijn kaken en kneep zijn ogen tot spleetjes.

'Hebben we het nu over mijn zusje?'

'Ja, sorry, Jerome en Victoria, over wie heb jij het dan? Wacht... wat?'

Michael liet een harde schaterlach horen en bracht toen zijn gezicht vlak voor dat van Howard, alsof hij daar iets zou kunnen bespeuren dat op een grap wees. Toen hij dat niet zag, zette hij zijn bril af en wreef hij de glazen op met zijn sjaal.

'Ik weet niet hoe u aan dat idee bent gekomen, maar ik zou zeggen: zet het in vredesnaam uit uw hoofd, want het is niet eens... poe!' Hij ademde zwaar uit, schudde zijn hoofd en zette zijn bril weer op. 'Ik bedoel, ik mag Jerome graag, het is een prima jongen, natuurlijk. Maar ik geloof niet dat mijn familie het een... goed idee zou vinden als Victoria zich zou binden aan iemand die zo totaal...' Howard zag dat Michael duidelijk naar een verzachtend woord zocht, 'nou ja, anders denkt over dingen die wij belangrijk vinden, ja? Dat zal dus niet gebeuren, sorry. U moet het verkeerd hebben begrepen, maar hoe dan ook, ik raad u aan om dit eerst goed tot u te laten doordringen voordat u het huis van mijn vader betreedt, ja? Jerome is het niet, maar dan ook helemáál niet.'

Michael liep in een hoog tempo weg, nog steeds zijn hoofd schuddend, terwijl Howard rechts achter hem probeerde hem bij te houden. De jongen wierp af en toe een blik opzij naar Howard, waarop hij weer met zijn hoofd schudde, totdat Howard behoorlijk opgefokt was.

'Luister, sorry hoor, ik vind dit niet bepaald leuk, begrijp je? Jerome zit boem midden in zijn studie rechten, en trouwens, als het zover komt dan denk ik dat hij een vrouw wil van hetzelfde – hoe zal ik dit netjes zeggen – intellectuele niveau, en niet de eerste de beste met wie hij een nummertje kan maken. Luister, ik wil niet ook nog ruzie met jou. We zijn het eens, dat is prima. Jij en ik weten allebei dat Jerome nog een baby is...' zei Howard toen hij Michael eindelijk had ingehaald, en hij liet de jongen nogmaals stilstaan door een stevige hand op zijn schouder te leggen. Michael draaide heel langzaam zijn hoofd om naar de hand, totdat Howard zich gedwongen voelde om hem weg te halen.

'Wat stelde dat voor?' zei Michael, en Howard bespeurde een accent, iets plats, iets wat je eerder op straat hoorde dan op kantoor. 'Pardon? Hou wel je handen thuis, ja? Mijn zusje is nog maagd, ja? Begrijp je wel? Zo is ze opgevoed, namelijk. Ik weet niet wat je zoon je heeft wijsgemaakt...' De middeleeuwse wending die het gesprek nu nam, werd Howard te veel.

'Michael, ik wil niet... we staan allebei aan dezelfde kant, niemand zegt dat een huwelijk niet volslagen idioot is, kijk maar naar mijn lippen, ik zeg volslagen idioot, volslágen – niemand trekt de eerbaarheid van je zusje in twijfel, echt niet... we hoeven geen zwaardgevecht te houden bij zonsopgang... duelleren... of iets dergelijks. Natuurlijk weet ik dat jij en je familie bepaalde "overtuigingen" hebben,' begon Howard ongemakkelijk, alsof 'overtuigingen' zoiets waren als mondherpes. 'Weet je... en dat respecteer en tolereer ik helemaal... ik besefte niet dat dit je zo zou overvallen...'

'Nou dat doet het dus wel! Reken maar van wel, verdomme!' riep Michael, terwijl hij tijdens zijn vloek, die hij fluisterend uitte, om zich heen keek alsof hij bang was dat hij werd afgeluisterd.

'Oké, het overvalt je, dat begrijp ik... Michael, alsjeblieft... ik ben hier niet gekomen om ruzie te maken. Laten we rustig aan doen...'

'Als hij ook maar één vinger,' begon Michael, en nu werd Howard, buiten de waanzin van het gesprek om, pas echt bang voor hem. Het verlaten van de ratio, waarvan het bewijs in deze nieuwe eeuw overal te zien was, had Howard niet zo verbaasd als anderen, maar elk nieuw voorbeeld dat hij ervan tegenkwam – op tv, op straat, en nu bij deze jongeman – maakte hem op de een of andere manier zwakker. Zijn verlangen zich te mengen in de onenigheid, in die cultuur, verdween. De energie om cultuurbarbaren te bevechten, dat is wat er langzaam verdwijnt. Nu keek Howard naar de grond alsof hij een stomp verwachtte, of verbaal geweld. Hij luisterde naar een plotselinge windvlaag die om de hoek jaagde en de bomen liet ruisen.

'Michael...'

'Ik kan dit niet geloven.'

Het edele trekje dat Howard eerst in Michaels gezicht meende te zien, veranderde plotseling in iets hards, zijn nonchalance werd vervangen door precies het tegenovergestelde, alsof er gif door zijn aderen stroomde in plaats van bloed. Hij draaide zijn hoofd weer met een ruk terug; Howard bestond niet langer voor hem. Haastig liep hij weg, hij rende bijna over de straat. Howard riep hem na. Michael versnelde zijn pas, tot hij ineens rechts afsloeg en een ijzeren hekje opentrapte. 'Jerome!' schreeuwde hij, en hij verdween door een bladerloos prieel waaruit naar alle kanten takjes staken, als een vogelnest. Howard volgde hem door het hek en onder het prieel door. Hij bleef staan voor een imposante dubbele zwarte deur met een zilveren klopper. Hij stond op een kier. In de Victoriaanse hal bleef hij weer staan, op de zwart met wit geblokte tegels waarop niemand hem had uitgenodigd. Toen hij een minuut later harde stemmen hoorde, ging hij daarop af naar de achterste kamer, een eetkamer met een hoog plafond en indrukwekkende openslaande deuren, waar een lange tafel, gedekt voor vijf personen, klaarstond. Hij had het gevoel dat hij zich in een van die afgrijselijk benauwende toneelstukken uit de tijd van koning Edward bevond, waarin de hele wereld is gereduceerd tot één kamer. Rechts in dit decor was zijn zoon, die op dat moment tegen de muur werd gedrukt door Michael Kipps. Verder had Howard net nog voldoende gelegenheid om iemand op te merken die mevrouw Kipps moest zijn, haar rechterhand opgeheven in de richting van Jerome, en iemand naast haar die met het hoofd in de handen zat en een ingewikkeld vlechtwerk op haar hoofd droeg. Toen kwam het tableau tot leven.

'Michael,' zei mevrouw Kipps kordaat. Ze sprak de naam zo uit dat hij rijmde op 'Y-Cal', het merk van een zoetstof die Howard in zijn koffie gebruikte. 'Laat Jerome alsjeblieft los. Die verloving is al verbroken. Dit is niet nodig.'

Howard zag de verbazing op het gezicht van zijn eigen zoon op het moment dat mevrouw Kipps het woord 'verloving' zei. Jerome rekte zijn nek, weg van Michael om de blik te vangen van de stilzwijgende, in elkaar gedoken figuur aan de tafel, maar die bewoog niet.

'Verloving! Sinds wanneer was er sprake van een verloving!' schreeuwde Michael en hij haalde uit met zijn vuist, maar Howard was er al bij en verbaasde zichzelf door in een impuls de jongen bij zijn pols te grijpen. Mevrouw Kipps probeerde op te staan maar dat leek niet zonder slag of stoot te gaan, en toen ze de naam van haar zoon nogmaals zei, voelde Howard tot zijn opluchting Michaels arm verslappen. Jerome deed bevend een stap opzij.

'Iedereen kon het zien gebeuren,' zei mevrouw Kipps rustig, 'maar het is nu achter de rug. Over en uit.' Michael leek even van slag, toen bedacht hij zich kennelijk en begon hij met de kruk van de tuindeur te rammelen.

'Pap!' schreeuwde hij, maar de deuren wilden niet opengaan. Howard stapte naar voren om hem te helpen met het bovenste slot. Michael schudde hem met geweld van zich af, kreeg uiteindelijk het slot in de gaten en deed het los. De deuren vlogen open. Michael liep de tuin in, terwijl hij nog steeds naar zijn vader riep en de wind de gordijnen liet opwaaien. Howard kon een lang grasveld ontwaren en ergens aan het eind ervan de gloed van een vuurtje. Daarachter de met klimop bedekte onderkant van een monumentale boom, waarvan de onzichtbare bovenkant in de avond was verdwenen.

'Hallo, dr. Belsey,' zei mevrouw Kipps nu, alsof dit alles een volkomen normale inleiding tot een bezoekje was geweest. Ze pakte haar servet van haar schoot en stond op. 'We hebben elkaar nog niet ontmoet, wel?'

Ze was totaal anders dan hij had verwacht. Howard had om de een of andere reden een jongere vrouw in gedachten gehad, een pronkstuk. Maar ze was ouder dan Kiki, misschien al rond de zestig, en tamelijk mager. Haar haar zat keurig in de krul, maar losse piekjes omlijstten haar gezicht en haar kleren waren ook bepaald niet formeel: een donkerpaarse rok tot op de grond en een Indiase blouse van wijde witte katoen met een ingewikkeld borduurpatroon op de voorkant. Haar hals was lang – hij zag nu waar Michael dat edele voorkomen vandaan had – en vertoonde diepe rimpels, waar een zwaar art-decosieraad met een in facetten geslepen maansteen om hing in plaats van het kruisje dat hij had verwacht. Ze pakte Howards beide handen. Onmiddellijk kreeg Howard het gevoel dat alles niet zo akelig was als het er twintig seconden eerder had uitgezien.

'Alstublieft geen "doctor",' zei hij, 'ik heet – buiten mijn werk – Howard, alstublieft. Het spijt me vreselijk, dit allemaal...'

Howard keek om zich heen. Degene die volgens hem Victoria moest zijn – hoewel hij aan die schedel niet kon zien of het een jongen of een meisje was – zat nog steeds roerloos aan tafel. Jerome was als een vlek langs de muur omlaag gegleden en zat nu op de grond naar zijn voeten te staren.

'Jongelui, Howard,' zei mevrouw Kipps, alsof ze tegen Howards wens een Caribisch sprookje begon voor te lezen, 'hebben zo hun eigen manier van doen. Het is niet altijd onze manier, maar het is een manier.' Ze glimlachte haar paarsige tandvlees bloot en schudde een paar keer met haar hoofd, waardoor het net was alsof ze een lichte vorm van de ziekte van Parkinson had. 'Die twee zijn verstandig genoeg, godzijdank. Wist je dat Victoria pas achttien is geworden? Weet je nog toen jij achttien was? Ik niet meer, het lijkt een totaal andere wereld. Goed... Howard, logeer je in een hotel? Ik zou je wel uit willen nodigen om hier te logeren, maar...'

Howard bevestigde dat hij in een hotel sliep en dat hij daar graag meteen naartoe wilde.

'Dat is een goed idee. En ik denk dat het het beste is als je Jerome meeneemt...'

Op dat moment legde Jerome zijn hoofd in zijn handen en precies op hetzelfde ogenblik sprong de jongedame op van tafel. Howard zag vanuit zijn ooghoeken een jongenskopje met vochtige ogen, wimpers als spinnenpoten, en armen met spieren en botten als van een balletdanseres.

'Maak je geen zorgen, Jerome. Je kunt morgenochtend je spullen komen halen als Montague aan het werk is. Je kunt Victoria schrijven als je weer thuis bent. Laten we vandaag alsjeblieft geen scènes meer maken.'

'Mag ik alleen even...' probeerde de dochter, maar ze zweeg toen mevrouw Kipps haar ogen sloot en haar trillende vingers tegen haar lippen legde.

'Victoria, ga alsjeblieft naar de stoofpot kijken. Nu.'

Victoria stond op en gooide haar stoel tegen de tafel aan. Toen ze de kamer uit liep zag Howard haar broze schouderbladen op en neer gaan als zuigers die de motor van haar boosheid aandreven.

Mevrouw Kipps glimlachte weer. 'We hebben hem graag in huis gehad, Howard. Het is zo'n lieve, eerlijke, oprechte jongen. Je mag echt heel erg trots op hem zijn.'

Al die tijd had ze Howards handen vastgehouden. Nu drukte ze ze nog even voor ze ze losliet.

'Misschien moet ik nog even met uw man praten,' mompelde Howard toen hij stemmen in de tuin dichterbij hoorde komen terwijl hij diep vanbinnen hoopte dat het niet nodig zou zijn.

'Ik geloof niet dat dat een goed idee is, dacht je wel?' zei mevrouw Kipps en ze draaide zich om, waarna ze haar rok met enig gefladder optilde, van het terrastrapje af zweefde en in de schemering verdween.

5

We moeten nu een sprong maken van negen maanden, terug over de Atlantische Oceaan. Het is het derde snikhete weekend van augustus, waarin de stad Wellington, Massachussetts, een familiejaarmarkt organiseert. Kiki was van plan geweest met haar gezin te gaan, maar tegen de tijd dat ze terug was van haar zaterdagse yogales, waren ze allemaal al verdwenen op zoek naar schaduw. Buiten slibde het zwembad dicht onder een laag esdoornbladeren. Binnen snorde de airco voor niemand. Alleen Murdoch was nog thuis. Ze vond hem uitgestrekt op de grond van de slaapkamer, met zijn kop op zijn voorpoten, zijn tong zo droog als leer. Kiki stroopte haar legging af en wurmde zich uit haar blouse. Ze gooide ze op een afstandje in een overvolle rieten mand. Ze bleef een tijdje naakt voor haar inloopkast staan, waar ze een paar verstandige beslissingen nam ten aanzien van haar gewicht, waarbij ze rekening hield met de hitte en de afstand die ze moest afleggen om zich in haar eentje door het feestgewoel in Wellington te bewegen. Op een plank lag een wanordelijke hoop bonte sjaals, als iets wat een goochelaar uit zijn zak tovert. Nu koos ze er een van bruin katoen met franje, die ze om haar hoofd wikkelde. Daarna een oranje zijden exemplaar dat ze als top kon dragen, vastgeknoopt onder haar schouderbladen. Een dieprode sjaal van grovere zijde knoopte ze rond haar middel als sarong. Ze ging op het bed zitten om de gespjes van haar sandalen vast te maken, waarbij ze een hand over Murdochs oren liet gaan, van het glanzende bruin naar het gekartelde roze en weer terug. 'Jij bent mijn hondje,' zei ze, terwijl ze hem tegen haar borst drukte en haar hand op zijn warme slappe buik legde. Toen ze op het punt stond om weg te gaan, hoorde ze iets in de woonkamer. Ze liep terug door de hal en stak haar hoofd om de deur.

'Hé, Jerome, lieffie.'

'Hoi.'

Haar zoon hing chagrijnig in een zitzak, hij had een schrift met een omslag van rafelige blauwe zijde op schoot.

'Ben je aan het schrijven?' vroeg ze.

'Nee, dansen,' luidde het antwoord.

Kiki deed haar mond dicht en toen weer open voor een venijnige opmerking. Hij gedroeg zich al zo sinds hij uit Londen was gekomen. Sarcastisch, zwijgzaam, weer helemaal zestien. En altijd bezig in dat dagboek. Hij dreigde niet meer terug te gaan naar college. Kiki had nu het gevoel dat zij, moeder en zoon, gestaag ieder een andere kant op dreven: Kiki neigde naar vergevingsgezindheid, Jerome naar verbittering. Want hoewel het bijna een jaar had gekost, begon Kiki nu de herinnering aan Howards misstap los te laten. Ze had alle gebruikelijke gesprekken gevoerd met vriendinnen en met zichzelf; ze had zichzelf afgezet tegen een vrouw zonder naam en zonder gezicht in een hotelkamer; ze had één stompzinnige nacht afgewogen tegen een leven van liefde, en in haar hart gevoeld hoe groot dat verschil was. Als je Kiki een jaar geleden had gezegd: je man gaat een keer vreemd en jij vergeeft hem dat, je blijft bij hem, zou ze dat niet hebben geloofd. Je kunt pas zeggen hoe je je in dat soort omstandigheden voelt of hoe je erop reageert wanneer het je overkomt. Kiki had een voorraad vergevingsgezindheid aangesproken waarvan ze niet eens wist dat ze die bezat. Maar bij Jerome, die het in zijn ellende zonder vrienden moest stellen, had dat weekje met Victoria Kipps, negen maanden geleden, in zijn hoofd zulke grote vormen aangenomen dat het zijn hele leven beïnvloedde. Waar Kiki intuïtief een oplossing voor haar probleem had gevonden, had Jerome het op een schrijven gezet: woorden, woorden en nog eens woorden. Niet voor de eerste keer was Kiki blij dat ze geen intellectueel was. Vanaf de plek waar ze stond kon ze het vreemd melancholieke handschrift van hem zien, allemaal cursieven en ellipsen. Schuine zeilen die over wijde zeeën werden voortgeblazen.

'Ken je dat gezegde...' zei Kiki peinzend, terwijl ze met haar ene scheenbeen langs zijn enkel wreef. '"Schrijven over muziek is als dansen over architectuur." Wie zei dat ook alweer?'

Jerome loenste zoals Howard altijd deed en keek de andere kant uit.

Kiki liet Murdoch los en hurkte neer zodat ze Jerome recht kon aankijken. Ze legde twee vingers onder zijn kin en trok zijn gezicht dichterbij.

'Gaat het wel, lieverd?'

'Mam, alsjeblieft.'

Kiki legde haar handen om zijn gezicht. Ze keek hem intens aan, op zoek naar iets van het meisje dat de oorzaak was van al die ellende, maar Jerome had zijn moeder nooit verteld wat er precies was gebeurd en hij was dat ook niet van plan. Het was iets wat hij onmogelijk duidelijk kon maken – zijn moeder wilde van alles weten over een meisje, maar het ging niet om het meisje, of liever gezegd, het ging niet alléén om het meisje. Jerome was verliefd geworden op een heel gezin. Hij had het gevoel dat hij dit thuis niet kon vertellen. Het was gemakkelijk als zij geloofden dat Jerome vorig jaar zijn 'romantische miskleun' of – beter passend bij de mentaliteit van de Belseys – zijn 'flirt met het christendom' had beleefd. Hoe kon hij uitleggen hoe fijn het in werkelijkheid was geweest om zichzelf uit te leveren aan de Kipps? Het was een soort bevrijding van zijn eigen ik, een zomer die niets Belsey-achtigs had. Hij had zich volledig door de wereld en de manier van doen van de Kipps laten meevoeren. Hij had met plezier geluisterd naar de – in de oren van een Belsey – bizarre gesprekken over zaken, geld en politiek; dat gelijkheid een mythe was, en de multiculturele maatschappij niet meer dan een droom; hij raakte opgetogen bij het idee dat kunst een gave was van God, die er slechts een handjevol meesters mee zegende, en de meeste literatuur niet meer dan een sluier voor slecht onderbouwde linkse ideologieën. Hij had slechts een zwak protest geuit, maar alleen omdat hij daarna des te meer kon genieten van de hoon van de familie – om nog eens te horen hoe typisch liberaal, theoretisch en armzalig zijn eigen ideeën waren. Toen Monty opperde dat minderheidsgroeperingen al te vaak gelijke rechten opeisen die ze niet hebben verdiend, had Jerome deze vreemde nieuwe opvatting zonder klachten tot hem laten doordringen en was hij nog dieper weggezakt in de zachte kussens van de bank. Toen Michael beweerde dat zwart-zijn niets met identiteit te maken had, maar een kwestie van pigment was, had Jerome geen traditioneel hysterisch Belsey-antwoord gegeven – 'Probeer dat maar eens tegen de Ku Klux Klan te zeggen als die met een brandend kruis op je afkomen' – maar had hij zich voorgenomen om in de toekomst minder aan zijn identiteit te denken. Eén voor één vielen de goden van de Belseys van hun voetstuk. *Ik zit vol liberaal gelul*, had Jerome opgelucht gedacht, en hij had zijn hoofd gebogen en zijn knieën in een van de kleine rode kussens in de bank van de Kipps in de plaatselijke kerk gedrukt. Lang voordat Victoria thuiskwam, was hij al verliefd. In Victoria kon hij zijn heftige gevoelens voor de familie gestalte geven – de juiste leeftijd, het juiste geslacht, en even mooi als de idee van God. Victoria zelf, nog vol van de successen op sociaal en seksueel gebied die ze in de eerste zomer zonder haar familie had geboekt, trof bij thuiskomst een aardige jongeman die gebukt ging onder zijn maagdelijkheid, een willig slachtoffer door zijn verlangen naar haar. Het zou kleinzielig zijn om haar pas ontdekte – ze was wat Caribiërs een *margar*, een lekker dier, noemen – aantrekkelijkheden niet te schenken aan een jongen die ze zo overduidelijk zelf miste. En in augustus was hij toch weer weg. Ze brachten een week door met kusjes stelen in donkere hoekjes van het huis en eenmaal bedreven ze, bijzonder onbeholpen, de liefde onder de boom in de achtertuin van de Kipps. Victoria dacht geen moment dat... Maar Jerome natuurlijk wel. Hij dacht altijd veel te veel over alles na, zo was hij nu eenmaal.

'Dit is niet gezond, lieverd...' zei zijn moeder nu, terwijl ze zijn haar gladstreek en zag hoe het weer omhoog sprong, 'je verpest je hele zomer met dat gepieker. Straks is hij weer voorbij.'

'Wat wil je nou zeggen?' vroeg Jerome, voor zijn doen bot.

'Dat het zonde is, meer niet...' zei Kiki kalm. 'Luister, lieffie, ik ga naar de jaarmarkt, waarom ga je niet mee?'

'Waarom ga ik niet mee,' zei Jerome op één dreun.

'Het is hierbinnen stikheet, liefie. Iedereen is al weg.'

Jerome trok een zoetsappig gezicht als reactie op zijn moeders toontje. Hij richtte zich weer op het schrift. Terwijl hij schreef, tuitte hij zijn lippen tot een strak, vol pruilmondje, waardoor zijn uitstekende jukbeenderen, een familietrekje, nog meer opvielen. Zijn opvallende voorhoofd – het deel van zijn gezicht waardoor hij niet knap genoemd kon worden – stak naar voren, alsof het in contact wilde komen met zijn lange, krullende paardenwimpers.

'Ga je dan de hele dag binnen zitten met je dagboek?'

'Het is geen dagboek. Een journaal.'

Kiki maakte een geluid waarmee ze aangaf dat ze verslagen was en stond op. Ze liep quasi-onverschillig om hem heen en boog zich toen plotseling van achteren over hem heen terwijl ze over zijn schouder meelas: '*Een vrouw is gemakkelijk te verwarren met een filosofie...*'

'Mam, lazer óp, ik meen het...'

'Let op je woorden – *Het is fout om je ergens aan te hechten. Niemand zal je dat in dank afnemen. Liefde is de bijzonder moeilijke verwezenlijking...*'

Jerome rukte het schrift uit haar handen.

'Wat zijn dat, spreekwoorden? Klinkt heftig. Je gaat toch niet met een pistool onder een trenchcoat je school onder vuur nemen, schat?'

'Ha, ha.'

Kiki drukte een kus achter op zijn hoofd en stond op. 'Je schrijft te veel, je kunt beter gaan leven,' stelde ze zachtjes voor.

'Die tegenstelling klopt niet.'

'O, Jerome, toe nou toch. Sta op uit dat akelige ding en ga met me mee. Je woont zowat in die godvergeten zitzak. Laat me niet alleen gaan. Zora is er al met haar vriendinnen naartoe.'

'Ik ben bézig. Waar is Levi?'

'Naar zijn baantje. Ga nou mee. Ik ben helemaal alleen... Howard heeft me ook al laten zitten, die is een uur geleden met Erskine weggegaan...'

Deze slinkse opmerking over zijn vaders nalatigheid had precies het gewenste effect op Jerome. Kreunend sloeg hij het schrift dicht tussen zijn grote, zachte handen. Kiki stak haar handen gekruist naar hem uit. Hij greep ze vast en hees zich overeind.

Het was een aardige wandeling van het huis naar de stad: zware kalebassen voor de deuren, witte dakspanen, bloeiende tuinen, zorgvuldig beplant ter voorbereiding op de beroemde herfstfeesten. Minder Amerikaanse vlaggen dan in Florida maar meer dan in San Francisco. Overal was al een geel krullend randje te bespeuren aan de bladeren van de bomen, als een prop papier vlak voordat hij vlam vat. Hier stonden ook een paar van de oudste bezienswaardigheden in Amerika: drie kerken van rond 1600, een begraafplaats die werd overspoeld door stoffige pelgrims, blauwe borden die je op dit alles attent maakten. Kiki probeerde voorzichtig of Jerome haar een arm wilde geven; hij liet haar begaan. Er sloten zich mensen aan die met hen meeliepen, op elke hoek een paar meer. Op het plein konden ze niet langer apart blijven lopen; ze werden opgenomen in een massa van honderden anderen. Het was een vergissing geweest om Murdoch mee te nemen. De feestelijkheden waren nu op hun hoogtepunt, tussen de middag, en iedereen had het veel te warm en was te humeurig om opzij te gaan voor een hondje. Met enige moeite wisten ze het minder drukke trottoir te bereiken. Kiki bleef staan bij een kraam waar ze zilveren sieraden verkochten: oorringen, armbanden, kettinkjes. De kraamhouder was een zwarte, buitengewoon magere man, in een groen gaatjeshemd en een vuile spijkerbroek. Hij droeg geen schoenen. Zijn bloeddoorlopen ogen werden groter toen Kiki een paar oorringen pakte. Ze had hem maar heel even gezien, maar ze vermoedde al dat dit een van die bekende gesprekken zou worden waarin haar gigantische, fascinerende boezem een subtiele – of minder subtiele, afhankelijk van de persoon – rol van zwijgende derde zou vervullen. Vrouwen gingen er uit beleefdheid voor uit de weg; mannen – en dat vond Kiki prettiger – zeiden er soms iets over zodat ze er dan als het ware geen punt meer van hoefden te maken. Door de afmetingen had hij iets erotisch en tegelijkertijd meer dan dat: seks was slechts een klein aspect van de symbolische draagwijdte ervan. Als ze blank was geweest, zou het misschien alleen om seks gaan, maar dat was ze niet. En dus zond haar boezem een groot aantal signalen uit waar ze niets over te zeggen had: uitdagend, zusterlijk, imponerend, moederlijk, bedreigend, troostrijk – het was een andere wereld waar ze rond haar vijfenveertigste was binnen gestapt, een vreemde omwenteling van de persoon die ze tot dan toe volgens zichzelf was geweest. Ze kon zich niet langer bescheiden of timide voordoen. Haar lichaam had haar een nieuwe persoonlijkheid aangemeten; mensen verwachtten nieuwe dingen van haar, soms goed, soms niet. Jarenlang was ze zo'n slank poppetje geweest! Hoe had het zover kunnen komen? Kiki hield de ringen tegen haar oren. De kraamhouder pakte een kleine, ovale spiegel en hield die voor haar ogen, maar niet snel genoeg voor haar.

'Sorry, *brother*, een paar centimeter hoger met dat ding – bedankt. Die ringen zijn niet voor hen bedoeld, sorry. Alleen voor mijn oren.'

Jerome deinsde terug. Hij vreesde zijn moeders gewoonte gesprekken aan te knopen met onbekenden.

'Liefje?' vroeg ze, terwijl ze zich naar Jerome toe draaide. Weer met dat schouderophalen. Als komische reactie draaide Kiki zich weer om naar de marktkoopman en haalde haar schouders op, maar hij zei alleen hard 'vijftien' terwijl hij haar aankeek. Hij lachte niet en wilde kennelijk graag verkopen. Hij had een hard, buitenlands accent. Kiki voelde zich een dwaas. Ze liet haar rechterhand snel langs een aantal uitgestalde voorwerpen gaan.

'Oké... en deze?'

'Alle oorring vijftien, halsketting dertig, armband tien of vijftien... zilver, allemaal zilver... dit hier allemaal zilver. Doe halsketting om, heel mooi – bij zwarte huid, is mooi. U vindt oorring mooi?'

'Ik ga een burrito halen.'

'Ach, Jerome, toe... heel even. Kunnen we dan niet vijf minuten bij elkaar blijven? Wat vind je van deze?'

'Mooi.'

'Kleine of grote oorringen?'

Jerome trok een wanhopig gezicht.

'Oké, oké. Waar ga je dan heen?'

Jerome wees in de richting waar de andere festiviteiten plaatsvonden. 'Iets fastfoodachtigs... Chicken America of zoiets.'

'Nou, dat ken ik niet hoor. Wat is dat dan? We spreken af voor de bank, over een kwartier, oké? En haal er ook een voor mij, met garnalen als ze die hebben, extra pikante saus en zure room. Je weet dat ik van pittig hou.'

Ze keek hem na toen hij wegslenterde terwijl hij zijn Nirvana-t-shirt omlaag trok over die slobberige, Engels uitziende kont, breed en onaantrekkelijk, als van een van Howards tantes uit Suffolk. Ze draaide zich weer om naar het kraampje en probeerde nogmaals een gesprek met de man, maar hij was druk bezig met de munten in zijn heuptasje. Lusteloos pakte ze wat dingen op en legde ze weer neer, en ze knikte als de prijzen weer werden opgesomd zodra ze haar vinger naar iets uitstak. Behalve haar geld leek de man haar niet interessant te vinden, noch als persoon noch als klant. Hij zei niet *sister*, hij suggereerde niets en veroorloofde zich geen vrijheden. Vaag teleurgesteld, zoals we ons soms voelen wanneer iets waarvan we zeggen dat het ons niet aanstaat achterwege blijft, keek ze ineens met een glimlach naar hem op. 'Kom je uit Afrika?' vroeg ze liefjes, en pakte een bedelarmbandje op met piepkleine replica's van internationale totems: de Eiffeltoren, de Toren van Pisa, het Vrijheidsbeeld.

De man sloeg zijn armen over elkaar op zijn smalle borst, waarvan de ribben te tellen waren, als bij een kat.

'Waar denk je dat ik vandaan kom? Ben jij Afrikaans – nee?'

'Nee, nee-ee, ik kom hiervandaan, maar natuurlijk...' zei Kiki. Ze veegde met de rug van haar hand het zweet van haar voorhoofd en wachtte af totdat hij de zin zou afmaken.

'...komen we allemaal uit Afrika,' zei de man volgens verwachting. Hij spreidde zijn handen uit als waaiers langs de sieraden. 'Dit allemaal uit Afrika. Weet je waar ik vandaan kom?'

Kiki probeerde iets om haar pols vast te maken, zonder succes. Ze keek op toen de man een stapje naar achteren deed om zich beter te laten bekijken. Ze merkte dat ze heel graag het juiste antwoord wilde geven en weifelde een minuut lang tussen een paar plaatsen die ze zich herinnerde van de lessen Franse geschiedenis. Ze vroeg zich af waar haar verveling vandaan kwam. Ze moest zich wel erg vervelen om deze man het juiste antwoord te willen geven.

'Ivoorkust...' begon Kiki voorzichtig, maar ze zag aan zijn gezicht dat het niet klopte, dus probeerde ze 'Martinique'.

'Haïti,' zei hij.

'O, ja. Mijn...' begon Kiki, maar ze besefte ineens dat ze het woord 'werkster' niet in deze context wilde gebruiken. Ze begon opnieuw. 'Er zijn hier heel wat mensen uit Haïti...' Ze ging nog iets verder: 'En natuurlijk is de situatie daar op het ogenblik kritiek.'

De man zette zijn handen één voor één tussen hen in op de tafel en keek haar aan.

'Ja. Verschrikkelijk. Heel verschrikkelijk. Nu, elke dag – terreur.'

De ernst waarmee hij dit zei, dwong Kiki ertoe haar aandacht weer te vestigen op de armband, die ze afschoof. Ze wist maar heel in de verte iets af van de problemen waar ze op had gedoeld – het was van de radar afgegleden onder druk van andere, nijpender problemen, zowel landelijke als persoonlijke – en ze schaamde zich nu ze erop werd betrapt dat ze net deed alsof ze er meer van wist dan ze in werkelijkheid deed.

'Die is niet voor daar – voor dáár,' zei hij, en ineens liep hij om de kraam heen naar voren en wees hij op Kiki's enkel.

'Ooo... dus het is... hoe noem je dat, een enkelbandje?'

'Hier omdoen – hier – alsjeblieft.'

Kiki zorgde ervoor dat Murdoch op de grond ging liggen en liet de man toen haar voet op een klein bamboekrukje zetten. Ze moest zich aan zijn schouder vasthouden om haar evenwicht te bewaren. Kiki's sarong viel een stukje open waardoor een deel van haar dijbeen werd ontbloot. Het zweet parelde in haar mollige knieholte. De man leek het niet op te merken, maar ging door met hetgeen waarmee hij bezig was: het ene zweterige uiteinde van het enkelbandje vastmaken aan het andere. Het was in deze onorthodoxe houding dat Kiki van achteren werd vastgepakt. Twee mannenhanden grepen haar beet rond haar middel, toen dook een rood verhit gezicht naast haar op, net de Cheshire-kat, en kuste haar op haar wang.

'Jay... doe niet zo gek...'

'Kieks, wauw... je bent een en al been. Probeer je me de dood in te jagen?'

'O, mijn god... Warren... halló... Je had míj bijna de dood in gejaagd... jezus... me zo besluipen... ik dacht dat het Jerome was, die loopt hier ergens rond... God, ik wist niet dat jullie al terug waren. Hoe was het in Italië? Waar is...'

Maar tegelijkertijd zag ze Claire Malcolm, die zich net omdraaide voor een kraam waar ze massageolie verkochten. Claire keek even verward, bijna angstig, maar toen stak ze glimlachend een hand op. Als reactie wierp Kiki haar vanaf een afstandje een verraste blik toe en liet haar hand op en neer gaan om te kennen te geven dat ze had opgemerkt hoe anders Claire eruitzag met haar groene zonnejurkje in plaats van haar winterse zwartleren jas, zwarte polo en zwarte spijkerbroek. Nu ze erover nadacht, had ze Claire al vanaf de winter niet meer gezien. Ze was bruin, een vlekkerige teint, mediterraan bruin, waardoor het lichte blauw van haar ogen nog intenser werd. Kiki wenkte haar. De Haïtiaan had het enkelbandje vastgeknoopt, liet haar los en keek haar vragend aan.

'Warren, wacht heel even, laat me dit even afhandelen... hoeveel ook weer?'

'Vijftien. Deze vijftien.'

'Ik dacht dat je zei tien voor een armband – Warren, sorry hoor, ik ben zo klaar – je zei toch net tien?'

'Deze vijftien, alstublieft, vijftien.'

Kiki zocht in haar tas naar haar portemonnee. Warren Crane stond naast haar met zijn enorme hoofd – te groot voor het kleine, gespierde arbeiderslijf uit New Jersey – zijn stevige armen over elkaar en een blik in zijn ogen als van iemand die in een zaal zit te wachten tot de komediant op het toneel verschijnt. Als je geen rol meer speelt in het seksuele universum, als men je daarvoor te oud of te zwaar acht, of je gewoonweg niet langer op die manier bekijkt, kom je een heel nieuw scala van mannelijke reacties tegen. Een daarvan is humor. Ze vinden je grappig. Maar ja, dacht Kiki, zo waren die blanke Amerikanen grootgebracht: ik ben de tante Jemima op de koektrommel uit hun jeugd, de dikke enkels waar Tom en Jerry langs rennen. Natuurlijk vinden ze me grappig. En toch zou ik nauwelijks de rivier naar Boston over kunnen steken zonder vijf minuten achter elkaar met rust gelaten te worden. Nog maar een week geleden was een man, half zo oud als zij, een uur lang met haar meegelopen naar Newbury en terug, en hij wilde haar niet met rust laten voor ze had toegezegd dat hij haar een keer mee uit mocht nemen en ze hem een gefingeerd nummer had gegeven.

'Moet ik je wat voorschieten, Kieks?' vroeg Warren. 'Ik wil je wel een stuivertje lenen, hoor.'

Kiki lachte. Eindelijk had ze haar portemonnee opgeduikeld. Ze betaalde en groette de koopman.

'Het staat je mooi,' zei Warren, terwijl hij haar weer van top tot teen opnam. 'Hoewel je nauwelijks nog mooier kon worden.'

En dat is ook zoiets, dacht Kiki. Ze flirten zwaar met je omdat het ondenkbaar is dat je het serieus neemt.

'Wat heeft ze gekocht, iets moois? O, dat is écht mooi,' zei Claire toen ze dichterbij kwam en naar Kiki's enkel keek. Ze wurmde haar iele lichaam ergens in een holte van dat van Warren. Op foto's leek ze langer en magerder, maar in werkelijkheid was deze vooraanstaande Amerikaanse dichteres slechts een meter drieënvijftig en onvolgroeid, zelfs nu nog, op haar vierenvijftigste. Ze was een poppetje, gemaakt met een minimum aan materiaal. Als ze een vinger bewoog, kon je de beweging volgen via aderen die langs haar slanke armen en schouders tot in haar hals liepen, die zelf elegant geplooid was als de balg van een accordeon. Haar elfenhoofdje met korte, bruine stekeltjes paste precies in de hand van haar minnaar. In Kiki's ogen zagen ze er heel gelukkig uit, maar wat zei dat? Stelletjes in Wellington wisten precies hoe ze er gelukkig uit moesten zien.

'Wat een fantastisch weer, hè? We zijn een week geleden teruggekomen en het is hier nog warmer dan het daar was. De zon lijkt vandaag wel een citroen! Een gigantische citroenbal. God, het is niet te geloven,' zei Claire terwijl Warren haar zachtjes achter op haar hoofd tikte. Ze wauwelde zo nog wat door, het duurde altijd een paar minuten voor ze op haar gemak was. Ze had met Howard op school gezeten en Kiki kende haar al dertig jaar, maar ze had nooit het gevoel gehad dat ze elkaar goed kenden. Het wilde niet echt helemaal boteren. Als Kiki Claire zag, had ze altijd het gevoel dat ze haar weer voor het eerst ontmoette. 'En wat zie jij er fantastisch uit!' riep Claire nu. 'Zo fijn om je te zien. Wat een outfit! Het lijkt wel een zonsondergang: dat rood, geel, oranjebruin. Kiki, je bent aan het óndergaan!'

'Lieverd,' zei Kiki, terwijl ze haar hoofd bewoog op een manier waarvan ze wist dat veel blanken dat leuk vonden, 'ik ben allang onder.'

Claire stootte een schelle lach uit. Niet voor het eerst zag Kiki de genadeloze, intelligente blik in haar ogen, ogen die niet meededen aan deze uiting.

'Toe, loop met ons mee,' zei Claire klaaglijk, terwijl ze Warren tussen haar en Kiki in liet, alsof hij hun kind was. Het was een vreemde manier van lopen, ze moesten nu voor Warren langs met elkaar praten.

'Oké, maar we moeten wel uitkijken naar Jerome, die loopt hier ook ergens rond. En hoe was het in Italië?' vroeg Kiki.

'Fantastisch. Was het niet geweldig?' zei Claire terwijl ze naar Warren keek met een intensiteit die beantwoordde aan Kiki's vage idee van hoe een kunstenaar moet zijn: gepassioneerd, aandachtig, met een aangeboren geestdrift voor de kleinste dingetjes.

'Was het alleen een vakantie?' vroeg Kiki. 'Ging je geen prijs ophalen of...?'

'O, iets onnozels... niets bijzonders, dat Dante-gedoe, maar dat is niet interessant. Warren heeft een hele tijd in zo'n koolzaadveld doorgebracht waar hij maar bleef oreren over een nieuwe theorie waarin gesteld wordt dat bepaalde luchtvervuiling afkomstig is van akkers met genetisch gemanipuleerde gewassen – Kiki, mijn god... hij heeft daar ongelooflijke ideeën gehad – hij gaat straks absoluut bewijs leveren dat er kruis-... kruis-... o god, kruisverspreiding is, bevruchting, je weet wel wat ik bedoel – waar die verdomde regering over heeft gelogen alsof het gedrukt staat – maar het is in feite de wetenschap die...' Hierbij maakte Claire een geluid en een gebaar alsof de bovenkant van haar schedel werd gelicht waardoor de binnenkant aan het universum werd blootgesteld. 'Warren, vertel jij het eens aan Kiki... ik haal de hele boel door elkaar, maar het is een absoluut fenomenale wetenschap, Warren?'

'Zo fascinerend is het eigenlijk niet,' zei Warren vlak. 'We proberen een manier te vinden om de regering in het nauw te drijven met betrekking tot die gewassen. Een hoop laboratoriumwerk is al gedaan maar het is nog niet helemaal klaar, er moet alleen nog iemand met een hard bewijs op tafel komen – o, Claire, daar is het nu veel te warm voor, verdomme – saai onderwerp...'

'Nee, hoor...' protesteerde Kiki flauwtjes.

'Het is niet saai!' riep Claire uit, 'ik had er geen idee van hoe ver die technologie reikt en wat het in feite doet met de biosfeer, ik bedoel niet over tien jaar of vijftig jaar, maar nu, op dit moment... Het is zo afschuwelijk, zo afschuwelijk. "Duivels" is het woord dat steeds bij me opkomt, begrijp je wat ik bedoel? We komen terecht in een andere cyclus. Een zeer duivelse cyclus. De planeet heeft met ons afgedaan op dit moment...'

'Precies, precies,' zei Kiki aldoor terwijl Claire bleef doorpraten. Kiki was onder de indruk, maar ook een beetje moe – er was geen onderwerp dat ze niet vol vuur kon analyseren of aandikken. Kiki moest denken aan het beroemde gedicht dat Claire had geschreven over een orgasme, waarin alle aspecten van het orgasme één voor één uiteengezet werden, zoals een automonteur een motor uit elkaar haalt. Het was een van de weinige gedichten van Claire waarvan Kiki het gevoel had dat ze het begreep zonder dat ze haar man of haar dochter om uitleg hoefde vragen.

'Liefje,' zei Warren. Hij raakte Claires handen licht maar veelbetekenend aan. 'En waar is Howard?'

'Die doet niet mee,' zei Kiki met een hartelijke glimlach naar Warren. 'Waarschijnlijk in de kroeg met Erskine.'

'God, ik heb Howard al eeuwen niet gezien,' zei Claire.

'Is hij nog steeds bezig met het boek over Rembrandt?' vroeg Warren door. Hij was de zoon van een brandweerman, en Kiki vond dit het sympathiekste aan hem, hoewel ze wist dat alles wat ze hiermee in verband bracht romantische opvattingen van haarzelf waren en niets te maken had met het dagelijkse leven van een drukbezette biochemicus. Hij stelde veel vragen, hij was geïnteresseerd en interessant, en hij sprak zelden over zichzelf. Hij had een stem die je rustig maakte bij de zwaarste calamiteiten.

'Mm-mm,' zei Kiki, en ze knikte lachend, maar ze vond dat ze er niet verder over kon uitweiden zonder meer los te laten dan ze wilde.

'We hebben *De scheepsbouwer en zijn vrouw* in Londen zien hangen – de koningin had het uitgeleend aan de National Gallery – aardig van haar, hè? Het was fantastisch... die opbouw van de verflagen,' zei Claire in vervoering, en toch zo'n beetje in zichzelf, 'die fysicaliteit, alsof hij ín het doek graaft om naar voren te brengen wat er echt in die gezichten schuilt, in dat huwelijk – daar gaat het om, denk ik. Het is bijna een antiportret: hij wil niet dat je naar de gezichten kijkt, hij wil dat je naar hun zíel kijkt. Die gezichten zijn gewoon een manier om de aandacht ernaartoe te trekken. Het is absoluut geniaal.'

Er volgde een gespannen stilte die Claire waarschijnlijk zelf niet opmerkte. Ze wist dingen zo te brengen dat je er niet op kon reageren. Kiki glimlachte nog steeds en keek omlaag naar het ruwe, eeltige vel van haar eigen zwarte tenen. Zonder de verpleegsterskwaliteiten van mijn oma, bedacht Kiki dromerig, zou er geen huis te erven zijn geweest; en zonder het huis zou er geen geld zijn geweest om naar New York te gaan – zou ik Howard dan ook zijn tegengekomen, zou ik dit soort mensen kennen?

'Maar ik denk dat Howard juist het tegendeel beweert, schat. Toen hij het erover had, als je dat nog weet, sprak hij zich uit tegen, zullen we zeggen, de cultuurmythe over Rembrandt, zijn genialiteit, et cetera?' zei Warren aarzelend, met de terughoudendheid van een wetenschapper die het jargon van kunstenaars gebruikt.

'O, ja, natuurlijk, dat klopt,' zei Claire gespannen – het leek erop dat ze het er verder niet over wilde hebben. 'Dat vindt hij maar niets.'

'Nee,' zei Kiki, die ook veel liever op een ander onderwerp overging. 'Dat vindt hij niets.'

'Wat vindt Howard wel iets?' vroeg Warren spottend.

'Dat is nu net het mysterie.'

Net op dat moment begon Murdoch als een gek te keffen en te rukken aan de lijn die Warren vasthield. Ze probeerden hem alledrie tot bedaren te brengen door hem sussend en bestraffend toe te spreken, maar Murdoch liep doelbewust op een kleuter af die waggelend langsliep met een speelgoedkikker die hij als een trofee boven zijn hoofd hield. Murdoch dreef de jongen tussen zijn moeders benen. Het kind begon te huilen. De vrouw knielde neer en trok hem tegen zich aan, terwijl ze Murdoch en zijn gezelschap een kwade blik toewierp.

'Het komt door mijn man, sorry,' zei Claire te weinig schuldbewust om overtuigend over te komen. 'Mijn man is niet gewend aan honden. En dit is niet zijn eigen hond.'

'Het is een teckeltje, hij zal heus niemand doodbijten,' zei Kiki boos toen de vrouw wegbeende. Kiki boog zich over Murdoch en aaide hem over zijn platte kop. Toen ze weer opkeek zag ze dat Claire en Warren het ergens niet over eens waren, wat alleen te zien was in hun ogen, waarmee ze allebei uitdrukten dat ze vonden dat de ander het moest zeggen. Claire verloor het.

'Kiki...' begon ze, met een gezicht zo zedig als mogelijk is op je vierenvijftigste, 'wat ik net zei was niet figuurlijk bedoeld, weet je. Niet meer. Toen ik zojuist "mijn man" zei.'

'Waar heb je het over?' vroeg Kiki, maar op hetzelfde moment wist ze het antwoord.

'Mijn man. Warren is mijn man. Ik zei het al eerder, maar toen drong het niet tot je door. We zijn getrouwd. Is het niet fantastisch?'

Claires elastische gezichtsspieren trokken strak van blijdschap.

'Ik dacht al dat er iets met jullie was, jullie deden een beetje onrustig. Getrouwd!'

'Helemaal,' bevestigde Warren.

'Maar hebben jullie niemand uitgenodigd? Wanneer is dat gebeurd?'

'Twee maanden geleden! We hebben het gewoon gedaan. Weet je, ik wilde niet dat iemand verstoord op zou kijken door een stel oude knarren die een boterbriefje gaan halen, dus hebben we niemand uitgenodigd en er was dus niemand die verstoord kon kijken. Alleen Warren. Hij keek wel wat verbaasd op omdat ik me had opgetut als Salomé. Nou, vind je dat iets om verbaasd bij op te kijken?'

Vlak voor een lantaarnpaal moest het drietal zich van elkaar losmaken, en Claire en Warren smolten daarna weer als twee cellen ineen.

'Claire, schat, ik zou niet verbaasd hebben opgekeken, maar je had iets moeten zeggen.'

'Het was echt een impuls, Kieks,' zei Warren. 'Denk je dat ik met deze vrouw was getrouwd als ik de tijd had gekregen om erover na te denken? Ze belde me op om te zeggen dat het de geboortedag was van Johannes de Doper, ze zei "laten we het nu doen", en toen deden we het.'

'Nog eens, graag,' zei Kiki, hoewel dit aspect aan het paar, hun plaatselijk beroemde 'excentriciteit', haar niet echt aanstond.

'Dus ik had die Salomé-jurk, rood, met lovertjes, en ik wist zodra ik hem zag dat het míjn Salomé-jurk was, ik heb hem direct in Montreal gekocht. Ik wilde trouwen in mijn Salomé-jurk, met een man aan mijn zijde. En verdomd, dat heb ik gedaan. En het is zo'n lieve man,' zei Claire, terwijl ze hem zachtjes naar zich toe trok.

'Zo vol kennis,' zei Kiki. Ze vroeg zich af hoe vaak dit toneelstukje de komende weken nog zou worden opgevoerd tegenover mensen die hen gelukwensten. Zij en Howard waren precies hetzelfde, vooral als ze nieuws te melden hadden. Elk paar heeft zo zijn eigen voorstelling.

'Ja,' zei Claire. 'Zo vol feitenkennis. En dat heb ik nog nooit eerder gehad, iemand die iets weet van echte feiten. Behalve "kunst is waarheid", dat weet zo'n beetje iedereen hier. Of denkt het te weten.'

'Mam.'

Jerome had zich met al zijn sombere Jeromerigheid bij hen gevoegd. De schrille toon waarop ouderen vol mededogen raadselachtige jongeren begroeten weerklonk. Ze hadden hem bijna over zijn bol geaaid, maar bedachten zich nog op tijd, en op de immer niet-beantwoordbare vraag werd gereageerd met een nieuw, verschrikkelijk antwoord. ('Ik ga van school.' 'Hij bedoelt dat hij het even rustig aan doet.') Even leek het erop dat de wereld beroofd was van alle mogelijke gespreksonderwerpen die op een warme dag in een aardig stadje doorgenomen konden worden. Toen herinnerde ze zich weer het geweldige nieuws van het huwelijk, dat nog eens vrolijk werd herhaald tot de ontmoedigende vraag naar details volgde. ('O, eh, nou, het is voor mij de vierde keer, voor Warren de tweede.') Intussen bleef Jerome heel langzaam de zilverfolie van het pakketje in zijn hand afwikkelen. Eindelijk werd de bovenkant van een vulkanische burrito zichtbaar; onmiddellijk spoot de inhoud over zijn hand en zijn pols. Het groepje mensen deed gezamenlijk een stap naar achteren. Jerome ving aan de zijkant met zijn tong een garnaal.

'Nou, eh... genoeg nu over de bruiloft. Trouwens...' zei Warren, terwijl hij zijn telefoon uit de zak van zijn kaki short opdiepte, 'het is kwart over een, we moeten ervandoor...'

'Kieks, het was enig om je te zien, maar laten we binnenkort een keer ergens afspreken, oké?'

Ze wist niet hoe snel ze weg moest komen. Kiki wilde dat ze boeiender was, artistieker of grappiger of slimmer, beter in staat de aandacht vast te houden van een vrouw als Claire.

'Claire,' zei ze, maar ze kon niets belangwekkends bedenken. 'Zijn er nog dingen die Howard misschien moet weten? Hij heeft zijn mail niet gecheckt – hij probeert verder te werken aan Rembrandt. Ik geloof dat hij zelfs nog niet met Jack French heeft gesproken...'

Claire leek van haar stuk gebracht door deze praktische wending in het gesprek.

'O... juist, ja... nou, we hebben dinsdag een interfacultaire vergadering... we hebben zes nieuwe docenten bij geesteswetenschappen, onder wie die beroemde klootzak, je kent hem wel, geloof ik, Monty Kipps...'

'Monty Kipps?' herhaalde Kiki, elk woord benadrukkend met een ingehouden, dodelijk lachje. Ze voelde duidelijk een schok door Jerome heen gaan.

Claire vervolgde: 'Ik weet het, hij krijgt klaarblijkelijk een kantoor op de afdeling Afro-Amerikaanse wetenschappen... arme Erskine! Het is de enige ruimte die ze voor hem konden vinden. Ik wéét het... Ik begrijp niet hoeveel cryptofascistische benoemingen er nog gaan volgen, het is eigenlijk nogal opvallend op dit moment... het is... tja, wat zal ik zeggen? Het hele land gaat naar de verdoemenis.'

'O, verdomme,' zei Jerome op smekende toon, in een klein cirkeltje lopend alsof hij de bewoners van Wellington om medeleven wilde vragen.

'Jerome, kunnen we het hier later...'

'O, kut...' zei Jerome iets rustiger, terwijl hij verwonderd zijn hoofd schudde.

'Monty Kipps en Howard...' zei Kiki ontwijkend, en ze maakte een twijfelachtig gebaar met haar hand.

Claire, die eindelijk doorhad dat hier iets speelde waar zij geen weet van had, maakte nu echt aanstalten om weg te lopen: 'O... Kieks, ik zou me daar echt geen zorgen om maken, ik heb gehoord dat hij en Howard een tijdje geleden woorden hadden, maar Howard heeft altijd wel iets uit te vechten met iemand...' Ze glimlachte ongemakkelijk bij dit eufemisme, 'nou... oké dan, kom op, kusje, we moeten gaan. Echt enig om jullie even te zien.'

Kiki kuste Warren en werd krampachtig omhelsd door Claire; ze wuifde en riep gedag en deed alle noodzakelijke dingen namens Jerome die, zich nergens van bewust, naast haar stond op de blauwe stoep van een Marokkaans restaurant. Om de onvermijdelijke discussie uit te stellen, bleef Kiki het stel zo lang mogelijk nakijken.

'Kut,' zei Jerome nog eens hard. Hij ging zitten.

Er hing nu een lichte sluierbewolking, waardoor de zon zich een misleidend goddelijke rol kon aanmeten. Hij stootte zijn dunne stralen renaissanceachtig licht door een wolk uit een landschapsschilderij die speciaal voor dit doel gemaakt leek. Kiki probeerde iets positiefs in dit alles te vinden, een manier om van slecht nieuws iets goeds te maken. Met een zucht trok ze de doek van haar hoofd. Haar zware vlecht viel achter op haar rug, maar het was prettig om het zweet langs haar gezicht te voelen lopen. Ze ging naast haar zoon zitten. Ze noemde zijn naam, maar hij stond op en liep weg. Een grote familie die in elkaars rugzakken stond te zoeken naar iets wat ze kwijt waren versperde hem de weg. Kiki haalde hem in.

'Dat moet je niet doen, mij achter je aan laten rennen.'

'Eh... een vrij burger kan toch gaan en staan waar hij wil?' zei Jerome, op zichzelf wijzend.

'Weet je, ik wilde juist zeggen hoe rot ik het voor je vind, maar nu zeg ik: word verdomme een keer volwassen.'

'Best.'

'Nee, helemaal niet best. Lieverd, ik weet dat je heel erg bent gekwetst...'

'Ik ben niet gekwetst. Ik voel me opgelaten. Laten we erover ophouden.' Hij plukte met zijn vingers aan zijn voorhoofd, een gebaar dat zo deed denken aan zijn vader dat het belachelijk was. 'Ik ben je burrito vergeten, sorry.'

'Vergeet die burrito. Kunnen we praten?'

Jerome knikte, maar ze liepen zwijgend over de linkerkant van Wellington Square. Kiki bleef staan en zorgde dat Jerome ook bleef staan bij een stalletje waar ze speldenkussens verkochten. Ze hadden de vorm van kleine Chinese mannetjes, compleet met schuine streepjes als ogen en kleine gele koeliehoedjes met zwarte franje. Hun bolle buikjes waren van rood satijn waarin de spelden gestoken waren. Kiki pakte er eentje op en draaide hem rond in haar hand.

'Deze zijn leuk, hè, vind je niet? Of zijn ze juist verschrikkelijk?'

'Denk je dat hij met zijn hele gezin hierheen komt?'

'Lieverd, ik zou het werkelijk niet weten. Waarschijnlijk niet. Maar als het wel zo is, gaan we daar heel volwassen mee om.'

'Je hebt het mis als je denkt dat ik dan hier blijf.'

'Goed,' deed Kiki opgewekt, 'dan kun jij terug naar Brown, probleem opgelost.'

'Nee, ik bedoel... misschien ga ik dan naar Europa of zo.'

Het absurde van dit plan – financieel, voor hem persoonlijk en met betrekking tot zijn opleiding – werd luidkeels midden op de weg besproken, terwijl de Thaise vrouw die de kraam beheerde zich steeds drukker begon te maken over het gewicht van Kiki's elleboog die tegen een piramide van haar handige kleine mannetjes aan duwde.

'Dus ik moet er maar gewoon bij blijven als een of andere eikel, en net doen of er niets is gebeurd?'

'Nee, het is de bedoeling dat we er heel beschaafd mee omgaan als een familie die...'

'O ja, natuurlijk, dat is de manier waarop Kiki met problemen omgaat,' zei Jerome, 'gewoon alles negeren, vergeven en vergeten, en hup, weg is het probleem.'

Ze bleven elkaar even aankijken, Jerome schaamteloos en Kiki verbaasd over die schaamteloosheid. Hij had altijd het zachtste karakter gehad van al haar kinderen, met hem voelde ze zich het meest verbonden.

'Ik begrijp niet hoe je het uithoudt,' zei Jerome bitter. 'Hij denkt alleen maar aan zichzelf. Hij maalt er niet om wie hij kwetst.'

'We hebben het niet over... niet daarover, we hebben het nu over jou.'

'Ik zeg alleen,' zei Jerome, slecht op zijn gemak, blijkbaar bang om over zichzelf te moeten praten, 'dat je mij niet moet vertellen dat ik niets doe aan mijn probleem zolang jij niets aan het jouwe doet.'

Het verbaasde Kiki dat Jerome zo nijdig deed over Howard, schijnbaar namens haar. Het maakte haar ook jaloers, ze zou hem zelf wel zo duidelijk willen haten. Maar ze kon geen woede meer voelen tegenover Howard. Als ze bij hem weg wilde, had ze dat afgelopen winter moeten doen. Maar ze was gebleven en nu was het zomer. De enige verklaring die ze voor dit besluit kon geven was dat haar liefde voor hem nog niet helemaal verdwenen was, wat erop neerkwam dat ze nog niet had afgedaan met de liefde, de liefde die al even lang bestond als ze Howard kende. Wat betekende een nachtje in Michigan vergeleken bij de liefde!

'Jerome,' zei ze vol spijt, en ze keek naar de grond. Maar nu wilde hij het laatste woord, kinderen die een sterk rechtvaardigheidsgevoel hebben, willen dat altijd. Kiki wist nog hoe onwrikbaar en waarheidslievend ze zelf was op haar twintigste; ze wist nog precies hoe dat voelde: als haar familie nu maar eens de waarheid had kunnen zeggen, dan hadden zij treurend, maar met heldere blik met z'n allen in het licht kunnen kijken. Jerome zei: 'Een gezin functioneert niet meer als iedereen zich daarin ongelukkiger voelt dan wanneer ze alleen zouden zijn, weet je.'

Kiki's kinderen besloten tegenwoordig hun zinnen altijd met 'weet je', maar ze wachtten nooit af of ze dat inderdaad wist. Tegen de tijd dat Kiki opkeek was Jerome al dertig meter verder, opgeslokt door de massa.

6

Jerome zat voor in de auto naast de taxichauffeur, omdat hij trakteerde en omdat het zijn idee was; Levi, Zora en Kiki zaten op de tweede bank, en Howard lag plat op zijn rug op de achterste. De auto van de Belseys was naar de garage, waar de twaalf jaar oude motor werd vervangen. Het gezin was op weg naar een uitvoering van Mozarts *Requiem* in het park van Boston. Het was een klassiek familie-uitje, voorgesteld op het moment dat de familieleden nog nooit zo weinig familiegevoel hadden gehad. De stemming in huis was de laatste twee weken steeds verder gedaald, en dat was begonnen vanaf het moment dat Howard het nieuws hoorde over Monty's benoeming. Hij zag het als een onvergeeflijk verraad van de faculteit der Geesteswetenschappen. Een persoonlijke rivaal werd uitgenodigd op de universiteit! Wie had dat bedacht? Hij pleegde een aantal boze telefoontjes naar collega's om erachter te komen wie de Brutus was, maar zonder succes. Intussen strooide Zora, met haar griezelige kennis van universiteitspolitiek, zout in de wond. Geen van hen stond erbij stil dat Monty's benoeming ook effect kon hebben op Jerome. Kiki wachtte intussen af tot die twee ook weer eens aan iemand anders zouden gaan denken dan aan zichzelf. Toen dat niet gebeurde, ontplofte ze. Ze waren nog maar net aan het bijkomen van de familieruzie die daarop volgde. Het mokken en het slaan met deuren zou eindeloos zijn doorgegaan als Jerome – altijd de vredestichter – niet met dit uitstapje was gekomen als een kans voor iedereen om aardig tegen elkaar te zijn.

Niemand had veel zin in een concert, maar Jerome was niet te stuiten als hij eenmaal had besloten tot een goede daad. Dus daar gingen ze, terwijl een protesterend stilzwijgen de auto vulde: protest tegen Mozart, tegen uitjes in het algemeen, tegen het feit dat ze met een taxi moesten, tegen de rit van een uur van Wellington naar Boston, tegen het hele begrip 'kwaliteitstijd'. Alleen Kiki stond erachter. Ze meende Jeromes motief wel te begrijpen. Op de universiteit ging het gerucht dat Monty zijn gezin meebracht, wat inhield dat het meisje ook zou komen. Jerome moest zich gedragen alsof er niets was gebeurd. Dat moesten ze allemáál. Ze moesten een sterke eenheid vormen. Nu wurmde ze zich naar voren en reikte over Jeromes schouder om de radio wat harder te zetten. Hij stond op de een of andere manier niet hard genoeg om het gezamenlijke gemok te kunnen overstemmen. Ze bleef een minuutje zo zitten en kneep even in de hand van haar zoon. Ze waren eindelijk weg uit de buitenwijken van Boston met al zijn beton en verkeer. Het was vrijdagavond. Groepjes alleenstaanden uit Boston dromden rumoerig door de straten in de hoop iemand tegen te komen die ook op zoek was naar seks. Toen de taxi langs een nachtclub kwam, zag Jerome vanuit zijn ooghoek de vele schaars geklede meisjes die daar in de rij stonden, als de staart van iets prachtigs dat niet bestond. Jerome keek de andere kant op. Het doet pijn om naar iets te kijken wat je niet kunt krijgen.

'Pap, opstaan, we zijn er bijna,' zei Zora.

'Howie, heb je een paar dollar? Ik kan mijn portemonnee niet vinden, ik weet niet waar hij is.'

Ze stopten helemaal in de uiterste hoek van het park.

'Godzijdank, man, ik dacht dat ik zo echt zou gaan overgeven,' zei Levi, terwijl hij met een ruk de deur openschoof.

'Nog tijd genoeg voor,' zei Howard opgewekt.

'Misschien zou je een beetje kunnen genieten?' opperde Jerome.

'Natúúrlijk gaan we genieten, schat. Daarvoor zijn we hier,' mompelde Kiki. Toen ze haar portemonnee vond, betaalde ze de chauffeur door het raampje. 'We gaan heel erg genieten. Ik weet niet wat je vader heeft. Ik weet niet waarom hij opeens doet alsof hij de pest heeft aan Mozart. Dat heb ik nog nooit van hem gehoord.'

'Met mij is er niets mis,' zei Howard terwijl hij zijn dochter een arm gaf en met haar de mooie laan op wandelde. 'Als het aan mij lag, deden we dit elke avond. Weet je, ik vind dat er niet genoeg mensen naar Mozart luisteren. Zijn nalatenschap sterft waar wij bij staan. En als wíj niet naar hem luisteren, hoe moet dat dan met hem verdergaan?'

'Kap daarmee, Howie.'

Maar Howard vervolgde: 'Die arme stakker heeft alle steun nodig die hij kan krijgen, wat mij betreft. Een van de meest ondergewaardeerde componisten van het afgelopen millennium...'

'Jerome, let niet op hem, lieverd. Levi zal het wel mooi vinden – wij allemaal, hoor. We zijn geen beesten. We kunnen best een halfuur zitten luisteren, als respectabele mensen.'

'Het zal wel een uur zijn, mam,' zei Jerome.

'Wie gaat dit helemaal mooi vinden? Ik?' vroeg Levi nadrukkelijk. Hij kon in dit soort gevallen de ironie of humor er niet van inzien als zijn naam genoemd werd, en als dat gebeurde, dan ging hij ook altijd tekeer als zijn eigen vurige advocaat. 'Ik weet niet eens wie dat is! Mozart. Die heeft toch een pruik? Klassiek,' zei hij resoluut, tevreden nu hij de juiste diagnose had weten te stellen.

'Dat klopt, Levi,' zei Howard. 'Hij droeg een pruik. Klassieke muziek. Ze hebben een film over hem gemaakt.'

'Shit, die heb ik echt wel gezien. Ik moest kotsen van die film...'

'Juist.'

Kiki begon te giechelen. Nu liet Howard Zora's arm los en pakte in plaats daarvan zijn vrouw van achteren vast. Zijn armen pasten niet helemaal om haar heen, maar ze bleven zo lopen van de kleine heuvel naar de hekken van het park. Dit was een manier van hem om te zeggen dat het hem speet. Elke dag moesten het er meer worden.

'Man, kijk wat een rij,' zei Jerome ontstemd, want hij wilde dat alles die avond perfect zou zijn. 'We hadden eerder van huis weg moeten gaan.'

Kiki drapeerde haar zijden doek opnieuw rond haar schouders. 'O, zo lang is hij niet, schat. En het is in elk geval niet koud.'

'Ik kan echt wel over dat hek heen springen,' zei Levi, terwijl hij aan de verticale ijzeren staven trok waar ze langsliepen. 'Als je in de rij gaat staan wachten, ben je gek, echt wel. Een brother hoeft dat niet te doen, die springt over het hek. Dat is *straat*.'

'Zeg dat nog eens?' zei Howard.

'Straat, straat,' schreeuwde Zora, 'van straat, van "op straat leven", het straatleven kennen – in Levi's trieste wereldje heb je als neger een soort mysterieuze, heilige gemeenschap met stoepen en hoeken.'

'Ach, hou je kop, jij. Je weet helemaal niets van de straat. Je bent er nog nooit geweest.'

'Wat is dit dan?' vroeg Zora, naar de grond wijzend. 'Marshmallow?'

'Toe zeg. Dit is niet Amerika. Denk je dat dit Amerika is? Dit is een speelgoedstadje. Ik ben geboren in dit land, geloof mij maar. Ga maar kijken in Roxbury, in de Bronx, dan zie je pas wat Amerika is. Dat is stráát.'

'Levi, jij woont niet in Roxbury,' verklaarde Zora langzaam, 'je woont in Wellington. Je zit op Arundel! Je naam is in je ondergoed gestreken.'

'Ik vraag me af of ik straat ben...' peinsde Howard. 'Ik ben nog gezond, ik heb haar, testikels, ogen, et cetera. Geweldige testikels. Ik ben natuurlijk wel bovengemiddeld intelligent, maar ik zit dan ook barstensvol vuur en pit.'

'Néé.'

'Pap,' zei Zora. 'Zeg alsjeblieft niet "pit". Nooit meer.'

'Kan ik niet straat zijn?'

'Néé. Waarom moet je altijd van alles een grapje maken?'

'Ik wil gewoon straat zijn.'

'Ma-am. Zeg dat hij ophoudt.'

'Ik kan best een brother zijn. Kijk maar,' zei Howard, en hij nam allerlei houdingen aan om een aantal verschrikkelijke handgebaren te maken. Kiki uitte een kreet en sloeg haar hand voor haar ogen.

'Mam, ik ga naar huis, hoor, ik zweer het, als hij hier nog een seconde langer mee doorgaat, ik zweer het...'

Levi probeerde in zijn wanhoop zijn capuchon zo te trekken dat hij niet meer kon zien wat Howard deed. Het duurde natuurlijk nog maar een paar seconden voordat Howard begon aan het enige stukje rap dat hij ooit had kunnen onthouden, een enkel regeltje dat hij zich vreemd genoeg wist te herinneren uit de hele massa teksten die hij Levi dag na dag hoorde mompelen.

'*Het is menens, ik heb de slimste penis –*' begon Howard. Er stegen kreten van ontzetting op bij de rest van de familie. '*Niemand heeft zoiets ooit gezien, hij komt van Venus!*'

'Dit wordt te erg... ik ga.'

Levi rende kalm voor hen uit en liet zich opnemen in de menigte die door de hekken naar binnen liep. Ze moesten allemaal lachen, zelfs Jerome, en het deed Kiki goed hem te zien lachen. Howard was altijd geestig geweest. Zelfs toen ze elkaar voor het eerst ontmoetten had ze hem al meteen gezien als een vader die zijn kinderen aan het lachen kon maken. Nu kneep ze hem vol genegenheid in zijn elleboog.

'Heb ik iets verkeerds gezegd?' vroeg Howard voldaan, en haalde zijn armen van elkaar.

'Goed gedaan, schat. Heeft hij een mobiel bij zich?' vroeg Kiki.

'Hij heeft de mijne,' zei Jerome. 'Vanochtend heeft hij hem uit mijn kamer gepikt.'

Terwijl ze zich aansloten bij de voortschuifelende menigte, gaf het park zijn geur prijs aan de Belseys: een geur van planten, zoetig en zwaar nu de zomer zijn einde naderde. Op een vochtige septemberavond als deze was het terrein niet langer die keurige, Amerikaanse plek uit vroeger tijden, bekend van toespraken en ophanging. Het was bevrijd van de ketenen van tuiniers en neigde weer meer naar het wilde, naar de vrije natuur. De Bostoniaanse ordentelijkheid die Howard kende van dit soort evenementen kon al die warme lichamen, het getjirp van de krekels, de zachte, vochtige boombasten en het atonale stemmen van de instrumenten niet aan – en dat was maar goed ook. Lantaarns in de kleur van koolzaad hingen in de takken van de bomen.

'Gossie, wat mooi,' zei Jerome, 'het is net alsof het orkest boven het water zweeft, vinden jullie niet? Ik bedoel, dat lijkt zo door de reflectie van de lichtjes.'

'Gossie,' zei Howard, met een blik op het verlichte podium achter het water, 'gossie mijne. Gossie mijne mikkie. Nog aan toe.'

Het orkest zat op een klein podium aan de andere kant van de vijver. Howard zag duidelijk – als enige niet-bijziende van de familie – dat alle mannen van het orkest een das droegen met een patroontje van muzieknoten. Bij de vrouwen kwam hetzelfde patroon terug op een soort sjerp rond hun middel. Howard zuchtte diep. Op een enorm vaandel achter het orkest doemde het profiel van Mozarts ziekelijke hamsterhoofd op.

'Waar is het koor?' vroeg Kiki, om zich heen kijkend alsof het ergens achter een struik zou opduiken.

'Onder water, ze komen straks zo op...' zei Howard, terwijl hij iemand nadeed die met veel zwier uit zee opduikt. 'Dit is Mozart in vijver. Zoals Mozart *on ice*. Minder ongelukken.'

Kiki gniffelde even, maar toen veranderde haar uitdrukking en ze greep hem stevig bij zijn pols.

'Zeg... Howard, schat...' begon ze op haar hoede, terwijl ze naar het park keek, 'wil je goed nieuws of slecht nieuws?'

'Hmm?' deed Howard, en toen hij zich omdraaide zag hij beide soorten nieuws al wuivend over het grasveld op hem afkomen: Erskine Jegede en Jack French, voorzitter van de faculteit der Geesteswetenschappen. Jack French op zijn lange playboybenen gestoken in een New Englandbroek. Hoe oud was die man? Die vraag had Howard altijd beziggehouden. Jack French zou tweeënvijftig kunnen zijn. Maar net zo gemakkelijk negenenzeventig. Je kon het hem niet vragen en zolang je er niet naar vroeg, kwam je het ook nooit te weten. Jack had het gezicht van een filmidool, scherp gesneden, hoekig als een portret van Wyndham Lewis. Zijn expressieve wenkbrauwen leken net de twee zijkanten van een torenspits, en drukten altijd enige verbazing uit. Hij had een huid als van donker, verweerd leer zoals van mannen die ze na negenhonderd jaar opgraven uit het veen. Een dunne, maar dekkende laag zijdezacht grijs haar hield zijn schedel verborgen voor Howards insinuaties over zijn vermeende ouderdom en had hetzelfde model als wanneer de man tweeëntwintig was geweest, balancerend op de rand van een witte boot waar hij tussen de vingers van zijn hand als bescherming tegen de zon uitkijkt over Nantucket en zich afvraagt of dat Dolly is die daar op de pier staat met twee whisky's in haar hand. Maar dan Erskine: zijn wilde vlammenwerper van zwart-witte afro en die prentenboekachtige sproeten die bij Howard een onberedeneerd gevoel van vreugde opwekten. Erskine was vanavond gekleed in een driedelig kostuum, geler dan geel, waarin de ronde vormen van zijn volle lichaam weerstand boden tegen alle drie de delen. Aan zijn kleine voeten droeg hij een paar puntige Cubaanse schoenen met hakken. Hierdoor leek hij net een stier die zijn eerste twee danspassen in jouw richting doet. Op een afstand van tien meter had Howard nog een kans om van plaats te ruilen met zijn vrouw – snel en onopgemerkt – zodat Erskine automatisch naast Howard terecht zou komen en French niet. Hij greep zijn kans. Helaas was French niet een man voor dialogen, hij richtte zich tot groepen, altijd. Nee, hij richtte zich tot de ruimtes in een groep.

'De familie Belsey en masse,' zei Jack French heel langzaam, en alle leden van de familie probeerden uit te maken tot wie de man zich richtte. 'Min... één, geloof ik. De familie Belsey min één.'

'Dat is Levi, onze jongste, die zijn we kwijtgeraakt. Hij is ons kwijtgeraakt. Eerlijk gezegd, hij doet zijn best om ons kwijt te raken,' zei Kiki botweg en ze lachte, en Jerome lachte en Zora lachte en Howard en Erskine deden hetzelfde en pas daarna begon Jack French, tergend langzaam, met een oneindige traagheid te lachen.

'Mijn kinderen,' begon Jack.

'Ja?' zei Howard.

'Zijn ook altijd bezig,' zei Jack.

'Ja, ja,' moedigde Howard hem aan.

'Met plannetjes bekokstoven,' zei Jack.

'Ha ha,' zei Howard, 'ja.'

'Om mij kwijt te raken bij feestelijke gelegenheden,' zei Jack ten slotte.

'Juist,' zei Howard, die al uitgeput was. 'Juist. Zo gaat dat.'

'We zijn een gruwel voor onze kinderen,' zei Erskine vrolijk, met zijn accent dat van hoog naar laag ging en weer terug. 'We worden alleen gewaardeerd door andermans kinderen. Jullie kinderen vinden mij bijvoorbeeld veel aardiger dan jullie.'

'Dat klopt, hoor. Ik zou onmiddellijk bij je intrekken als ik de kans kreeg,' zei Jerome. Hij kreeg daarvoor Erskines standaardreactie op goed nieuws, al was het nog zo onbeduidend, bijvoorbeeld een nieuwe fles gin op tafel: hij pakte zijn gezicht in zijn beide handen en drukte een kus op zijn voorhoofd.

'Kom maar met mij mee naar huis. Dat is dan geregeld.'

'Neem de rest ook alsjeblieft mee. Je moet ze niet alleen een worst voorhouden,' zei Howard, en terwijl hij een stap naar voren deed gaf hij Erskine een joviale klap op zijn rug. Daarna draaide hij zich met uitgestoken hand om naar Jack French, wat French niet opmerkte omdat die zich had omgedraaid naar de musici.

'Heerlijk hier, hè?' zei Kiki. 'Fijn dat we jullie tegenkomen. Is Maisie er ook, Jack? Of de kinderen?'

'Het is hier inderdaad heerlijk,' bevestigde Jack, en zette zijn handen op zijn slanke heupen.

Zora porde met haar elleboog in haar vaders middenrif. Howard keek naar de zwijmelblik die zijn dochter wierp op faculteitsvoorzitter French. Het was typisch Zora om, zodra ze oog in oog kwam te staan met de gezaghebbende figuur die ze de hele week had vervloekt, gewoonweg aan zijn voeten in zwijm te vallen.

'Jack,' probeerde Howard, 'je kent Zora toch? Ze is nu tweedejaars.'

'Het is absoluut een wonder,' zei Jack, terwijl hij zich weer naar hen omdraaide.

'Ja,' zei Howard.

'In zo'n prozaïsche en...' vervolgde Jack.

'Hmm,' deed Howard.

'...stadse omgeving,' zei Jack, en hij keek stralend naar Zora.

'Meneer French,' zei Zora, terwijl ze Jacks hand zelf maar vastgreep, 'ik ben zo opgetogen voor het komende jaar. U hebt dit jaar een ongelooflijk programma samengesteld... ik was in de Greenman... ik werk dinsdags in de Greenman, afdeling Slavische talen... en ik heb daar de faculteitsverslagen van de afgelopen vijf jaar of zo doorgekeken, en vanaf het moment dat u voorzitter werd, hebben we steeds geweldiger gastdocenten en sprekers en onderzoeksmensen gekregen... mijn vrienden en ik gaan helemaal uit ons dak over dit semester. En dan geeft pap natuurlijk ook nog die ongelooflijke theorielessen over kunst, die ik dit jaar zeker ga volgen, ik trek me helemaal niets aan van wat anderen daarover te zeggen hebben – ik bedoel, uiteindelijk moet je toch die lessen volgen waardoor je je het meest kunt ontwikkelen tot een mens, wat het ook kost, dat geloof ik echt. Ik wil dus alleen zeggen dat ik het echt heel spannend vind dat Wellington een nieuwe fase ingaat. Ik denk dat de universiteit echt een positieve kant opgaat, en dat lijkt me wel nodig ook, na die ellendige machtsstrijd in de tweede helft van de jaren tachtig, die het moreel echt een dreun heeft gegeven.'

Howard wist niet welk deel van deze verschrikkelijke zin de faculteits-voorzitter los van de rest kon zien, verwerken en/of beantwoorden, noch had hij enig idee hoe lang dit kon duren. Hij was bijna radeloos toen Kiki hem wederom te hulp kwam.

'Schat, laten we het vanavond niet over het werk hebben, oké? Dat is niet beleefd. Dat kunnen we nog het hele semester doen... o, god, voordat ik het vergeet, over anderhalve week vieren we onze trouwdag, dan geven we een feestje, niets bijzonders, gewoon wat Marvin Gaye, wat Afro-Ameri-kaanse hapjes, je weet wel, heel gezellig...'

Jack vroeg naar de datum. Kiki noemde hem die. Op Jacks gezicht was heel even een onwillekeurige huivering te zien waaraan Kiki in de afgelo-pen jaren gewend was geraakt.

'Maar dat is de datum van jullie trouwdag zelf, dus...' zei Jack, die dit eigenlijk niet voor andermans oren had bestemd.

'Jawel – en aangezien iedereen het op de vijftiende toch al razend druk heeft, dachten we dat we het net zo goed op de dag zelf kunnen vieren... en het zou een mooie gelegenheid zijn om... je weet wel, iedereen te begroe-ten, nieuwe gezichten te leren kennen voordat het semester begint, et ce-tera.'

'Maar jullie eigen gezichten,' zei Jack, die al straalde bij de gedachte aan wat hij wilde gaan zeggen, 'zijn natuurlijk niet meer zo nieuw voor elkaar! Hoe lang is het, vijfentwintig jaar?'

'Lieve schat,' zei Kiki, terwijl ze haar dikke, met ringen versierde hand op Jacks schouder legde, 'tussen ons gezegd en gezwegen: dertig jaar.'

Er klonk enige emotie door in Kiki's stem.

'Hoe noemen ze dat ook alweer?' vroeg Jack zich af, 'een zilveren brui-loft? Of een gouden?'

'Ketenen van keihard diamant,' grapte Howard. Hij trok zijn vrouw naar zich toe en drukte een natte kus op haar wang. Kiki liet een diepe lach ho-ren, haar hele lichaam schudde.

'Maar kom je ook?' vroeg Kiki.

'Het lijkt me geweldig om...' begon Jack stralend, maar net op dat mo-ment klonk als door goddelijke tussenkomst een stem door een intercom die iedereen verzocht plaats te nemen.

7

Het *Requiem* van Mozart neemt je om te beginnen mee naar een diep ravijn. Dit ravijn is langs een afgrond, en je kunt het niet zien totdat je op de uiterste rand staat. In de diepte wacht de dood. Je weet niet hoe die eruitziet, hoe die klinkt of ruikt. Je weet niet of het fijn of akelig zal zijn. Je loopt er gewoon naartoe. Je wil is een klarinet en je voetstappen worden begeleid door alle violen. Hoe dichter je bij dat ravijn komt, hoe sterker je voelt dat je iets afgrijselijks te wachten staat. Toch ervaar je die angst als een soort zegen, een geschenk. Je lange wandeling zou geen betekenis hebben als zich aan het einde ervan niet dat ravijn bevond. Je kijkt voorzichtig over de rand, terwijl boven je een hemels geweld losbarst. In het ravijn bevindt zich een enorm koor, zoals het koor in Wellington waar je twee maanden in zat en waar je de enige zwarte vrouw was. Dit koor is een hemels gezelschap, maar tegelijkertijd het leger van de duivel. Het bestaat uit iedereen die invloed op je heeft gehad in de tijd dat je op deze aarde rondloopt: je vele minnaars, je familie, je vijanden, de vrouw zonder naam of gezicht die met je man heeft geslapen, de man met wie je dacht te zullen trouwen; de man met wie je bent getrouwd. Het koor moet een oordeel vellen. De mannen beginnen, en hun oordeel is zeer streng. En als de vrouwen invallen is er geen respijt, de strijd wordt alleen maar harder en grimmiger. Want een strijd ís het, dat besef je nu. Het oordeel is nog niet afgerond. Het is verbazingwekkend hoe zwaar de strijd blijkt voor je miezerige ziel. Ook verbazingwekkend zijn de zeemeerminnen en de apen die rond elkaar blijven dansen en langs een bewerkte trap naar beneden glijden tijdens het 'Kyrie', waarvan in het programmaboekje geen melding wordt gemaakt, zelfs niet in overdrachtelijke zin.

> *Kyrie eleison.*
> *Christe eleison.*
> *Kyrie eleison.*

Meer staat er niet bij het 'Kyrie'. Geen apen, alleen maar Grieks. Maar voor Kiki waren het evengoed apen en zeemeerminnen. Een uur lang luisteren naar muziek die je nauwelijks kent, in een dode taal die je niet begrijpt, is een vreemde ervaring, alsof je wordt meegevoerd door een golf. Minutenlang ben je er helemaal in opgenomen, denk je het te begrijpen. Dan ontdek je, zonder te weten hoe of wanneer precies, dat je weggedwaald bent, uit verveling of vermoeidheid, heel ver van de muziek af. Je kijkt in het programmaboekje. Daarin wordt duidelijk dat de afgelopen vijf minuten van zielenstrijd niet meer dan de herhaling zijn geweest van een enkele, niet-consistente muzieklijn. Ergens in de buurt van het 'Confutatis' was Kiki kwijtgeraakt waar ze precies gebleven was. Bij het 'Lacrimosa' of veel en veel verder? Ergens in het midden of al bij het eind? Ze draaide zich om naar Howard, maar die lag te slapen. Toen ze even naar rechts keek, zag ze dat Zora geconcentreerd met haar diskman op zat te luisteren naar professor N.R.A. Gould die haar behoedzaam door het hele muziekstuk loodste. Arme Zora, ze kon niet zonder voetnoten. In Parijs was het al precies zo geweest: ze was toen zo verdiept in de handleiding van de Sacré Coeur dat ze tegen een altaar botste en haar voorhoofd verwondde.

Kiki leunde achterover in haar stoel en probeerde haar vreemde onrust kwijt te raken. De maan boven haar hoofd was enorm en vlekkerig als de huid van een blanke bejaarde. Of misschien dacht Kiki dat doordat ze veel blanke bejaarden met geheven hoofd naar de maan zag kijken, met hun hoofd tegen de rugleuning, hun handen zachtjes deinend op schoot op een manier die het idee gaf dat ze over een benijdenswaardige muzikale kennis beschikten. Toch kon niemand van die blanken hier muzikaler zijn dan Jerome, die, zag Kiki nu, zat te huilen. Verbaasd deed ze haar mond open en daarna, bang om de betovering te verbreken, weer dicht. De tranen rolden stil en overvloedig. Kiki was ontroerd, en ze voelde ook nog iets anders: trots. Ik begrijp het dan wel niet, dacht ze, maar hij wel. Een jonge zwarte man, intelligent en gevoelig, en ík heb hem grootgebracht. Hoeveel andere zwarte jongens zouden er nu helemaal bij zo'n uitvoering zijn, ik wed niet één in deze hele massa, dacht Kiki, en ontdekte toen tot haar lichte ergernis dat er toch nog een was, een lange jongeman met een sierlijke nek die naast haar dochter zat. Niet uit het veld geslagen vervolgde Kiki haar denkbeeldige toespraak tot het denkbeeldige gilde van Amerikaanse zwarte moeders: *Er is geen groot geheim, helemaal niet, je moet denk ik alleen vertrouwen hebben en dat afschuwelijke zelfbeeld pareren dat zwarte mannen als hun geboorterecht van Amerika meekrijgen – dat is het belangrijkste – en verder niet... meedoen aan naschoolse activiteiten, veel boeken in huis hebben, en natuurlijk een beetje geld, en een huis met een tuin...* Kiki liet haar ouderlijke fantasie even rusten om Zora aan haar mouw te trekken en haar te wijzen op het wonder van Jerome, alsof het ging om tranen die van de wangen van een stenen madonna rolden. Zora keek even, haalde haar schouders op, keek geërgerd en concentreerde zich weer op professor Gould. Kiki richtte haar blik weer op de maan. Zoveel mooier dan de zon en je kon ernaar kijken zonder bang te zijn voor schadelijke gevolgen. Een paar minuten later was ze zover dat ze nog een laatste, geconcentreerde poging wilde doen om de tekst bij de gezongen woorden te vinden, toen het plotseling voorbij was. Ze was zo verbaasd dat ze te laat begon te klappen, hoewel niet zo laat als Howard, die er alleen maar wakker van was geworden.

'Was het dat?' vroeg hij, uit zijn stoel opspringend. 'Iedereen geroerd door de christelijke verhevenheid? Kunnen we nu gaan?'

'We moeten Levi nog zoeken. We kunnen niet zonder hem weggaan... misschien moeten we even bellen naar Jeromes mobiel... ik weet niet of hij aan staat.' Kiki keek met plotselinge nieuwsgierigheid op naar haar man. 'Dus je vond er niets aan? Hoe kun je zoiets nou niet mooi vinden?'

'Levi staat daar,' zei Jerome, en wuifde naar een boom honderd meter verderop. 'Hé, Levi!'

'Nou, ik vond het anders prachtig,' begon Kiki weer. 'Het is duidelijk het werk van een geniale...'

Howard kreunde toen hij dit woord hoorde.

'Kom op, Howard, je moet toch wel geniaal zijn om zulke muziek te componeren.'

'Wat voor muziek? Geef eens een definitie van geniaal.'

Kiki negeerde zijn verzoek. 'Nou, ik geloof dat de kinderen er heel erg van onder de indruk waren.' Ze gaf Jerome een kneepje in zijn arm, maar verder zei ze niets. Ze zou hem niet door zijn vader belachelijk laten maken. 'En ik was zelf ook heel erg ontroerd. Ik begrijp niet hoe je niet ontroerd kunt raken door dit soort muziek. Meen je het nou echt, vond je er niets aan?'

'Ik vond het best mooi... het was mooi. Ik hou alleen meer van muziek die niet probeert me een of ander metafysisch idee door de strot te duwen...'

'Ik begrijp niet waar je het over hebt. Het is goddelijke muziek...'

'Ik laat het hierbij,' zei Howard, hij draaide zich om en zwaaide naar Levi, die midden in het gedrang vastzat en terugzwaaide. Levi knikte toen Howard naar het hek wees om aan te geven dat ze daar op elkaar zouden wachten.

'Howard,' vervolgde Kiki, aangezien ze het gelukkigst was als ze hem zover kon krijgen dat hij met haar praatte over wat er door hem heen ging, 'leg eens uit hoe het mogelijk is dat wat we zojuist hebben gehoord niet het werk was van een genie... ik bedoel, wat je ook zegt, er is toch wel degelijk verschil tussen zoiets als dit en iets als...'

De familie zette het gesprek voort toen ze vertrokken, ook de stemmen van de kinderen mengden zich erin. De zwarte jongen met de sierlijke nek die naast Zora had gezeten spitste zijn oren om flarden van het gesprek op te vangen. Hij vond het interessant, al had hij het niet allemaal gevolgd. Hij merkte steeds vaker dat hij tegenwoordig naar mensen luisterde en er dan het zijne over wilde zeggen. Hij had zojuist ook iets willen inbrengen, informatie die hij uit de film had gehaald. Volgens de film was Mozart doodgegaan voordat hij dit stuk voltooid had, of niet soms? Dus moest iemand anders het hebben afgemaakt. Dat sloeg naar zijn idee op dat gedoe over genialiteit waar ze het over hadden. Maar hij was niet gewend om onbekenden aan te spreken. Bovendien was het moment alweer voorbij voordat hij het wist. Dat gebeurde altijd. Hij trok zijn honkbalpet over zijn voorhoofd en tastte in zijn zak naar zijn mobiel. Hij greep onder zijn stoel naar zijn diskman, maar die was weg. Hij vloekte heftig en liet zijn hand in het donker rondtasten, tot hij iets vond: een diskman. Maar niet die van hem. Die van hem was op de onderkant een beetje plakkerig, dat voelde hij altijd, de restanten van een sticker met het silhouet van een naakte juffrouw met een enorm afrokapsel, die er allang niet meer op zat. Verder was deze diskman precies hetzelfde als de zijne. Het duurde heel even voor hij het begreep. Snel greep hij zijn capuchontrui van de armleuning, maar hij trok er een scheurtje in omdat hij ergens aan bleef haken. Shit, dit was zijn mooiste capuchontrui. Toen hij los was, rende hij zo snel als hij kon achter het forse meisje met die bril aan. Bij elke stap leken er meer mensen tussen haar en hem in te komen.

'Hé! Hé daar!'

Maar achter dat 'Hé' kwam geen naam en een atletische zwarte man van 1.86 meter die 'Hé' loopt te schreeuwen in een massa mensen, dat maakt de boel er niet bepaald rustiger op.

'Ze heeft mijn diskman, dat meisje, die jongedame daar... daar loopt ze... sorry, sorry, man, mag ik er even langs... Hé! Hé, sister!'

'Zora, wacht!' klonk een stem hard naast hem, en het meisje dat hij had willen tegenhouden draaide zich om en stak haar middelvinger naar iemand op. De blanken in de buurt keken onrustig om zich heen. Zou er iets gaan gebeuren?

'Ach, krijg de tering,' zei de stem berustend. De jongeman draaide zich om en zag een jongen staan die iets kleiner was dan hijzelf, en een paar tintjes lichter.

'Hé, man... is dat jouw vriendin?'

'Wát?'

'Dat meisje met die bril die je zojuist riep? Is dat jouw meisje?'

'Jezus, nee, dat is mijn zus, bro.'

'Ze heeft mijn diskman, mijn muziek, waarschijnlijk per ongeluk meegenomen. Ik heb namelijk die van haar. Ik probeerde haar al te roepen, maar ik wist niet hoe ze heet.'

'Echt waar?'

'Deze is van haar, man. Niet van mij.'

'Wacht even...'

Weinig mensen in het groepje van familie en docenten rond Levi zouden hebben geloofd dat Levi zo snel in actie kon komen als hij nu deed voor deze jongeman die hij nooit eerder had gezien. Hij baande zich pijlsnel een weg door de menigte, greep zijn zus bij de arm en begon druk tegen haar te praten. De jongeman volgde langzamer, maar was net op tijd om Zora te horen zeggen: 'Doe niet zo raar, ik ga mijn diskman niet aan een vriendje van jou geven! Laat me los...'

'Je luistert niet, hij is niet van jou, maar van hem – van hém,' herhaalde Levi, terwijl hij naar de bewuste jongen wees. De jongeman glimlachte flauwtjes onder de rand van zijn honkbalpet. Zelfs aan die glimp van een glimlach kon je zien dat hij een perfect wit, schitterend gebit had.

'Levi, als jij en je vriendje de *gangstas* willen uithangen, raad ik je dit aan: je moet nemen, niet vragen.'

'Zoor, deze is niet van jou, maar van die jongen.'

'Ik weet toch wel hoe mijn diskman eruitziet... deze is van mij.'

'Bro,' zei Levi, 'Heb je er een cd in zitten?'

De jongen knikte.

'Luister naar die cd, Zora.'

'O, jezus, kijk dan! Dit is een gewone cd-rom. Van mij. Oké? Nou, doei.'

'Die van mij is ook een cd-rom, zelf opgenomen,' zei de jongeman resoluut.

'Levi... We moeten naar de auto.'

'Luister dan even naar...' zei Levi tegen Zora.

'Néé.'

'Luister verdomme naar die cd, Zoor.'

'Wat is er aan de hand?' riep Howard twintig meter verderop. 'Kunnen we nu alsjeblieft doorlopen?'

'Zora, idioot, luister nou naar die cd, dan is het zo geregeld.'

Zora trok een grimas en drukte op play. Een paar zweetdruppels verschenen op haar voorhoofd.

'Nou, dit is niet mijn cd. Het is iets van hiphop,' zei ze scherp, alsof die cd er iets aan kon doen.

De jongeman liep voorzichtig naar haar toe, met een hand opgeheven om duidelijk te maken dat hij geen kwaad in de zin had. Hij draaide de diskman die ze in haar hand hield om en liet haar het plakkerige stukje zien. Hij tilde zijn trui en t-shirt op – waarbij een buitengewoon goedgevormd heupbeen onthuld werd – en haalde een tweede diskman van zijn broekband los.

'Deze is van jou.'

'Ze zijn precies hetzelfde.'

'Ja, ik denk dat daar die verwarring vandaan kwam.' Hij grinnikte nu en ze kon er niet langer omheen dat hij waanzinnig knap was. Zora's trots en vooroordeel deden er echter samen alles aan om dit toch te negeren.

'Tja, nou, ik had de mijne onder míjn stoel gelegd,' zei ze uit de hoogte, en ze liep weg in de richting van haar moeder, die honderd meter verderop met haar handen op haar heupen stond te wachten.

'Oeps. Stoere sister,' zei de jongen half lachend.

Levi zuchtte.

'Yo, bedankt, man.'

Ze sloegen hun handen tegen elkaar.

'Waar luister jij naar?' vroeg Levi.

'Gewoon, wat hiphop.'

'Mag ik 's horen... vind ik helemaal te gek.'

'Best...'

'Ik heet Levi.'

'Carl.'

Hoe oud is die jongen, vroeg Carl zich af. En waar had hij geleerd aan een brother die hij nog nooit eerder had gezien te vragen of hij naar zijn diskman mocht luisteren? Carl had een jaar geleden bedacht dat als hij naar dit soort uitvoeringen zou gaan, hij mensen zou ontmoeten die hij anders nooit zag – en het bewijs daarvan was nooit eerder zo duidelijk geleverd.

'Strak, man. Goed stukje zit erin. Wie is dat?'

'Eerlijk gezegd ben ik dat zelf...' zei Carl, zonder bescheidenheid maar ook zonder trots, 'ik heb een heel eenvoudig zestiensporenapparaat thuis. Ik doe het zelf.'

'Ben je rapper?'

'Nou... ik zou eerder zeggen een vertolker van het gesproken woord.'

'Vet cool.'

Het hele stuk vanaf het grasveld tot aan de hekken van het park bleven ze kletsen. Over hiphop in het algemeen, daarna over de laatste optredens in de buurt van Boston, hoe weinig het er waren. Levi stelde de ene vraag na de andere en gaf soms zelf al het antwoord. Carl bleef zich afvragen waarom hij zo deed, maar er was kennelijk geen bepaalde reden voor; sommige mensen praatten gewoon veel. Levi stelde voor om telefoonnummers uit te wisselen, en dat deden ze bij een eik. 'Dan kun je... als je eens iets hoort over een optreden in Roxbury... dan kun je me bellen of zo,' zei Levi, iets te happig.

'Woon je in Roxbury?' vroeg Carl aarzelend.

'Niet echt... maar ik ben er vaak, vooral op zaterdag.'

'Hoe oud ben je, veertien?' vroeg Carl.

'Nee, man, ik ben zestien! En jij?'

'Twintig.'

Na dit antwoord bond Levi meteen in.

'Studeer je of...?'

'Neu... ik heb geen opleiding gedaan, hoewel...' Hij had een theatrale, ouderwetse manier van praten, waarbij zijn lange, fraaie vingers cirkeltjes in de lucht tekenden. Zijn hele manier van doen deed Levi denken aan zijn grootvader van moeders kant die graag 'speeches afstak', zoals Kiki dat noemde. 'Je zou kunnen zeggen dat ik zelf de boeken ter hand neem.'

'Vet.'

'Ik neem zo veel mogelijk cultuur tot me, weet je. Alles wat je in deze stad gratis kunt zien en waar ik iets van kan leren, daar ben ik bij.'

Levi's familie stond naar hem te zwaaien. Hij hoopte dat Carl een andere kant op zou gaan voordat ze bij het hek kwamen, maar natuurlijk was er maar één uitgang.

'Eindelijk,' zei Howard, toen ze dichterbij kwamen.

Nu was het Carls beurt om in te binden. Hij trok zijn honkbalpet omlaag. Hij stak zijn handen in zijn zakken.

'O, hé,' zei Zora, hevig in verlegenheid gebracht.

Carl knikte.

'Ik bel je,' zei Levi snel, bang dat hij er anders niet onderuit kon om hem aan de anderen voor te stellen. Hij was niet snel genoeg.

'Hallo!' zei Kiki. 'Ben jij een vriend van Levi?'

Carl wist niet wat hij moest zeggen.

'Eh... dit is Carl. Zora had zijn diskman gepikt.'

'Ik heb helemaal niets gepikt...'

'Zit jij niet op Wellington? Bekend gezicht,' zei Howard verstrooid. Hij stond uit te kijken naar een taxi. Carl lachte, een vreemde, kunstmatige lach die meer woede dan vrolijkheid uitdrukte.

'Zie ik eruit alsof ik op Wellington zit?'

'Niet iedereen zit op die stomme universiteit van jou,' riep Levi blozend tegen zijn vader. 'Mensen doen ook wel eens wat anders dan studeren. Hij is straatdichter.'

'Echt?' vroeg Jerome belangstellend.

'Niet echt, man... ik doe iets met het gesproken woord, meer niet. Ik weet niet of ik mezelf wel een straatdichter kan noemen.'

'Het gesproken woord?' herhaalde Howard.

Zora, die zichzelf beschouwde als de belangrijkste brug tussen Wellingtons popmilieu en het academische milieu van haar ouders, mengde zich in het gesprek.

'Het is een soort gesproken poëzie... een Afro-Amerikaanse traditie. Claire Malcolm is er dol op. Zij vindt het van vitaal belang en aards, bla, bla, bla. Ze gaat naar de Bus Stop om het te laten horen aan haar eigen groupies.'

Wat betreft het laatste waren de druiven bij Zora zuur. Ze had zich het vorige semester ingeschreven voor Claires poëzieworkshop, maar ze was niet aangenomen.

'Ik heb een paar keer in de Bus Stop meegedaan,' zei Carl rustig. 'Een goeie ruimte. Het is zo'n beetje de enige toffe plek voor dat soort dingen in Wellington. Ik heb er afgelopen dinsdagavond nog wat gedaan.' Nu stak hij een duim onder de rand van zijn pet en tilde hij hem een stukje op om te kunnen zien tegen wie hij praatte. Was die blanke kerel hun vader?

'Claire Malcolm gaat naar een bushalte om poëzie te horen...' begon Howard, verbijsterd de straat af turend.

'Hou op, pap...' zei Zora. 'Ken je Claire Malcolm?'

'Nee... ik geloof het niet,' zei Carl, waarbij hij weer even die innemende glimlach prijsgaf, waarschijnlijk alleen van de zenuwen, maar elke keer werd hij er sympathieker door.

'Zij is een dichter met een hoofdletter,' verklaarde Zora.

'O... een dichter met een hoofdletter.' Carls glimlach verdween.

'Hou op, Zoor,' zei Jerome.

'Rubens,' zei Howard ineens. 'Je gezicht. Van de *Negerkoppen*. In elk geval leuk je te ontmoeten.'

Howards familieleden staarden hem vol ongeloof aan. Howard liep van de stoep af om een langsrijdende taxi aan te houden.

Carl trok zijn capuchon over zijn honkbalpet en begon om zich heen te kijken.

'Je zou eens kennis moeten maken met Claire,' zei Kiki geestdriftig, in een poging de boel te redden. Opmerkelijk wat een gezicht als dat van Carl iemand kan laten doen om die glimlach nog eens te kunnen zien.

'Ze staat in hoog aanzien. Iedereen zegt dat ze heel goed is.'

'Taxi!' schreeuwde Howard. 'Hij stopt aan de overkant. Kom mee.'

'Waarom doe je nou net alsof je nooit iets van het werk van Claire hebt gezien?' vroeg Zora scherp aan haar moeder. 'Je hebt haar gelézen, dus je mag best je mening geven, mam, daar zul je niets van krijgen.'

Kiki ging er niet op in. 'Ik weet zeker dat ze het enig zal vinden om een jonge dichter te ontmoeten, ze is heel stimulerend. We geven trouwens een feestje...'

'Kom, kom nou,' herhaalde Howard. Hij stond midden op de vluchtheuvel.

'Waarom zou hij op jullie feest willen komen?' vroeg Levi verontwaardigd. 'Een huwelijksjubileum nog wel.'

'Nou, schat, ik kan het toch vrágen? Bovendien is het niet zomaar een trouwfeest. En tussen jou en mij gesproken,' zei ze quasi-vertrouwelijk tegen Carl, 'kunnen we best nog een paar brothers gebruiken.'

Het was niemand ontgaan dat Kiki stond te flirten. Brothers? dacht Zora boos, sinds wanneer zegt Kiki brothers?

'Ik moet gaan,' zei Carl. Hij zag eruit alsof hij zich zeer slecht op zijn gemak voelde. 'Ik heb het nummer van Levi... misschien kunnen we eens wat samen doen, dus...'

'O, oké...'

Ze zwaaiden allemaal halfslachtig naar hem en zeiden kalm gedag, maar het was overduidelijk dat hij zo snel mogelijk bij hen weg wilde.

Zora draaide zich om naar haar vader en sperde haar ogen wijd open. 'Wat stelde dat voor? Rubens!?'

'Leuke jongen,' zei Kiki droevig.

'Laten we instappen,' zei Levi.

'Niet onknap ook, hè?' zei Kiki en keek Carl na die om een hoek verdween. Howard stond aan de overkant, met een hand op het geopende portier van de taxi terwijl hij met de andere gebaarde van de grond naar de lucht om hen aan te sporen snel in te stappen.

8

De zaterdag van het feest brak aan. De twaalf uur die eraan voorafgingen, waren voor de Belseys een periode van huishoudelijke drukte en beslommeringen; je had een waterdicht excuus nodig om daar onderuit te kunnen. Gelukkig voor Levi hadden zijn ouders hem een maand geleden zo'n excuus verschaft. Hadden ze hem niet aan zijn hoofd gezeurd dat hij een zaterdagbaantje moest gaan zoeken? Dat had hij dus gevonden, en dus ging hij daarnaartoe. Einde discussie. Met genoegen liet hij Zora en Jerome de deurknoppen poetsen toen hij vertrok naar zijn werk als assistent-verkoper in de megastore in Boston. Het werk zelf was niet iets om blij van te worden; hij haatte het oubollige petje dat hij moest dragen en de slechte popmuziek die hij moest verkopen; de trieste sukkel van een afdelingschef die zich verbeeldde dat hij alles over Levi te zeggen had; de mama's die zich de naam van de artiest of van de single niet konden herinneren en daarom maar over de balie leunden om het hem vals voor te neuriën. Het enige waar het goed voor was, was dat het hem een reden verschafte om uit dat speelgoedstadje Wellington weg te komen en wat geld uit te geven in Boston. Elke zaterdagochtend pakte hij de bus naar de dichtstbijzijnde halte en daarna nam hij de metro die hem de enige stad in voerde die hij ooit echt had gekend. Het was natuurlijk geen New York, maar een andere keuze had hij niet, en Levi koesterde het stadse leven op dezelfde manier als vorige generaties het landelijke leven aanbaden; als hij er een ode voor had kunnen schrijven, had hij het gedaan. Maar op dat gebied kon hij niet veel – hij probeerde het vroeger wel, schriften vol tenenkrommende rijmelarij. Hij had geleerd het over te laten aan de ratelende jongens in zijn koptelefoon, de Amerikaanse dichters van vandaag, de rappers.

Levi was om vier uur klaar met zijn werk. Hij verliet de stad met tegenzin, zoals altijd. Hij stapte weer in de metro en daarna in de bus. Hij zag met enige huivering door de smerige raampjes hoe Wellington zich begon af te tekenen. De helderwitte torentjes van de universiteit waren in zijn ogen de wachttorens van een gevangenis waar hij naar terugkeerde. Hij liep de helling af, daarna de laatste heuvel op, terwijl hij naar de muziek luisterde. Hij kreeg steeds meer met zichzelf te doen. Het lot van de jongeman die in zijn koptelefoon zong en wie die avond een gevangeniscel wachtte, leek niet eens zoveel anders dan dat van hemzelf: een trouwfeest vol universiteitsmensen.

Terwijl Levi Redwood Avenue op liep door een tunnel van doorbuigende wilgen, merkte hij dat hij zelfs niet meer met zijn hoofd meebewoog op de muziek, wat hij meestal onbewust deed. Halverwege de laan merkte hij tot zijn ergernis dat iemand hem in de gaten hield. Een stokoude zwarte dame zat op haar veranda naar hem te kijken alsof er niets anders in het stadje te zien was. Hij probeerde haar in verlegenheid te brengen door glashard terug te kijken, maar daar trok ze zich niets van aan. Ze bleef gewoon kijken. Aan weerszijden van het huis, omkaderd door twee geelbladige bomen zat ze op de veranda in een knalrode jurk te kijken alsof ze ervoor werd betaald. Man, man, wat zag die vrouw er oud en verkreukeld uit. Haar haar was niet netjes opgebonden, alsof ze niet goed werd verzorgd, sprieten staken alle kanten uit. Levi vond het verschrikkelijk om oude mensen te zien die niet goed verzorgd werden. Haar kleren waren ook al niet normaal. Die rode jurk had niet eens een taille, hij hing recht naar beneden als de robe van een koningin in een prentenboek en werd aan de hals bijeengehouden door een grote broche in de vorm van een gouden palmblad. Om haar heen stonden allemaal kisten met kleren, kopjes en borden... net een dakloze, maar dan met een dak. Ze kon anders wel kijken... Jezus, is er niets op tv, dame? Misschien moest hij een t-shirt kopen met de tekst NEE, IK GA JE NIET VERKRACHTEN. Hij kon zo'n shirt wel gebruiken. Het zou hem misschien wel drie keer per dag van pas komen. Er was altijd wel een oude dame die in dat opzicht gerustgesteld moest worden. En kijk nou toch... ze worstelt zich uit haar stoel... haar benen als lucifers in sandalen. Ze gaat iets zeggen. O, shit.

'Neem me niet kwalijk, jongeman, mag ik even iets vragen, kun je even blijven staan?'

Levi duwde zijn koptelefoon naar één kant van zijn hoofd.

'Wát zegt u?'

Je zou denken dat de dame na al die moeite die ze had moeten doen om op te staan en hem te roepen wel iets belangrijks te zeggen zou hebben. Mijn huis staat in brand. Mijn kat zit boven in een boom. Maar nee.

'Hoe gaat het?' vroeg ze. 'Je ziet er niet zo goed uit.'

Levi zette zijn koptelefoon weer op en wilde doorlopen. Maar de dame gebaarde nog steeds naar hem. Hij bleef weer staan, zette zijn koptelefoon af en slaakte een zucht.

'Ik heb nogal een lange dag gehad, dus eh... of is er iets wat ik voor u kan doen... Hebt u hulp nodig of zo? Moet ik iets sjouwen?'

De dame was erin geslaagd naar voren te komen. Ze deed twee stappen en zocht toen met beide handen steun aan het hek van de veranda. Haar knokkels waren grijs en stoffig. Haar aders leken wel bassnaren.

'Ik wíst het. Je woont hier in de buurt, hè?'

'Pardon?'

'Ik ben ervan overtuigd dat ik je broer ken. Ik kan me niet vergissen, althans dat denk ik niet,' zei ze. Haar hoofd wiebelde een beetje tijdens het praten. 'Nee, ik vergis me niet. Jullie gezicht heeft dezelfde structuur. Precies dezelfde jukbeenderen.'

Haar accent had voor Levi iets beschamends, iets belachelijks. Voor Levi waren zwarten stadsmensen. Mensen van de eilanden of van het platteland waren in zijn ogen allemaal een beetje vreemd, behorend bij een ver verleden – hij kon ze niet echt voor vol aanzien. Hij had dat ook die keer dat ze met het hele gezin naar Venetië waren gegaan en Levi het idee niet uit zijn hoofd had kunnen zetten dat alles en iedereen hem daar voor de gek hield. Geen wegen? Wátertaxi's? Hetzelfde gevoel kreeg hij bij boeren, bij iedereen die aan weven deed en bij zijn leraar Latijn.

'Juist... nou eh, ik moet gaan, hoor... ik heb een en ander te doen... dus... staat u maar niet meer op, hoor, straks valt u nog... ik ben weg.'

'Wacht!'

'O, nee...'

Toen Levi dichterbij kwam, deed ze iets heel merkwaardigs: ze greep zijn handen vast.

'Ik wil graag weten hoe je moeder is.'

'Mijn moeder? Wat? Luister, sister...' zei Levi, terwijl hij zijn handen terugtrok, 'ik denk dat u de verkeerde voor u hebt.'

'Ik zal wel bij haar langsgaan, denk ik,' zei ze. 'Uit wat ik heb gehoord over haar gezin, begrijp ik dat ze aardig moet zijn. Is ze erg glamourachtig? Ik weet niet waarom, maar ik stel me haar altijd voor als een heel drukke, glamourachtige vrouw.'

Het idee dat Kiki druk en glamourachtig zou zijn bracht voor het eerst die dag een glimlach op Levi's gezicht.

'U bedoelt vast iemand anders. Mijn moeder is ongeveer zo...' hij gaf met zijn armen de breedte aan van het hek, 'en ze verveelt zich dood.'

'Verveelt zich...' herhaalde ze, alsof dit het interessantste was dat iemand haar ooit had verteld.

'Ja, ze heeft wel wat weg van u, niet helemaal jofel in de bovenkamer...' mompelde hij, zo zacht dat ze het niet kon horen.

'Nou, ik moet bekennen dat ik me ook wel een beetje verveel. Ze zijn binnen allemaal aan het uitpakken, maar ik mag niet helpen! Natuurlijk voel ik me ook niet zo bijster goed,' vertrouwde ze hem toe, 'en de pillen die ik slik... geven me een raar gevoel. Het is heel vervelend, ik ben gewend overal aan mee te doen.'

'Uh-huh... nou, mijn moeder geeft vanavond een feestje, misschien moet u daar ook naartoe, misschien levert dat wat op... Oké, sister, leuk u even gesproken te hebben, maar ik moet nu gaan... doet u maar rustig aan. En blijft u uit de zon.'

9

Het toeval wilde dat het nummer op Levi's diskman net afliep toen hij zijn hand op het hekje van Langham 83 legde. Deze middag leek het huis in zijn ogen surrealistischer dan ooit, het was alsof het totaal niets te maken had met de plek waar hij woonde. Het stond er prachtig bij. De zon koesterde het met zijn stralen, verwarmde het hout, verblindde de ramen en liet ze schitterend reflecteren. Hij schonk zich aan de felpaarse bloemen voor de muur en zij sperden zich wijd open om hem te ontvangen. Het was tien voor halfzes. Het beloofde een zwoele nacht te worden, benauwd en warm, maar met genoeg wind zodat je niet constant zou liggen zweten. Levi dacht aan de vrouwen die zich in heel New England voorbereidden op de avond: uitkleden, wassen, weer aankleden in schonere, verleidelijker kleren; zwarte meisjes in Boston die hun benen insmeerden en hun haar steil maakten, vloeren in clubs die werden geveegd, barkeepers die op hun werk arriveerden, dj's die geknield in hun slaapkamer platen uitzochten die ze in hun zware zilveren koffers stopten – al die fantasietjes die hem meestal zo opwonden, kregen iets wrangs en naargeestigs bij het idee dat het enige feest dat hij vanavond zou meemaken vol blanken zou zijn die drie keer zo oud waren als hij. Met een zucht draaide hij langzaam cirkeltjes met zijn hoofd. Omdat hij geen zin had om naar binnen te gaan bleef hij staan waar hij was, halverwege het tuinpad, met zijn hoofd naar voren gebogen en de ondergaande zon op zijn rug. Iemand had petunia's gevlochten rond de driehoekige sokkel van zijn grootmoeders standbeeld, een piramidevormige steen tussen een paar suikerahorns in de voortuin. Kerstverlichting – die nog niet brandde – was rond de stammen van deze twee bomen en tussen hun takken gewikkeld.

Levi dacht er net aan dat hij gelukkig niet bij al die klusjes had moeten helpen toen er iets in zijn zak trilde. Hij pakte zijn mobiel. Een sms'je van Carl. Het duurde even voordat hij wist wie Carl ook alweer was. Er stond: GAAT FEEST NOG DOOR? KOM MISSCHIEN LANGS. PEACE. C. Levi voelde zich gevleid maar ook een beetje ongerust. Was Carl vergeten om wat voor feest het ging? Hij wilde net terugbellen toen hij uit zijn eenzaamheid werd opgeschrikt door Zora, die met veel kabaal de ladder voor het huis af klom. Blijkbaar had ze zojuist vier bosjes gedroogde roze en witte roosjes boven de deurlijst gehangen. Levi begreep niet waarom hij haar niet eerder had opgemerkt. Op de derde sport kreeg ze hem ook in de gaten, langzaam draaide ze haar hoofd in zijn richting, maar haar blik gleed langs hem heen naar iets op straat.

'Wauw,' fluisterde ze terwijl ze een hand ter bescherming naar haar voorhoofd bracht. 'Die vrouw kijkt haar ogen uit. Moet je kijken – ze kan het gewoon niet bevatten. Ze wordt helemaal gek.'

'Huh?'

'Dank u! Ja, loopt u maar door... hij wóónt hier, ja hoor, dat klopt... er is geen sprake van een misdaad, bedankt voor uw belangstelling!'

Levi draaide zich om en zag hoe de vrouw tegen wie Zora stond te roepen zich aan de overkant blozend uit de voeten maakte.

'Stond ze naar mij te kijken? Was het dezelfde vrouw als de vorige keer?'

'Nee, een andere. En zeg maar niets meer. Jij had hier al twee uur geleden moeten zijn.'

'Het feest begint toch pas om acht uur!'

'Om zes uur, eikel. En het is je weer gelukt om geen poot uit te steken.'

'Zoor, man...' zei Levi met een zucht en liep langs haar heen, 'je weet toch hoe het is als je gewoon niet zo in de stemming bent...?'

Hij trok onderweg zijn Raiders-shirt uit en maakte er een prop van. Met zijn blote rug, zo breed van boven en zo smal van onderen, versperde hij Zora de weg.

'Nou, ik was ook niet bepaald in de juiste stemming om driehonderd pasteibakjes te vullen met krabsalade,' zei ze terwijl ze haar broer achternaliep door de voordeur. 'Maar ik heb mijn bestaanscrisis even opzij moeten zetten.'

In de hal rook het heerlijk. Afro-Amerikaans eten verspreidt een geur die je vervult nog voordat je er ook maar een hap van hebt genomen. Het zoete deeg van het gebak, de vleug alcohol van rumpunch. In de keuken stonden op de grote tafel vele schotels, afgedekt met folie, en een hoge stapel borden en glazen stonden op bijzettafeltjes die uit de kelder waren gehaald. Howard stond ertussenin, met een cognacglas rode wijn in zijn hand terwijl hij een misvormd sjekkie stond te roken. Er zat een plukje tabak op zijn onderlip. Hij was gekleed in zijn traditionele 'kokkostuum'. Deze outfit – die een soort protest vormde tegen het concept van koken – was door Howard samengesteld uit alle kokattributen die Kiki door de jaren heen had gekocht en nooit gebruikt. Vandaag was Howard uitgedost met een koksjas, een schort, een ovenwant, verschillende theedoeken die hij achter zijn broekband had gestopt, en één die hij zwierig rond zijn nek had geknoopt. Hij zat helemaal onder de bloem.

'Welkom binnen! We zijn aan het kóken,' zei Howard. Hij bracht zijn hand in de ovenwant naar zijn lippen en tikte tweemaal tegen zijn neus.

'En vooral aan het drínken,' zei Zora terwijl ze het glas wijn uit zijn hand pakte en op het aanrecht neerzette.

Howard kon het wel waarderen en ging in dezelfde trant verder. 'En hoe was jouw dag, jochie?'

'Nou, er dacht weer eens iemand dat ik een huis kwam beroven.'

'Nee toch...' zei Howard op zijn hoede. Hij was huiverig voor gesprekken met zijn kinderen over rassentoestanden.

'En zeg nu niet dat ik paranoïde ben,' snauwde Levi terwijl hij zijn vochtige shirt op de tafel gooide, 'ik wil hier gewoon niet meer wonen, man... iedereen gaapt me maar aan.'

'Heeft iemand de room gezien?' vroeg Kiki, die achter de deur van de koelkast opdook. 'Niet die in een spuitbus, niet de zure room, niet de halfvolle room – de echte slagroom. Hij stond op tafel.' Haar oog viel op Levi's shirt. 'Niet hier, jongeman. Naar je kamer ermee – waar het trouwens een zwijnenstal is. Ik was er zojuist even. Als jij binnenkort uit dat souterrain wilt, zul je wel een paar dingen moeten veranderen. Ik zou me doodschamen als iemand die kamer te zien kreeg!'

Levi fronste zijn wenkbrauwen alleen maar en praatte intussen door met zijn vader '...en toen begon een maffe oude dame op Redwood vragen te stellen over mam.'

'Levi,' zei Kiki, terwijl ze op hem afliep, 'ben je hier om te helpen of hoe zit het?'

'Wat bedoel je? Over Kiki?' vroeg Howard belangstellend, terwijl hij aan de tafel ging zitten.

'Die oude dame op Redwood zat maar naar me te kijken... ik liep gewoon langs, gewoon over straat, net als ieder ander... en ze hield me staande en begon tegen me te praten alsof ze erachter probeerde te komen of ik haar zou gaan vermoorden...'

Dat was natuurlijk niet waar. Maar Levi wilde indruk maken en daarvoor moest hij de waarheid een beetje verdraaien.

'En toen begon ze van "je moeder dit, je moeder dat". Het was een zwarte vrouw.'

Howard wilde protesteren, maar hij kreeg geen kans.

'Nee, nee, maar dat maakt nooit geen verschil. Iedere zwarte vrouw die blank genoeg is om op Redwood te wonen denkt net zo als andere oude blanke vrouwen.'

'"Nooit geen" is fout,' corrigeerde Zora. 'Dat is verschrikkelijk aanmatigend, weet je dat, om zo te gaan praten, andermans woordkeus te imiteren. Van mensen die niet zo veel geluk hebben gehad als jij. Dat is belachelijk. Je kunt wel een zelfstandig naamwoord in het Latijn verbuigen, maar blijkbaar kun je niet eens...'

'De slagroom, heeft iemand die gezien? Hij stond net nog daar.'

'Ik denk dat je een tikje overdrijft...' zei Howard, terwijl hij de fruitschaal aftastte. 'Waar is dit gebeurd?'

'Op Redwood! Hoe vaak moet ik dat nog zeggen? Zo'n maffe oude zwarte vrouw.'

'Ik begrijp niet hoe het kan dat ik hier iets neerzet en vijf minuten later is het... Rédwood?' vroeg Kiki scherp. 'Welk deel?'

'Bovenste, voor de kleuterschool.'

'Een zwárte oude vrouw? Die woont daar niet. Wie was het?'

'Dat weet ik toch zeker niet... overal stonden dozen, alsof ze er net ingetrokken was. Maar daar gaat het toch niet om, waar het om gaat is dat ik het spuugzat ben dat mensen me verdomme bij elke stap die ik zet aankijken of ik...'

'O, jezus, jezus... je bent toch niet onbeschoft tegen haar geweest?' wilde Kiki weten, terwijl ze de zak suiker die ze in haar hand hield neerzette.

'Wát?'

'Weet je wel wie dat is,' vroeg Kiki retorisch. 'Ik durf te wedden dat het de familie Kipps is... ik heb gehoord dat ze daar zouden gaan wonen. Ik verwed er honderd dollar om dat het de vrouw des huizes was.'

'Doe niet zo idioot,' zei Howard.

'Levi, hoe zag die vrouw eruit... hoe zag ze eruit?!'

Levi, beduusd en van slag door het feit dat zijn verhaal zo veel stof deed opwaaien, deed zijn best om zich de details te herinneren.

'Oud... heel lang, en ze droeg, zeg maar, heel felle kleuren voor een oude vrouw –'

Kiki keek Howard doordringend aan.

'Ah...' zei Howard. Kiki draaide zich om naar Levi en keek hem doordringend aan.

'Wat heb je tegen haar gezegd? Ik hoop dat je niet brutaal tegen haar bent geweest, Levi, anders ben je vanavond nog niet jarig...'

'Wát? Het was gewoon een of andere maffe... ik weet niet, ze begon me allemaal rare vragen te stellen... ik weet niet meer wat ik heb gezegd... maar ik ben niet brutaal geweest, echt niet. Ik heb haast niets gezegd, man, en zij was echt maf! Aldoor vragen stellen over mijn moeder, en ik zei alleen iets van, ik kom te laat, mijn moeder geeft een feest, ik moet gaan, ik heb nu geen tijd... meer was het niet.'

'Je hebt gezegd dat hier een feest was.'

'O, god, mam, het is heus niet wie je denkt. Het is gewoon een maf oud mens die denkt dat ik haar ga vermoorden omdat ik een *doo-rag* op mijn kop heb.'

Kiki sloeg een hand voor haar ogen. 'Het zijn de Kipps, o, god, nu moet ik ze uitnodigen. Ik had Jack moeten zeggen dat hij ze sowieso moest vragen. Ik moet ze uitnodigen.'

'Je hóeft ze niet uit te nodigen,' zei Howard langzaam.

'Natuurlijk wel. Ik ga er even langs als ik klaar ben met die citroentaart... Jerome is nog even wat drank halen, god mag weten waar hij blijft, hij had allang terug moeten zijn. Of Levi kan even een briefje langsbrengen of zoiets...'

'Waarom ben ik nou weer de lul? Ik ga daar niet meer heen, hoor. Ik wilde alleen maar uitleggen hoe ik me voel als ik in die buurt loop...'

'Levi, toe. Ik probeer na te denken. Ga beneden je kamer opruimen.'

'Ach, krijg de tering.'

Er werd in huize Belsey niet echt een beleid gevoerd tegen vloeken. Ze hadden niet zo'n kleinzielige, zinloze boetepot – die zeer populair was bij gezinnen in Wellington – en vloeken was bij hen kennelijk in de meeste situaties wel toegestaan. Toch golden er een paar vreemde beperkingen in deze regels die niet in steen gebeiteld stonden maar ook niet erg duidelijk waren. Het was een kwestie van toon en gevoel, en deze keer had Levi die verkeerd beoordeeld. Nu raakte zijn moeders hand hard de zijkant van zijn hoofd, een klap waardoor hij drie stappen naar achteren tuimelde waar hij tegen de keukentafel botste en een kom met chocoladesaus over zich heen trok. In normale omstandigheden zou hij als reactie op de kleinste aanmerking op zijn karakter, en zeker op zijn kleding, net zo lang proberen zijn gelijk te halen tot hij geen adem meer overhad, zelfs als – en vooral dan – hij fout zat. Maar deze keer liep hij onmiddellijk, zonder een woord te zeggen, weg. Een minuut later hoorden ze de deur beneden met een klap dichtslaan.

'Mooi. Leuk feestje,' zei Zora.

'Wacht maar tot de gasten arriveren,' mompelde Howard.

'Ik wil hem alleen duidelijk maken...' begon Kiki. Ze was uitgeput. Ze ging aan de tafel zitten en legde haar hoofd op het Scandinavische grenen.

'Zal ik buiten een tak van de boom snijden? Opvoeding in Florida-stijl,' zei Howard, terwijl hij met veel vertoon zijn koksmuts en zijn schort afdeed. Als Howard tegenover zijn gezin de kans kreeg om de moraal op te vijzelen, dan liet hij die niet aan zijn neus voorbijgaan. Zo'n kans deed zich de laatste tijd namelijk niet vaak meer voor. Toen Kiki haar hoofd optilde, was hij al de keuken uit. *Ja hoor*, dacht ze, *loop jij maar weg*. Net op dat moment kwam Jerome binnen, bleef even staan om te mompelen dat de wijn in de gang stond, en liep door de terrasdeuren naar de tuin.

'Ik weet niet waarom iedereen zich in dit huis verdomme als een beest moet gedragen,' zei Kiki ineens fel. Ze stond op en liep naar de gootsteen om een doek nat te maken, waarmee ze aan de slag ging om de chocola op te ruimen. Verdriet liet ze niet toe. Woede was veel gemakkelijker. En sneller en harder en beter. *Als ik begin te huilen, houd ik nooit meer op*, hoorde Kiki constant van mensen in het ziekenhuis. Het was een verdrietachterstand die nooit meer ingehaald kon worden.

'Dit is klaar,' zei Zora, terwijl ze lusteloos met een lepel door de vruchtenpunch roerde die ze had helpen maken, 'ik ga me omkleden of zo.'

'Zoor,' zei Kiki, 'weet jij waar ik een pen en papier kan vinden?'

'Geen idee. De la?'

Zora slenterde ook weg. Kiki hoorde buiten een plons en toen ze in het donker tuurde, zag ze net Jeromes hoofd onder water verdwijnen. Ze trok de la van de lange keukentafel open en tussen alle batterijen en nepnagels vond ze een pen. Ze ging op zoek naar papier. Ze herinnerde zich dat er een blok lag tussen twee paperbacks op een plank in de hal.

'Schaken?' hoorde ze Zora aan Howard vragen. Toen ze de keuken weer in kwam, zag ze dat ze in de lounge bezig waren de schaakstukken op het bord te zetten alsof er niets was gebeurd, alsof ze niet straks gasten moesten ontvangen. Murdoch lag gelukzalig bij Howard op schoot. Schaken? Gaat dat zo bij intellectuelen, vroeg Kiki zich af. Kan een scherp afgestelde geest zich voor alles afsluiten? Kiki zat alleen in de keuken. Ze schreef een kort briefje aan de Kipps waarin ze hen welkom heette in de stad en waarin ze de hoop uitsprak hen op hun feestje te kunnen begroeten, die avond vanaf halfzeven.

10

Terwijl Kiki de hoek om liep naar Redwood, was ze al aan het kijken wat ze uit de verschillende dingen kon afleiden: de grootte van de verhuiswagen, de stijl van het huis, de kleuren in de tuin. De schemer viel en de straatlantaarns brandden nog niet. Het stoorde haar dat ze de *hanging baskets* die als wierookvaten aan de vier balkons hingen niet duidelijker kon zien. Kiki was al bijna bij het hek toen ze het silhouet van een lange vrouw zag die in een stoel met een hoge leuning zat. Kiki stopte het briefje dat ze vasthield weer in haar zak. De vrouw zat te slapen. Kiki begreep meteen dat ze zo nooit gezien zou willen worden, met haar spaarzame haren uitgespreid over haar wang, haar mond wagenwijd open en een half openhangend, knipperend oog. Het leek cru om langs haar heen te lopen en aan te bellen, alsof ze niet meer was dan een kat of een ornament. En het was ook geen goed idee om haar wakker te maken. Kiki bleef op de veranda staan aarzelen en stelde zich heel even voor dat ze het briefje bij de vrouw op schoot zou leggen en wegrennen. Ze deed nog een stap in de richting van de deur toen de vrouw wakker werd.

'Hallo, halló, sorry, ik wilde u niet laten schrikken... ik ben een van de buren... bent u... mevrouw Kipps of...'

De vrouw glimlachte loom en keek naar Kiki en naar de ruimte die ze innam, alsof ze wilde bekijken waar haar omvang begon en ophield. Kiki trok haar vest dichter om zich heen.

'Ik ben Kiki Belsey.'

Nu gaf mevrouw Kipps een kreet van vreugdevol besef, die begon als een ijle, hoge noot en daarna heel kalm de hele toonladder afwerkte. Ze bracht haar lange handen langzaam bij elkaar als een paar cimbalen.

'Ja, ik ben de moeder van Jerome, en u hebt geloof ik vandaag ook mijn jongste zoon Levi ontmoet... Ik hoop dat hij niet onbeleefd is geweest... hij kan soms wat brutaal zijn...'

'Ik wist dat ik gelijk had. Ik wist het gewoon.'

Kiki lachte een beetje onzeker, nog steeds bezig deze veelbesproken vrouw op te nemen die ze nooit eerder had gezien: mevrouw Kipps.

'Is het niet mal? Zo toevallig dat u Jerome kent en dan Levi tegenkomt.'

'Helemaal niet toevallig, ik herkende hem zodra ik hem zag. Ze hebben iets energieks, je zoons, iets knaps.'

Kiki was gevoelig voor complimentjes over haar kinderen maar ze wist ook hoe dat werkte. Drie bruine kinderen trekken op een bepaalde leeftijd overal de aandacht. Kiki was gewend aan dat soort lof en ze wist ook dat je er bescheiden op moest reageren.

'Vindt u? Ja, het zal wel... ik zie ze eigenlijk nog altijd als kleine kinderen, zonder...' begon Kiki verheugd, maar mevrouw Kipps praatte er gewoon doorheen.

'En hier ben jij dus...' zei ze. Ze floot even en greep Kiki bij de pols. 'Kom, kom zitten.'

'O... oké,' zei Kiki. Ze hurkte neer naast de stoel van mevrouw Kipps.

'Maar ik had je me heel anders voorgesteld. Je bent niet bepaald een klein vrouwtje, hè?'

Toen Kiki er later aan terugdacht kon ze haar eigen reactie op deze vraag niet helemaal duiden. Haar intuïtie ging haar eigen gang en ze was eraan gewend dat die voor haar besliste, zij reageerde op het gevoel van veiligheid dat sommigen haar meteen gaven of de weerzin die anderen in haar opwekten. Misschien kwam het door de schokkende directheid waarmee mevrouw Kipps die vraag stelde, of door haar hartelijke manier van doen en de kennelijke onschuld van haar bedoelingen dat Kiki op die manier had gereageerd: ze zei het eerste wat er in haar opkwam.

'Uh-uh. Niets aan mij is klein. Helemaal niets. Ik ben fors van voren en fors van achteren.'

'Juist. En daar zit je helemaal niet mee?'

'Ik ben nu eenmaal zo, ik ben eraan gewend.'

'Het staat je heel goed; je kunt het hebben.'

'Dank u wel!'

Het was alsof het merkwaardige gesprekje ineens door een windvlaag was opgetild, voortgestuwd en nu, even plotseling, losgelaten. Mevrouw Kipps keek recht naar voren, haar tuin in. Haar oppervlakkige ademhaling was hoorbaar.

'Ik...' begon Kiki. Ze wachtte weer op een teken van erkenning en toen dat niet kwam, vervolgde ze: 'Ik wilde alleen maar even zeggen dat het me spijt van al die narigheid vorig jaar, het liep allemaal zo uit de hand... ik hoop dat we dat allemaal achter ons...' Ze zweeg toen ze de duim van mevrouw Kipps in haar handpalm voelde.

'Je wilt me hopelijk niet boos maken,' zei mevrouw Kipps terwijl ze haar hoofd schudde, 'door je te verontschuldigen voor iets waar jij niets aan kon doen.'

'Nee,' zei Kiki. Ze wilde verdergaan maar weer lukte het haar niet. Ze wist dat ze het niet langer volhield op haar hurken. Ze strekte haar benen en ging op het hout zitten.

'Ja, ga maar zitten, dan kunnen we even praten. Wat er ook speelt tussen onze echtgenoten, wij hebben daar niets mee te maken.'

Daarna bleef het stil. Kiki voelde zich opgelaten bij het idee dat ze hier zo raar op de grond zat aan de voeten van een vrouw die ze niet kende. Ze keek uit over de tuin en zuchtte maar wat, alsof het fraaie uitzicht haar nu pas opviel.

'En, wat vind je van mijn huis?' vroeg mevrouw Kipps traag.

Deze vraag, die nooit expliciet naar voren kwam bij de vrouwen in Wellington, was er ook weer zo een die Kiki nooit eerder rechtstreeks was gesteld.

'Nou, ik vind het prachtig.'

Dit antwoord leek de bewoonster te verbazen. Ze kwam wat naar voren, waarbij ze haar kin optilde van haar borst.

'Meen je dat nou? Ik kan niet zeggen dat ik het zo mooi vind. Het is zo níeuw. Ik hoor in dit huis alleen maar geld rammelen. Mijn huis in Londen, mevrouw Belsey...'

'Zegt u toch Kiki.'

'Carlene,' zei ze, terwijl ze een lange hand tegen haar eigen, blote hals drukte. 'Dat is een huis waar mensen hebben gewoond. Ik kon onderrokken in de hal horen ruisen. Ik mis het zo, nu al. Amerikaanse huizen...' zei ze, terwijl ze over haar rechterschouder de straat in tuurde, '...ze lijken altijd te denken dat niemand ooit iets verliest, nooit iets heeft verloren. Dat vind ik heel triest. Begrijp je wat ik bedoel?'

Kiki's stekels gingen instinctief overeind staan. Na een leven lang op haar eigen land te hebben afgegeven, had ze de afgelopen paar jaar een nieuwe kwetsbaarheid ontwikkeld. Ze kon het niet aanhoren als Howards Engelse vrienden zich na het eten in hun leunstoel installeerden en de aanval openden.

'Amerikaanse huizen? Hoe bedoel je? Je bedoelt dat je liever een huis hebt met, zeg maar, een verleden?'

'O... tja, zo zou je het kunnen zeggen.'

Kiki voelde zich nog meer gekwetst bij het idee dat ze iets teleurstellends had gezegd, of erger nog, iets wat zo oninteressant was dat het niet de moeite was erop in te gaan.

'Maar weet u, eigenlijk heeft dit huis wel een soort verleden, mevrouw – Carlene – al is het niet bepaald een fraai verleden.'

'Mm-mm.'

Dit was zonder meer onbeleefd. Mevrouw Kipps had haar ogen dichtgedaan. Die vrouw was wel erg bot. Of niet? Misschien was het een cultuurverschil. Kiki ging verder.

'Ja, er woonde hier een oude heer, meneer Weingarten, hij was dialysepatiënt in het ziekenhuis waar ik werk, dus hij werd drie à vier keer per week met een ambulance opgehaald, en toen ze op een dag bij hem kwamen, vonden ze hem in de tuin – het is echt verschrikkelijk – hij was verbrand, blijkbaar had hij een aansteker in de zak van zijn kamerjas en wilde hij een sigaret aansteken – dat had hij niet moeten doen – maar goed, hij heeft zichzelf toen in brand gestoken en ik denk dat hij het vuur gewoon niet uit kon krijgen. Het is zo vreselijk, ik weet eigenlijk niet waarom ik je dit vertel. Het spijt me.'

Dat laatste was niet waar, het speet haar niet dat ze het had verteld. Ze had deze vrouw op de een of andere manier willen schokken.

'Och, welnee, lieve kind,' zei mevrouw Kipps tamelijk ongeduldig om te laten merken dat de truc voor haar te doorzichtig was om zich erdoor van haar stuk te laten brengen. Kiki zag voor het eerst dat niet alleen haar hoofd maar ook haar hand trilde. 'Dat wist ik al, de buurvrouw heeft het aan mijn man verteld.'

'O, oké. Het is gewoon zo triest. Om zo alleen te wonen en zo.'

Hierop reageerde mevrouw Kipps onmiddellijk met haar gezicht – het zag er ineens verfrommeld en verwrongen uit, als van een kind dat kaviaar of wijn proeft. Haar voortanden staken naar voren toen de huid van haar kaak strak trok. Ze zag eruit als een geest. Kiki dacht even dat ze een beroerte kreeg, maar toen keek mevrouw Kipps weer normaal.

'Ik vind dat zo'n afschuwelijk idee,' zei ze vol vuur.

Weer pakte ze Kiki's hand, deze keer in allebei haar handen. De diep gerimpelde zwarte palmen herinnerden Kiki aan haar eigen moeder. De broze greep – het gevoel dat je je eigen vijf vingers er maar uit los hoefde halen om de hand van de ander in stukjes uiteen te laten vallen. Kiki schaamde zich voor haar eigen gepikeerdheid.

'O god, nou, ik zou het verschrikkelijk vinden om alleen te wonen,' zei ze, voordat ze erover had nagedacht of dit nog wel steeds gold, 'maar je zult het hier in Wellington wel naar je zin hebben, over het algemeen zorgen we best goed voor elkaar. Het is een gemeente waarin mensen zich om elkaar bekommeren. Het doet me sterk aan bepaalde delen van Florida denken.'

'Maar toen we door de stad reden, zag ik heel wat arme stakkers die op straat leven!'

Kiki woonde lang genoeg in Wellington om mensen die op deze quasi-naïeve manier over onrecht spraken, alsof een dergelijk onrecht nooit eerder door iemand was opgemerkt, niet helemaal te vertrouwen.

'Ach,' zei ze kalm, 'we hebben hier natuurlijk wel wat problemen. Er zijn pas ook nog immigranten gekomen, veel Haïtianen, veel Mexicanen, veel mensen die geen dak boven hun hoofd hebben. 's Winters is het niet zo erg, dan zijn er opvangcentra. Maar, nee... trouwens, we moeten jou nog nodig bedanken voor het feit dat Jerome in Londen bij jullie heeft mogen logeren, dat was heel gastvrij van je. Toen zijn nood het hoogst was en zo. Ik vond het zo treurig dat alles werd bedorven door...'

'Ik ben dol op die ene regel uit het gedicht *Het is goed schuilen bij elkaar*. Dat vind ik zo mooi. Vind jij dat niet prachtig?'

Kiki bleef na deze onderbreking met open mond zitten.

'Is het... van wie is het?'

'O, dat zou ik niet eens weten... Monty is de intellectueel van onze familie. Ik weet niets van dat alles en ik kan geen namen onthouden. Ik zag het in een krant staan, meer niet. Ben jij ook een intellectueel?'

Dit was zo mogelijk de belangwekkendste vraag die Wellington Kiki nooit rechtstreeks had gesteld.

'Nee, eigenlijk... Nee, dat ben ik niet. Echt niet.'

'Ik ook niet. Maar ik ben dol op poëzie. Het verwoordt alles wat ik niet kan zeggen en wat ik nooit hoor zeggen. Dingen waar ik niet bij kan?'

Kiki wist eerst niet zeker of dit een echte vraag was en of het de bedoeling was dat ze er antwoord op gaf, maar na een minuutje bleek het een retorische vraag te zijn.

'Dat vind ik in gedichten,' zei mevrouw Kipps, 'jarenlang heb ik geen gedicht gelezen, ik las liever biografieën. Tot ik er vorig jaar een onder ogen kreeg. En nu kan ik er niet mee ophouden!'

'God, wat geweldig. Ik heb tegenwoordig nooit meer de gelegenheid om te lezen. Ik las vroeger veel van Angelou – ken je haar boeken? Dat is autobiografisch, nietwaar? Ik vond haar altijd heel...' Kiki zweeg. Ze werd afgeleid door hetzelfde als waardoor mevrouw Kipps werd afgeleid. Langs het hek liepen vijf blanke tienermeisjes die nauwelijks kleren aanhadden. Ze hadden opgerolde handdoeken onder hun armen en haar dat in natte touwen omlaag viel, als Medusa. Ze waren heel luidruchtig.

'*Het is goed schuilen bij elkaar,*' herhaalde mevrouw Kipps toen het kabaal wegstierf. 'Volgens Montague is poëzie het eerste kenmerk van echte beschaving. Hij zegt altijd dat soort geweldige dingen.'

Kiki, die dit niet zo'n heel geweldige uitspraak vond, zei niets.

'En toen ik hem die regel voorlas, uit dat gedicht...'

'Ja, die dichtregel...'

'Ja. Toen ik die voorlas, zei hij dat het allemaal goed en wel was, maar dat ik hem op een schaal moest leggen, een beoordelingsschaal, met aan de andere kant *l'enfer, c'est les autres.* En dan te kijken wat er zwaarder woog in de wereld!'

Ze lachte hierbij, een klaterende lach, jeugdiger dan haar spreekstem. Kiki glimlachte hulpeloos. Ze sprak geen Frans.

'Ik ben zo blij dat we nu echt hebben kennisgemaakt,' zei mevrouw Kipps oprecht hartelijk.

Het deed Kiki iets. 'O, wat lief dat je dat zegt.'

'Echt waar. We kennen elkaar nog maar net, en kijk eens hoeveel pret we samen al hebben.'

'Nou, wij vinden het echt fijn dat jullie in Wellington zijn komen wonen,' zei Kiki, in verlegenheid gebracht. 'Ik kwam trouwens om jullie uit te nodigen voor een feestje vanavond bij ons thuis. Ik geloof dat mijn zoon het er al over heeft gehad.'

'Een feestje! Wat enig. En wat aardig van je om een oude vrouw uit te nodigen van wie je niets weet.'

'Lieve schat, als jij oud bent, ben ik het ook. Jerome is maar twee jaar ouder dan jullie dochter, toch? Victoria?'

'Maar jij bent niet oud,' zei ze vermanend. 'Bij jou is er nog niets van te zien. Dat gebeurt nog wel, maar nu nog niet.'

'Nou, ik ben drieënvijftig en ik voel me in elk geval oud.'

'Ik was vijfenveertig toen ik mijn jongste kind kreeg. Lof zij de Heer voor Zijn wonderen. Nee, iedereen kan het zien, je hebt nog iets van een kind in je gezicht.'

Kiki had haar hoofd gebogen om geen passend gezicht te hoeven trekken bij het horen prijzen van de Heer. Nu keek ze weer op.

'Nou, welkom dan op ons kinderpartijtje.'

'Ik zal er zijn, dank je. Ik kom met de rest van de familie.'

'Dat zou enig zijn, mevrouw Kipps.'

'Ach, toe... Carlene, zeg toch Carlene. Ik voel me net een kantoorjuffrouw als iemand mevrouw Kipps tegen me zegt. Jaren geleden hielp ik Montague op zijn kantoor, daar was ik mevrouw Kipps. In Engeland, geloof het of niet,' zei ze met een schalks lachje, 'noemen ze me zelfs *lady* Kipps vanwege Montagues prestaties... en hoe trots ik ook op Montague ben, ik moet je zeggen, als ze dat zeggen heb ik het gevoel dat ik al dood ben. Ik kan het niet aanbevelen.'

'Carlene, ik moet eerlijk tegen je zijn, schat,' zei Kiki lachend. 'Ik geloof niet dat Howard het risico loopt binnen afzienbare tijd geridderd te worden. Maar bedankt voor de waarschuwing.'

'Je zou niet de spot moeten drijven met je man, lieve kind,' zei Carlene ernstig, 'op die manier drijf je alleen maar de spot met jezelf.'

'O, we drijven de spot met elkaar,' zei Kiki, nog steeds lachend, maar met hetzelfde nare gevoel dat ze altijd kreeg wanneer een vriendelijk ogende taxichauffeur haar ineens begon te vertellen dat alle joden in de eerste toren van tevoren waren gewaarschuwd of dat je Mexicanen niet kon vertrouwen of dat er onder Stalin meer wegen werden aangelegd...

Kiki klauterde overeind.

'Hou je maar vast aan de stoelleuning, lieve kind... Mannen komen vooruit met hun verstand en vrouwen moeten dat met hun lichaam doen, of we dat nu leuk vinden of niet. Zo heeft God het bedoeld, dat gevoel heb ik altijd heel sterk gehad. Maar als je een forse vrouw bent, zal dat waarschijnlijk wel wat lastiger zijn.'

'Nee hoor, ik red het best... zo,' zei Kiki opgewekt toen ze rechtop stond, en bewoog haar heupen even heen en weer. 'Ik ben best lenig. Yoga. En eerlijk gezegd heb ik het idee dat mannen en vrouwen hun verstand op ongeveer dezelfde manier gebruiken.'

Ze veegde het stof van haar handen.

'O, ik niet. Nee, ik zeker niet. Alles wat ik doe, doe ik met mijn lichaam. Zelfs mijn ziel is van vlees, rauw vlees. Waarheid schuilt in een gezicht, vooral daar. Wij vrouwen weten volgens mij dat er veel aan gezichten af te lezen is. Mannen hebben de gave net te doen alsof dat niet zo is. En daar komt hun macht vandaan. Monty weet nauwelijks dat hij een lichaam heeft.'

Ze lachte en bracht een hand naar Kiki's gezicht.

'Jij hebt bijvoorbeeld een fantastisch gezicht. En zodra ik je zag, wist ik dat ik je aardig zou vinden!'

Het dwaze van deze opmerking maakte Kiki ook aan het lachen. Ze schudde haar hoofd in reactie op het compliment.

'Nou, het lijkt er dus op dat we elkaar aardig vinden,' zei ze, en daarna spottend: 'Wat zullen de buren daar wel niet van zeggen?'

Carlene Kipps lachte en hees zich uit de stoel. Kiki's protesterende geluiden konden haar nieuwe buurvrouw er niet van weerhouden mee te lopen naar het hek. Als Kiki daar nog niet eerder aan had getwijfeld, wist ze nu zeker dat deze vrouw niet gezond was. Na een paar stappen vroeg Carlene of ze Kiki een arm mocht geven. Kiki had het gevoel dat Carlene met haar hele gewicht op haar leunde, een gewicht dat niet veel voorstelde. Kiki's hart ging open voor deze vrouw. Ze zei alleen maar dingen die ze echt meende.

'Daar staat mijn bougainvillea, ik heb ze vandaag door Victoria laten planten, maar ik weet niet of ze het overleven. Maar nu zien ze er in elk geval úit alsof ze het overleven, dat is bijna hetzelfde. En dat doen ze met stijl. Ik kweek ze in Jamaica, daar hebben we een huisje. Ja, ik denk dat ik met de tuin alles goed kan maken wat dit huis mist. Denk je ook niet?'

'Ik weet niet wat ik daarop moet zeggen. Ze zijn allebei prachtig.'

Carlene glimlachte en knikte snel als reactie op haar goedbedoelde opmerking. Ze tikte haar geruststellend op haar hand.

'Jij moet je feestje gaan regelen.'

'En jij moet komen.'

Met een ongelovige en toch vertederde blik, alsof Kiki haar had uitgenodigd om naar de maan te komen, knikte ze weer en liep ze terug naar haar huis.

II

Tegen de tijd dat Kiki terug was op Langham 83, was haar eerste gast al gearriveerd. Het is op dergelijke feestjes een ongeschreven wet dat degene met een omstreden positie op de gastenlijst altijd het eerst arriveert. Christian von Klepper was op de lijst gezet door Howard, doorgestreept door Kiki, er opnieuw op gezet door Howard, doorgestreept door Kiki en toen, later, kennelijk stiekem er nogmaals op gezet door Howard, want daar stond Christian in een hoekje van de woonkamer ijverig te knikken tegen zijn gastheer. Vanaf haar plaats in de keuken kon Kiki slechts een klein stukje van hen zien, maar er was niet veel voor nodig om het plaatje rond te krijgen. Ze bekeek hen onopgemerkt toen ze haar vest uittrok en het over een stoel hing. Howard stond er energiek bij. Met zijn handen in zijn haar boog hij naar voren. Hij stond te luisteren, maar dan ook echt. Verbazingwekkend, dacht Kiki, hoe aandachtig hij kan luisteren als hij maar wíl. In zijn pogingen om het weer goed te maken had Howard haar maandenlang overladen met iets van die aandacht, en ze wist alles van de warmte die daaraan te pas kwam en waarin je je heerlijk kon koesteren. Christian zag er onder invloed daarvan zo jong uit als hij was. Je kon zien dat hij iets liet schieten van de kwetsbare rol die een docent van nog maar achtentwintig moest spelen als hij assistent van een professor wil worden. Dat pleitte voor hem. Kiki pakte een aansteker uit de keukenla en begon alle waxinelichtjes die ze zag staan aan te steken. Dit had allang gedaan moeten zijn. De quiches waren niet opgewarmd. En waar zaten de kinderen? Een waarderende bulderlach van Howard bereikte haar oren. Nu wisselden hij en de jongen van rol, nu had Howard constant het woord en volgde Christian elke lettergreep als een pelgrim. De jongeman keek bescheiden naar de grond na een vleiende opmerking van haar man, veronderstelde Kiki. Howard was in dat opzicht meer dan genereus; als hij werd gevleid was hij bereid het tienvoudig terug te doen. Toen Christian weer opkeek zag Kiki dat zijn gezicht straalde van plezier, en even later kreeg het een meer berekende uitdrukking, misschien besefte hij dat het compliment hem gewoon toekwam. Kiki liep naar de koelkast en haalde er een fles goede champagne uit. Ze pakte een schaal met hors d'oeuvres. Ze hoopte dat die als vervanging konden dienen voor het openingswoordje dat wellicht van haar werd verwacht. Haar ontmoeting met mevrouw Kipps had het haar om de een of andere reden onmogelijk gemaakt een loos praatje te houden. Ze kon zich niet herinneren ooit minder puf in een feest te hebben gehad.

Soms zie je een flits van hoe je overkomt in de ogen van anderen. Deze keer was het een onaangename flits: een zwarte vrouw met een doek om haar hoofd gewikkeld, die aankwam met een fles in de ene en een schaal met hapjes in de andere hand, als een dienstmeid in een oude film. Het echte personeel, Monique en een onbekende vriendin van haar die met drankjes rond zou gaan, was nergens te bespeuren. In de woonkamer bleek nog maar één andere gast te zijn, Meredith, een dik, knap Japans-Amerikaans meisje, de vaste – je zou zeggen platonische – begeleidster van Christian. Ze had een heel bijzondere outfit aan en stond met haar rug naar de kamer, verdiept in Howards kunstboeken in de kast aan de andere muur. Kiki bedacht dat Howards fanclub, hoewel die binnen de universiteit bijzonder klein was, een intensiteit had die omgekeerd evenredig was met zijn omvang. Als gevolg van zijn snijdende theorieën en zijn afkeer van collega's was Howard lang niet zo succesvol, populair en goedbetaald als zijn collega's aan Wellington. In plaats daarvan genoot hij een minicampusverering: Christian was de prediker, Meredith de parochie. Als er nog anderen waren, had Kiki die nooit ontmoet. Je had Smith J. Miller, Howards onderwijsassistent, een zachtaardige blanke jongeman uit het diepe zuiden, maar Smith werd door Wellington betaald voor zijn diensten. Kiki deed de deur van de kamer wijd open met haar hak, terwijl ze zich afvroeg waar Monique, die eraan gedacht had kunnen hebben de deur vast te zetten om hem open te houden, uithing. Christian draaide zich nog niet naar haar om maar deed alsof hij het leuk vond dat Murdoch om hem heen draaide. Hij boog zich voorover met de stuntelige houding van iemand die honden haat en kinderen vreest, en tegelijkertijd duidelijk hoopt dat er iemand ingrijpt voordat hij de hond hoeft aan te raken. Met zijn lange, magere lichaam kwam hij bij Kiki over als een komische versie van Murdoch zelf.

'Valt hij je lastig?'

'O, nee hoor. Dag, mevrouw Belsey. Nee, helemaal niet, niet echt. Ik was alleen een beetje bang dat hij in mijn veters zou stikken.'

'O ja?' zei Kiki met een twijfelachtige blik omlaag.

'Nee, ik bedoel, niets aan de hand... niets aan de hand...' Nu trok Christian ineens krampachtig een 'feestelijk gezicht'. 'Maar nog wel hartelijk gefeliciteerd! Het is fantastisch.'

'Nou, jij bedankt voor je komst.'

'Hemel,' zei Christian, met die afgemeten, raadselachtig Europese stembuiging van hem. Hij was grootgebracht in Iowa. 'Het is gewoon een voorrecht dat ik ben uitgenodigd. Het moet een heel bijzonder feest voor jullie zijn. Wat een mijlpaal.'

Kiki had het idee dat hij dit allemaal niet tegen Howard had gezegd, en Howards wenkbrauwen gingen inderdaad een beetje omhoog, alsof hij Christian nooit eerder zo had horen praten. De clichés waren kennelijk voorbehouden aan Kiki.

'Ja... best wel... en het komt mooi uit, zo net aan het begin van het semester en zo... zal ik de hond weghalen?'

Christian stapte aldoor opzij om Murdoch te ontwijken, maar daarmee had hij hem juist de speelse aandacht geschonken die het dier wilde.

'Ach, nou... ik wil niet...'

'Geen enkele moeite, Christian, maken we geen punt van.'

Kiki duwde Murdoch weg met haar voet, en met een volgende beweging stuurde ze hem de kamer uit. Stel je voor dat er hondenharen achterbleven op die fraaie Italiaanse schoentjes van Christian. Nee, dat was niet eerlijk. Christian streek zijn haar glad langs de angstvallig strenge scheiding links op zijn hoofd, die zo recht liep dat het leek alsof hij met een liniaal getrokken was. En ook dat was niet eerlijk.

'Ik heb hier champagne in mijn ene hand en kip in de andere,' zei Kiki, extra vrolijk als boetedoening voor haar gedachte. 'Wat kan ik voor je betekenen?'

'O, god,' zei Christian. Hij keek alsof hij hier met een grapje op moest reageren, maar hij was iemand die ze niet zomaar uit zijn mouw kon schudden. 'Keuzes, keuzes.'

'Geef maar hier, schat,' zei Howard, en nam van zijn vrouw alleen een glas champagne aan.

'Eerst misschien even wat mensen begroeten, je kent Meredith toch?'

Meredith was – als je twee feiten moest noemen bij het voorstellen van iedere gast aan andere gasten – geïnteresseerd in Foucault en in kostuums. Op een aantal feesten had Kiki aandachtig geluisterd maar toch niet begrepen wat Meredith zei, waarbij Meredith gekleed was als Engels punkmeisje, een fin de siècle-dame in een wijdvallend gewaad uit de tijd van koning Edward, een Franse filmster en, meest gedenkwaardig, een bruid uit de Tweede Wereldoorlog, met een kapsel dat keurig in de krul zat, à la Bacall, compleet met kousen en keurslijfje en die fascinerende zwarte naad achter op haar enorme kuiten. Deze avond droeg Meredith een combinatie van roze chiffon met een wijde cirkelrok waar je ruimte voor moest maken en een zwart mohair vestje dat ze over haar schouders had geslagen. Dit laatste stuk werd versierd door een reusachtige diamanten broche. Aan haar voeten droeg ze rode naaldhakken met open tenen, die haar minstens acht centimeter langer maakten terwijl ze door de kamer schreed. Meredith stak haar gastvrouw een in wit geitenleer gestoken hand toe. Meredith was zevenentwintig.

'Natuurlijk! Wauw, Meredith!' zei Kiki terwijl ze overdreven met haar ogen knipperde. 'Lieve kind, ik weet niet wat ik moet zeggen. Ik had een prijs moeten uitloven voor de mooiste uitdossing, dat ik daar niet aan heb gedacht. Je ziet er geweldig uit, meid!'

Kiki floot tussen haar tanden door en Meredith, die nog steeds Kiki's hand vasthield, maakte van de gelegenheid gebruik om een rondje te draaien onder Kiki's hand.

'Vind je het mooi? Ik zou zo graag zeggen dat ik zomaar wat bij elkaar heb geraapt,' zei Meredith snel en hard op die hypernerveuze, hyperactieve schrille Californische toon, 'maar het vraagt heel, heel veel tijd om er zo goed uit te zien. Er zijn bruggen in minder tijd gebouwd. Volledige verklarende systemen zijn sneller in elkaar gezet. Van hier tot hier,' zei Meredith, en ze wees daarbij op het stuk tussen haar wenkbrauwen en haar bovenlip, 'kost zo'n drie uur.'

De deurbel ging. Howard kreunde, alsof het huidige gezelschap al meer dan genoeg was, maar hij vloog praktisch weg om open te doen. Nu ze door de enige die hen bond alleen waren gelaten, viel het drietal stil en nam zijn toevlucht tot glimlachjes. Kiki vroeg zich af hoever ze precies af stond van Merediths en Christians ideaalbeeld van de partner van een leidinggevende.

'We hebben iets voor jullie gemaakt,' zei Meredith plotseling. 'Heeft hij je dat verteld? We hebben dit voor je gemaakt. Misschien is het rotzooi, ik weet het niet.'

'Nee... nee, ik had nog niets...' zei Christian blozend.

'Het is, zeg maar, een... een cadeautje. Is dat erg oubollig? Voor die dertig jaar en zo? Zijn we niet gewoon oubollig bezig geweest?'

'Ik zal even...' zei Christian, terwijl hij onhandig vooroverboog naar zijn ouderwetse schooltas die tegen de sofa aan stond.

'We hebben het een beetje uitgezocht en nu blijkt dat dertig jaar een parel is, maar zoals je weet stelt het gemiddelde inkomen van een student niet zoveel voor, dus parels hebben we niet kunnen regelen...' Meredith lachte als een waanzinnige. 'En toen dacht Chris aan een gedicht en ik heb toen even mijn creativiteit erop losgelaten en, nou ja, dit is het: je ziet wel, het is een soort poëziecollage, van stof, nou ja... ik weet niet.'

Kiki voelde het warme teak van de lijst in haar handen en bewonderde de gedroogde rozenblaadjes en stukjes schelp onder het glas. De tekst stond erin geweven, als een wandkleed. Het was een zelfs nog ongewoner cadeautje dan ze van het tweetal had verwacht. Het was prachtig.

'*Vijf vadem diep ligt je vader, zijn botten zijn geworden tot koraal. Zijn ogen zijn veranderd in parels...*' las Kiki behoedzaam voor, zich ervan bewust dat ze het zou moeten kennen.

'Dus het is iets over een parel,' zei Meredith. 'Waarschijnlijk slaat het nergens op.'

'O, nee, het is echt schitterend,' zei Kiki, terwijl ze de rest snel in zichzelf prevelde. 'Is het van Plath? Nee hè, dat klopt niet.'

'Het is van Shakespeare,' zei Christian met een lichte huivering. 'Uit 'De storm.' *Niets van hem is verloren gegaan. Maar is door betovering van de zee veranderd. In iets kostbaars en wonderbaarlijks.* Plath heeft er wel stukjes uit gepikt.'

'Shit,' lachte Kiki. 'In geval van twijfel moet je altijd Shakespeare zeggen. En als het een sportvraag is, moet je Michael Jordan zeggen.'

'Dat is ook helemaal mijn tactiek,' stemde Meredith in.

'Nou, dit is echt prachtig. Howard zal er weg van zijn. Ik denk niet dat het onder zijn verbod op voorstellingskunst valt.'

'Nee, het is tekstueel,' zei Christian korzelig. 'Daar gaat het om. Het is een tekstueel kunstvoorwerp.'

Kiki keek hem onderzoekend aan. Soms vroeg ze zich af of Christian verliefd was op haar man.

'Waar is Howard eigenlijk?' vroeg Kiki, terwijl ze op overdreven wijze om zich heen keek. 'Ik denk dat hij dit prachtig vindt. Hij wil dolgraag dat er niets van Shakespeare verloren gaat.'

Meredith lachte weer. Howard kwam de kamer binnen terwijl hij in zijn handen klapte, maar weer ging de bel.

'Verdomme, zeg. Kunnen jullie ons even excuseren? Het lijkt hier wel Piccadilly Circus. Jerome! Zora?'

Howard zette een hand aan zijn oor als een man die wacht op de reactie van een vogel op zijn lokroep.

'Howard,' probeerde Kiki, terwijl ze de lijst omhooghield, 'Howard, kijk eens.'

'Levi? Nee? Dan zullen wij het moeten doen. Sorry, ik ben zo terug.'

Kiki volgde Howard de hal in, waar ze samen de deur opendeden voor het echtpaar Wilcox, een van de zeldzame echt gefortuneerde stellen van Wellington. De Wilcox hadden een winkelketen in ballerige kleding, deden royale schenkingen aan de universiteit en zagen eruit als de schalen van twee Atlantische garnalen in avondkleding. Vlak achter hen kwam Smith, die een eigengebakken appeltaart bij zich had en gekleed was als de keurige heer uit Kentucky die hij was. Ze werden allemaal naar de keuken gedirigeerd om zich daar te voegen bij het totaal ongeschikte gezelschap van de marxistische Engelse professor Joe Rainer en de jonge vrouw met wie hij de laatste tijd omging. Er hing een strip uit *The New Yorker* op de koelkast waarvan Kiki wenste dat ze hem eraf had gehaald: een stel uit de betere kringen achter in een limo. De vrouw zegt: *Natuurlijk zijn ze slim. Dat moet wel. Ze hebben geen cent.*

'Loop maar verder, loop maar verder,' schetterde Howard, terwijl hij gebaarde als een herder die zijn kudde een landweg wil laten oversteken. 'Naar de woonkamer, of de tuin, daar is het ook heerlijk...'

Een paar minuten laten stonden ze weer samen in de hal.

'Maar waar zit Zora nou toch... ze kijkt al weken uit naar dat verrekte feest, en nu is ze in geen velden of wegen...'

'Waarschijnlijk is ze sigaretten gaan halen of zoiets.'

'Minstens één van hen had hier moeten zijn. Straks denken de mensen nog dat we ze op zolder in een soort kindersekskamp vasthouden.'

'Daar zal ik me mee bezighouden, oké, Howie? Zorg jij maar dat iedereen krijgt wat ze willen. Waar zit Monique, verdomme? Zou ze niet iemand meebrengen?'

'Die staat in de tuin op zakken met ijs te springen,' zei Howard ongeduldig alsof ze daar zelf wel achter had kunnen komen. 'Die klote-ijsmachine is een halfuur geleden kapotgegaan.'

'Fuck.'

'Ja, schat, fúck.'

Howard trok zijn vrouw naar zich toen en duwde zijn neus tussen haar borsten.

'Kunnen wij niet samen een feestje houden? Jij en ik en de meisjes?' zei hij, terwijl hij de meisjes voorzichtig kneedde. Kiki maakte zich los. Hoewel de vrede tussen hen was getekend, was er nog geen sprake van seks geweest. De afgelopen maand had Howard zijn flirtoffensief uitgebreid. Aanraken, vasthouden en nu kneden. Howard scheen te denken dat de volgende stap onvermijdelijk was, maar Kiki had nog niet besloten of vanavond het begin zou worden van de rest van hun huwelijk.

'Uh-uh...' zei ze zachtjes. 'Sorry, die doen niet mee.'

'Waarom niet?'

Hij trok haar dicht tegen zich aan en legde zijn hoofd op haar schouder. Kiki liet hem begaan. Dat gebeurt nu eenmaal op dit soort feesten. Ze pakte met haar vrije hand een lok van het dikke, zijdezachte haar van haar man. In de andere hield ze het cadeau van Christian en Meredith dat nog steeds wachtte op waardering. En precies zo, zij met haar ogen dicht en zijn haar dat tussen haar vingers door viel, hadden ze op elke gelukkige dag van elk van die dertig jaar bij elkaar kunnen staan. Kiki was niet gek en herkende het gevoel: de stomme wens om terug in de tijd te gaan. Het kon niet meer zo worden als het was geweest.

'De meisjes haten Christian von Eikelenstein,' zei ze ten slotte plagerig, maar stond toe dat hij zijn hoofd op haar boezem legde, 'ze willen nergens zijn waar hij is. Je weet hoe ze zijn. Ik kan er niets aan doen.'

De bel ging. Howard zuchtte verlustigd.

'Gered door de bel,' fluisterde Kiki. 'Luister, ik ga naar boven. Ik probeer de kinderen naar beneden te halen. Doe jij de deur open... en rustig aan met de drank, oké? Jij moet het zootje hier in de hand houden.'

'Mm-mm.'

Howard haastte zich naar de deur, maar draaide zich vlak voor hij opendeed naar haar om.

'O... Kieks...' Zijn uitdrukking was kinderlijk, verontschuldigend, volkomen onbeholpen. Kiki werd er plotseling moedeloos van. Door dat gezicht leken ze precies op ieder ander paar van middelbare leeftijd in de buurt – de woedende vrouw, de berouwvolle echtgenoot. *Hoe zijn we daar terechtgekomen, bij al die anderen*, dacht ze.

'Kiek... Sorry, schat, alleen... ik moet weten of je ze hebt uitgenodigd.'

'Wie?'

'Wie denk je? De Kipps.'

'O, ja... zeker. Ik heb haar gesproken. Ze was...' Maar het was onmogelijk om mevrouw Kipps in een notendop te beschrijven of een grapje over haar te maken, zonder dat Howard de spot met haar zou drijven. 'Ik weet niet of ze komen, ik heb ze wel uitgenodigd.'

Weer ging de deurbel. Kiki liep naar de trap en liet het cadeau op het tafeltje onder de spiegel liggen. Howard deed open.

12

'Hoi.'

Lang, zelfvoldaan, knap, verdacht knap zoals een zwendelaar, met blote armen, getatoeëerd, sloom, gespierd, een basketbal onder zijn arm, zwart. Howard hield de deur half open. 'Kan ik iets voor je doen?'

Carls glimlach verdween van zijn gezicht. Hij was aan het basketballen geweest op het plein van de universiteit van Wellington – je liep er gewoon op en deed alsof je daar thuishoorde – toen Levi hem belde met de mededeling dat het feest vanavond was. Vreemde datum voor een feest, maar ieder zijn meug. De jongen had een beetje vreemd geklonken, alsof hij ergens kwaad over was, maar hij had erop gestaan dat Carl zou komen. Had hem het adres gestuurd, wel drie keer. Carl had even langs huis gekund om zich eerst om te kleden, maar dat zou een enorme omweg zijn geweest. Hij had bedacht dat het niemand op zo'n warme avond zou kunnen schelen.

'Ik hoop het. Ik kom voor het feest.'

Howard zag hoe hij beide handen aan weerszijden van zijn bal plaatste zodat de slanke, krachtige contouren van zijn armen zich aftekenden in het licht van de veiligheidsverlichting.

'O... dit is anders wel een besloten feest...'

'Uw zoon, Levi... is een vriend van me.'

'O, juist... ehm, luister. Hij is...' zei Howard, terwijl hij zich omdraaide en net deed alsof hij zijn zoon in de hal zocht, 'hij is hier nu even niet... maar als je me je naam geeft, zeg ik hem dat je langs bent geweest...'

Howard deinsde terug toen de jongen zijn bal keihard liet stuiteren op de drempel.

'Luister,' zei Howard, 'ik wil niet bot doen, maar het is niet de bedoeling dat Levi zijn... vrienden uitnodigt, het is een heel besloten feestje.'

'Juist. Voor dichters met een hoofdletter.'

'Sorry?'

'Shit, wat kom ik hier eigenlijk doen, laat maar,' zei Carl. En weg was hij, over het erf, het hek uit, een trotse, snelle, veerkrachtige loop.

'Wacht...' riep Howard hem na. Hij was al weg.

'Eigenaardig...' zei Howard in zichzelf, en sloot de deur. Hij ging in de keuken op zoek naar wijn. Hij hoorde weer de bel, Monique die opendeed en mensen die binnenkwamen, en daarna meteen nog meer mensen. Hij schonk zich een glas in – weer de bel – Erskine en zijn vrouw Caroline. Er waren nog meer mensen te horen die hun jas uittrokken op het moment dat Howard de kurk terug in de fles stopte. Het huis liep vol met mensen met wie hij geen verwantschap voelde. Howard begon in feeststemming te raken. Algauw ontspande hij zich in zijn rol als gastheer: hapjes opdringen, drankjes inschenken, zijn onwillige, onzichtbare kinderen ophemelen, een citaat verbeteren, commentaar leveren bij een meningsverschil, mensen twee of drie keer aan elkaar voorstellen. Tijdens zijn vele, drie minuten durende gesprekjes speelde hij het klaar geïnteresseerd, nieuwsgierig, stimulerend en vrolijk over te komen, waarbij hij al lachte voordat iemand zijn grapje had uitverteld, glazen vulde als de belletjes nog tegen de rand tikten en als hij je erop betrapte dat je je jas zocht of aantrok, kreeg je een klaagzang als van een minnaar over je heen. Je deinde met hem mee, heen en weer als zeelieden. Als je hem een beetje durfde te plagen met zijn Rem-

brandt, leverde hij op zijn beurt commentaar op jouw marxistische verleden, je cursus creatief schrijven of je elfjarige studie over Montaigne, allemaal op zo'n hartelijke manier dat je het niet persoonlijk nam. Je legde je
jas terug op het bed. Als je uiteindelijk toch weer wilde vertrekken met excuses over deadlines en vroeg opstaan, en je slaagde erin de deur uit te
komen, deed je hem dicht met het nieuwe, prettige idee dat Howard Belsey helemaal geen hekel aan je had – zoals je altijd had gedacht – nee, integendeel, de man koesterde zelfs al heel lang een grenzeloze bewondering
voor je, die hij alleen als gevolg van zijn aangeboren Engelse gereserveerd-
heid nooit had uitgesproken.

Om halftien besloot Howard dat het tijd werd om de verzamelde menigte kort toe te spreken in de tuin. De speech werd goed ontvangen. Tegen
tienen had de roes van dit festijn Howards oren bereikt, die rood waren van
plezier. Het leek hem een bijzonder succesvol feest. In werkelijkheid was
het een typisch Wellingtonachtige aangelegenheid: het dreigde vol te
raken, maar dat gebeurde nooit. De vakgroep Afro-Amerikaanse Wetenschappen was goed vertegenwoordigd met heel veel postdoctoraalstuden-
ten, voornamelijk omdat Erskine daar populair was en het veruit de gezel-
ligste faculteit van Wellington was, ze lieten zich erop voorstaan de meest
treffende replica's van normale mensen op de campus te zijn. Behalve po-
chen konden ze ook over koetjes en kalfjes praten, ze hadden een audiotheek met zwarte muziek in hun faculteit en ze konden, zeer welbespraakt,
meepraten over de laatste prulprogramma's op televisie. Ze werden uitgenodigd op alle feesten en ze bezochten ze ook allemaal. Maar de Engelse
faculteit was vanavond minder goed vertegenwoordigd. Alleen Claire, de
marxistische Joe, Smith en een paar groupies van Claires fanclubje die zich,
zo zag Howard tot zijn vermaak, de een na de ander als lemmingen aan
Warrens voeten wierpen. Warren was kennelijk toegevoegd aan de lijst
waar Claire haar goedkeuring aan gaf – daardoor gedroegen ze zich zo.
Een groepje jonge antropologen die Howard niet kende bleef de hele
avond in de keuken, in de buurt van de hapjes, bang om zich te verplaatsen
naar een plek waar niet zo'n hoeveelheid rekwisieten – glazen, flessen,
toostjes – was waarmee ze hun handen iets te doen konden geven. Howard
liet hen daar staan en begaf zich naar de tuin. Hij liep met zijn lege glas
blijmoedig in zijn hand langs het zwembad toen de zomerse maan verdween achter blozende wolken en overal om hem heen het aangename zin-
nelijke geluid van gesprekjes in de buitenlucht opklonk.

'Wel een vreemde datum voor een feest, 11 september,' hoorde hij iemand zeggen. En daarop het gebruikelijke antwoord: 'O, ik vind het een prachtige datum voor een feest. Dat is de feitelijke datum waarop ze zijn getrouwd, dus... En als we die dag niet terugpakken, weet je... dan is het net alsof zíj hebben gewonnen. Gewoon terugpakken, absoluut.' Dit was hét onderwerp van de avond. Howard had het zelf al minstens vier keer besproken sinds de klok tien had geslagen en de wijn zijn invloed had doen gelden. Voor die tijd had niemand er iets over willen zeggen.

Ongeveer elke twintig seconden bewonderde Howard een paar voeten die door het wateroppervlak omhoogkwamen, de gewelfde rug die erop volgde, en daarna de slanke bruine gestalte die nog een volgend, bijna geluidloos baantje trok. Levi had kennelijk besloten dat hij, als hij toch op het feest aanwezig moest zijn, net zo goed een uurtje kon gaan trainen. Howard kon niet precies bepalen hoe lang Levi al in het zwembad was, maar toen zijn toespraak was afgelopen en het applaus was weggeëbd, had iedereen gezien dat er een eenzame zwemmer bezig was, en daarna had bijna iedereen aan zijn buurman gevraagd of hij zich het verhaal van Cheever herinnerde. Academici zijn beperkt in hun gespreksonderwerpen.

'Ik had mijn zwempak mee moeten brengen,' had Howard Claire Malcolm hardop tegen iemand horen zeggen.

'En zou je dan ook zijn gaan zwemmen?' luidde de nuchtere reactie.

Zonder dat hij er erg zijn best voor deed, keek Howard nu uit naar Erskine. Hij wilde diens mening over zijn speech horen. Hij ging op het fraaie bankje zitten dat Kiki onder de appelboom had neergezet en keek naar het gezelschap. De brede ruggen en stevige kuiten van vrouwen die hij niet kende stonden om hem heen. Vriendinnen van Kiki uit het ziekenhuis die met elkaar stonden te praten. *Verpleegsters*, dacht Howard beslist, *zijn absoluut niet sexy*. En hoe was zijn toespraakje gevallen bij dit type vrouwen: niet academisch gevormd, stevig gebouwd, eigenzinnig, aanhangers van Kiki – trouwens, hoe was het bij alle anderen gevallen? Het was geen gemakkelijke toespraak geweest. Het waren er in feite drie. Een voor diegenen die op de hoogte waren, een voor hen die dat niet waren, en een voor Kiki, aan wie hij was gericht en die tegelijkertijd wel en niet op de hoogte was. De mensen die het niet wisten, hadden geglimlacht, gejuicht en geklapt toen Howard het over de beloning van de liefde had. Ze zuchtten verzaligd toen hij uitweidde over de geneugten van een huwelijk met je beste vriendin, en ook over de problemen. Gestimuleerd door deze maanverlichte aandacht, was Howard van zijn script afgedwaald. Hij trad in de voetsporen van Aristoteles met zijn lof op vriendschap, en daarna ging hij over naar zijn eigen opvattingen daarover. Hij zei dat vriendschap tot verdraagzaamheid leidt. Hij had het over de zwakte van Rembrandt en de vergevingsgezindheid van zijn vrouw Saskia. Dit was tegen het onbetamelijke aan, maar het leek niet verkeerd te vallen bij de meeste toehoorders. Minder mensen dan hij had gevreesd waren op de hoogte. Kiki had toch niet aan iedereen zijn escapade rondgebazuind, en vanavond was hij haar daarvoor dankbaarder dan ooit. Na afloop van zijn toespraak was het applaus een warme deken. Hij had de twee Amerikaanse kinderen die vlakbij stonden stevig omarmd en geen weerstand gevoeld. Dus zo stond het ervoor. Zijn ontrouw had dus toch niet overal een einde aan gemaakt. Dat was een gedachte geweest uit zelfmedelijden en zelfverheerlijking. Het leven ging door. Jerome liet hem dat het eerst zien door zijn eigen liefdescatastrofe te beleven, zo snel na die van Howard. De wereld houdt daarmee niet op te bestaan. Eerst had hij dat niet zo gevoeld. Eerst had hij gewanhoopt. Nooit eerder was hem zoiets overkomen; hij had geen idee wat hij moest doen, welke stap hij moest zetten. Later, toen hij het verhaal aan Erskine vertelde – een oudgediende in huwelijkse ontrouw – had zijn vriend hem naderhand het advies gegeven: ontken alles. Dat was altijd het beleid geweest dat Erskine had gevoerd, en volgens hem had het nooit gefaald. Maar Howard was betrapt op de oudste manier die er bestaat: een condoom in zijn zak. Ze had daarmee voor hem gestaan met een minachting die hij nauwelijks kon verdragen. Hij had die dag heel veel opties gehad, maar de waarheid vertellen was daar simpelweg niet bij geweest, niet als hij iets van het leven waar hij van hield had willen handhaven. En nu voelde hij zich gerehabiliteerd: hij had het juiste besluit genomen. Hij had niet de waarheid verteld. In plaats daarvan had hij een deel van de waarheid verteld dat hem de mogelijkheid bood om alles te behouden zoals het was: deze vrienden, deze collega's, dit gezin, deze vrouw. Zelfs het verhaal dat hij uiteindelijk had verzonnen – een eenmalig avontuurtje met een onbekende vrouw – had verschrikkelijke schade aangericht. De veilige ring van Kiki's schitterende liefde, waarin hij zich zo lang had gekoesterd, was doorbroken. Een liefde – en het sierde Howard dat hij dit wist – waardoor hij al het andere had kunnen doen. Hoeveel erger zou het zijn geweest als hij de waarheid had verteld? Daarmee zou hij alleen maar de ene ellende op de andere gestapeld hebben. Zoals het er nu voorstond, waren enkele van zijn hechtste vriendschappen in gevaar gekomen: de mensen met wie Kiki had gesproken waren in hem teleurgesteld en hadden hem dat gezegd. Een jaar erna was dit feest een test van hun respect voor hem, en nu, nu hij besefte dat hij voor die test was geslaagd, moest Howard zich beheersen om niet van opluchting in huilen uit te barsten voor de ogen van iedereen die nu aardig voor hem was. Hij had een domme fout gemaakt, daar was men het over eens, maar nu was het hem – immers, wie van de academici van middelbare leeftijd zou de eerste steen durven gooien? – gegund dat ene, bijzondere wat hij had te behouden: een gelukkig, hartstochtelijk huwelijk. Wat hadden ze elkaar bemind! Iedereen denkt natuurlijk dat je op je twintigste verliefd bent, maar Howard Belsey was op zijn veertigste nog steeds verliefd, gênant maar waar. Hij was nooit uitgekeken geraakt op haar gezicht. Het bezorgde hem zo veel vreugde. Erskine zei vaak voor de grap dat alleen een man die het thuis naar zijn zin had, een theoreticus kon zijn zoals Howard was, zo gekant tegen vreugde in zijn werk. Erskine zelf was inmiddels voor de tweede keer getrouwd. Bijna alle mannen die Howard kende, waren al gescheiden, waren opnieuw begonnen met een nieuwe vrouw, zeiden dingen als 'op een gegeven moment is het eind in zicht' alsof hun vrouw een stuk touw was geweest. Was het dat? Was hij uiteindelijk uitgekeken op Kiki?

Howard zag haar nu bij het zwembad, hurkend naast Erskine, allebei in gesprek met Levi die met zijn sterke armen over elkaar op de kant steunde om boven water te blijven. Ze lachten allemaal. Een droef gevoel bekroop Howard. Het was helemaal niets voor haar om hem niet alle details van zijn verraad na te dragen. Hij bewonderde haar om haar wilskracht, maar hij begreep er niets van. Als het Howard was overkomen, had hij geen rust gehad tot hij alles, de naam, het gezicht, het hele verhaal van de vrijage, had geweten. In seksueel opzicht was hij altijd bijzonder jaloers geweest. Toen hij Kiki ontmoette, was ze een vrouw geweest die alleen mannen als vrienden had, honderden – althans, zo leek het Howard –, voor het merendeel ex-minnaars. Alleen al bij het horen van hun naam, zelfs nu, dertig jaar later nog, raakte Howard in paniek. Ze ging met geen van deze mannen nog om, daar had Howard wel voor gezorgd. Hij had ze afgebekt, bedreigd en met zijn kille manier van doen weggejaagd. En dit ondanks het feit dat Kiki altijd had beweerd – en hij had haar altijd geloofd – dat hij haar eerste ware liefde was. Nu legde hij zijn hand over zijn lege glas om Monique duidelijk te maken dat hij geen wijn meer wilde.

'Monique. Leuk feest? Heb je Zora gezien?'

'Zora?'

'Ja, Zora.'

'Ik zie haar niet. Eerst wel, nu niet.'

'Gaat alles goed? Is er genoeg wijn en zo?'

'Genoeg van alles. Te veel.'

Een paar minuten later bespeurde Howard bij de deur naar de keuken zijn dochter, die wat schutterig contact zocht met een drietal filosofiestudenten. Hij haastte zich naar haar toe om haar bij te staan. Dit was het minste wat hij kon doen. Ze stonden tegen elkaar aan, vader en dochter. Howard voelde het effect van de alcohol en wilde iets sentimenteels tegen haar zeggen, maar Zora had het niet door. Ze was geboeid door het gesprek tussen de studenten.

'En natuurlijk had men hoge verwachtingen van hem.'

'Precies. Er werd heel wat van hem verwacht.'

'Hij was de lieveling van die afdeling. Al op z'n tweeëntwintigste of zo.'

'Misschien was dat het probleem.'

'Precies. Precíes.

'Hij kreeg een Rhodes-beurs aangeboden... nam hij niet aan.'

'Maar nu doet hij niks, toch?'

'Nop. Ik geloof zelfs dat hij op dit moment nergens gedetacheerd is. Ik heb gehoord dat hij een kind heeft, dus wie weet. Volgens mij zit hij in Detroit.'

'Daar komt hij ook vandaan... Gewoon een van die briljante jongens, maar helemaal nergens op voorbereid.'

'Geen begeleiding.'

'Niets.'

Het was een zeer gemiddeld staaltje leedvermaak, maar Howard zag hoe geboeid Zora erdoor was. Ze had zeer vreemde ideeën over academici, ze vond het heel bijzonder dat ze konden roddelen of er corrupte opvattingen op na konden houden. Ze was hopeloos naïef in dat opzicht. Zo had ze niet opgemerkt dat filosofiestudent nummer twee verdiept was in een studie van haar boezem, die nogal slordig in beeld kwam in het onbetrouwbare zigeunerbloesje dat ze droeg. Toen de bel ging, stuurde Howard haar daarom naar de deur. Zora deed open voor de familie Kipps. Het kwartje viel niet onmiddellijk. Voor haar stond een lange, imposante zwarte man van eind vijftig, met uitpuilende ogen als van een mopshond. Rechts van hem stond zijn zoon: nog langer en met evenveel waardigheid en aan de andere kant zijn irritant knappe dochter. Voordat er iets werd gezegd, gaf Zora haar ogen de kost: de vreemde Victoriaanse uitdossing van de oude man – het vest, het pochetje – en weer die verschroeiende glimp van het meisje, de onmiddellijke erkenning – aan beide kanten – van fysieke superioriteit. Nu liepen ze in een driehoek achter Zora aan door de hal, terwijl zij doorratelde over jassen en drankjes en haar eigen ouders, die op dat moment nergens te bespeuren waren. Howard was verdwenen.

'God, net stond hij hier nog. Godsamme. Hij moet hier ergens zijn... Godsamme, waar zit hij nou?'

Het was een afwijking die Zora van haar vader had geërfd: als ze mensen ontmoette van wie ze wist dat ze gelovig waren, begon ze te vloeken als een ketter. De drie gasten stonden geduldig om haar heen terwijl Zora in alle staten raakte. Monique liep langs en Zora deed een uitval naar haar, maar het dienblad was leeg en ze had Howard niet gezien sinds hij naar Zora had gevraagd, iets waar ze heel lang over deed voordat ze het had uitgelegd.

'Levi is in zwembad, Jerome boven,' probeerde Monique nog stuurs te melden. 'Hij zegt hij niet beneden komt.'

Dit was een ongelukkige vermelding.

'Dit is Victoria,' zei meneer Kipps met de afgemeten waardigheid van een man die een penibele situatie in de hand heeft, 'en dit is Michael. Natuurlijk kennen zij je broer al, je oudste broer.'

Zijn *basso profundo* van Trinidad zeilde moeiteloos over de zee van schaamte en dreef verder naar nieuwe gespreksonderwerpen.

'Ja, en of ze die kennen,' zei Zora, luchthartig noch ernstig, zodat de spanning doorklonk in haar stem.

'Het waren allemaal maatjes van elkaar in Londen, en nu kunnen jullie hier ook maatjes worden,' zei Monty Kipps, terwijl hij ongeduldig over haar hoofd heen tuurde. In Zora's ogen leek hij iemand die voortdurend op zoek was naar een camera die hem zou filmen. 'Ik moet even je ouders gedag zeggen. Anders is het net alsof ik hier ben binnengesmokkeld in het houten paard, en ik kom als gast, zie je, zonder verdachte geschenken. Althans, vanavond dan.'

Hij lachte als een politicus, zonder dat zijn ogen meededen.

'O, ja natuurlijk...' zei Zora, die maar zo'n beetje meelachte en al even vruchteloos tuurde als hij, 'ik weet alleen niet waar... dus jullie zijn allemaal... ik bedoel, zijn jullie allemaal hier komen wonen?'

'Ik niet,' zei Michael. 'Dit is pure vakantie voor mij. Dinsdag ga ik terug naar Londen. Het werk roept, helaas.'

'O, wat jammer,' zei Zora beleefd, maar ze klonk niet erg teleurgesteld. Ze had tevergeefs in zijn gezicht gezocht naar een charmant trekje dat hem samen met zijn accent aantrekkelijk voor haar zou maken.

'En jij zit op Wellington?' vroeg Michael, zonder blijk te geven van enige echte belangstelling. Zora keek in zijn ogen, die klein en dof werden achter dezelfde dikke brillenglazen die zij ook droeg. Vreemd genoeg moest ze aan die jongen in het park denken. Waarom konden respectabele jongens zoals deze hier er niet uitzien als jongens zoals hij?

'Ja... waar mijn vader werkt... niet erg avontuurlijk, denk ik. En het ziet ernaar uit dat mijn hoofdvak zelfs kunstgeschiedenis wordt.'

'En dat is natuurlijk het terrein waar ik ben begonnen,' deelde Monty mee. 'Ik heb de eerste Amerikaanse expositie van de Caribische "primitieven" in 1965 in New York georganiseerd. Ik bezit de grootste particuliere verzameling Haïtiaanse kunst buiten dat onzalige eiland.'

'Wauw... helemaal voor uzelf, dat moet geweldig zijn.'

Maar Monty Kipps was duidelijk een man die zich ervan bewust was dat hij kon worden uitgelachen, hij was bedacht op ironie, zag het aankomen. Hij had zijn mededeling in goed vertrouwen gedaan en hij stond niet toe dat deze met terugwerkende kracht bespottelijk werd gemaakt. Hij deed er lang over voordat hij antwoordde.

'Het geeft voldoening om zwarte kunst te kunnen beschermen, ja.'

Zijn dochter richtte geërgerd haar blik ten hemel.

'Geweldig als je het leuk vindt om vanuit elke hoek in huis aangestaard te worden door Baron Samedi.'

Het was de eerste keer dat Victoria iets zei. Zora was verbaasd door haar stem, die net als die van haar vader hard, laag en duidelijk was, uit de toon vallend bij haar kokette verschijning.

'Victoria leest momenteel de Franse filosofen...' zei haar vader droog, en begon vol minachting een rijtje van Zora's eigen sterren op te sommen.

'Juist, ja, ja...' mompelde Zora intussen. Ze had een glaasje wijn te veel gehad. Een glas te veel deed haar al instemmend knikken voordat iemand zijn bedoeling had duidelijk gemaakt, waarbij ze steeds probeerde de toon aan te slaan van een levensmoede, bijna Europese bourgeois, die op haar negentiende alles al kende.

'...En ik ben bang dat ze daardoor een hekel gaat krijgen aan kunst, dat ze het saai gaat vinden. Maar hopelijk trekt Cambridge dat weer recht.'

'Pa-ap.'

'En in de tussentijd volgt ze hier een paar colleges. Ik weet zeker dat jullie wegen elkaar ergens zullen kruisen.'

De meisjes keken elkaar zonder veel enthousiasme aan bij dit vooruitzicht.

'Ik heb trouwens geen hekel aan "kunst", ik heb een hekel aan jóuw kunst,' wierp Victoria tegen. Haar vader klopte haar sussend op de schouder, een beweging die ze afschudde zoals een veel jonger kind zou doen.

'Ik ben bang dat we hier niet zoveel in huis hebben hangen,' zei Zora, terwijl ze om zich heen keek naar de lege muren en zich afvroeg hoe ze nu net op dat ene onderwerp kwam waar ze niet over wilde praten. 'Pap heeft meer met conceptuele kunst, natuurlijk. We hebben een heel erg extreme smaak, de meeste stukken kunnen we hier eigenlijk niet echt laten zien. Het heeft alles te maken met de uithollingstheorie, weet je wel, dat kunst de ingewanden uit je lijf zou moeten rukken.'

Er was geen tijd om de reactie hierop af te wachten. Zora voelde een paar handen op haar schouders. Ze had zich nog nooit zo opgelucht gevoeld bij het zien van haar moeder.

'Mam!'

'Heb je goed voor onze gasten gezorgd?' Kiki stak haar uitnodigend mollige hand uit, waar armbanden rond haar pols schitterden, 'Monty, nietwaar? Ik geloof zelfs dat uw vrouw me heeft verteld dat het tegenwoordig sír Monty is...'

Het gemak waarmee ze verderging maakte indruk op haar dochter. Het bleek dat sommige van de door Zora verfoeide traditionele sociale vaardigheden – vermijding, ontkenning, gladde praatjes en valse beleefdheden – toch wel hun nut hadden. Binnen vijf minuten had iedereen een drankje, waren de jassen opgehangen en werd er volop over koetjes en kalfjes gepraat.

'Mevrouw Kipps... Carlene is niet meegekomen?' vroeg Kiki.

'Mam, ik ga heel even... neem me niet kwalijk, leuk om kennisgemaakt te hebben,' zei Zora terwijl ze vaag naar iemand aan de andere kant van de kamer wees, en ging toen haar eigen vinger achterna.

'Redde ze het niet?' herhaalde Kiki. Waarom voelde ze zich zo teleurgesteld?

'O, mijn vrouw gaat zelden naar dit soort gelegenheden,' zei Monty. 'Ze houdt niet zo van laaiend feestgedruis. Je zou kunnen zeggen dat ze meer warmte vindt bij de haard thuis.'

Kiki wist dat zelfbewuste conservatieven zich soms van martelende metaforen bedienden, maar zijn accent klonk ongelooflijk. Het behelsde een heel scala van klanken – zo'n beetje als Erskine – maar de klinkers kregen een volheid en een diepte die ze nooit eerder had gehoord. Een woord als 'fair' sprak hij uit als 'fie-jer'.

'O, wat jammer... ze leek er zo zeker van dat ze zou komen.'

'En later was ze er even zeker van dat ze het niet zou doen.' Hij glimlachte, en in die glimlach lag de overtuiging van een machtige man dat Kiki niet zo dwaas zou zijn om nog langer door te gaan over het onderwerp. 'Carlene is een vrouw die aan stemmingen onderhevig is.'

Arme Carlene! Kiki moest er niet aan denken om ook maar één avond te moeten doorbrengen met deze man. Gelukkig waren er veel mensen aan wie Monty Kipps voorgesteld wilde worden. Hij kwam al snel met een lijst belangrijke namen van Wellington en Kiki wees hem behulpzaam Jack French, Erskine, de verschillende faculteitshoofden, en legde uit dat de universiteitspresident ook was uitgenodigd, zonder daarbij te vermelden dat er geen schijn van kans was dat hij zou komen. De kinderen Kipps waren al in de tuin verdwenen. Jerome zat – tot Kiki's ergernis – nog steeds boven te mokken. Kiki liep met Monty de kamers door. Zijn ontmoeting met Howard was kort en bondig, ze draaiden in kringetjes om elkaars extreme standpunten: Howard de radicale kunsttheoreticus, Monty de cultuur-conservatief, waarbij Howard het er het slechtst van afbracht omdat hij dronken was en het te serieus opvatte. Kiki dreef hen uiteen door Howard in de richting te duwen van de curator van een kleine galerie in Boston, die hem de hele avond al te pakken probeerde te krijgen. Howard luisterde maar met een half oor naar deze kleine, verontruste man die hem achter zijn vodden zat voor een aantal lezingen over Rembrandt die Howard had beloofd te organiseren en waar hij niets aan had gedaan. Het hoogtepunt hierbij zou een lezing van Howard zelf worden, met daarna wijn en kaas, deels gesponsord door Wellington. Howard had de lezing nog niet geschreven noch zich verdiept in de kwestie van de wijn en de kaas. Over de schouder van de man heen zag hij hoe Monty de boventoon voerde bij het gezelschap dat nog over was. Een luid, speels debat met Christian en Meredith bij de haard, met Jack French in de marge, steeds net niet snel genoeg om de kwinkslagen te laten overkomen die hij wilde debiteren. Howard vroeg zich zorgelijk af of hij wel werd verdedigd door zijn vermeende verdedigers. Misschien werd hij wel belachelijk gemaakt.

'Mijn vraag is wat de tenéur zou zijn van uw lezing...'

Howard stemde weer af op zijn eigen gesprek, dat hij blijkbaar niet met één maar met twee mannen voerde. De curator, met zijn natte neus, had gezelschap gekregen van een jonge, kale man. Die laatste had zo'n doorschijnend witte huid en zo'n vooruitstekend voorhoofdsbeen dat Howard het benauwd kreeg van de sterfelijke indruk die de man maakte. Nooit had een ander levend wezen hem zo'n doodskop laten zien.

'De teneur?'

'"Tégen Rembrandt",' zei de tweede man. Hij had een schel, zuidelijk accent dat Howard trof als een komische noot waarop hij totaal niet was voorbereid. 'Dat was de titel die je assistent ons mailde. Ik probeer er alleen achter te komen wat je bedoelt met "tegen"... het mag duidelijk zijn dat mijn organisatie dit gebeuren deels sponsort, dus...'

'Uw organisatie...'

'De RAS, de Rembrandt Appreciation, en ik weet natuurlijk wel dat ik geen interlectuweel ben, zoals iemand als jij misschien zou verwachten van...'

'Nee, dat is duidelijk,' mompelde Howard. Hij had gemerkt dat zijn accent bij sommige Amerikanen een vertraagde reactie uitlokte. Soms beseften ze pas de volgende dag hoe grof hij tegen hen was geweest.

'Ik bedoel, misschien is "het bedrieglijke van de mens" een zinsnede voor inter-lek-tuwelen, maar ik kan je vertellen dat onze leden...'

Howard zag dat het kringetje rond Monty aan de andere kant van de kamer was uitgebreid met een groepje gretige Afro-Amerika wetenschappers onder aanvoering van Erskine en zijn frêle vrouw Caroline uit Atlanta. Ze was een bijzonder pezige zwarte vrouw, een en al spieren en altijd onberispelijk gekleed: de trucjes van de rijken aan de oostkust vertaald in zwartheid, het haar steil en strak, het Chanelpakje iets kleuriger en beter van snit dan dat van haar blanke tegenhangers. Ze was een van de weinige vrouwen in dit kringetje die Howard nooit eerder met een seksuele blik had bekeken, al had dit niets te maken met haar aantrekkelijkheid (Howard bezag vrouwen die er het verschrikkelijkst uitzagen nog volgens dat criterium). Het had meer te maken met haar ondoordringbaarheid; het was onvoorstelbaar dat je door het pantser van Caroline heen zou breken. Je moest je een andere wereld inbeelden om je te kunnen voorstellen dat je haar neukte, en zo zou het trouwens niet gaan, zij zou jóu neuken. Ze was berucht om haar trots – de meeste vrouwen hadden een hekel aan haar – en, zoals iedere vrouw van een op het eerste gezicht hoffelijke man, was ze bewonderenswaardig onafhankelijk en had ze blijkbaar geen behoefte aan externe contacten. Maar Erskine was ook onverbeterlijk ontrouw, wat die trots een karaktervol, indrukwekkend tintje gaf waar Howard altijd enig ontzag voor had gehad. Ze drukte zich zonderling uit – ze had het altijd over Erskines meisjes als *die mulatjes* – en liet verder niets merken van wat er werkelijk in haar omging. Als gevierd juriste zou het, zo zei men, niet lang meer duren voor ze zou worden benoemd tot rechter aan het hooggerechtshof. Ze kende Powell en Rice persoonlijk en ze legde Howard graag geduldig uit dat zulke mensen 'het ras omhoogtilden'. Monty was koren op haar molen. Met haar tengere, verzorgde hand maakte ze op dit moment snijdende bewegingen vlak voor zijn gezicht, misschien om duidelijk te maken waar verantwoordelijkheden ophielden of hoeveel ruimte er nog voor was.

En nog steeds stond die curator tegen hém te praten. Howard wist niet meer hoe hij eraan kon ontsnappen.

'Nou,' zei hij op luide toon, in de hoop er een einde aan te kunnen maken met een intimiderend vertoon van academisch vuurwerk, 'wat ik bedoelde was dat Rembrandt deel uitmaakt van de zeventiende-eeuwse Europese beweging die... nou, laat ik het even kort samenvatten, in wezen de idee van de mens heeft bedacht.' Howard hoorde het zichzelf zeggen, allemaal geciteerd uit het hoofdstuk dat hij boven op zijn computerscherm had achtergelaten, waar het ook niemand kon boeien. 'En natuurlijk is daarvan het logisch gevolg de misvatting dat wij als mensen centraal staan, en dat ons gevoel voor esthetica ons ook op een bepaalde manier centraal stélt – denk maar aan de positie waarin hij zichzelf heeft geschilderd, precies tussen die twee getekende cirkels op de muur.'

Howard ging zo nog een tijdje door op de automatische piloot. Hij voelde een briesje uit de tuin tot zich doordringen, diep, via kanalen die een jonger lichaam nooit zou toelaten. Hij voelde zich diep bedroefd bij het opnieuw opdissen van deze argumenten, die hem enig aanzien hadden verleend in die kleine kring waarin hij zich bewoog. Het ontbreken van liefde in een bepaald deel van zijn leven had de andere kant van zijn leven een kilte gegeven.

'Stel me aan hem voor,' beval een vrouw plotseling terwijl ze hem bij de slappe spier in zijn bovenarm greep. Het was Claire Malcolm.

'O, sorry hoor, mag ik hem even wegkapen, heel even?' zei ze tegen de curator en diens vriend, en negeerde hun betrokken gezichten. Ze trok Howard een paar stappen mee naar de hoek van de kamer. Schuin daartegenover schalde Monty Kipps bulderende lach boven gejoel uit.

'Stel me voor aan Kipps.'

Ze stonden naast elkaar, Claire en Howard, en ze keken de kamer in als ouders die langs de kant van het voetbalveld de verrichtingen van hun zoon volgden. Ze stonden in een scheve hoek, maar het had ook iets intiems. De perzikblos als gevolg van de alcohol had Claires bruine teint verdiept, en de moedervlekken en sproetjes in haar gezicht en haar decolleté werden door deze roze gloed omringd; het gaf haar iets van haar jeugdigheid terug

– een effect dat ze met geen ander product of methode ooit had kunnen bereiken. Howard had haar bijna een jaar niet gezien. Dit hadden ze slim aangepakt, zonder er de aandacht op te vestigen en zonder het duidelijk af te spreken. Ze hadden elkaar op de campus gewoon gemeden, in de koffiekamer kwamen ze helemaal niet meer en ze zorgden ervoor dat ze niet bij dezelfde vergaderingen aanwezig waren. Bovendien was Howard opgehouden naar het Marokkaanse café te gaan waar op een doorsneemiddag bijna de hele vakgroep Engels te zien was met een stapel nakijkwerk. Claire was in de zomer naar Italië gegaan, waar hij haar dankbaar voor was geweest. Het was ellendig haar nu te zien. Ze was gekleed in een eenvoudig hemdjurkje van ragfijne katoen. Af en toe spande het om haar nietige, yoga-achtige lichaam, dan weer viel het er los omheen, afhankelijk van hoe ze stond. Als je haar zo zag – zonder make-up en zo eenvoudig gekleed – zou je nooit vermoeden hoeveel vreemde, precieze cosmetische aandacht ze aan andere, intiemere delen van haar lichaam besteedde. Howard zelf was verbijsterd toen hij dat ontdekte. In welke houding hadden ze gelegen toen zij met die merkwaardige uitleg kwam dat haar moeder een Parisienne was?

'Waarom zou je hem in godsnaam willen ontmoeten?'

'Warren heeft belangstelling voor hem. En ik dus ook wel. Ik vind bekende intellectuelen ongelooflijk bizar en interessant... het is vast iets pathologisch, en dan is er nog dat rassengedoe om met hem over te redetwisten... Maar dat verzorgde uiterlijk van hem vind ik aanbiddelijk. Hij is zo verschrikkelijk goedverzorgd.'

'Verschrikkelijk fascistisch.'

Claire fronste haar wenkbrauwen.

'Maar hij is zo innemend. Zoals ze ook over Clinton zeggen: een overdosis charisma. Het heeft waarschijnlijk allemaal te maken met feromonen, je weet wel, iets wat je ruikt, iets nasaals, Warren zou het wel kunnen uitleggen...'

'Nasaal, anaal... het komt in elk geval uit een of ander gat.' Howard bracht zijn glas naar zijn mond, zodat wat hij daarna zei enigszins gedempt klonk. 'Gefeliciteerd, trouwens. Ik heb gehoord dat alles netjes geregeld is?'

'We zijn heel gelukkig,' zei ze kalm. 'God, ik ben zo gefascineerd door die man...' Howard dacht even dat ze Warren bedoelde, 'zie je hoe hij de hele kamer afwerkt? Hij is op de een of andere manier overal.'

'Ja, net als de pest.'

Claire draaide zich met een duivels lachje naar Howard toe. Hij zag dat zij had gedacht dat het nu geen kwaad kon om hem aan te kijken, nu de ironische toon was gezet. Hun verhouding was nu per slot van rekening al zo lang geleden, zo lang onontdekt gebleven. In de tussentijd was Claire getrouwd! En die verzonnen nacht in Michigan was nu de geaccepteerde werkelijkheid, de drie weken durende verhouding tussen Howard en Claire in Wellington was nooit gebeurd. Waarom zouden ze niet weer met elkaar praten, elkaar aankijken? Maar in werkelijkheid was elkaar aankijken fataal, en op het moment dat zij zich omdraaide, wisten ze het allebei. Claire deed haar best om gewoon door te gaan, maar door angst raakte alles wat ze zei uit proportie.

'Ik geloof,' begon ze op een belachelijk plagerig toontje, 'ik geloof dat jij best wel op hem zou willen lijken.'

'Hoeveel heb jij gedronken?'

Op dat moment koesterde hij de vreemde wens dat Claire Malcolm van de aardbodem verdween. Zonder dat hij daar iets mee te maken had, gewoon ineens weg.

'Al die stomme ideologische geschillen,' zei ze, en grinnikte toen dwaas naar hem, waarbij haar lippen boven haar rozige tandvlees optrokken en haar kostbare Amerikaanse gebit ontblootten. 'Jullie weten allebei dat die niet echt van belang zijn. De regering heeft wel wat belangrijkers te doen. Belangrijkere ideeën,' fluisterde ze, 'in voorbereiding. Niet dan? Soms begrijp ik niet waarom ik hier nog blijf.'

'Waar hebben we het nu precies over? Over het volk, de regering of over jou?'

'Doe niet zo wijsneuzig,' zei ze zuur, 'ik bedoel ons allemaal, niet alleen ik. Het heeft gewoon geen zin.'

'Je lijkt wel een puber van vijftien. Zo praten mijn kinderen.'

'Belangrijkere ideeën dan deze. Het komt daarbuiten, in de wereld, neer op het essentiële. De essentie. We hebben jullie kinderen in de steek gelaten, we hebben alle kinderen in de steek gelaten. Als ik naar dit land kijk, zoals het er nu aan toegaat, ben ik blij dat ik zelf geen kinderen heb.' Howard, die betwijfelde of dit waar was, verborg zijn ongeloof door een studie te maken van de vergelende eiken plankenvloer onder hun voeten. 'God, als ik aan het volgende semester denk, word ik gewoon misselijk. Niemand geeft een moer om Rembrandt, Howard...' Ze hield ineens op en begon droevig te lachen. 'Of om Wallace Stevens. Belangrijkere ideeën,' herhaalde ze, waarna ze haar wijn opdronk en knikte.

'Het heeft allemaal met elkaar te maken,' zei Howard vermoeid, terwijl hij met de neus van zijn schoen een cirkeltje trok rond een houtwormgaatje in de vloer. 'Wij komen met nieuwe denkwijzen, vervolgens denken andere mensen ook zo.'

'Dat geloof je zelf niet.'

'Omschrijf geloven,' zei Howard, en terwijl hij het zei, voelde hij hoe uitgeput hij was. Hij had bijna niet genoeg adem meer om de zin af te maken. Waarom ging ze niet weg?

'O, lieve god,' blies Claire, terwijl ze met haar voetje stampte en een hand vlak tegen zijn borst legde, zich opmakend voor een van hun eeuwenoude geschillen. Essentie versus theorie. Geloof versus macht. Kunst versus cultuursystemen. Claire versus Howard. Howard voelde hoe ze in haar dronkenschap gedachteloos een vinger onder zijn hemd op zijn blote huid liet glijden. Net op dat moment werden ze gestoord.

'Waar staan jullie samen over te roddelen?'

Al te snel trok Claire haar hand van Howards lichaam, haar gezicht getekend door schuld. Maar Kiki keek niet naar Claire, ze keek naar Howard. Als je dertig jaar met iemand getrouwd bent, is diens gezicht zo helder als glas voor je. Het ging zo snel maar toch zo absoluut – het bedrog was ontdekt. Howard besefte het meteen, maar Claire kon dat minieme trekje niet zien naast de mond van zijn vrouw, noch weten wat het betekende. In haar onschuld denkend dat ze de situatie redde, nam Claire Kiki's beide handen in de hare.

'Ik wil graag kennismaken met sir Montague Kipps. Howard doet er een beetje moeilijk over.'

'Howard doet altijd moeilijk,' zei Kiki, terwijl ze hem nogmaals een keiharde blik toewierp die geen enkele twijfel liet bestaan, 'hij denkt dat hij daardoor pienter overkomt.'

'God, wat zie je er geweldig uit, Kieks. Je zou in een fontein in Rome moeten staan.'

Howard vermoedde dat deze vleierij aan het adres van zijn vrouw iets dwangmatigs van Claire was. Het enige wat hij nu wilde was haar de mond snoeren. Wilde, gewelddadige fantasieën welden in hem op.

'O, jij ook, liefje,' zei Kiki kalm, het onechte enthousiasme temperend. Er zou dus geen scène volgen. Howard had dit altijd zeer gewaardeerd in zijn vrouw: haar vermogen iets rustig op te nemen, maar op dit moment had hij haar liever horen schreeuwen.

Ze stond als een zombie, haar ogen reageerden op geen enkel teken van hem, haar glimlach was opgeplakt. En nog steeds waren ze verwikkeld in dit belachelijke gesprek.

'Luister, ik heb een openingsknaller nodig,' vervolgde Claire. 'Ik gun hem niet de voldoening dat hij weet dat ik echt met hem wil praten. Waarmee kan ik zijn aandacht trekken?'

'Hij heeft overal een vinger in de pap,' zei Howard, wiens wanhoop overging in woede. 'Kies maar uit. De toestand in Groot-Brittannië, de toestand in het Caribisch gebied, toestanden in de wereld van de zwarten, de toestand in de kunst, de toestand van vrouwen, de toestand van de Verenigde Staten... u vraagt, hij draait. O, en hij noemt positieve discriminatie het werk van de duivel. Hij is een charmeur, hij is een...'

Howard zweeg. Alle drank in zijn lichaam had zich tegen hem gekeerd, zijn zinnen begonnen hem te ontsnappen als konijnen in hun holen, zo meteen zou het witte staartje van een gedachte noch het zwarte gat waarin het verdween nog voor hem zichtbaar zijn.

'Howie, je maakt jezelf belachelijk,' zei Kiki nadrukkelijk, maar ze moest zich meteen hierna verbijten. Howard zag de strijd die ze voerde. Hij zag hoe vastberaden ze was. Ze zou niet schreeuwen, ze zou niet janken.

'Is hij tegen positieve discriminatie? Dat is ongebruikelijk, nietwaar?' vroeg Claire, terwijl ze naar Monty's knikkende hoofd keek.

'Niet echt,' antwoordde Kiki. 'Het is gewoon een zwarte conservatief. Hij vindt het minderwaardig om Afro-Amerikaanse jongeren te vertellen dat zij een speciale behandeling nodig hebben om succes te hebben, enzovoort. Het is een verschrikkelijk slecht moment voor Wellington dat hij nu juist hier is. Er is een wetsvoorstel tegen positieve discriminatie op weg naar de senaat en dat gaat problemen geven. We moeten juist nu onze poot stijf houden. Nou ja, dat weet jij natuurlijk. Jij en Howard hebben al dat werk samen gedaan.' Op het moment dat het tot haar doordrong wat ze had gezegd, zette Kiki grote ogen op.

'Ah...' zei Claire, terwijl ze de steel van haar lege wijnglas ronddraaide. Kleinschalige politiek verveelde haar. Ze had Howard anderhalf jaar geleden zes maanden vervangen in het Comité Positieve Discriminatie van Wellington – zo was het trouwens tussen hen begonnen – maar haar belangstelling was minimaal geweest en ze bezocht de bijeenkomsten maar zo af en toe. Ze had de functie geaccepteerd omdat Howard – die doodsbang was dat een door hem gehate collega werd benoemd – haar had gesmeekt. Maar Claire raakte alleen echt opgetogen van de chaos op het wereldtoneel: WMD, autocratische presidenten, massavernietiging. Ze haatte commissies en vergaderingen. Ze hield van optochten en handtekeningen-acties.

'Je zou met hem over kunst moeten praten, ik bedoel, hij is blijkbaar een verzamelaar, van Caribische kunst,' vervolgde Kiki dapper.

'Zijn kinderen vind ik ook fascinerend. Ze zijn prachtig.'

Howard snoof vol walging. Hij was nu verschrikkelijk dronken.

'Jerome is korte tijd verliefd geweest op de dochter,' legde Kiki bondig uit. 'Vorig jaar. De familie raakte daardoor een beetje van slag... Howard maakte het allemaal nog veel erger dan nodig was. Het was zo'n idiote toestand.'

'Wat een drama's beleven jullie allemaal,' zei Claire blijmoedig. 'Ik kan het hem niet kwalijk nemen, ik bedoel, ik kan het Jerome niet kwalijk nemen, ik heb haar gezien, ze ziet er echt fantastisch uit, net Nefertete. Vond je ook niet, Howard? Net een van die standbeelden onder in het Fitzwilliam, in Cambridge. Die heb je toch gezien? Zo'n prachtig antiek gezicht. Vond je ook niet?'

Howard sloot zijn ogen en dook in zijn glas.

'Howard, die muziek...' zei Kiki, terwijl ze zich eindelijk naar hem toe draaide. Het was verbazingwekkend om te zien hoe haar woorden en haar ogen in tegenspraak met elkaar waren, als bij een slecht actrice. 'Ik kan die hiphop niet meer horen. Ik weet trouwens niet wie dat heeft opgezet. De mensen kunnen er niet tegen. Albert Konig is daardoor net weggegaan, geloof ik. Zet Al Green op of zoiets, iets wat iedereen kan waarderen.'

Claire had al een paar stappen in de richting van Monty gedaan. Kiki liep met haar mee, maar bleef toen staan, liep terug naar Howard en zei snel iets in zijn oor. Haar stem was onvast maar de greep om zijn pols niet. Ze zei één naam, gevolgd door een ongelovig vraagteken. Howard voelde zijn maaginhoud omhoogkomen.

'Je kunt hier blijven wonen,' vervolgde Kiki met overslaande stem. 'Maar meer ook niet. Waag het niet in mijn buurt te komen. Kom niet in mijn buurt. Anders vermoord ik je.'

Toen liep ze kalm terug naar Claire Malcolm.

Howard keek hoe zijn vrouw wegliep met zijn grote vergissing. Aanvankelijk was hij er vrijwel van overtuigd dat hij zo meteen moest overgeven. Hij liep doelbewust de hal in naar het toilet. Toen herinnerde hij zich Kiki's verzoek en hij besloot tegen beter weten in daaraan te voldoen. Hij bleef staan in de deuropening van de lege woonkamer. Er zat daar maar één persoon, neergeknield bij de stereoapparatuur, omringd door cd's. De smalle, expressieve rug die hij een keer eerder had gezien, gaf zich bloot: een gewiekst topje, rond de hals vastgestrikt. Je zou verwachten dat ze zich zo meteen ontvouwde om de stervende zwaan te dansen. 'O, goed,' zei ze, terwijl ze haar hoofd draaide. Howard had het griezelige gevoel dat dit een reactie was op zijn niet-uitgesproken vraag. 'Vermaak je je?'

'Niet echt.'

'Jammer.'

'Victoria, is het toch?'

'Vee.'

'Ja.'

Ze zat nog steeds gehurkt, met alleen haar bovenlichaam half naar hem toe gedraaid. Ze glimlachten naar elkaar. Howard begreep onmiddellijk wat zijn oudste zoon had bezield. Raadselen uit het afgelopen jaar losten zich op.

'Dus jij bent de dj?' vroeg Howard. Was daar tegenwoordig geen nieuw woord voor?

'Daar lijkt het wel op... vind je het erg?'

'Nee, nee... alleen een paar van de oudere gasten vonden je keuze... misschien een beetje te hectisch.'

'Juist, ja. Je bent gestuurd om me op mijn donder te geven.'

Het was vreemd om die Engelse uitdrukking op zo'n Engelse manier te horen uitspreken.

'Om even te overleggen, denk ik. Van wie is die muziek, trouwens?'

'"Levi's Mix",' las ze op een sticker op de cd-hoes. Ze schudde bedroefd haar hoofd. 'Kennelijk bevindt de vijand zich onder ons,' zei ze.

Natuurlijk was ze intelligent. Jerome zou geen dom meisje kunnen verdragen, al was ze nog zo mooi. Dit was een probleem dat Howard in zijn eigen jeugd nooit had gehad. Pas later begon intelligentie voor hem te tellen.

'Wat was er mis met wat er eerder opstond?'

Ze staarde hem aan. 'Heb je daarnaar geluisterd?'

'Kraftwerk... er is niets mis met Kraftwerk.'

'Twee uur lang Kraftwerk?'

'Er is vast nog wel wat anders.'

'Heb je die verzameling gezíen?'

'Nou, ja, die is van mij.'

Ze schoot in de lach en schudde haar haren. Het was van dat kunsthaar, vastgebonden in een paardenstaart waarna het in een waterval van synthetische krullen op haar rug viel. Ze veranderde van houding zodat ze hem kon aankijken, en ging toen weer op haar hurken zitten. De glimmende paarse stof spande om haar borsten. Ze had kennelijk grote tepels, ze leken op die oude muntjes van tien penny. Howard keek naar de vloer, schaamte veinzend.

'Hoe kom je hier bijvoorbeeld aan?' Ze stak een cd met instrumentale elektronische muziek in de lucht.

'Die heb ik gekocht.'

'Die heb je zeker gekocht onder dwang. Een gewapende man begeleidde je naar de kassa.' Ze maakte de nodige gebaren. Ze had een vals, kakelend lachje, even laag als haar spreekstem. Howard haalde zijn schouders op. Hij was geërgerd door haar gebrek aan respect.

'Dus we houden die hectische muziek?'

'Ben bang van wel, professor.'

Ze knipoogde. Het ooglid ging in slow motion neer. Er kwam geen einde aan die wimpers. Howard vroeg zich af of ze dronken was.

'Ik zal het doorgeven,' zei hij, en hij draaide zich om. Hij struikelde bijna over een plooi in het kleed, maar wist zich nog net staande te houden.

'Oeps, daar ging je bijna.'

'Oeps... daar ging ik bijna,' herhaalde Howard.

'Zeg maar dat ze niet zo moeilijk moeten doen. Het is maar hiphop. Ze gaan er niet dood van.'

'Juist,' zei Howard.

'Nog niet,' hoorde hij haar nog zeggen toen hij de kamer uit liep.

II

De anatomieles

'Een verkeerd begrip of zelfs al een te lage inschatting van de relatie die de universiteiten met schoonheid hebben, is een fout die gemakkelijk gemaakt kan worden. Een universiteit is een van die waardevolle dingen die vernietigd kunnen worden.'
ELAINE SCARRY

I

De zomer verliet Wellington abrupt en sloeg bij zijn vertrek de deur met een knal dicht. Door de schok belandden de bladeren allemaal tegelijk op de grond, en Zora Belsey had dat vreemde septembergevoel van vroeger dat ergens in een bedompt klaslokaal met kleine stoeltjes een lagereschooldocent op haar zat te wachten. Het voelde verkeerd dat ze naar de stad liep zonder glimmende das en geruit rokje, en zonder allerlei geurende gummetjes. Tijd op zich zegt niets, het gaat erom wat je erbij voelt, en Zora voelde zich nog precies zoals vroeger. Ze woonde nog steeds thuis, ze kon niet autorijden en ze was nog maagd. Toch was ze al als tweedejaars op weg naar de eerste collegedag. Het vorige jaar waren de tweedejaars in haar ogen een totaal ander soort mensen: zo uitgesproken in hun voorkeuren en meningen, in hun verliefdheden en opvattingen. Zora was deze ochtend wakker geworden in de hoop dat zich de afgelopen nacht zo'n soort metamorfose had voltrokken, maar toen ze merkte dat dat niet het geval was, deed ze wat meisjes in het algemeen doen als ze er niet zo uitzien als ze graag zouden willen: ze kleedde zich alsof het wel was gebeurd. Hoe goed ze daarin was geslaagd kon ze niet zeggen. Ze bleef even staan om zichzelf te bekijken in de etalage van Lorelie's, een excentrieke fiftieskapsalon op de hoek van Houghton en Maine. Ze probeerde zich te verplaatsen in haar leeftijdgenoten. Ze stelde zichzelf de uiterst moeilijke vraag: *wat zou ík van mij vinden?* Ze had iets gezocht dat onconventioneel intellectueel, gedurfd, bevallig, sterk en doortastend zou ogen. Ze droeg een lange donkergroene zigeunerrok, een witte katoenen blouse met een opvallend kraagje, een zware bruine suède riem van Kiki uit de tijd dat haar moeder nog riemen kon dragen, een paar zware schoenen en een hoed. Een mannenhoed, van groen vilt, die iets weghad van een *fedora*, maar het niet was. In de etalageruit zag ze niet wat ze in gedachten had gehad toen ze het huis verliet. Helemaal niet.

Vijftien minuten later trok Zora alles weer uit in de kleedruimte van het zwembad van Wellington. Dit maakte deel uit van Zora's nieuwe regime voor deze herfst: vroeg op, zwemmen, college, een lichte lunch, bibliotheek, naar huis. Ze drukte de hoed plat in het kluisje en trok haar badmuts laag over haar oren. Een naakte Chinese vrouw die er van achteren uitzag als achttien draaide zich om en verbaasde Zora met haar gerimpelde gezicht, waarin twee kleine scheve ogen te kampen hadden met de druk van de plooien eronder en erboven. Haar schaamhaar was heel lang, steil en grijs, als verdord gras. *Stel dat ik dat was*, dacht Zora vaag, en de gedachte bleef nog even hangen, zakte weg en verdween. Ze speldde het sleuteltje van haar kluisje op de zwarte stof van haar functionele badpak. Ze liep langs de kant van het bad, waar haar platte voeten over de tegels kletsten. Bovenin, achter de tribune, viel de najaarszon binnen door een glazen wand, waardoor de stralen als zoeklichten op de luchtplaats van een gevangenis kaatsten. Op die hoogte keek een lange rij sporters op loopbanden neer op Zora en alle anderen die niet fit genoeg waren voor de sportzaal. Daar achter het glas trainden de perfecte mensen, hierbeneden dreven de misvormde mensen hoopvol rond. Tweemaal per week waren de zaken omgekeerd, wanneer de leden van de zwemploeg met hun stralende aanwezigheid het bad sierden, zodat Zora en alle anderen naar het oefenbad werden verwezen om hun baantjes te trekken naast kleine kinderen en bejaarden. De zwemmers van die ploeg doken vanaf de kant, schoten weg als pijlen uit een boog en raakten het water als iets wat het bad dankbaar verwelkomde. Mensen als Zora namen voorzichtig plaats op de grove tegels, lieten alleen hun voeten in het water hangen en gingen dan een dialoog aan met hun lichaam over het volgende stadium. Het kwam herhaaldelijk voor dat Zora zich uitkleedde, naar het zwembad liep, naar de atleten keek, ging zitten, haar tenen in het water doopte, weer opstond, langs het bad liep, naar de atleten keek, zich aankleedde en het gebouw verliet. Maar vandaag niet. Vandaag was een nieuw begin. Zora schoof twee centimeter naar voren en liet zich toen vallen. Het water reikte tot aan haar nek als een kledingstuk om haar lichaam. Ze trapte een minuutje water en dook toen onder. Terwijl ze water uit haar neus blies, begon ze langzaam en stuntelig te zwemmen, nooit helemaal in staat haar armen en benen goed te coördineren maar wel met een gevoel van bevalligheid dat ze buiten het zwembad nooit had. Hoewel ze dacht dat ze er niets van kon, zwom ze zelfs langs een aantal vrouwen – ze zorgde er altijd voor dat ze vrouwen uitkoos die ongeveer van haar leeftijd en lengte waren, ze had een sterk gevoel van rechtvaardigheid – en haar wil om verder te zwemmen hing af van hoe goed ze haar onwetende concurrenten kon bijhouden. Haar zwembril begon van opzij water binnen te laten. Ze trok hem van haar hoofd, legde hem aan de kant en probeerde vier slagen zonder te zwemmen, maar boven water is zwaarder dan onder. Je voelt dan je eigen gewicht meer. Zora zwom terug naar de kant. Ze tastte blind rond naar haar zwembril en toen dit niets opleverde hees ze zich op de kant om te kijken waar hij lag. Hij was weg. Ze raakte meteen haar goede humeur kwijt en sommeerde een onfortuinlijke eerstejaars die badmeester was aan de rand van het bad te knielen en ze sprak hem onbehouwen toe alsof hijzelf de dief was. Na een tijdje gaf Zora haar ondervraging op en waadde ze weer door het bad, waarbij ze het hele wateroppervlak af tuurde. Rechts van haar schoot een jongen voorbij, waardoor water in haar ogen spatte. Ze worstelde zich naar de kant en kreeg een enorme golf water binnen toen ze naar de achterkant van het hoofd van de jongen keek en het rode riempje van haar eigen zwembril herkende. Ze klampte zich vast aan het dichtstbijzijnde trapje en wachtte hem op. Aan de andere kant van het bad maakte hij een soepele salto in het water, zo een waar Zora vaak van had gedroomd. Het was een zwarte jongen in een opvallend bijenbroekje, geel met zwart gestreept, dat even elastisch en strak zat als zijn eigen huid. Zijn gekromde rug bewoog als een spiksplinternieuwe strandbal die op het water stuitert. Toen hij zich weer had uitgestrekt, zwom hij het hele bad over zonder één keer boven te komen om adem te halen. Hij was sneller dan alle anderen. Het was een van die eikels uit de zwemmersploeg. Tussen het kuiltje in zijn onderrug – als de afdruk van een lepeltje uit een ijscoupe – en de welving van zijn hoge, kogelronde achterwerk zat een tatoeage. Waarschijnlijk iets van het studentencorps. Maar door het spel van zon en water was niet te zien wat het voorstelde, en voordat Zora er iets van kon maken stond hij naast haar, met zijn arm op het scheidingstouw, snakkend naar lucht.

'Eh, neem me niet kwalijk...'

'Wat?'

'Ik zei neem me niet kwalijk, volgens mij heb je mijn zwembril op.'

'Ik kan je niet horen, man... wacht even.'

Hij hees zichzelf uit het water omhoog en steunde zijn ellebogen op de kant. Hierdoor kwam zijn lendenstreek op ooghoogte van Zora. Tien volle seconden was het alsof daar helemaal geen stof zat en kreeg ze dat ding links van zijn dijbeen in volle breedte voorgeschoteld, dat driedimensionale golfjes in de bijenstrepen veroorzaakte, en onder dat boeiende geheel spanden zijn ballen tegen de stof van zijn short, laag en zwaar en niet helemaal boven het warme water uit. Zijn tatoeage was een zon, een zon met een gezichtje. Ze had het idee dat ze het al eens eerder had gezien. De stralen waren dik en waaierden uit als de manen van een leeuw. De jongen haalde twee dopjes uit zijn oren, zette de zwembril af, legde ze op de kant en draaide zich weer om naar de dobberende Zora.

'Ik had oordoppen in, man... ik kon niks horen.'

'Ik zei dat je volgens mij mijn zwembril hebt. Ik had hem hier even neer-gelegd en toen was hij verdwenen, misschien heb je hem per ongeluk ge-pakt... mijn zwembril?'

De jongen keek haar fronsend aan. Hij schudde het water van zijn ge-zicht. 'Ken ik jou?'

'Wat? Nee... luister, kan ik die bril even zien?'

De jongen gooide, nog steeds fronsend, zijn lange arm op de kant en kwam terug met de zwembril.

'Oké, die is dus van mij. Dat rode riempje is van mij... het oude was ge-broken en toen heb ik er zelf eentje aan gezet, dus...'

De jongen grinnikte. 'Nou... als hij van jou is, kun je hem maar beter meenemen.'

Hij stak zijn lange hand naar haar uit – donkerbruin, zoals die van Kiki, en alle lijntjes nog iets donkerder dan de rest. De bril hing aan zijn wijsvin-ger. Zora deed een greep, maar in plaats van hem vast te pakken stootte ze hem van zijn vinger. Ze stak haar handen in het water; de bril duikelde naar beneden, het rode bandje tolde rond, zielloos, maar toch dansend. Zora zoog oppervlakkig adem naar binnen, als een astmapatiënt, en probeerde te duiken. Halverwege kwam als gevolg van de opwaartse druk van haar eigen lichaam haar achterkant omhoog, eerst haar achterwerk.

'Zal ik even...?' bood de jongen aan en wachtte haar antwoord niet af. Hij kromde zijn rug en schoot vrijwel zonder water op te laten spatten naar be-neden. Even later kwam hij boven met de zwembril om zijn pols. Hij liet hem in haar handen vallen, wat weer een onhandig gedoe was, omdat het Zora al haar energie kostte om water te trappen en tegelijkertijd haar han-den open te houden om de bril op te vangen. Zonder een woord bewoog ze naar de kant, deed haar best om het trapje met enige waardigheid te be-klimmen en verliet het bad. Alleen verliet ze het niet echt. Zo lang als het duurt om een baantje te trekken stond ze naast de stoel van de badmeester en keek ze naar het lachende zonnetje dat door het water trok, naar de dol-fijnbeweging van het bovenlichaam van de jongen, het dalen en rijzen van twee donkere armen als schoepen, het ronddraaien van de schouderspie-ren, de gestroomlijnde benen die deden wat alle mensen met hun benen konden als ze maar wat beter hun best deden. Een volle drieëntwintig se-conden lang was Zora niet met zichzelf bezig.

'Ik wist dat ik je kende... Mozart.'

Hij was nu aangekleed, de boorden van verschillende T-shirts waren zichtbaar onder zijn Red Sox capuchontrui. Zijn wijde zwarte spijkerbroek viel ruim over de witte schulprand van zijn sportschoenen.

Als Zora hem zojuist niet bijna in adamskostuum had gezien, had ze geen idee gehad van zijn contouren onder al die kleren. Het enige waar ze iets van kon zien was die sierlijke nek die zijn hoofd van zijn lichaam weg liet draaien als een jong dier dat voor het eerst de wijde wereld in kijkt. Hij zat op de trap voor de sportschool, met zijn benen wijd uit elkaar mee te knikken op de muziek in zijn oortelefoon. Zora stapte bijna op hem.

'Sorry, mag ik even...' mompelde ze, terwijl ze om hem heen liep.

Hij liet zijn oortelefoon in zijn hals glijden, sprong op en liep achter haar de trap af.

'Hé, hoedenmeisje... yo, ik heb het tegen jou, hé, wacht even.'

Zora bleef onder aan de trap staan, duwde de rand van haar stomme hoed omhoog, keek hem aan en herkende hem ten slotte.

'Mozart,' herhaalde hij, terwijl hij met zijn vinger zwaaide, 'ja? Jij had mijn diskman meegenomen – zusje van mijn maatje Levi.'

'Zora, klopt.'

'Carl. Carl Thomas. Ik wíst dat jij het was. Levi's zusje.'

Hij stond daar te knikken en te lachen alsof ze samen net het geneesmiddel tegen kanker hadden ontdekt.

'En eh... zie je Levi nog wel eens... of...?' zei Zora aarzelend. Zijn fraaie uiterlijk maakte haar bewust van haar eigen minder fraaie ontwerp. Ze sloeg haar armen over elkaar, eerst de linker boven de rechter, daarna andersom. Ineens kon ze geen houding vinden die ook maar een beetje normaal voelde. Carl keek over haar schouder naar de krullige doorgang van taxusbomen die naar de rivier leidde.

'Weet je, ik heb hem sinds dat concert niet een keer meer gezien... ik geloof dat we een keer zouden afspreken of zo, maar...' Hij richtte zijn aandacht weer op haar. 'Welke kant ga je op, daarheen?'

'Ik ga eigenlijk de andere kant op, naar het plein...'

'Top, zo kan ik ook gaan.'

'Eh... oké.'

Ze deden een paar stappen, maar daar hield het trottoir op. Ze wachtten stilzwijgend voor het voetgangerslicht. Carl had één oortje van zijn koptelefoon ingedaan en knikte mee op de maat. Zora keek op haar horloge en toen om zich heen, als om de voorbijgangers op een wat verlegen manier te laten zien dat ze ook geen flauw idee had wat die jongen in hemelsnaam van haar wilde.

'Zit je in het zwemmersteam?' vroeg Zora toen de lichten maar niet op groen wilden springen.

'Wat?'

Zora schudde haar hoofd en kneep haar lippen op elkaar.

'Nee, zeg het nog eens,' hij deed nu de oortelefoon weer uit, 'wat zei je?'

'Niets... ik vroeg me alleen af of je in de zwemploeg zit.'

'Zie ik eruit alsof ik in de zwemploeg zit?'

Zora's beeld van Carl kwam haar weer, nog scherper, voor de geest.

'Eh... het is geen belediging, ik vond je alleen zo snel.'

Carl liet zijn schouders, die hij eerst bijna tot aan zijn oren had opgetrokken, weer zakken, maar in zijn gezicht bleef de spanning zichtbaar. 'Je zult mij nog eerder in het A-team tegenkomen dan in het zwemteam, geloof dat maar. Je moet hier studeren voor je aan het zwemteam kan meedoen, heb ik begrepen.'

Twee taxi's in tegenovergestelde richting reden op gelijke hoogte naast elkaar. De chauffeurs kwamen langzaam tot stilstand en riepen elkaar vanuit hun raampjes goedmoedig toe terwijl iedereen om hen heen begon te claxonneren.

'Die Haïtianen kunnen tekeergaan, man. Het lijkt wel of ze constant schreeuwen. Zelfs als ze blij zijn, klinken ze nog woedend,' constateerde Carl. Zora drukte op de knop voor de zebra.

'Je gaat zeker vaak naar klassieke...' vroeg Carl net op het moment dat Zora zei: '... Dus jij gaat alleen naar het zwembad om andermans zwembr–'

'O, shit.' Hij lachte hard, onecht, dacht Zora. Ze stopte haar portemonnee diep in haar tas en ritste die heimelijk dicht.

'Sorry van die zwembril, man. Ben je daar nog kwaad om? Ik dacht dat niemand hem gebruikte. Anthony, een vriend van me, werkt bij de kluisjes – hij laat me altijd zonder pasje binnen – je weet wel hoe dat gaat.'

Zora wist het niet. Het snatergeluid van het voetgangerslicht begon, zodat blinden konden horen dat ze over konden steken.

'Ik wou net zeggen, ga je vaak naar dat soort toestanden?' vroeg Carl terwijl ze overstaken. 'Zoals van Mozart?'

'Eh... ik ben bang van niet... niet zo vaak als ik zou moeten. Studeren kost best een hoop tijd.'

'Ben je eerstejaars?'

'Tweede. Eerste dag.'

'Wellington?

Zora knikte. Ze kwamen bij het hoofdgebouw van de universiteit. Het was of hij haar wilde afremmen, het moment wilde uitstellen dat ze door de poort en uit zijn wereld verdween.

'Vet. Een goedopgeleide sister. Cool, man, echt top... fantastisch man, goed van je hoor, je pakt je zaakjes goed aan... dat is de beloning, een goeie opleiding. We moeten blijven denken aan wat de beloning ons zal schenken, toch? Wellington. Pff. Goed hoor.'

Zora lachte flauwtjes.

'Nee echt, je werkt ervoor, je verdient het,' zei Carl, en keek afgeleid om zich heen. Hij deed haar denken aan de jonge jongens die ze vroeger op school in Boston begeleidde – ze ging met ze naar het park, naar de film – toen ze nog tijd had om dat soort dingen te doen. Zijn concentratie was net zo kortstondig als die van hen. En steeds maar met die voeten tikken en dat hoofd schudden alsof het gevaarlijk was om je niet te bewegen.

'Want met Mozart, zeg maar...' zei hij plotseling. 'Wat dat is, ik bedoel dat requiem... ik weet niet zoveel over die andere zooi van hem, maar dat requiem dat we toen hoorden... ken je het 'Lacrimosa'?'

Zijn vingers bewogen als die van een maestro door de lucht in de hoop zijn nieuwe metgezel de reactie te ontlokken die hij van haar wilde.

'Het Lacrimosa, dat kén je toch wel, man.'

'Eh... nee,' zei Zora, die tot haar schrik zag dat haar jaargenoten al naar binnen stroomden om zich in te schrijven. Ze was aan de late kant.

'Het is zeg maar het zesde stuk,' zei Carl ongeduldig, 'ik heb het gesampled voor een nummer dat ik heb gemaakt, nadat ik bij die uitvoering was geweest, weet je, het is echt waanzinnig, al die engelen die steeds hoger zingen en die violen, man... zwoesj dah dah, zwoesj dah dah, zwoesj dah dah, dat is fantastisch om te horen, en het klinkt zwaar cool als je daar woorden bij maakt en er een beat onder zet, je kent het wel, het gaat van...' Carl begon de melodie weer te neuriën.

'Ik ken het echt niet. Ik weet niet zoveel van klassieke...'

'Nee, man, je weet wel, ik hoorde je familie, je moeder en zo, zeggen dat hij een genie was, weet je nog, en...'

'Dat is een maand geleden,' zei Zora verbaasd.

'O, ik heb een goed geheugen, ik weet altijd alles nog. Vertel me maar wat, ik onthoud het. Ik vergeet nooit een gezicht, je ziet dat ik nooit een gezicht vergeet. En ik vond dat, zeg maar, interessant, dat over Mozart, omdat ik ook een muzikant ben...'

Zora stond zichzelf een lachje toe om die manke vergelijking.

'...en toen ben ik erachteraan gegaan, zeg maar, ik heb wat gelezen over klassieke muziek en zo, want je kan niet doen wat ik doe zonder iets te weten van die andere zooi buiten je eigen wereld, zeg maar, invloeden en dat soort zooi...'

Zora knikte beleefd.

'Oké, je begrijpt me,' zei Carl heftig, alsof Zora met dit knikje een declaratie van niet nader genoemde principes van Carl had ondertekend, '...nou ja, en nu blijkt dat stuk, dat was niet eens van hem, ik bedoel, het was voor een deel wel van hem, snap je? Kennelijk is hij halverwege de pijp uit gegaan, en toen moesten er anderen komen om het af te maken. En nu blijkt dat Lacrimosa voor het grootste deel van ene Süssmayr te zijn. Echt maf, man, want het is zeg maar het beste stuk van het requiem, en daardoor dacht ik: verdomme, dan ben je zowat een echt genie – zoals die Süssmayr, die aan de slag is gegaan, een groentje zeg maar, en toen helemaal raak heeft geschoten – en dan willen die lui allemaal bewijzen dat het Mozart was omdat dat past in hun idee van wie er wel en niet dit soort muziek kan maken, maar in feite is die fantastische sound van die Süssmayr, gewoon een of andere Jan met de pet.'

Al die tijd dat hij praatte en zij verbijsterd probeerde hem te volgen, had zijn gezicht een bepaalde uitwerking op haar, zoals het op ieder ander leek te hebben die langs hem liep. Zora zag duidelijk dat mensen tersluiks een blik wierpen, bleven kijken, en de afbeelding die Carl op hun netvlies achterliet niet wilden kwijtraken, vooral niet om plaats te maken voor zoiets banaals als een boom of de bibliotheek of twee kinderen die zaten te kaarten in de tuin. Zo'n bezienswaardigheid was hij!

'Maar goed,' zei hij, terwijl zijn geestdrift in reactie op haar stilzwijgen omsloeg in teleurstelling, 'dat wou ik je vertellen en dat heb ik nu gedaan, dus...'

Zora kapte hem af. 'Wilde je dat aan míj vertellen?'

'Nee, nee, nee, zo is het niet...' Hij lachte hees. 'Jezus, meid, ik ben geen stalker, sister, serieus...' Hij tikte haar zachtjes op haar linkerarm. Een elektrische stroom joeg door haar heen, naar haar liezen, om ergens bij haar oren te eindigen. 'Ik wil alleen zeggen dat het in mijn hoofd bleef zitten, weet je, want ik ga vaak naar dingen in de stad en meestal ben ik dan de enige néger, ik zie niet veel zwarten bij dat soort dingen en ik dacht, nou, als ik ooit dat humeurige zwarte meisje weer zie, zal ik haar over mijn ideeën over Mozart vertellen, kijken hoe ze dat vindt... meer niet. Dat is de universiteit, hè? Daar betaal je al dat geld voor, zodat je met andere mensen over dat soort zooi kunt praten. Daarvoor betaal je.' Hij knikte gebiedend met zijn hoofd. 'Meer niet.'

'Zal wel.'

'Meer is het niet,' zei Carl nog eens.

De bel begon te zoemen, zwaar en monotoon, gevolgd door het vrolij-kere, vierstemmige deuntje van de episcopale kerk aan de overkant van de weg. Zora waagde het erop: 'Weet je, je zou mijn andere broer, Jerome, eens moeten leren kennen. Die is helemaal gek van muziek en van poëzie. Hij kan ook soms wel een beetje een eikel zijn, maar je zou een keer langs moeten komen, ik bedoel, als je zin hebt om over dat soort dingen te pra-ten. Hij is nu op Brown maar hij komt om de paar weken thuis... er wordt onwijs veel gepraat bij ons thuis, ook al maken ze me soms allemaal een beetje gek... mijn vader is zeg maar professor dus...' Carl trok verbaasd zijn hoofd in. 'Nee, maar hij is cool... en je kunt onwijs goed met hem praten... maar serieus, kom als je zin heb gewoon een keertje langs om wat te klet-sen en...'

Hij keek Zora ijzig aan. Toen er rakelings een jongen langs hem liep, zag Zora dat Carl zijn schouders rechtte zodat hij de eerstejaars een duwtje gaf. Toen de eerstejaars de lange, zwarte jongen zag, zei hij niets en liep hij door.

'Nou,' zei Carl, terwijl hij de jongen nastaarde, 'ik ben een keer bij jullie langs geweest, maar ik was niet zo welkom, dus...'

'Ben je langs geweest...?' vroeg Zora niet-begrijpend.

Carl zag oprechte onschuld in haar gezicht. Hij wuifde het onderwerp weg. 'Waar het op neerkomt is dat ik niet echt een prater ben. Ik kan me niet goed uitdrukken. Ik schrijf beter dan ik praat. Als ik ga dichten gaat het van boem. Ik sla de spijker door het hout heen zodat hij er aan de an-dere kant weer uitkomt. Geloof mij maar. Als ik ga praten, sla ik op mijn eigen duim, elke keer.'

Zora moest lachen. 'Je zou de eerstejaars van mijn vader eens moeten horen. *Ik had zoiets van,*' imiteerde ze met een hoge stem die mijlen verder nog te horen was, '*en toen had zij iets van, en toen had hij iets van, en ik iets van, o mijn god.* En dat gaat eindeloos zo door.'

Carl keek verward. 'Je pa, de professor...' zei hij langzaam, 'is blank, ja?'

'Howard. Hij is Engels.'

'Engels!' zei Carl, terwijl hij zijn kalkachtige oogrok blootgaf, en een ogenblik later leek het kwartje echt gevallen. 'Ik ben nooit in Engeland ge-weest, man. Niet uit de States. Dus...' Hij maakte een vreemd ritmisch ge-luid met zijn hand, 'hij is zeker professor in de wiskunde of zoiets.'

'Mijn vader? Nee. Kunstgeschiedenis.'

'Kun je het wel met hem vinden, met je paps?'

Weer dwaalden Carls blikken rond. Weer kreeg Zora's paranoia haar in zijn greep. Even kwam het bij haar op dat al die vragen bedoeld waren om hem later, via routes waar ze nu maar niet aan dacht, de weg te wijzen naar haar ouderlijk huis, naar haar moeders juwelen en de kluis in het souterrain. Ze begon als een dolle te ratelen zoals ze altijd deed wanneer ze niet wilde laten merken dat ze met haar gedachten ergens anders was.

'Howard... is geweldig. Ik bedoel hij is natuurlijk wel mijn vader, dus af en toe, weet je wel... maar hij is cool, ik bedoel, hij heeft laatst een affaire gehad – ja, ik weet dat, het is allemaal uitgekomen, het was met een andere professor – dus het is thuis op het ogenblik nogal een opgefokte toestand. Mijn moeder gaat helemaal over de rooie. Maar ik heb meer iets van, hallo, welke vent van in de vijftig heeft tegenwoordig géén affaire? Het is in feite heel normaal. Intellectuele mannen voelen zich aangetrokken tot intellectuele vrouwen, nou, boeiend, zeg. Bovendien doet mijn moeder zichzelf ook niet bepaald een plezier, ze weegt zo'n honderddertig kilo...'

Carl keek naar de grond, kennelijk met plaatsvervangende schaamte. Zora bloosde en drukte haar stompe nagels diep in de binnenkant van haar hand.

'Dikke vrouwen hebben ook liefde nodig,' zei Carl filosofisch, en haalde een sigaret die achter zijn oor had gezeten uit zijn capuchon. 'Je kan maar beter gaan,' zei hij en stak zijn sigaret op. Hij had haar nu kennelijk wel lang genoeg gezien. Zora werd vervuld van het droevige gevoel dat haar iets waardevols was ontglipt. Op de een of andere manier had ze met haar geklets Mozart en ook zijn vriendje Susshoe-heet-ie verjaagd.

'Je zal wel afspraken hebben en zo,' zei hij.

'O, nee... ik bedoel, ik heb alleen een vergadering. Het is niet echt een...'

'...belangrijke vergadering,' zei Carl peinzend, terwijl hij probeerde zich er iets bij voor te stellen.

'Niet echt... meer een vergadering over de toekomst, denk ik.'

Zora wilde straks naar het kantoor van faculteitsvoorzitter French om hem haar hypothetische toekomst voor te leggen. Het ging haar er vooral om dat het haar het afgelopen semester niet was gelukt om een plaats te krijgen in de werkgroep poëzie bij Claire Malcolm. Ze had de roosters nog niet gezien, maar als het weer zo zou lopen, kon dat een negatief effect hebben op haar toekomst, en dat moest besproken worden, samen met vele andere lastige aspecten van haar toekomst in al zijn toekomstigheid. Dit was de eerste van de zeven besprekingen die ze had besloten bij te wonen tijdens de eerste week van het semester. Zora was bijzonder dol op besprekingen over haar toekomst met belangrijke mensen voor wie haar toekomst niet echt de hoogste prioriteit had. Hoe meer mensen van haar plannen wisten, hoe echter die plannen voor haar werden.

'De toekomst is een ander land,' zei Carl melancholiek, en vervolgens leek er een rake opmerking bij hem op te komen, er verscheen zowaar een glimlach op zijn gezicht, 'en ik heb nog steeds geen paspoort.'

'Dat is... is dat uit een van je gedichten?'

'Zou kunnen, zou kunnen.' Hij haalde zijn schouders op en wreef in zijn handen, hoewel het niet koud was, nog niet. Met innige onoprechtheid zei hij: 'Het was leuk om met je te praten, Zora. Het was leerzaam.'

Het leek of hij weer boos was. Zora keek weg en frummelde aan de rits van haar tas. Ze voelde een vreemde opwelling om iets voor hem te doen. 'Nou, ik heb anders bijna niets gezegd.'

'Ja, maar je kunt goed luisteren. Dat is hetzelfde.'

Zora keek geschokt weer naar hem op. Ze kon zich niet herinneren dat iemand haar ooit had gezegd dat ze goed kon luisteren.

'Je bent heel getalenteerd, niet?' mompelde Zora zonder erbij na te denken wat ze daar in godsnaam mee bedoelde. Ze had geluk, de woorden gleden weg onder een passerende vrachtwagen.

'Nou, Zora...' Hij klapte in zijn handen – vond hij haar belachelijk? – 'Blijf goed studeren.'

'Carl, het was leuk je weer tegen te komen.'

'Zeg maar tegen die broer van je dat hij me belt. Ik treed weer op in de Bus Stop – je weet wel, aan het Kennedyplein, dinsdag.'

'Woon je niet in Boston?'

'Ja, en? Het is niet ver, we mogen in Wellington komen, weet je. We hebben geen pasje nodig. Man. Wellington is oké, daar tenminste, Kennedy Square. Niet alleen studenten, ook brothers. Maar goed... zegt maar tegen je broer dat hij moet komen als hij wat rijm wil horen. Het is misschien geen poëzie met hoofdletters,' zei Carl terwijl hij al wegliep voordat Zora kon reageren, 'maar dat is wat ik doe.'

2

Op de zevende etage van het Stegner Memorial Building, in een onvoldoende verwarmde kamer, had Howard net een overheadprojector uitgepakt. Hij had het omvangrijke apparaat met beide handen omvat, stevig onder zijn kin geklemd, en het daarna uit de doos getild. Hij vroeg voor zijn eerste presentatie van het jaar, als de nieuwe groep aan het 'shoppen' werd gezet, altijd om deze projector, en daardoor was het net zo'n ritueel als het uitpakken van de kerstverlichting. Even huiselijk, even mistroostig. Welk lampje zou het dit jaar begeven? Howard opende voorzichtig het deksel van de lichtbak en legde de al te vertrouwde titelpagina – hij gaf deze lezing al zes jaar – met HET MENSELIJK LICHAAM: 1600-1700 met de tekstzijde op het glas. Hij pakte het vel weer op, veegde het opgehoopte stof eraf en legde het weer terug. De projector was grijs met oranje – dertig jaar geleden de kleuren van de toekomst – en zoals alle verouderde apparatuur ontlokte hij Howard onwillekeurig sympathie. Hij was ook niet meer zo modern.

'Powerpoint,' zei Smith J. Miller met zijn zuidelijke accent, die in de deuropening stond met zijn handen om zijn koffiekop voor de warmte, gretig uitkijkend naar de studenten. Howard wist dat er deze ochtend meer studenten naar het lokaal zouden komen dan erin pasten – in tegenstelling tot Smith begreep hij dat dit niets te betekenen had. Ze zouden studenten krijgen op de lange vergadertafel en op de harde vloer, studenten in de vensterbank met hun studentenvoeten onder hun studentenachterste, studenten in een rij tegen de muur als gevangen die het schot afwachtten. Ze zouden allemaal als bevlogen stenografen aantekeningen maken, ze hingen zo aan Howards lippen dat hij zich ervan moest overtuigen dat dit geen dovenschool was en dat zij geen liplezers waren. Ze zouden allemaal, stuk voor stuk, in alle oprechtheid, hun naam en e-mailadres noteren, hoe vaak professor Belsey ook zei: 'Schrijf alsjeblieft alleen – alléén – je naam op als je serieus van plan bent deze lessen te gaan volgen.' En de eerstvolgende dinsdag zaten er dan twintig jongeren. En de dinsdag daarop negen.

'Het gaat echt veel gemakkelijker met powerpoint. Ik kan het je laten zien.'

Howard keek op van zijn arme apparaat. Hij voelde zich onverklaarbaar vrolijk bij het zien van Smiths keurige vlinderdas in Schotse ruit, zijn babyface vol lichte sproeten, het golvende asblonde haar. Je kon je geen betere assistent voorstellen dan Smith J. Miller. Maar hij was een eeuwige optimist. Hij wist niet hoe het systeem hier werkte. Hij wist niet, zoals Howard, dat de jongeren aanstaande dinsdag al een keuze hadden gemaakt uit de academische waren die werden tentoongesteld in de vorm van colleges aan de faculteit Geesteswetenschappen, na een vergelijkend warenonderzoek waarbij ze met meervoudige variabelen rekenden, zoals de relatieve beroemdheid van de professor, zijn publicaties tot op heden, zijn intellectuele befaamdheid, de gang van zaken tijdens zijn colleges, de vraag of zijn college echt iets bijdroeg aan hun staat van dienst, hun persoonlijke toekomst, of hun kans op een diploma, of dat de professor in kwestie over een macht beschikte die zich liet vertalen in het praktische vermogen om de brief te schrijven die hun – over drie jaar – een stageplaats zou verschaffen bij *The New Yorker*, of in het Pentagon, of in Clintons kantoren in Harlem of bij het Franse *Vogue* – en dat al dat gezoek, al dat gegoogle, hen terecht tot de conclusie zou brengen dat de colleges over het menselijk lichaam – geen verplicht vak dit semester – die werden gegeven door een man die zelf zijn beste tijd had gehad, in een slecht zittend colbert, met jarentachtighaar, te weinig publicaties, in politiek opzicht van marginale betekenis, en met een lokaal ergens boven in een gebouw zonder degelijke verwarming en zonder lift, niet bepaald hun belang diende. Het heet niet voor niets 'shoppen'.

'Zie je, met powerpoint,' ging Smith door, 'kan de hele groep zien wat er gebeurt. Het is echt verdomd scherp, dat beeld.'

Howard glimlachte dankbaar maar schudde zijn hoofd. Hij had het aanleren van nieuwigheden allang achter zich gelaten. Hij ging op zijn knieën zitten en stak de stekker van de projector in de muur; een blauwe lichtflits schoot uit het stopcontact. Hij drukte op de knop achter op de projector, hij friemelde wat aan het snoer, hij duwde hard op de lichtbak in de hoop dat er een los contact verbinding maakte.

'Laat mij maar,' zei Smith, en hij trok de projector bij Howard weg en schoof hem over de tafel. Howard bleef nog een minuut lang staan, in precies dezelfde houding als toen de projector nog voor hem stond.

'Misschien moet je de jaloezieën neerlaten,' opperde Smith vriendelijk. Zoals de meeste mensen in het circuit van Wellington was Smith volledig op de hoogte van Howards situatie. Persoonlijk voelde hij met Howard mee, wat hij hem twee dagen daarvoor had gezegd toen ze bij elkaar waren gekomen om de werkbladen die gekopieerd moesten worden uit te zoeken. *Het spijt me te horen van je narigheid.* Alsof er een dierbare van Howard was overleden. Alleen Smith kon de bekendwording van een affaire van een collega laten klinken als een natuurramp.

'Wil je koffie, Howard? Thee? Een donut?'

Met in zijn ene hand verstrooid de touwtjes van de jaloezieën, keek Howard door het raam uit over het terrein van Wellington. Daar stonden het witte kerkje en de grijze bibliotheek lijnrecht tegenover elkaar op het plein. Een potpourri van oranje, rode, gele en paarse bladeren bedekte als een tapijt de grond. Het was nog net warm genoeg voor de jongeren om buiten op de trappen van de Greenman tegen hun rugzak te zitten niksen. Howard keek, bijna zonder het te willen, of hij Warren of Claire ergens zag. Er werd gezegd dat ze nog bij elkaar waren. Dit had hij van Erskine, die het weer van zijn vrouw Caroline had, die zitting had in het bestuur van het Wellington Instituut van Moleculair Onderzoek waar Warren zijn dagen doorbracht. Kiki was degene die Warren had ingelicht. De bom was gebarsten, maar niemand was omgekomen. Zover het oog reikte liepen er gewonden. Geen koffers, geen deuren die dicht werden geslagen, geen herplaatsing op verschillende universiteiten, geen verschillende steden. Ze zouden allemaal hier blijven met hun ellende. Door de jaren heen zou het langzaam slijten. Die gedachte was slopend, iederéén wist ervan. Howard verwachtte dat de beknopte versie die momenteel de ronde deed bij het koffieapparaat 'Warren heeft het haar vergeven' zou zijn, uitgesproken met een combinatie van medelijden en een tikje minachting, alsof dat het dekte, het gevoel. Mensen zeiden 'ze heeft hem vergeven' over Kiki, en nu pas merkte Howard hoeveel lagen vergiffenis kende. Mensen weten niet waar ze het over hebben. Bij het koffieapparaat was Howard gewoon een van de middelbare professoren die volgens verwachting leed aan een mid-lifecrisis. En dan was er die andere realiteit, die waarin híj moest leven. De afgelopen nacht had hij zich heel laat van de gammele, te korte divan in zijn werkkamer gesleept en was hij naar de slaapkamer gegaan. Hij was met zijn kleren aan boven op de quilt gaan liggen, naast Kiki, een vrouw die hij had bemind en met wie hij zijn hele leven als volwassene had ge-deeld. Op haar nachtkastje kon hem het doosje met antidepressiva niet ontgaan, naast een paar muntjes, oordopjes, een theelepeltje, allemaal in een klein houten Indiaas doosje met op de zijkant ingekerfde olifanten. Hij wachtte bijna twintig minuten en kon er maar niet achter komen of ze sliep of niet. Toen legde hij zijn hand heel zacht ergens op haar dijbeen. Ze be-gon te huilen.

'Ik heb een goed gevoel over het aanstaande semester,' zei Smith, en hij floot even en liet zijn sprankelende zuidelijke lachje horen, 'met alleen nog staanplaatsen.'

Op het bord plakte Smith een reproductie van Rembrandts *De anatomi-sche les van dr. Nicolaes Tulp* uit 1632, toen het klaroengeschal van de Verlichting nog niet was gehoord, met de apostelen peinzend rond het lichaam van een dode man, hun gezichten mysterieus beschenen door het heilige licht van de wetenschap. De linkerhand van de dokter, opgeheven in een duidelijke imitatie – althans zo zou Howard het tegen zijn studenten zeggen – van de goedertierenheid van Christus; de man op de achtergrond die de kijker aanstaart en bewondering afdwingt voor de onbevreesde menselijkheid van het onderzoek, de harde wetenschappelijke tenuitvoerbrenging van het gezegde *Nosce te ipsum*: ken uzelf. Howard hield een uitvoerig betoog over dit schilderij dat altijd weer zijn legertje rondshoppende studenten wist te boeien, waarbij hun nieuwe blikken gaten boorden in de oude fotokopie. Howard had het al zo vaak gezien dat hij er niet langer naar kon kijken. Hij stond er met zijn rug naartoe en wees de dingen die hij besprak aan met het potlood in zijn linkerhand. Maar vandaag was het alsof hij zich ín het schilderij bevond. Hij kon zichzelf zien liggen op die tafel, zijn huid wit en doods, zijn arm opengesneden voor onderzoek van de studenten. Hij draaide zich weer naar het raam. Ineens zag hij het kleine maar onmiskenbare figuur van zijn dochter, die zich in een schuine lijn naar de vakgroep Engels haastte.

'Mijn dochter,' liet Howard zich ontvallen.

'Zora? Komt ze vandaag?'

'O, ja, ja, ik geloof het wel.'

'Ze is een uitstekende student, werkelijk waar.'

'Ze werkt verschrikkelijk hard,' stemde Howard in. Hij zag dat Zora bij de hoek van de Greenman stilstond om met een ander meisje te praten. Zelfs op deze afstand kon hij zien dat ze veel te dicht bij de ander stond, dat ze haar territorium overschreed op een manier die Amerikanen niet prettig vinden. Waarom droeg ze zijn oude hoed?

'O, zeer zeker. Ik was het afgelopen semester haar supervisor toen ze Joyce en Eliot deed. Vergeleken bij de andere eerstejaars was ze een echt tekstbeest. Ze ontdoet het geheel van sentiment en gaat aan het wérk. Ik krijg vaak studenten die zeggen *Ik vond dat ene stukje wel goed* en *Ik vond het goed geschreven*, je weet wel, meer het niveau van de middelbare school. Maar Zora...' Smith floot weer, 'die pakt haar zaakjes gedegen aan. Wat ze ook voor haar neus krijgt, ze analyseert het tot op het bot. Ze doet er heel wat moeite voor.'

Howard duwde tegen het raamkozijn, eerst zacht, daarna iets harder. Hij voelde ineens een vreemde ouderlijke opwelling, de bloedband liet zich gelden en zocht Howards intelligentie af om woorden te vinden die beter uitdrukking zouden geven aan zijn gevoelens dan *kijk uit bij het oversteken en lief zijn en zorg dat je niets overkomt en dat je anderen niet kwetst en durf te leven en pleeg geen verraad aan jezelf of anderen en houd in de gaten waar het echt om gaat en ga alsjeblieft niet zus en denk eraan zo en zorg dat...*

'Zeg, Howard. Die ramen kunnen alleen aan de bovenkant open. Uit voorzorg, denk ik. Zelfmoordbestendig.'

'In feite ben ik bang dat ik ten onrechte niet in die werkgroep ben toegelaten op grond van omstandigheden waar ik geen zeggenschap over heb...' zei Zora stellig, waarop faculteitsvoorzitter French alleen maar met wat gemompel kon reageren '...namelijk de relatie van mijn vader met professor Malcolm.'

Jack French greep de zijkanten van zijn stoel en leunde achterover. Dit was niet de manier waarop het er in zijn kantoor aan toeging. Aan de muur achter hem hingen in een halve cirkel portretten van beroemde mannen, mannen die voorzichtig hun woorden kozen, die ze zorgvuldig afwogen en die nadachten over hun gevolgen, mannen die Jack French bewonderde en van wie hij had geleerd: Joseph Addison, Bertrand Russell, Oliver Wendell Holmes, Thomas Carlyle en Henry Watson Fowler, de auteur van de *Dictionary of Modern English Usage*, over wie French een kolossale, bijna pijnlijk gedetailleerde biografie had geschreven. Maar niets in French' arsenaal van barokke zinnen leek voldoende om dit meisje te pareren, dat taal gebruikte als een automatisch geweer.

'Zora, als ik je goed begrijp...' begon Jack, terwijl hij zich schoolmeesterachtig over zijn bureau boog, maar hij was niet snel genoeg.

'Meneer French, ik begrijp niet waarom ik word gestymieerd in mijn streven verder te komen met mijn creativiteit...' French trok zijn wenkbrauwen op bij het woord 'gestymieerd'. '...door een vendetta die een professor tegen me schijnt te voeren om redenen die buiten de context van de academie vallen.' Ze zweeg even. Ze zat kaarsrecht op haar stoel. 'Ik vind het ongepast,' zei ze.

Ze hadden er tien minuten omheen gedraaid. Het woord was nu gevallen. 'Ongepast,' herhaalde French. Hij kon alleen nog maar hopen dat hij de schade binnen de perken kon houden. Het woord was gevallen. 'Je doelt op de relatie,' zei hij zonder veel hoop, 'op de relatie, die, tja, nogal ongepast was. Maar wat ik op dit moment nog niet begrijp is wat de relatie waar jij op doelde...'

'Nee, u begrijpt me verkeerd. Wat er is gebeurd tussen professor Malcolm en mijn vader interesseert me niet,' onderbrak Zora hem. 'Wat me wel interesseert is het verdere verloop van mijn studie aan dit instituut.'

'Maar, natuurlijk, dat zou in de eerste plaats...'

'En wat betreft de situatie tussen professor Malcolm en mijn vader...' Jack wilde dat ze op zou houden met die beladen taal. Het dreunde in zijn hoofd: *Professor Malcolm en mijn vader, professor Malcolm en mijn vader.* Dat wat dit semester juist verzwegen moest blijven om de twee betrokkenen en hun gezinnen te sparen, werd nu zijn kantoor in geslingerd als een varkenshuid gevuld met bloed, '...aangezien die situatie niet langer geldt, al een hele tijd niet, begrijp ik niet waarom professor Malcolm mij op deze schaamteloze manier mag blijven weigeren.'

Jack staarde treurig over haar hoofd naar de klok aan de muur. Er lag een pecanmuffin op hem te wachten in de koffiekamer, maar daarvoor zou hij veel te laat zijn tegen de tijd dat hij hiermee klaar was.

'En jij hebt absoluut het gevoel, zoals je zegt, dat dit een persoonlijke weigering is?'

'Ik zie echt niet wat het anders kan zijn, meneer French, ik weet niet hoe ik het anders moet noemen. Ik behoor tot de 3 procent beste studenten, er is weinig aan te merken op mijn studieresultaten, ik geloof dat we het daar wel over eens kunnen zijn.'

'Ah!' zei French, die eindelijk een straaltje licht zag gloren in deze duistere discussie, 'maar we moeten ook bedenken dat het gaat om creatief schrijven, Zora. Het is dus niet louter wetenschap en als we te maken krijgen met creativiteit, moeten we ons oordeel tot op zekere hoogte aanpassen...'

'Ik heb al meer gepubliceerd,' zei Zora, terwijl ze in haar tas wroette, 'magikmijnbalterug.com, Salon, Gezichtsveld, onaangenamegebeurtenissen.com, en wat betreft tijdschriften wacht ik nog op een reactie van *Open City*.' Ze schoof een verkreukeld stapeltje A4'tjes over het bureau die eruitzagen als prints van websites – verder durfde Jack zonder zijn bril niet te gissen.

'Juist. En je hebt dit... werk... natuurlijk voorgelegd ter beoordeling aan professor Malcolm. Ja, natuurlijk heb je dat gedaan.'

'En nu ben ik zover,' zei Zora, 'dat ik moet ik overwegen wat het me mogelijk aan stress en vijandige gevoelens oplevert als ik hiermee naar de adviescommissie zou gaan. Daar maak ik me echt zorgen over. Ik vind het gewoon ongepast dat een student op die manier het slachtoffer wordt en ik zou niet willen dat het iemand anders overkwam.'

Nu lagen alle kaarten op tafel. Jack nam een ogenblik de tijd om ze te bekijken. Na het spel twintig jaar te hebben gespeeld, was het hem overduidelijk dat Zora Belsey full house had. Wat kon het hem schelen, hij liet zijn kaarten ook zien.

'En heb je het daarover gehad met je vader?'

'Nog niet. Maar ik weet dat hij me zal steunen, wat ik ook doe.'

Nu werd het dan toch tijd om op te staan en langzaam rond de tafel te lopen, en daar vervolgens op te gaan zitten, met het ene lange been over het andere. Dat deed Jack.

'Ik wil je bedanken dat je hiernaartoe bent gekomen, Zora, en dat je zo eerlijk en welsprekend je gevoelens over deze kwestie hebt duidelijk gemaakt...'

'Dank u!' zei Zora, terwijl er een blos van trots op haar gezicht verscheen.

'En ik wil dat je begrijpt dat ik dat allemaal heel serieus neem. Je bent een geweldige aanwinst voor dit instituut, zoals je waarschijnlijk wel weet.'

'Dat wil ik ook zijn... ik doe mijn best.'

'Zora, ik wil je vragen dit aan mij over te laten. Ik denk dat we op dit moment nog niet aan die adviescommissie moeten denken. Ik denk dat we dit zo kunnen oplossen dat we er allemaal vrede mee hebben.'

'Gaat u...'

'Laat mij er maar met professor Malcolm over praten,' zei Jack, die de krachtproef eindelijk leek te winnen, 'en zodra ik merk dat we resultaat boeken, vraag ik je hier en dan regelen we het naar ieders tevredenheid. Zijn daarmee je zorgen verlicht?'

Zora stond op en hield haar tas tegen haar borst.

'Heel erg bedankt.'

'Ik zag je de klas van professor Pilman binnen gaan, dat is echt geweldig. En wat ga je nog meer...?'

'Ik doe een cursus Plato en een halve cursus Adorno bij Jamie Penfruck en ik ben absoluut van plan om de lezingen van Monty Kipps te gaan volgen. Ik heb zondag zijn stukje gelezen in de *Herald* over het weghalen van het 'vrije' uit de vrije kunsten... weet u, het is net alsof ze ons nu proberen wijs te maken dat conservatieven een bedreigde soort zijn, alsof ze bescherming nodig hebben op universiteiten of zoiets.' Hierbij nam Zora de tijd om geërgerd haar blik ten hemel te slaan en met haar hoofd te schudden en tegelijkertijd ook nog te zuchten. 'Blijkbaar krijgt iedereen een speciale behandeling: zwarten, homoseksuelen, liberalen, vrouwen. Iedereen behalve arme blanke mannen. Het is waanzin. Maar ik wil absoluut horen wat hij te zeggen heeft. Ken uw vijand. Dat is mijn motto.'

Jack French glimlachte hierop flauwtjes, deed de deur voor haar open en sloot hem achter haar toen ze was verdwenen. Hij liep snel terug naar zijn stoel en pakte het woordenboek *Shorter Oxford English* N-Z van de plank. Hij had het idee dat het woord 'stymie' eerder afkomstig was uit het middeleeuwse Engels dan dat het de populaire betekenis uit de golfwereld van de negentiende eeuw had die eraan werd toegeschreven. Misschien kwam het van STYME, dat glimp, glinstering, betekende; of van de gevaarlijke vogel die Hercules doodde, de Stymfaliaan, of... Maar zo was het niet. Jack deed het enorme boek dicht en zette het eerbiedig naast zijn wederhelft terug op de plank. Soms gaven die twee misschien niet waar je op hoopte, maar in diepere zin lieten ze je nooit in de steek. Hij pakte de telefoon en belde Lydia, zijn afdelingsbeheerder.

'Liddy?'

'Hallo, Jack.'

'Hoe is het, lieve kind?'

'Tiptop, Jack. Druk, natuurlijk. De eerste dag van het semester is altijd een gekkenhuis!'

'Nou, het lukt je anders heel goed om daar niets van te laten merken. Ziet het ernaar uit dat ze allemaal weten wat ze gaan doen?'

'Nou, niet allemaal, Jack. Er lopen er hier ook een paar rond die van voren niet weten dat ze van achteren leven, als ik zo vrij mag zijn, Jack.'

Dat mocht ze. Er was voor Jack een tijd om op je woorden te letten en een tijd waarin je recht voor je raap mocht spreken, en hoewel Jack French dat laatste zelf niet kon, waardeerde hij Lydia's gepeperde Bostons en het positieve effect dat ze daarmee had op de afdeling. Weerspannige studenten, lastige mannen van UPS, computertechnici die zich niet begrijpelijk wisten uit te drukken, Haïtiaanse schoonmakers die met drugs werden betrapt in het toilet... Lydia kon ze allemaal aan. De enige reden waarom Jack het hier redde was omdat Lydia alle problemen voor hem oploste.

'Liddy, heb jij enig idee waar ik Claire Malcolm op dit moment kan vinden?'

'Hoe vang je de maan,' peinsde Lydia, die dolgraag citeerde uit musicals die Jack nooit had gezien, 'ik weet wel dat ze over vijf minuten les heeft... maar dat wil nog niet zeggen dat ze daarnaar op weg is. Je kent Claire.'

Lydia liet een spottend lachje horen. Jack hield er niet van dat het administratief personeel spottend deed over de onderwijsstaf, maar hij piekerde er niet over om haar daarop aan te spreken. Lydia was eigen baas. Zonder haar zou Jacks hele afdeling één grote chaos worden.

'Ik geloof dat ik Claire Malcolm hier nog nooit voor twaalf uur een voet binnen heb zien zetten,' zei Lydia, 'maar misschien ligt dat aan mij. Ik heb het 's ochtends zo druk dat ik de koffie pas voor mijn neus zie staan als hij ijskoud is, weet je dat?'

Vrouwen als Lydia begrepen niets van vrouwen als Claire. Alles wat Lydia in haar leven had bereikt was het resultaat van haar buitensporige organisatietalenten en professionalisme. Er was geen instituut in het land dat Lydia niet zou kunnen reorganiseren of efficiënter maken, en over een paar jaar, als ze het had gehad met Wellington, zo wist ze diep in haar hart, zou ze naar Harvard gaan en vandaar waar ze maar wilde, misschien zelfs naar het Pentagon. Ze had de capaciteiten, en met capaciteiten kwam je heel ver in het Amerika van Lydia. Je begon ergens onderaan met het opzetten van een documentatiesysteem voor een stomerij in Back Bay en je eindigde met de organisatie en het beheer van een van de meest complexe databases in het land voor de president zelf. Lydia wist hoe ze het zover had weten te schoppen, en ook hoever ze het nog zou schoppen. Wat ze niet begreep was hoe Claire Malcolm het zover had kunnen brengen, hoe het mogelijk was dat een vrouw die haar kantoorsleutels soms drie keer in de week kwijt was en na víjf jaar nog niet wist waar de voorraadkast stond, toch een titel had kunnen behalen als professor in de Vergelijkende Literatuur én zo'n salaris had – waarvan Lydia wist hoeveel het was omdat Lydia degene was die de betalingen regelde – en dan ook nog een affaire had met een collega. Lydia wist dat het iets te maken had met kunst, maar persoonlijk begreep ze er niets van. Ze begreep wel iets van academische titels – Jacks twee PhD's maakten in de ogen van Lydia alle keren goed dat hij koffie in zijn eigen archiefkast had omgegooid. Maar poëzie?

'Heb jij enig idee welk lokaal ze heeft, Liddy?'

'Jack, geef me een minuutje. Ik heb het hier ergens in de computer staan... Weet je nog die keer dat ze haar groep meenam naar een bank aan de rivier? Ze heeft soms zulke idiote ideeën. Is het een noodgeval?'

'Nee...' mompelde Jack. 'Geen noodgeval... op zich.'

'Het is in het Chapman-gebouw, kamer 34c, Jack. Zal ik haar een boodschap laten brengen? Ik kan wel een van de jongens sturen.'

'Nee, nee... ik ga wel en...' zei Jack, verstrooid bezig het knopje van zijn balpen in het zachte zwarte gedeelte in het midden van zijn bureau te duwen.

'Jack, er komt hier net een jongen binnen die eruitziet alsof iemand zijn hondje heeft vermoord – gaat het, lieverd? – bel me later als je nog iets nodig hebt.'

'Doe ik, Liddy.'

Jack pakte zijn blazer van de stoelleuning en trok hem aan. Zijn hand lag al op de deurknop toen de telefoon ging.

'Jack? Met Liddy. Claire Malcolm vloog net sneller langs mijn kantoor dan Carl Lewis. Ze is over drie seconden bij jouw deur. Ik stuur wel iemand naar haar klaslokaal om te zeggen dat ze later komt.'

Jack opende de deur en niet voor de eerste keer verwonderde hij zich over Lydia's rake schatting.

'Ha, Claire.'

'Hoi, Jack. Ik ben op weg naar mijn klas.'

'Hoe gaat het met je?'

'Goed!' zei Claire terwijl ze de zonnebril die ze de laatste tijd droeg naar boven schoof. Al was ze nog zo laat, ze nam altijd wel de tijd om te vertellen hoe het met haar ging. 'De oorlog blijft doorgaan, de president is een klootzak, onze dichters kunnen niets doen aan de wetgeving, de wereld gaat naar de knoppen en ik wil emigreren naar Nieuw-Zeeland... weet je wel? En ik heb over vijf minuten les. Het gewone werk!'

'Het zijn zware tijden,' zei Jack ernstig, terwijl hij zijn handen als een geestelijke in elkaar vouwde, 'en wat kan de universiteit anders doen dan doorgaan met haar werk, Claire? Moeten we er niet op vertrouwen dat de universiteit in dit soort tijden haar krachten bundelt met de media, zodat we de publieke mening beïnvloeden... politieke kwesties helpen omkaderen... zodat ook wij een plaats hebben op die "perstribune" in Washington...'

Zelfs naar Jacks normen was dit een omslachtige manier om te zeggen wat hij bedoelde. Hij leek er zelf een beetje verbaasd over en hij bleef tegenover Claire staan met een gezicht dat een vervolg suggereerde van deze gedachte, die niet tot uitdrukking kwam.

'Jack, ik wou dat ik er zo'n vertrouwen in had als jij. We hadden afgelopen dinsdag een antioorlogsdemonstratie in de Frost Hall met honderd jongeren. Ellie Reinhold vertelde me dat hier in Wellington bij de anti-Vietnamdemonstratie in 1967 driedúizend man bijeenkwam, én Allan Ginsberg. Ik ben op het ogenblik een beetje radeloos. Men gedraagt zich hier meer als elite dan als pers, als je het mij vraagt. O jee, Jack, ik ben al laat, ik moet rennen. Misschien kunnen we lunchen?'

Ze wilde al weglopen maar Jack hield haar tegen.

'Wat staat er vanochtend op het menu, qua creativiteit?' vroeg hij met een hoofdbeweging naar het boek dat ze tegen zich aan hield.

'O! Je bedoelt wat we gaan lezen? Nou, toevallig... mijn eigen boek!'

Ze draaide het dunne boekje om zodat een grote foto van Claire uit 1972 op de voorkant te zien was. Jack, wel een liefhebber van vrouwelijk schoon, bewonderde opnieuw de Claire Malcolm die hij toen, al die jaren geleden, voor het eerst had gezien. Verschrikkelijk knap, met een uitdagende pony en een lichtbruine waterval van haarlokken, waarvan er een over haar linkeroog viel zoals bij Veronica Lake, helemaal tot aan haar miniatuur heupen. Jack kon er maar niet achter komen waarom vrouwen op een bepaalde leeftijd al dat haar laten knippen.

'God, wat zie ik er belachelijk uit! Maar ik wilde een gedicht kopiëren, als voorbeeld. Een *pantoum*.'

Jack fronste zijn wenkbrauwen.

'Ik ben bang dat je mijn geheugen even moet opfrissen over wat precies een pantoum is... Mijn Oudfranse dichtkunst is een beetje weggezakt...'

'Het is Maleis.'

'Maleis!'

'Het is overgewaaid. Victor Hugo heeft het wel gebruikt, maar het is eigenlijk Maleisisch. Het gaat om met elkaar verbonden kwatrijnen, meestal is het rijm a-b-a-b, en de tweede en de vierde regel van elk strofe worden daarna de eerste en de derde... klopt dat? Het is zo lang geleden dat ik... nee, het klopt... de eerste en derde regel van de vólgende strofe... dat van mij is een gebroken pantoum, trouwens. Het is nogal lastig uit te leggen... je kunt er beter eentje zien,' zei ze en ze opende het boek op de betreffende pagina, waarna ze het aan Jack gaf.

Over schoonheid

Nee, geen einde kent de lijst
Van zonden die ze ons niet vergeven.
Mooie mensen zijn niet zonder wond.
Het begint altijd te sneeuwen.

Van zonden die ze ons niet vergeven
spreken is mooi in zijn zinloosheid.
Het begint altijd te sneeuwen.
Mooie mensen weten dat.

Spreken is mooi in zijn zinloosheid.
Zij zíjn de verdoemden.
Mooie mensen weten dat.
Zij staan daar maar, stijf als standbeelden.

Zíj zijn de verdoemden
dus is hun droefenis volmaakt,
breekbaar als een ei in de palm van je hand.
Hard, en versierd met hun gezicht.

En dus is hun droefenis volmaakt.
Mooie mensen zijn niet zonder wond.
Hard, en versierd met hun gezicht.
Nee, geen einde kent de lijst.

Cape Cod, mei 1974

Jack stond nu voor de gevreesde taak: iets zeggen na het lezen van een gedicht. Iets zeggen tegen de maker van het gedicht. Het was vreemd dat hij als voorzitter van de faculteit Geesteswetenschappen niet bepaald gecharmeerd was van poëzie noch van fictie. Zijn grote liefde was het essay en als hij echt eerlijk tegenover zichzelf was, ging zijn liefde nog verder, naar de hulpmiddelen van de essayschrijver: woordenboeken. In de schemerige hoekjes met woordenboeken had Jack zijn hart verloren, het hoofd gebogen in ontzag, opgewonden bij een onwaarschijnlijke verklaring, zoals de bizarre oorsprong van het onovergankelijke werkwoord *dolen*.

'Prachtig,' zei Jack ten slotte.

'Ach, het is maar oude rommel, maar wel handig als voorbeeld. Maar goed, Jack, ik moet nu echt rennen...'

'Ik heb iemand naar je klas gestuurd, Claire, om te zeggen dat je wat later komt.'

'O? Is er iets mis, Jack?'

'Ik moet eigenlijk heel even iets met je bespreken,' zei Jack; een waar oxymoron. 'In mijn kantoor, als dat mogelijk is.'

3

Hier waren ze allemaal, Howards imaginaire klas. Howard nam even de tijd om hun interessante aspecten in zich op te nemen, in de wetenschap dat dit waarschijnlijk de laatste keer was dat hij hen zag. De punkjongen met zwart beschilderde vingernagels, het Indiase meisje met de onevenredig grote ogen van een Disney-figuurtje, een ander meisje dat niet ouder leek dan veertien met een hele ijzerwinkel om haar tanden. En verder, verspreid over het lokaal: grote neus, kleine oren, zwaarlijvig, op krukken, roestbruin haar, rolstoel, een meter achtennegentig, kort rokje, puntborsten, iPod nog aan, anorexiageval met zacht dons op haar wangen, vlinderdasje, nog een vlinderdasje, voetbalheld, blanke jongen met dreads, lange nagels als een huisvrouw uit New Jersey, een die al kaal werd, gestreepte panty – er waren er zoveel dat Smith de deur niet kon dichtdoen zonder iemand plat te persen. Die waren dus gekomen, die hadden er dus van gehoord. Howard had zijn tent opgezet en zijn kunstje gedaan. Hij had hun een Rembrandt laten zien die geen ordeverstoorder was, noch een origineel man, maar eerder een conformist. Hij had hun gevraagd zich af te vragen wat ze bedoelden met 'genie' en in de verbijsterde stilte die er toen viel had hij de als rebels te boek staande meester vervangen door Howards eigen visie van een louter competent ambachtsman die schilderde wat zijn rijke opdrachtgevers hem vroegen. Howard vroeg zijn studenten zich schoonheid voor te stellen als het masker van de macht. Om esthetica te gaan zien als een verfijnde taal waarmee mensen konden worden buitengesloten. Hij beloofde hun een college dat hun eigen opvattingen over het verlossende aspect van wat in het algemeen 'kunst' wordt genoemd zou tarten. 'Kunst is de westerse mythe,' verkondigde Howard voor het zesde jaar achter elkaar, 'waarmee we onszelf zowel troosten als uitvinden.' Iedereen schreef het op. 'Vragen?'

De reactie hierop was altijd hetzelfde. Stilte. Maar het was een interessant soort stilte, eigen aan een college over kunst op hoog niveau. Het bleef niet stil omdat niemand iets te zeggen had, integendeel. Je kon voelen, Howard kon voelen, dat hier duizenden dingen broeiden, soms zo sterk dat het leek alsof ze telepathisch van de studenten wegschoten en tegen het meubilair botsten. De jongeren keken naar hun tafeltje, of uit het raam, of met een groot verlangen naar Howard. Een paar van de zwaksten bloosden en deden of ze aantekeningen maakten. Maar geen van hen zei een woord. Ze hadden een diepe angst voor hun leeftijdgenoten. En meer nog voor Howard zelf. Toen hij pas begon te doceren had hij stom genoeg geprobeerd die angst bij hen weg te nemen – dat liet hij nu wel uit zijn hoofd. De angst was respect, respect de angst. Als je geen angst had, had je niets.

'Geen vragen? Heb ik alles zo duidelijk verteld? Geen enkele vraag?'

Zijn zorgvuldig gecultiveerde Engelse accent maakte de angst nog groter. Howard liet de stilte nog wat langer duren. Hij draaide zich om naar het bord en haalde langzaam de fotokopie eraf, terwijl hij niet-gestelde vragen op zijn rug liet afketsen. Zijn eigen vragen hielden hem in gedachten bezig terwijl hij Rembrandt strak oprolde. Hoeveel langer moest hij nog op de divan slapen? Waarom betekent seks alles? Oké, het kan wel íets betekenen, maar waarom alles? Waarom dertig jaar van je leven weggooien omdat ik iemand anders wilde aanraken? Mis ik iets? Komt het daarop neer? Waarom moet de seks álles betekenen?

'Ik heb een vraag.'

De stem, Engels zoals die van hem, kwam van links. Hij draaide zich om – ze was aan het zicht onttrokken geweest door een lange jongen die rechts voor haar zat. Het eerste wat hij zag waren twee glimmende streken op haar gezicht, misschien als gevolg van de cacaoboter die Kiki 's winters ook gebruikte. Een streepje maanlicht op haar gladde voorhoofd, en nog een op het puntje van haar neus, van die lichte strepen, bedacht Howard, die onmogelijk te schilderen zouden zijn zonder dat donkere van haar eigen huidskleur te vertekenen, verkeerd weer te geven. En haar haar zat nu weer anders: kleine, kronkelige dreadlocks die alle kanten op stonden, hoewel ze niet langer waren dan vijf centimeter. De puntjes van elk daarvan waren feloranje gekleurd, alsof ze haar hoofd in een emmer zonneschijn had gedompeld. Omdat hij deze keer niet dronken was, wist hij nu zeker dat haar borsten inderdaad een product van de natuur waren en niet van zijn verbeelding, want daar waren die gezwollen tepels weer die zich aftekenden in de wol van een dik, groen geribbeld truitje. Het had een stijf polokraagje, dat een paar centimeter van haar hals stond, waardoor haar nek en hoofd erboven uitstaken als een kamerplant boven een pot.

'Victoria, ja. Ik bedoel, was het Vee? Victoria? Ga door.'

'Het is Vee.'

Howard voelde de opwinding in het lokaal bij dit nieuwtje, een eerstejaars die de professor al kende! Natuurlijk waren de fanatiekere googlers in deze klas waarschijnlijk al helemaal op de hoogte van de toestand tussen Howard en de beroemde Kipps, en misschien waren ze er ook wel achter gekomen dat dit meisje Kipps' dochter was, en dat meisje daarginds Howards dochter. Misschien wisten ze zelfs wel iets van de cultuurstrijd die zich ontspon op de campus. Twee dagen geleden was Kipps in de *Wellington Herald* heftig van leer getrokken tegen Howards Commissie Positieve Discriminatie. Hij had niet alleen kritiek gehad op hun doelstellingen maar zelfs hun bestaansrecht in twijfel getrokken. Hij had Howard en 'zijn soort' ervan beschuldigd dat ze liberale standpunten verkozen boven conservatieve, en dat ze rechtse discussies en disputen op de campus de kop indrukten. Het artikel had veel stof doen opwaaien, zoals dat gaat in kleine universiteitssteden. Howards inbox zat die ochtend vol e-mails van verontwaardigde collega's en studenten die hem hun steun toezegden. Een leger dat zich schaarde achter een generaal die nauwelijks zijn paard kon beklimmen.

'Het is maar een onbeduidend vraagje,' zei Victoria, enigszins terugschrikkend onder de blikken van alle studenten die op haar werden gericht. 'Ik wilde alleen...'

'Nee, ga door, ga door,' zei Howard bemoedigend.

'Alleen maar... hoe laat wordt dit college gegeven?'

Howard voelde de klas opgelucht ademhalen. Ze had gelukkig geen scherpzinnige vraag gesteld. Hij kon zo wel zeggen dat de klas als geheel niet zou verdragen dat iemand én knap én scherpzinnig was. Maar ze had niet geprobeerd om scherpzinnig over te komen. En nu gaven ze blijk van waardering voor haar praktische vraag. Alle pennen werden opgepakt. Dit was tenslotte het enige wat ze echt wilden weten. De feiten, de tijd, de plaats. Ook Vee hield haar pen in de aanslag en haar hoofd gebogen, en nu sloeg ze haar ogen op en keek ze recht in die van Howard, een blik die het midden hield tussen flirt en verwachting. Gelukkig maar dat Jerome er uiteindelijk mee had ingestemd weer naar Brown te gaan, dacht Howard. Dit meisje was een gevaar. En nu besefte Howard dat hij zo in gedachten naar haar had zitten kijken dat hij haar geen antwoord had gegeven.

'Om drie uur, op dinsdag, in dit lokaal,' zei Smith achter Howard. 'De boekenlijst staat op de website, of anders kun je een kopie vinden in het postvakje voor het kantoor van professor Belsey. Als iemand zijn studiekaart moet laten tekenen, kan hij die naar mij brengen, dan zal ík ze ondertekenen. Dank voor jullie komst, mensen.'

'Wacht even,' zei Howard boven het luidruchtige schrapen van stoelen en het inpakken van tassen uit, 'alleen, allééén dit nog even... schrijf alleen je naam op als je serieus van plan bent dit college te volgen.'

'Jack, schat,' zei Claire terwijl ze haar hoofd schudde, 'zelfs als je je bóódschappenlijst naar deze websites stuurt, nemen ze die op. Die nemen alles op.'

Jack pakte de prints van Claire terug en legde ze weer in zijn la. Hij had het geprobeerd met redelijke argumenten, smeekbeden en mooie woorden, en nu moest hij met de harde feiten op tafel komen. Het was, wederom, tijd om rond zijn bureau te lopen, op het puntje te gaan zitten en zijn ene been over het andere te leggen.

'Claire...'

'Mijn god, wat een klier van een meid!'

Claire, ik kan echt niet toestaan dat je dat soort...'

'Nou, het ís toch zo?'

'Dat kan wel zo zijn, maar...'

'Jack, wil je mij vertellen dat ik haar in mijn groep moet toelaten?'

'Claire, Zora Belsey is een uitstekende student. Ze is zelfs een uitzonderlijk goede student. Oké, ze is dan misschien geen Emily Dickinson...'

Claire lachte. 'Jack, Zora Belsey zou nog geen gedicht kunnen schrijven als Emily Dickinson uit haar eigen graf opstond, het meisje onder vuur nam en haar ertoe dwong. Ze heeft er gewoon geen aanleg voor. Ze weigert poëzie te lézen, en het enige wat ik van haar te zien krijg zijn blaadjes uit haar schrift met links uitgelijnde aantekeningen onder elkaar. Ik heb te maken met honderdtwintig getalenteerde studenten voor achttien beschikbare plaatsen.'

'Ze hoort bij de drie beste studenten die we hebben.'

'Nou, dat maakt mij geen moer uit. Mijn klas verdient talént. Ik doceer geen moleculaire biologie, Jack. Ik probeer een bepaalde... aanleg te verfijnen en bij te vijlen. Laat ik je wel vertellen: die heeft zij niet. Ze kan zich goed uitdrukken, ja. Dat is niet hetzelfde.'

'Zij denkt,' zei Jack, en zette zijn diepste, meest presidentachtige afstudeerdagstem op, 'dat ze uit jouw klas wordt geweerd vanwege... persoonlijke motieven die niets te maken hebben met deze opleiding of met een beoordeling van haar creativiteit.'

'Wát? Waar heb je het over, Jack? Je klinkt als een handboek voor management! Dit is waanzin.'

'Ik ben bang dat ze zelfs heeft laten doorschemeren dat ze het opvat als een "vendetta". Een ongepaste vendetta.'

Claire zweeg even. Ook zij had veel jaren doorgebracht op universiteiten. Zij begreep de macht van het ongepaste.

'Heeft ze dát gezegd? Meen je dat? Nee toch, Jack, wat een gezeik. Voer ik een vendetta tegen die andere honderd jongeren die dit semester niet in mijn klas geplaatst worden? Moet ik dit seriéus nemen?'

'Ze lijkt me in staat om ermee naar de adviescommissie te gaan. Met een aanklacht van persoonlijk vooroordeel, als ik haar goed heb begrepen. Ze doelt dan natuurlijk op je relatie...' begon Jack, en de rest liet hij haar zelf invullen.

'Wat een klier van een meid!'

'Ik neem het serieus, Claire. Ik zou je dit niet vertellen als dat niet zo was.'

'Maar Jack... die klas is al zo goed als rond. Wat voor indruk zal het maken als Zora Belsey op het laatste moment wordt toegelaten?'

'Ik denk dat dat veel minder narigheid geeft dan wanneer de adviescommissie zich erover moet buigen, of zelfs de rechtbank.'

Af en toe kon Jack French bewonderenswaardig doortastend zijn. Claire stond op. Ze was zo klein dat ze staand net tot ooghoogte reikte van Jack, die nog steeds op het bureau zat. Maar haar geringe afmetingen zeiden niets over de kracht van Claire Malcolms persoonlijkheid, zoals Jack heel goed wist. Hij trok zijn hoofd iets in om zich voor te bereiden op de aanval.

'Wat is er gebeurd met de steun van de faculteit, Jack? Wat is er gebeurd met het gebruik dat een gerespecteerd lid van de faculteit voorrang krijgt boven de eisen van een student die uit is op problemen? Is dat tegenwoordig ons beleid? Dat we elke keer wegrennen als zij alarm slaan?'

'Claire, alsjeblieft... je moet wel begrijpen dat ik hier in een bijzonder penibele situatie zit waarin...'

'Jij in een penibele situatie? En in wat voor situatie probeer je mij dan te brengen?'

'Claire, Claire... ga nog even zitten, ja? Ik heb me niet goed uitgedrukt, dat zie ik ook. Ga nog even zitten.'

Claire liet zich langzaam in haar stoel zakken, waarbij ze een been onder zich trok, als een tiener. Ze knipperde op haar hoede met haar ogen toen ze hem aankeek.

'Ik heb de roosters vandaag bekeken. Drie namen in jouw groep waren mij onbekend.'

Claire Malcolm keek nog eens naar Jack French. Daarna hief ze haar handen en liet ze met een klap neerkomen op de stoelleuningen. 'En? Wat wil je daarmee zeggen?'

'Wie is bijvoorbeeld,' Jack wierp snel een blik op het vel op zijn bureau, 'Chantelle Williams?'

'Een receptioniste, Jack. Bij een opticien, geloof ik. Ik weet niet welke opticien. Wat wil je nou zeggen?'

'Een receptioniste...'

'Ze is toevallig ook een van de meest opwindende, meest getalenteerde jonge vrouwen die ik in jaren ben tegengekomen!' verklaarde Claire.

'Ja, maar het feit blijft bestaan dat ze hier niet als student is ingeschreven,' zei Jack kalm, zijn nuchterheid tegenover haar overdreven woorden stellend. 'En dus komt ze strikt gesproken niet in aanmerking voor...'

'Jack, ik kan mijn oren niet geloven... we hebben drie jaar geleden al afgesproken dat ik, als ik studenten van buiten wilde aannemen, het recht had om dat te doen op basis van mijn beoordeling. Er lopen heel wat getalenteerde jongeren rond in deze stad die niet zo bevoorrecht zijn als Zora Belsey, die geen geld hebben om te kunnen studeren, geen geld hebben voor onze zomercursus, voor wie het enige alternatief het leger is, Jack, een leger dat momenteel in een oorlog vecht, jonge mensen die niet...'

'Ik ben me wel degelijk bewust,' zei Jack die er een beetje genoeg van kreeg om zich deze ochtend door opgewonden vrouwen de les te laten lezen, 'van de gebrekkige situatie van minder bevoorrechte jonge mensen in New Engeland, en je weet dat ik altijd jouw zuivere bedoelingen heb gesteund...'

'Jack...'

'...om je indrukwekkende capaciteiten...'

'Jack, wat wil je nou zeggen?'

'...aan jonge mensen aan te bieden die anders die kans nooit zouden krijgen... maar waar het om gaat is dat mensen vragen of het wel eerlijk is dat je mensen toelaat van buiten Wellington...'

'Wie vraagt dat? Mensen van de vakgroep Engels?'

Jack zuchtte.

'Heel wat mensen, Claire. En ik wimpel die vragen af. Al een hele tijd. Maar als Zora Belsey erin slaagt om ongewenste aandacht te vestigen op jouw, laten we zeggen, toelatingsprocedure, dan weet ik niet of ik die vragen nog wel blijf afwimpelen.'

'Was het Monty Kipps? Ik hoorde dat hij "bezwaar had",' zei Claire verbitterd terwijl ze naar Jacks mening onnodig aanhalingstekens in de lucht krabde, 'tegen Belseys Commissie Positieve Discriminatie op de campus. Die man is hier nog niet eens een maand! Is hij hier de nieuwe gezaghebber of zoiets?'

Jack bloosde. Hij kon chantage plegen als de beste, maar hij kon zich niet te veel laten betrekken bij persoonlijke conflicten. Hij had ook een diep respect voor openbare macht, die dwingende eigenschap waar Monty Kipps in grossierde. Als Jack zich in zijn jongere jaren maar een tikje luchtiger had gedragen, iets mensvriendelijker – als men, zelfs in abstracte zin, zich had kunnen voorstellen een biertje met hem te drinken – zou hij nu misschien ook zo beroemd zijn als Monty Kipps, of als wijlen Jacks eigen vader, een senator in Massachusetts, of als zijn broer die rechter was. Maar Jack was in de wieg gelegd om wetenschapper te worden. En wanneer hij mensen als Kipps tegenkwam, een man die in beide werelden iets voorstelde, boog hij voor hen het hoofd.

'Ik kan het niet goedvinden dat je op die manier over een collega van ons praat, Claire, dat kan ik gewoon niet. En je weet dat ik geen namen mag noemen. Ik probeer je alleen een hoop narigheid te besparen.'

'Juist.'

Claire keek neer op haar kleine bruine handen. Ze trilden. Jack keek recht op de kruin van haar peper-en-zoutkleurige haar, donzig als de veertjes in een vogelnest, dacht Jack.

'Aan een universiteit...' begon Jack, klaar om zijn beste imitatie van een predikant weg te geven, maar Claire stond op.

'Ik weet hoe het gaat aan universiteiten,' zei ze bitter. 'Feliciteer Zora maar. Ze is toegelaten.'

4

'Ik wil een lekkere, warme, stevige, winterse vruchtentaart, legde Kiki uit terwijl ze over de balie leunde. 'Je weet wel, zo'n smakelijk ogend taartje.'

Kiki's gelamineerde naambordje tikte tegen het plastic scherm waaronder de koopwaren uitgestald lagen. Ze had lunchpauze.

'Hij is voor mijn vriendin,' zei ze verlegen, niet naar waarheid. Ze had Carlene Kipps sinds die merkwaardige middag drie weken geleden niet meer gezien. 'Ze voelt zich niet zo lekker. Het moet zo'n ouderwetse taart zijn, weet je wat ik bedoel? Niet zo'n Frans baksel... geen tierelantijnen.'

Kiki liet haar aangename, luide lach door de kleine winkel schallen. Mensen keken op van hun boodschappen en lachten een beetje halfslachtig mee voor de gezelligheid, al wisten ze niet wat er te lachen viel.

'Zie je die daar?' zei Kiki nadrukkelijk, terwijl ze met haar wijsvinger op het scherm drukte vlak boven een taart zonder glazuur. Het deeg aan de zijkanten was goudkleurig en in het midden was hij gevuld met plakkerige rode en gele vruchten. 'Zóiets bedoel ik.'

Een paar minuten later liep Kiki de heuvel op met de taart in een doos van hergebruikt karton, met een groen fluwelen lint eromheen. Ze nam zelf dit initiatief. Want er was sprake van een misverstand tussen Kiki Belsey en Carlene Kipps. Twee dagen na hun ontmoeting was er een bijzonder ouderwets, serieus bedoeld en absoluut on-Amerikaans visitekaartje bezorgd op Langham 83:

Beste Kiki,
Bedankt voor je vriendelijke bezoekje. Ik zou je graag een tegenbezoek brengen. Laat je me even weten wanneer het je schikt?
Met vriendelijke groet,
Mw. C. Kipps

In normale omstandigheden zou dit kaartje natuurlijk belachelijk gemaakt zijn aan de ontbijttafel van de Belseys. Maar het toeval wilde dat het werd bezorgd twee dagen nadat de wereld bij de familie Belsey was ingestort. Plezier stond niet langer op het menu. Ook gezamenlijk ontbijten was er niet meer bij. Kiki nam voortaan iets te eten mee dat ze opat in de bus naar haar werk – een bagel en een kop koffie bij de Ierse winkel op de hoek – waar ze te maken kreeg met de afkeurende blikken van vrouwen die dikke vrouwen in het openbaar zien eten. Twee weken later, toen ze het kaartje weer terugvond in de krantenbak in de keuken, voelde Kiki zich enigszins schuldig; hoe dwaas het kaartje ook was, ze had er wel op willen reageren. Maar er was nooit een geschikt tijdstip om erover te beginnen met Jerome. Ze had er vooral voor willen zorgen dat haar zoons humeur niet te lijden had, ze had de wateren zo rustig mogelijk willen houden zodat hij in de boot kon stappen die zijn moeder met zo veel zorg had gebouwd, en ermee weg kon varen naar college. Twee dagen voor de inschrijving liep Kiki langs Jeromes slaapkamer en zag ze hem zijn kleren op een ritualistisch uitziende hoop, midden in zijn kamer, gooien – het traditionele voorspel op het pakken van zijn koffer. Iedereen was nu dus weer naar school. Iedereen genoot van de mogelijkheden die het nieuwe jaar de studenten biedt. Ze maakten een nieuw begin. Ze benijdde hen daarom.

Vier dagen terug kwam Kiki het kaartje opnieuw tegen onder in haar boodschappentas waarop een afbeelding stond van Alice Walker. In de bus onderwierp ze het op allerlei manieren aan een analyse: eerst het handschrift, daarna de Brits-Engelse woordkeuze, vervolgens het idee dat de werkster of schoonmaker of wie het ook was geweest ermee naar hun huis was gestuurd. Ze keek naar het zware Engelse papier met in de hoek iets van Bond Street en de koningsblauwe inkt van het cursieve schrift. Het was in feite te belachelijk voor woorden. Maar terwijl ze uit de achterruit van de bus keek, op zoek naar gelukkige herinneringen aan de lange, droeve zomer, momenten waarop het voorval in haar huwelijk haar nog niet de mogelijkheid had ontnomen normaal adem te halen, op straat te lopen en samen met haar gezin te ontbijten – moest ze op de een of andere manier steeds denken aan die middag op de veranda met Carlene Kipps.

Ze probeerde haar op te bellen. Drie keer. Ze stuurde Levi ernaartoe met een briefje. Er kwam geen reactie. En als ze belde, kreeg ze altijd hem, de echtgenoot, met zijn smoesjes. Carlene voelde zich niet lekker, daarna lag ze te slapen, en gisteren was het: 'Mijn vrouw kan nog geen bezoek ontvangen.'

'Zou ik dan even met haar kunnen praten?'

'Het lijkt me beter dat u een boodschap achterlaat.'

Kiki's verbeelding ging met haar aan de haal. Het was per slot van rekening veel rustiger voor haar geweten om zich een mevrouw Kipps voor te stellen die door duistere, huwelijkse krachten van de buitenwereld werd weggehouden dan onder ogen te zien dat mevrouw Kipps geschoffeerd was door Kiki's eigen gedrag. Dus had ze een lunchpauze van twee uur opgenomen om naar Redwood te gaan en Carlene Kipps te bevrijden uit de handen van Montague Kipps. Ze zou een taart meebrengen. Iedereen houdt van taart. Nu pakte ze haar mobiel, ging met een soepele duim langs de nummers tot ze bij JEROME-KAMER was en drukte op 'oproep'.

'Hé... hallo mam... wacht... even mijn bril pakken.'

Kiki hoorde een geluid van een glas water dat werd omgegooid.

'O, man... Mam, wacht even.'

Kiki spande haar kaken. Ze hóórde gewoon de tabak in zijn stem. Maar ze kon er niets van zeggen nu ze zelf weer was gaan roken. In plaats daarvan koos ze voor de indirecte aanval.

'Jerome, elke keer dat ik je bel, kom je net uit je bed. Het is echt opvallend. Maakt niet uit hoe laat ik bel, je ligt altijd nog in bed.'

'Mam... toe nou... doe niet zo mama Simmonds-achtig... ik heb het moeilijk.'

'Lieverd, we hebben het allemaal moeilijk... luister, Jerome,' zei Kiki ernstig, niet langer op de manier die ze van haar moeder had geleerd en die voor deze gevoelige zaak te onbehouwen was. 'Even snel... toen jij in Londen was... hoe was toen de relatie van mevrouw Kipps met haar man, met Monty, waren ze een beetje... leuk met elkaar?'

'Hoe bedoel je?' vroeg Jerome. Kiki voelde iets van de nervositeit van het afgelopen jaar door de telefoon heen. 'Mam, wat is er aan de hand?'

'Niets, niets... Niet over die... Alleen krijg ik steeds als ik haar probeer te bellen – mevrouw Kipps dus – je weet wel, dan wil ik gewoon even vragen hoe het met haar gaat... ze is tenslotte mijn buurvrouw...'

'"Een kopje suiker – van de buurvrouw!"'

'Wat?'

'Niets. Dat is een liedje,' zei Jerome en grinnikte even in zichzelf. 'Sorry, ga door, mam. Bezorgdheid om de buren en zo...'

'Precies. En ik wil alleen maar even gedag zeggen, en elke keer als ik bel is het net alsof hij niet wil dat ik met haar praat... alsof ze opgesloten zit of... ik weet het niet, heel vreemd. Eerst dacht ik dat ze beledigd was... je weet hoe snel zulke mensen gekwetst kunnen zijn, ze zijn in dat opzicht nog erger dan blanken. Maar nu... ik weet het niet. Ik denk dat er meer achter zit. En ik vroeg me alleen af of jij er iets van wist.'

Kiki hoorde haar zoon zuchten.

'Mam, ik denk niet dat je je daarmee moet bemoeien. Dat zij niet aan de telefoon kan komen wil nog niet zeggen dat die gemene republikein haar slaat. Mam... ik wil echt niet met kerst naar huis komen om daar Victoria in de keuken met een glas *eggnog* aan te treffen... Kunnen we niet gewoon... kunnen we het niet wat rustiger aan doen met dat "gezellige burencontact"? Die mensen zijn nogal op zichzelf.'

'Alsof ik ze lastigval!' riep Kiki.

'Oké dan!' riep Jerome op even harde toon, in een poging haar na te doen.

'Niemand valt hier iemand lastig,' mompelde Kiki geïrriteerd. Ze stapte opzij om een vrouw met een dubbele kinderwagen te laten passeren. 'Ik mag haar gewoon graag. Die vrouw woont vlakbij, en ze voelt zich duidelijk niet al te goed. Ik wil alleen maar even kijken hoe het met haar gaat. Mag dat soms niet?'

Het was voor het eerst dat ze haar motieven had uitgesproken, zelfs tegenover zichzelf. Nu ze ze hoorde, moest ze erkennen hoe onecht en prullerig ze klonken als je ze naast haar sterke, irrationele wens legde om weer bij die vrouw te kunnen zijn.

'Oké... ik zie alleen... ik zie alleen niet waarom we met hen bevriend moeten zijn.'

'Jij hébt in elk geval vrienden, Jerome. En Zora heeft vrienden, en Levi wóónt praktisch bij zijn vrienden, en...' Kiki voerde de gedachte gevaarlijk ver door, 'en we weten verdomd goed hoe intiem je váder is met zijn vrienden – en dan zou ik geen vrienden mogen maken? Jullie allemaal een eigen leven, en ik niet?'

'Ma-ham... kom op nou, dat is niet eerlijk... ik wil alleen... ik bedoel, ik had niet gedacht dat ze jouw type was... Het maakt het voor mij een beetje lastig, meer niet. Trouwens, wat maakt het uit. Weet je... je moet gewoon doen wat je wilt.'

Van beide kanten strekten zich de zwarte vleugels van humeurigheid over het gesprek.

'Mam...' mompelde Jerome berouwvol, 'luister, ik ben blij dat je me belt. Hoe gaat het met je? Gaat het wel?'

'Met mij? Best. Met mij gaat het best.'

'Oké...

'Echt waar,' zei Kiki.

'Je klinkt niet zo geweldig.'

'Het gaat bést.'

'En... wat gaat er nu gebeuren? Met jou... en... pap?' Hij klonk alsof hij in tranen was, bang om voorgelogen te worden. Kiki wist dat het verkeerd was om zich hierdoor op stang te laten jagen, maar het gebeurde wel. Die kinderen willen constant dat je hen als volwassenen behandelt – ook al kun je daaraan niet voldoen – en als dan de pleuris uitbreekt, als je een keer een beroep op hen doet voor een volwassen reactie, dan zijn het ineens weer kinderen.

'God, ik weet het niet, Jerome. Echt niet. Ik sla me gewoon door de dagen heen. Dat is het zo ongeveer.'

'Ik hou van je, mam,' zei Jerome vol vuur. 'Je redt het wel. Je bent een sterke zwarte vrouw.'

Dit hoorde Kiki al haar hele leven. Ze moest zich waarschijnlijk gelukkig prijzen – je kon per slot van rekening ergere dingen te horen krijgen. Maar ze kon er niet omheen: dat ene zinnetje begon haar behoorlijk de keel uit te hangen.

'O, dat weet ik. Je kent me, schat, ik ben niet kapot te krijgen. Daar is wel meer voor nodig.'

'Ja,' zei Jerome bedroefd.

'En ik hou ook van jou, lieverd. Ik red het prima.'

'Je mag je best rot voelen,' zei Jerome, en hoestte de kikker uit zijn keel, 'ik bedoel, dat is niet verboden, hoor.'

Er reed een brandweerauto voorbij met loeiende sirenes. Het was een van die oude, glanzende, geelkoperen, rood geschilderde wagens uit Jeromes prille jeugd. Hij zag hem en de andere wagens in gedachten voor zich: zes stuks op het plein aan het eind van de weg waar de Belseys woonden, gereed om in actie te komen. Als kind mijmerde hij vaak over het hypothetische moment dat hun gezin uit de vlammen gered zou worden door blanke mannen die door de ramen klauterden.

'Ik wou alleen dat ik daar bij jou was.'

'O, maar jij hebt het druk. Levi is hier. Niet...' zei Kiki opgewekt, nieuwe tranen uit haar ogen vegend, '...dat ik hem ergens zie. We zijn voor die jongen niet meer dan een plek waar hij kan slapen, ontbijten en de was laten doen.'

'Intussen kom ik hier om in de vuile was.'

Kiki zweeg terwijl ze zich probeerde Jerome voor te stellen: de plaats waar hij zat, de grootte van zijn kamer, waar het raam zat en waar hij op uitkeek. Ze miste hem. In al zijn onschuld was hij toch haar bondgenoot. Je hebt geen lieveling onder je kinderen, maar je hebt wel bondgenoten.

'En Zora is hier. Ik red het best.'

'Zora... toe nou toch. Die bekommert zich totaal niet om anderen.'

'O, Jerome, dat is niet waar. Ze is alleen boos op me... dat is normaal.'

'Jij bent niet degene op wie ze boos moet zijn.'

'Jerome, ga jij nou maar gewoon naar school en zit niet in over mij. Ik laat me echt niet zomaar klein krijgen.'

'Amen,' zei Jerome op de komische manier die de Belseys altijd aannamen wanneer ze de stem van hun voorouders uit het diepe zuiden opzetten, en Kiki deed hem lachend na: 'Amen.'

En daarna verpestte Jerome alles door op serieuze toon te zeggen: 'God zegene je, mam.'

'O, liever, toe nou toch...'

'Mam, aanvaard die zegen nou gewoon, ja? Je krijgt er niets van. Luister, ik ben al laat, ik moet nu gaan.'

Kiki klapte haar mobieltje dicht en propte hem weer in de piepkleine opening tussen haar huid en de zak van haar spijkerbroek. Ze was al op Redwood. Tijdens het telefoongesprek had ze de papieren zak met de taartdoos aan haar pols gehangen; nu voelde ze de taart vervaarlijk schuiven. Ze gooide het zakje weg en ondersteunde de doos met beide handen. Bij de deur aangekomen, drukte ze met de achterkant van haar pols op de bel. Een jong zwart meisje met een theedoek in haar hand deed open, en gaf in slecht Engels te verstaan dat mevrouw Kipps in de 'bibotheek' was. Kiki kreeg niet de kans om te vragen of het wel uitkwam, of om de taart af te geven en dan te vertrekken – ze werd meteen meegetroond door de hal naar een deur die openstond. Het meisje liet haar binnen in een witte kamer die van boven tot beneden met walnoothouten boekenplanken was bekleed. Een glanzende zwarte piano stond tegen de enige kale muur. Op de vloer, op een dunne koeienhuid, stonden honderden boeken als dominostenen in rijen achter elkaar op de grond, met de rug naar boven. Daartussenin zat mevrouw Kipps op de punt van een witte Victoriaanse fauteuil. Ze zat met haar hoofd in haar handen naar de grond te kijken.

'Hallo, Carlene?'

Carlene Kipps keek op, zag Kiki en glimlachte flauwtjes.

'Neem me niet kwalijk, kom ik wel gelegen?'

'Natuurlijk wel, lieverd. Het gaat alleen allemaal heel traag. Ik geloof dat ik iets te veel hooi op mijn vork heb genomen. Ga toch zitten, mevrouw Belsey.'

Aangezien er verder geen stoel stond, ging Kiki op de pianokruk zitten. Ze vroeg zich af waarom ze niet langer werd getutoyeerd.

'Alfabetiseren,' mompelde mevrouw Kipps, 'ik dacht dat het in een paar uur wel bekeken zou zijn. Het is bedoeld als verrassing voor Monty. Hij heeft zijn boeken graag op volgorde. Maar ik zit hier al vanaf acht uur vanochtend en ben nog niet eens klaar met de c!'

'O, wauw.' Kiki pakte een boek op en draaide het zinloos om in haar handen, 'ik moet je zeggen, wij hebben ze nooit gealfabetiseerd. Het lijkt me een hoop werk.'

'Ja, dat is het.'

'Carlene, ik wilde je dit geven bij wijze van...'

'Zeg, zie jij hier nog b's of c's liggen?'

Kiki zette de taart naast haar op de kruk en boog zich voorover.

'O, jee. Anderson, hier ligt er een van Anderson.'

'O, lieve help. Misschien moeten we er even mee ophouden. Dan drinken we een kop thee,' zei ze, alsof Kiki al de hele ochtend naast haar zat.

'Nou, dat komt goed uit want ik heb een taartje meegebracht. Het is maar een kleintje, maar hij smaakt heerlijk.'

Maar Carlene Kipps lachte niet. Het was duidelijk dat ze inderdaad beledigd was en dat niet meer onder stoelen of banken kon steken.

'Dat is toch helemaal nergens voor nodig. Ik had niet moeten denken –'

'Nee, dat is het nu juist, dat had je wel,' drong Kiki aan, terwijl ze half overeind kwam, 'het was verdomd onbeleefd van me dat ik niet heb gereageerd op dat lieve briefje van je... maar het was bij ons allemaal een beetje ingewikkeld... en...'

'Ik kan wel begrijpen dat je zoon zich waarschijnlijk niet...'

'Nee, maar dat is het stomme... hij is trouwens weer terug naar college. Jerome heeft besloten weer terug te gaan. Er is geen enkele reden waarom we niet met elkaar bevriend kunnen zijn. Ik zou het graag willen. Als jij het ook nog wilt,' zei Kiki, en ze voelde zich belachelijk, alsof ze een schoolmeisje was. Dit was nieuw voor haar. Vriendschap met andere vrouwen had lang niets voor haar betekend. Ze had er nooit over hoeven denken, aangezien ze met haar beste vriend getrouwd was.

Haar gastvrouw glimlachte onaangedaan. 'Zeker wel.'

'Mooi! Het leven is veel te kort om...' begon Kiki. Carlene zat al te knikken.

'Helemaal met je eens. Veel te kort. Clotilde!'

'Sorry?'

'Niet jij, lieve. Clotílde!'

Het meisje dat had opengedaan kwam de kamer binnen.

'Clotilde, kun je ons thee brengen, en mevrouw Belsey heeft een taart meegebracht, wil je die in stukken snijden? Niet voor mij, hoor...' Kiki protesteerde, maar Carlene schudde haar hoofd, '...nee, mijn maag verdraagt tegenwoordig vóór drie uur 's middags dit soort dingen niet. Ik neem later een stukje, maar ga jij gerust je gang. Goed. Het is fijn om je weer te zien. Hoe gaat het met je?'

'Met mij? Prima. En met jou?'

'Ik heb toevallig net een flinke tijd het bed gehouden. Ik heb televisiegekeken. Een lange documentaire – een serie – over Lincoln. Complottheorieën over zijn dood en zo.'

'O, wat spijt me dat, dat je je niet lekker voelde,' zei Kiki, terwijl ze beschaamd wegkeek bij de gedachte aan haar eigen complottheorieën.

'Geef niets. Het was een heel goede documentaire. Ik ben het niet eens met wat ze zeggen over de Amerikaanse televisie – niet in alle opzichten.'

'Wat zeggen ze er dan over?' vroeg Kiki met een strak lachje. Ze wist wat er zou komen en dat ergerde haar, maar het ergerde haar ook dat ze zich daaraan ergerde.

Carlene haalde zwakjes haar schouders op, niet goed in staat tot die beweging. 'Nou, in Engeland beschouwen we het als een hoop onzin, zou je kunnen zeggen.'

'Ja. Dat horen we heel vaak. Men zegt dat onze programma's niet zo geweldig zijn.'

'Ik denk dat het allemaal een beetje te veel is. Ik volg het niet echt meer, het gaat me te snel... flits, flits, flits, alles zo overdreven en hard... maar Monty zegt dat zelfs Channel Four niet kan concurreren met de progressieve programma's van pbs. Hij kan pbs niet uitstaan. Hij kijkt er zo doorheen: de manier waarop ze al die progressieve ideeën propageren en net doen alsof het een vooruitgang is voor minderheden. Hij haat het allemaal. Wist je dat de meeste sponsors in Boston wonen? Volgens Monty zegt dat al genoeg. En toch was die documentaire over Lincoln echt heel goed.'

'En... die was op... pbs?' vroeg Kiki vertwijfeld. Ze was de controle over haar geforceerde glimlach kwijtgeraakt.

Carlene drukte haar vingers tegen haar voorhoofd. 'Ja. Had ik dat niet gezegd? Ja. Hij was heel goed.'

Het gesprek vlotte niet bepaald, en wat het ook was geweest waardoor het drie weken geleden zo tussen hen klikte, nu leek het verdwenen. Kiki vroeg zich af hoe snel ze zich weer uit de voeten kon maken zonder onbeleefd over te komen. Alsof ze reageerde op deze stilzwijgende overweging, leunde Carlene achterover in haar stoel en verplaatste haar hand van haar voorhoofd naar haar ogen. Een gepijnigd gemompel, lager dan haar spreekstem, ontsnapte haar.

'Carlene? Lieverd, gaat het wel?'

Kiki wilde opstaan, maar Carlene wuifde haar met haar andere hand weg.

'Het is niets. Het gaat zo over.'

Kiki bleef op het puntje van de pianokruk zitten en keek van Carlene naar de deur en weer terug.

'Weet je zeker dat ik niet iets voor je kan...'

'Wat mij interesseert,' zei Carlene langzaam, terwijl ze haar hand weghaalde, 'is dat jij ook bang was voor wat er zou gebeuren als ze elkaar weer zouden zien. Jerome en mijn Vee.'

'Bang?' Nee, hoor,' zei Kiki met een lachje. 'Nee, niet echt.'

'Toch was je bang. Ik ook. Ik was heel blij te horen dat Jerome niet op het feest aanwezig was. Het is heel dwaas, maar ik wist dat ik niet wilde dat ze elkaar weer zouden zien. Waarom zou dat nou geweest zijn?'

'Tja,' zei Kiki en sloeg haar blik neer om iets ontwijkends te verzinnen. Toen ze weer opkeek in de ernstige ogen van de vrouw, merkte ze dat ze toch weer de waarheid zei. 'Wat mij betreft, ik geloof dat ik bang was dat Jerome het zwaar zou opnemen, weet je wel? Hij is nog zo onervaren. En Vee, die is zo beeldschoon, ik zou het nooit tegen hem zeggen, maar ze was veel te mooi voor hem. Ze is wat mijn jongste zoon een superlekker ding zou noemen.' Kiki lachte erbij, maar toen ze zag dat Carlene elk woord dat ze zei bijna uit haar mond keek, hield ze op. 'Jerome legt de lat altijd een beetje hoog... weet je wat het is? Het leek mij gewoon een gebroken-hartgeval. Ik bedoel, zo'n hart dat steeds maar opnieuw wordt gebroken. En dit is een belangrijk collegejaar voor Jerome. Ik bedoel... je hoeft maar naar haar te kijken om te zien dat ze een vuurteken is,' zei Kiki, haar toevlucht nemend tot een waardensysteem dat haar nooit in de steek leek te laten, 'en Jerome – Jerome is een waterteken. Hij is Vissen, net als ik. En dat zegt alles over zijn karakter.'

Kiki vroeg Carlene naar het sterrenbeeld van haar dochter en hoorde tot haar plezier dat ze goed had gegokt. Carlene Kipps leek perplex over de wending die het gesprek had genomen.

'Ze zou hem opbranden,' zei ze peinzend, in een poging te begrijpen wat Kiki haar zojuist had verteld. 'En hij zou haar vuur blussen... Hij zou haar beperken. Ja, ja, ik geloof dat dat wel klopt.'

Maar daarop begon Kiki te steigeren. 'Dat weet ik niet... maar goed, ik weet wel dat alle moeders dit zeggen, maar mijn kind is zeer briljant. Het is vooral de vraag of iemand hem kan bijhouden, intellectueel gezien. Hij is zeer energiek – ik weet dat Howie zou zeggen dat Jerome waarschijnlijk de pienterste van alledrie is – ik bedoel, Zora werkt hard, God weet dat, maar Jerome...'

'Je begrijpt me verkeerd. Ik zag het toen hij bij ons was. Hij was zo gefixeerd op mijn dochter dat hij haar geen enkele ruimte liet. Ik geloof dat dat een obsessie wordt genoemd. Als hij iets wil, jouw zoon, dan bijt hij zich daarin vast. Mijn man is net zo... ik herken het. Jerome is zeer absoluut.'

Kiki glimlachte. Dit was wat haar zo beviel aan deze vrouw. Ze kon zich zo goed uitdrukken: met inzicht, eerlijk.

'Ja, ik weet wat je bedoelt. Alles of niets. Al mijn kinderen hebben dat een beetje, als ik eerlijk ben. Ze bijten zich ergens in vast en ze laten niet meer los. Dat is de invloed van hun vader. Zo koppig als ezels.'

'En mannen worden ook heel absoluut ten opzichte van mooie meisjes, nietwaar?' vervolgde Carlene nu haar eigen lijn, die Kiki niet kon volgen. 'En als ze die niet kunnen krijgen, worden ze boos en verbitterd. Het neemt hen te veel in beslag. Ik was nooit zo'n soort vrouw. Ik ben blij dat ik dat niet was. Vroeger vond ik dat wel erg, maar nu zie ik dat het Monty de gelegenheid heeft gegeven om zich voor andere dingen te interesseren.'

Kiki fronste haar wenkbrauwen en zweeg even.

'Dat is een vreemde zienswijze.'

'O ja? Zo heb ik het altijd gevoeld. Het is vast niet goed. Ik ben nooit een feministe geweest. Jij zou het scherper kunnen zeggen.'

'Nee, nee, ik zou alleen... het gaat erom om wat béiden willen,' zei Kiki, terwijl ze kleurloze smurrie op haar lippen aanbracht. 'En hoe ze allebei... dingen mogelijk maken voor elkaar, toch?'

'Mogelijk maken? Ik weet het niet.'

'Ik bedoel, neem nou je man, Monty,' waagde Kiki. 'Hij schrijft veel, ik bedoel, ik heb zijn artikelen gelezen, over wat een perfecte moeder je bent, en hij... nou ja, hij gebruikt jou vaak als ideaal voorbeeld, het ideaal van de christelijke thuisblijfmoeder, denk ik, wat natuurlijk fantastisch is, maar er moeten toch ook dingen zijn... misschien dingen die jíj wilde doen... misschien wilde je...'

Carlene glimlachte. Haar tanden waren het enige onregelmatige aan haar, een rommelig geheel met grote gaten, als bij een kind.

'Ik wilde liefde geven en liefde ontvangen.'

'Ja,' zei Kiki, want ze wist niets anders te zeggen. Ze luisterde met gespitste oren of ze Clotilde hoorde aankomen, iets wat afleiding zou bezorgen, maar er gebeurde niets.

'En Kiki, toen jij jong was? Je hebt vast duizenden dingen gedaan.'

'O, god... dat had ik wel gewild. Maar dóen is weer een ander verhaal... Ik heb heel lang de persoonlijk assistente van Malcolm x willen zijn. Dat kon niet. Ik wilde schrijfster worden. Op een gegeven moment wilde ik gaan zingen. Mijn moeder wilde dat ik arts zou worden. *Zwarte vrouwelijke arts*. Dat waren haar drie favoriete woorden.'

'En was je knap om te zien?'

'Wauw... wat een vraag! Hoezo?'

Carlene trok haar schonkige schouders weer op. 'Ik vraag me altijd af hoe mensen eruitzagen voordat ik ze kende.'

'Was ik knap... Nou, eigenlijk wel!' Het was vreemd om dit hardop te zeggen. 'Carlene, tussen ons gezegd en gezwegen, ik was een stuk! Niet zo lang. Een jaar of zes misschien, maar ik was het wel.'

'Je kunt het nog zien. Je hebt nog veel moois, vind ik,' zei Carlene.

Kiki lachte schor. 'Je bent een schaamteloze vleier. Weet je... ik zie dat Zora zich constant druk maakt over haar uiterlijk, en ik zou haar willen zeggen, lieverd, iedere vrouw die het van haar smoeltje moet hebben is een stommeling. Dat wil ze niet van me horen, maar zo is het wel. Uiteindelijk komen we allemaal bij hetzelfde uit. Dat is de waarheid.'

Kiki lachte weer, iets droeviger nu. Nu was het Carlenes beurt om beleefd te glimlachen.

'Heb ik je dat al verteld?' vroeg Carlene om een einde te maken aan de korte stilte. 'Mijn zoon Michael is verloofd. We hebben het pas vorige week gehoord.'

'O, wat geweldig,' zei Kiki, die zich niet meer uit het veld liet slaan door de ongerijmde overgangen in het gesprek. 'Met wie? Een Amerikaans meisje?'

'Engels. Haar ouders zijn Jamaicaans. Een heel gewoon, lief, rustig meisje. Een meisje van onze kerk, Amelia. Geen type dat iemand het hoofd op hol zal brengen, meer een maatje. En dat is mooi, vind ik. Michael is gewoon niet sterk genoeg voor iets anders...' Ze zweeg ineens en draaide zich om naar het raam dat uitkeek op de achtertuin. 'Ze trouwen hier, in

Wellington. Ze komen met kerst hierheen om een goede locatie uit te zoeken. Excuseer me. Ik moet even vragen waar die heerlijke taart van je blijft.'

Kiki keek Carlene na toen die op wankele benen de kamer verliet, waarbij ze steun zocht bij de meubelen. Toen ze alleen was, stopte Kiki haar handen tussen haar knieën, die ze tegen elkaar duwde. Het nieuws dat een meisje op het punt stond dezelfde weg te bewandelen die zij dertig jaar eerder was gegaan, maakte haar duizelig. Ze probeerde zich een van haar eerste herinneringen aan Howard voor de geest te halen: de avond dat ze elkaar voor het eerst hadden ontmoet en voor de eerste keer samen hadden geslapen. Maar dat viel nog niet mee; al minstens tien jaar was die herinnering voor haar als een stukje speelgoed dat buiten in de regen is blijven liggen – zo roestig, een museumstuk, helemaal niet meer háár stukje speelgoed. Zelfs de kinderen hadden het verhaal veel te vaak gehoord. Op het Indiase kleed op de vloer van Kiki's flatje zonder lift in Brooklyn, met alle ramen open, met Howards grote grauwe voeten half in de opening van de deur die uitkwam op de gang naar de brandtrap. Snikheet was het geweest, met smog in New York. 'Hallelujah' van Leonard Cohen op haar goedkope pick-up, het nummer dat Howard altijd de 'hymne die een hymen brak' noemde. Lang geleden had ze deze muziek een vaste plek gegeven in haar herinnering. Het kon alleen niet kloppen, 'Hallelujah' was jaren later geweest. Maar het was moeilijk om weerstand te bieden aan het poëtische van die mogelijkheid en daarom had ze 'Hallelujah' een rol laten spelen in het sprookje. Nu ze eraan terugdacht, was dat een vergissing geweest. Een kleine vergissing weliswaar, maar wel symptomatisch voor ernstigere vergissingen. Waarom ging ze altijd mee in Howards gecorrigeerde versies van het verleden? Zo zou ze bijvoorbeeld haar mond open moeten doen als Howard tijdens etentjes beweerde alle proza te verachten. Ze zou ertegen in moeten gaan als hij zei dat Amerikaanse films slechts geïdealiseerde prullen waren. *Ja maar*, zou ze moeten zeggen, *ja maar, met Kerstmis 1976 heeft hij me* Gatsby, *de eerste editie, gegeven. We hebben* Taxi Driver *gezien in een smerig zaaltje op Times Square – prachtig vond hij die.* Dat soort dingen zei ze niet. Ze liet Howard een andere, een geretoucheerde versie vertellen. Toen Jerome bij hun vijfentwintigjarig huwelijksfeest een etherische, veel mooiere versie van 'Hallelujah' had laten horen van een jongen die Buckley heette, had Kiki gedacht: ja, dat klopt, onze herinneringen worden elke dag mooier en minder waarachtig. En toen verdronk die jongen in de Mississippi, herinnerde Kiki zich nu, terwijl ze opkeek van haar knieën naar het kleurige schilderij dat achter Carlenes lege stoel hing. Jerome had gehuild: de tranen die je stort voor iemand die je nooit hebt ontmoet en die iets heeft gemaakt wat je prachtig vindt. Drieëntwintig jaar eerder, toen Lennon stierf, had Kiki Howard meegesleept naar Central Park en gehuild terwijl de menigte 'All You Need Is Love' zong en Howard verbitterd tekeerging over Milgram en massapsychose.

'Vind je haar mooi?'

Carlene reikte Kiki bevend een kop thee aan terwijl Clotilde een stukje taart op een gebloemd gebakschoteltje naast haar neerzette. Voordat ze dankjewel kon zeggen was Clotilde de kamer alweer uit en had ze de deur al achter zich dichtgedaan.

'Mooi...?'

'Maîtresse Erzulie,' zei Carlene, wijzend naar het schilderij. 'Ik dacht dat ik bewondering in je ogen zag.'

'Ze is fantastisch,' antwoordde Kiki, die nu de tijd nam om haar beter te bekijken. In het midden van de lijst zat een lange, naakte zwarte vrouw die alleen een rode bandana droeg en in een fantastische witte ruimte stond, omringd door tropische takken en allerlei vruchten en bloemen. Vier roze vogels, een groene papegaai. Drie kolibries. Veel bruine vlinders. Het was in een primitieve, kinderlijke stijl geschilderd, alles vlak op het doek. Geen perspectief, geen diepte.

'Het is van Hyppolite. Het is geloof ik heel veel waard, maar dat is niet de reden waarom ik er zo van hou. Ik heb het zelf gekocht tijdens mijn eerste bezoek aan Haïti, voordat ik mijn man leerde kennen.'

'Het is prachtig. Ik ben dol op portretten. Wij hebben helemaal geen portretten in huis. Althans, niet van mensen.'

'O, wat vreselijk,' zei Carlene en keek oprecht geschokt. 'Maar je mag wanneer je maar wilt hier komen en naar die van mij kijken. Ik heb er vele. Het zijn mijn maatjes, ik beleef er heel veel vreugde aan. Ik besef dat nog maar pas. Maar zij is mijn favoriet. Ze is een belangrijke voodoogodin, Erzulie. Ze wordt de Zwarte Maagd genoemd – en ook de Gewelddadige Venus. Die arme Clotilde wil er niet naar kijken, ze wil zelfs niet in de kamer zijn waar zij hangt... zag je dat? Bijgeloof.'

'O, werkelijk? Dus ze is een symbool?'

'Ja zeker. Ze staat voor liefde, schoonheid, zuiverheid, de ideale vrouw, en de maan... en ze is het *mystère* van jaloezie, wraak en onenigheid, én, aan de andere kant, van liefde, eeuwige hulp, goedwillendheid, gezondheid, schoonheid en geluk.'

'Poe. Dat is nogal wat.'

'Ja, hè? Zoiets als alle katholieke heiligen in één.'

'Interessant...' begon Kiki verlegen, en ze nam even de tijd om zich een uitspraak van Howard voor de geest te halen, die ze nu tegenover Carlene wilde debiteren alsof ze hem zelf had bedacht. 'Want... we zijn natuurlijk ook zo dubbel in onze manier van denken. We hebben als christenen de neiging om in tegenstellingen te denken. Zo zitten we in elkaar. Howard zegt altijd dat dat het probleem is.'

'Dat is slim uitgedrukt. Ik vind die papegaaien zo mooi.'

Kiki glimlachte, opgelucht dat ze niet verder uit hoefde te weiden over iets waar ze niet zeker van was.

'Ja, mooie papegaaien. En, wreekt ze zich op mannen?'

'Ik geloof het wel.'

'Dat mag ik ook wel eens gaan doen,' zei Kiki, half in zichzelf, niet echt met de bedoeling dat Carlene het zou horen.

'Dat lijkt me...' mompelde Carlene met een tedere glimlach naar haar gast, 'dat lijkt me zonde.'

Kiki sloot haar ogen.

'Jemig, ik haat deze stad soms zo. Iedereen weet alles van elkaar. Het is hier gewoon veel en veel te klein.'

'O, maar ik ben zo blij dat je je er niet onder hebt laten krijgen!'

'O!' zei Kiki, geraakt door het spontane medeleven. 'We komen er wel overheen. Ik ben al verschrikkelijk lang getrouwd, Carlene. Ik laat me niet zo gemakkelijk kleinkrijgen.'

Carlene leunde achterover. De ogen waren roodomrand en vochtig.

'Maar waarom zou je je niet gekwetst mogen voelen, lieve kind? Het is heel kwetsend.'

'Ja... natuurlijk, maar... mijn leven is meer dan dat alleen. Ik probeer nu juist te begrijpen waarvoor ik leef – op dat punt bevind ik me nu – en wat ik nog met mijn leven kan doen. En... dat is op dit ogenblik veel belangrijker voor me. En Howard moet zichzelf die vragen ook stellen. Ik weet het niet... of we nu uit elkaar gaan, of bij elkaar blijven... het maakt niet uit.'

'Ik vraag me niet af waarvoor ik heb geleefd,' zei Carlene stellig, 'dat is een mannenvraag. Ik vraag me af voor wíe ik heb geleefd.'

'O, dat kun je niet menen.' Maar toen Kiki haar ernstige blik zag, zag ze dat de vrouw tegenover haar dat juist wel meende, en ineens voelde ze zich kwaad worden om het zinloze en het stompzinnige daarvan. 'Ik moet je zeggen, Carlene, weet je... ik ben bang dat ik dat niet geloof. Ik wéét dat ik niet voor iemand leef, en in mijn ogen is het net of de tijd voor ons, voor alle vrouwen, en zeker voor alle zwarte vrouwen, driehonderd jaar teruggedraaid wordt als je echt...'

'O, jee, we krijgen ruzie,' zei Carlene, met een sip gezicht bij dit vooruitzicht. 'Je begrijpt me weer verkeerd. Het is niet mijn bedoeling om mijn gelijk te halen. Het is alleen een gevoel dat ík heb, vooral nu. Ik zie de laatste tijd heel duidelijk dat ik niet heb geleefd op grond van een bepaald idee of zelfs niet voor God: ik heb geleefd uit liefde voor deze man. Ik ben eigenlijk heel zelfzuchtig. Ik leefde voor de liefde. Ik heb nooit echt belangstelling aan de dag gelegd voor de wereld... voor mijn gezin, ja, maar niet voor de wereld. Ik wil niet mijn gelijk halen, maar het is wel de waarheid.'

Kiki had spijt van haar stemverheffing. Deze vrouw was oud, deze vrouw was ziek. Het maakte niet uit waarin deze vrouw geloofde.

'Je hebt vast een fantastisch huwelijk,' zei ze op verzoenende toon. 'Dat is geweldig. Maar bij ons... weet je... je bereikt een punt waarop je gaat begrijpen...'

Carlene legde haar het zwijgen op en boog zich verder naar voren.

'Ja, ja. Maar je hebt je léven in de waagschaal gelegd. Je hebt iemand je léven gegeven. Je bent teleurgesteld.' Carlenes rechterhand trilde hevig op haar schoot.

'Ach, teleurgesteld, ik weet niet... het kwam niet echt als een schok. Dat soort dingen gebeuren. En ik bén nu eenmaal met een man getrouwd.'

Carlene keek haar nieuwsgierig aan. 'Is er dan een andere optie?'

Kiki keek haar gastvrouw recht in de ogen en besloot het erop te wagen. 'Voor mij was die er wel, geloof ik... ja. Op een bepaald moment.'

Carlene keek niet-begrijpend naar haar gast. Kiki stond versteld van zichzelf. Ze had zich zojuist vergaloppeerd, en nu vergaloppeerde ze zich weer in de bibliotheek van Carlene Kipps. Maar ze hield zich niet in, ze voelde een opwelling, iets van de oude Kiki – zoals ze vroeger vaak had gehad – om te choqueren en tegelijkertijd de waarheid te vertellen. Het was hetzelfde gevoel dat ze had – maar waar ze zelden naar handelde – in kerken, in chique winkels en rechtszalen. Plaatsen waar volgens haar zelden de waarheid werd gezegd.

'Ik bedoel, er was toen een revolutie gaande, iedereen probeerde andere levensstijlen, alternatieve levensstijlen... dus bijvoorbeeld of vrouwen met vrouwen samen konden leven.'

'Met vrouwen,' herhaalde Carlene.

'In plaats van met mannen,' bevestigde Kiki. 'En... ik heb een poosje gedacht dat ik die weg misschien zou kunnen kiezen. Ik bedoel, die kant leek het op te gaan.'

'Aha,' zei Carlene, en legde haar rechterhand onder de linker om het beven tegen te gaan. 'Juist, ja,' zei ze nadenkend, terwijl ze heel licht bloosde, 'misschien zou dat gemakkelijker zijn, denk je dat? Ik heb me vaak afgevraagd... of het gemakkelijker zou zijn de ander te kennen. Ik denk wel dat dat zo is. Ze zijn net als jij. Mijn tante was zo. Het is niet ongewoon bij Caribiërs. Natuurlijk heeft Monty er altijd een hard oordeel over uitgesproken – tot het geval van James.'

'James?' herhaalde Kiki scherp. Het stoorde haar dat aan haar openbaring zo luchtig werd voorbijgegaan.

'De eerwaarde James Delafield. Hij is een zeer oude vriend van Monty, van Princeton. Een baptist, hij heeft geloof ik president Reagan gezegend bij zijn inauguratie.'

'En, bleek hij een...?' zei Kiki, die zich vaag een profiel in *The New Yorker* herinnerde.

Carlene klapte in haar handen en begon – bijna onvoorstelbaar – te giechelen.

'Ja! Dat zette Monty aan het denken. En Monty haat het om ergens zijn mening over te moeten herzien. Maar hij had de keuze tussen zijn vriend en... tja, ik weet niet. De blijde tijding, denk ik. Maar ik wist dat Monty een beetje al te zeer gesteld is op zijn gesprekken met James, om maar te zwijgen over zijn sigaren. Ik zei tegen hem: lieverd, het leven moet vóór de Heilige Schrift komen. Waar is anders de Heilige Schrift voor? Monty was uitzinnig! Gechoqueerd! Wij moeten ons voegen naar de Schrift, zei hij. Hij zei dat ik het helemaal verkeerd zag – en dat zal ongetwijfeld zo zijn. Maar ik zie dat ze nog steeds graag samen een avond doorbrengen met een sigaar. Tussen ons gezegd en gezwegen,' fluisterde ze, en Kiki vroeg zich af wat er was gebeurd met de ongeschreven wet dat je je eigen man niet belachelijk maakt, 'ze zijn zeer goed bevriend.'

Kiki staarde haar ongelovig aan. 'Monty Kipps' beste vriend is een homo.'

Carlene gaf een gilletje van plezier. 'Hemeltje, zo zou hij dat nooit zeggen. Nooit! Hij denkt namelijk niet op die manier.'

'Is er dan een andere manier?'

Carlene veegde de tranen van plezier uit haar ogen.

Kiki floot even. 'Dat zul je deze zwarte man toch zeker nooit horen zeggen in de talkshow van Bill O'Reilly.'

'O, lieve help, jij bent verschrikkelijk. Verschrikkelijk!'

Ze was nu echt vrolijk en Kiki verbaasde zich erover hoe wit haar ogen en hoe strak haar huid daardoor werden. Ze zag er jonger, gezonder uit. Ze lachten een tijdje samen, om heel verschillende dingen, meende Kiki. Na een tijdje nam de vrolijkheid aan beide kanten af en praatten ze weer over gewone dingen. De kleine onthullingen die ze elkaar hadden gedaan, herinnerden hen aan hun gemeenschappelijke achtergrond, waarbij ze zich op hun gemak voelden en niet bang hoefden te zijn dat iets hun in de weg zou liggen. Ze kwamen erachter dat ze allebei moeder waren, allebei Engeland goed kenden, allebei van honden en tuinen hielden en allebei enig ontzag hadden voor de capaciteiten van hun kinderen. Carlene praatte honderduit over Michael, vol trots over zijn praktische aard en de manier waarop hij met geld omging. Kiki vertelde haar familieanekdotes, die ze een beetje aanpaste door bewust de ruwe kantjes van Levi wat bij te schaven en een leugenachtig beeld te schetsen van Zora's betrokkenheid bij het gezinsleven. Kiki noemde een paar keer het ziekenhuis, in de hoop erachter te komen wat er mis was met Carlenes gezondheid, maar steeds als ze daarover wilde beginnen, aarzelde ze. De tijd verstreek. Ze dronken de thee op. Kiki merkte dat ze drie stukken taart had gegeten. Bij de deur kuste Carlene Kiki op beide wangen, waarbij Kiki duidelijk de scherpe geur van haar eigen werkomgeving rook. Ze liet Carlene, die ze bij haar frêle ellebogen vasthield, los. Over het mooie tuinpad liep ze terug naar de straat.

5

Een megastore vraagt om een megagebouw. Toen Levi's werkgevers zeven jaar geleden in Boston aan waren komen waaien, waren er verscheidene grootse negentiende-eeuwse bouwwerken in aanmerking gekomen. Winnaar werd de oude stadsbibliotheek uit 1880, gebouwd van rode baksteen met blinkende zwarte ramen en een hoge gotische boog boven de deur. Het gebouw besloeg het grootste gedeelte van het blok waar het in stond. In dit gebouw hield Oscar Wilde ooit een lezing over de schoonheid van de lelie, die groter was dan die van alle andere bloemen. De deuren gingen open door een ijzeren hoepel met beide handen rond te draaien en dan te wachten op de zachte, zware klik, waarbij metaal loskwam uit metaal. Inmiddels waren de eiken deuren van drieënhalve meter hoog vervangen door driedelige glazen panelen die zonder geluid uiteenweken zodra je erop afkwam. Levi liep hier doorheen en sloeg zijn vuist tegen die van Marlon en Big James van de bewaking. Hij nam de lift naar het magazijn in de kelder om daar het verplichte T-shirt, de honkbalpet en de goedkope, zwarte broek met smalle, taps toelopende pijpen – een polyester broek waar pluisjes aan bleven hangen – aan te trekken. Hij ging daarna met de lift naar de vierde verdieping en liep naar zijn afdeling, met zijn blik naar beneden gericht, waar hij het logo volgde dat zich herhaalde in de synthetische vloerbedekking. Hij was razend. Hij had het gevoel dat hij in de steek was gelaten. Terwijl hij de gang door liep, ging hij na waarom hij zich zo voelde. Hij had dit zaterdagbaantje aangenomen in goed vertrouwen, omdat hij altijd bewondering had gehad voor het wereldmerk van deze winkels, de reikwijdte en ambitie van hun visie. Hij was met name onder de indruk geweest van dit gedeelte van het sollicitatieformulier:

> Onze bedrijven hebben meer weg van een familie dan van een hiërarchie. Ze kunnen hun eigen zaken regelen, maar onderling helpen ze elkaar, en oplossingen voor problemen komen overal vandaan. Op een bepaalde manier vormen we een gemeenschap, met gedeelde opvattingen, waarden, interessen en doeleinden. Het bewijs van ons succes is zichtbaar. Maak er deel van uit.

Hij had er deel van willen uitmaken. De manier waarop de mythische Brit die de eigenaar was te werk ging, als een graffitikunstenaar die overal zijn stempel achterliet, stond Levi wel aan. Op vliegtuigen, treinen, banken, frisdranken, cd's, mobieltjes, reisbureaus, auto's, wijnen, bladen, bruidskleding... alles waar zijn eenvoudige, kloeke logo geplaatst kon worden. Zoiets wilde Levi ooit ook doen. Hij had bedacht dat het niet zo'n gek idee was om ervaring op te doen met een baantje als verkoopassistent bij dit enorme bedrijf, al was het alleen maar om te zien hoe het daarbinnen toeging. Kijken, leren, slinks onderkruipen – op de manier van Machiavelli. Zelfs toen het zwaar en slecht betaald werk bleek te zijn, was hij het blijven doen. Omdat hij geloofde dat hij deel uitmaakte van een familie die zichtbaar succes boekte, ondanks de zes dollar negenentachtig per uur die hij verdiende.

Toen kreeg hij opeens een berichtje op zijn pieper van Tom, een aardige jongen die op de afdeling folk werkte. Volgens Tom deed het gerucht de ronde dat de afdelingschef, Bailey, eiste dat al het personeel van deze afdeling op kerstavond en op eerste kerstdag werkte. Toen kwam het bij Levi op dat hij nooit echt serieus had nagedacht over wat zijn werkgever, met dat indrukwekkende wereldmerk, nu eigenlijk bedoelde met die *gedeelde opvattingen, waarden, interessen en doeleinden* die hij en Tom en Candy en Gina en LaShonda en Gloria en Jamal en alle anderen zogenaamd deelden. *Muziek voor het volk? De juiste keuze, daar draait het om? Altijd, overal muziek?*

'*Ga voor het geld*,' zei Howard tijdens het ontbijt, '*hoe dan ook*. Dat is hun motto.'

'Ik ga op eerste kerstdag níet werken,' zei Levi.

'Moet je ook niet doen,' zei Howard.

'Het gebeurt gewoon niet. Het is gelul.'

'Nou, als je er echt zo over denkt, dan moet je een paar collega's bij elkaar roepen en een prikactie organiseren.'

'Ik weet niet eens wat dat is.'

Bij de boterham en een kop koffie legde Levi's vader de grondregels uit van het actie voeren zoals dat tussen 1970 en 1980 door Howard en zijn vrienden werd gedaan. Hij sprak uitvoerig over ene Gramsci en mensen die de Situationisten genoemd werden. Levi knikte regelmatig even, zoals hij had geleerd te doen wanneer zijn vader dit soort redevoeringen hield. Hij voelde zijn oogleden dichtvallen en de lepel in zijn hand werd steeds zwaarder.

'Ik geloof niet dat het tegenwoordig zo gaat,' zei Levi ten slotte vriendelijk. Hij wilde zijn vader niet teleurstellen, maar hij moest de bus halen. Het was best een leuk verhaal, maar straks kwam hij daardoor nog te laat.

Nu kwam Levi aan bij de westelijke vleugel op de vierde etage. Hij had onlangs promotie gekregen, hoewel het meer een conceptuele promotie was dan een financiële. In plaats van als manusje-van-alles, werkte hij nu alleen op de afdeling hiphop, R&B en urban. Men wilde hem graag laten geloven dat hij door zijn kennis van deze genres de klanten goed zou kunnen informeren, net zoals bibliothecarissen die ooit over deze verdieping hadden gelopen de lezers hadden kunnen helpen die met vragen naar hen toe kwamen. Maar zo was het in de praktijk niet echt gegaan. *Waar zijn de toiletten? Waar is de afdeling jazz? Waar kan ik wereldmuziek vinden? Waar is de cafetaria? Waar is de signeersessie?* Wat hij de meeste zaterdagen deed was niet veel anders dan op een straathoek met een bord met een pijl erop mensen de weg wijzen naar een dumpwinkel. En hoewel het stoffige licht zacht gefilterd door de hoge ramen viel en de sfeer van bedachtzame bespiegeling bleef hangen in de namaakpanelen in Tudorstijl en de uitgesneden rozen en tulpen die de vele balustrades versierden, zocht niemand hier echt naar verlichting. En dat was jammer, want Levi was dol op rap; de schoonheid, de vindingrijkheid en het menselijke ervan waren voor hem duister noch onwaarschijnlijk, en hij kon een pleidooi houden over het grootse ervan in vergelijking met elk ander artistiek product dat door mensen werd voortgebracht. Als een klant een halfuurtje zou doorbrengen met Levi en zijn enthousiaste verhaal, dan zou het lijken of hij luisterde naar Harold Bloom die lyrisch uitweidde over Falstaff, maar die gelegenheid deed zich nooit voor. In plaats daarvan bracht hij zijn dagen door als wegwijzer. Levi had het dus niet genoeg naar zijn zin om er ook maar over te piekeren om met kerst te gaan werken, en het salaris was ook niet al te best. Dat ging mooi niet door. 'Candy! Yo, Candy!'

Negen meter verderop draaide Candy, die eerst niet goed wist wie haar riep, zich om van de klant die ze aan het helpen was en gaf Levi met een gebaar te kennen haar met rust te laten. Levi wachtte tot de klant wegliep. Toen ging hij snel naar Candy op de afdeling Alternatieve Rock/Heavy Metal en tikte haar op de schouder. Ze draaide zich al zuchtend om. Ze had een nieuwe piercing. Een staafje in haar kin, vlak onder haar onderlip.

'Candy, ik moet met je praten.'

'Luister... ik sta hier al vanaf zeven uur vakken te vullen en nu ga ik lunchen, dus vergeet het maar.'

'Nee, man, ik ben hier net, ik heb om twaalf uur pas pauze... heb je gehoord van kerst?'

Candy kreunde en wreef stevig in haar ogen. Levi zag hoe groezelig haar vingers waren, de gescheurde nagelriemen, het doorzichtige wratje op haar duim. Toen ze klaar was met wrijven, was haar gezicht paars en vlekkerig, het vloekte bij de zwartroze strepen in haar haren.

'Ja, dat heb ik gehoord.'

'Ze zijn stapelgek als ze denken dat ik dat weekend kom opdraven. Ik werk níet met kerst, écht niet.'

'En wat ga je dan doen... ontslag nemen of zo?'

'Waarom zou ik? Dat slaat toch nergens op?'

'Nou, je kunt wel een klacht indienen, maar...' Candy liet haar knokkel kraken, 'dat kan Bailey geen moer schelen.'

'Daarom ga ik ook niet mijn beklag doen bij Bailey, ik ga iets dóen, man... ik ga... ik ga actie voeren.'

Candy knipperde langzaam een paar keer met haar ogen.

'O, juist ja. Nou, succes dan.'

'Luister, kom over twee minuten even naar achteren, oké? Met de anderen: Tom en Gina en Gloria, iedereen. Ik ga op zoek naar LaShonda, die staat bij de kassa.'

'Oké-ee,' zei Candy, en slaagde erin dit te laten klinken als een cliché, 'maar in godsnaam... een beetje rustig aan met dat stalinistische gedoe.'

'Twee minuten.'

'Oké-ee.'

Levi vond LaShonda bij de achterste van de rij kassa's, veel groter en breder dan de zes mannelijke medewerkers naast haar. Een amazone in de detailhandel.

'Hé, LaShonda.'

LaShonda zwaaide snel en geroutineerd met haar talons alsof ze een waaier openvouwde, terwijl ze met haar nagel steeds de volgende aftikte. Ze grijnsde naar hem. 'Hé, Levi, lekkertje. Hoe is het met je?'

'O, cool... druk bezig mijn ding te doen, weet je wel.'

'Dat doe je goed, schatje, dat doe je heel goed.'

Levi probeerde uit alle macht de blik van deze geweldige vrouw te beantwoorden maar slaagde daar, zoals altijd, niet in. LaShonda had nog niet begrepen dat Levi nog maar zestien was, bij zijn ouders woonde in de middenklassewijk van Wellington, en dus niet bepaald geschikt was als stiefvader voor haar drie kleine kinderen.

'Zeg, LaShonda, kan ik je heel even spreken?'

'Tuurlijk schatje... voor jou heb ik altijd tijd, dat weet je.'

LaShonda kwam achter de balie vandaan, en Levi liep achter haar aan toen ze naar een rustig hoekje bij de klassieke muziek liep. Voor een moeder van drie kinderen had ze een wonderbaarlijk figuur. De zwarte blouse met lange mouwen sloot nauw om haar gespierde onderarmen; de knoopjes spanden om haar boezem. LaShonda's dikke kont, die zich aftekende in het nylon van de uniformbroek, was in Levi's ogen het onuitgesproken extraatje van deze baan.

'LaShonda, kun je over vijf minuten ook even naar achteren komen? We hebben een bespreking,' zei Levi, zijn accent aandikkend om het beter te laten aansluiten bij dat van LaShonda. 'En vraag of Tom en iedereen die even weg kan meekomt. Het gaat over dat gedoe met kerst.'

'Wat is dat, schatje? Wat voor gedoe met kerst?'

'Heb je het niet gehoord? Ze willen dat we eerste kerstdag werken.'

'Echt waar? Voor anderhalf keer zoveel geld?'

'Nou... dat weet ik niet...'

'Nou, man, ik kan wel een paar extra dollars gebruiken, je weet vast wel wat ik bedoel.' Levi knikte. Dat was ook zoiets. LaShonda had al aangenomen dat ze zich, financieel gezien, in een soortgelijke situatie bevonden. Er zijn zo veel verschillende manieren om om geld verlegen te zitten. Levi hield niet van de manier waarop LaShonda dat deed. 'Nou, ik ga vast en zeker werken. In elk geval 's ochtends. Ik kan niet bij de bespreking zijn, maar schrijf mijn naam er maar bij, oké?'

'Oké... ja... Ja goed, dat doe ik.'

'Ik kan echt wel wat extra gebruiken, en dit jaar moet ik alles voor kerst nog bij elkaar zien te krijgen. Ik zeg altijd dat ik er het komende jaar echt vroeg mee ga beginnen en het komt er nooit van, het is altijd weer op het laatste moment. Maar het is ook allemaal zo duur, geloof mij maar.'

'Ja,' zei Levi bedachtzaam, 'iedereen zit krap in deze tijd van het jaar...'

'Reken maar,' zei LaShonda, en ze floot even, 'en ik heb niemand die het voor me doet. Ik moet alles zelf doen, snap je? Zeg schatje, wanneer heb jij pauze? Wil je niet even met mij de stad in? Ik ga zo meteen een broodje halen bij de Subway.'

Er was een alternatief universum dat Levi af en toe in zijn verbeelding betrad, waarin hij LaShonda's uitnodigingen aanvaardde, en daarna deden ze het met elkaar, staand, in de kelder van de winkel. Algauw daarna trok hij bij haar in in Roxbury en adopteerde hij haar kinderen. En ze leefden nog lang en gelukkig: twee rozen die op beton groeiden, zoals Tupac zei. Maar de waarheid was dat hij niet zou weten wat hij aan moest met een vrouw als LaShonda. Hij wou dat hij het wist, maar helaas. Levi had altijd van die giechelende latinotienermeisjes van de katholieke school naast zijn lagere school, meisjes die niet veel eisten: een film en stevig zoenen in een park in Wellington. Wanneer hij zich mans genoeg voelde, legde hij het soms aan met een van de prachtige vijftienjarige LaShonda's met valse identiteitskaarten die hij tegenkwam in nachtclubs in Boston, die hem een week of twee half serieus namen totdat ze weer vertrokken, in de war gebracht door zijn vreemde vastbeslotenheid hun helemaal niets te vertellen over zijn leven en niet te laten zien waar hij woonde.

'Nee... bedankt LaShonda... ik heb laat pauze.'

'Goed hoor, schatje. Maar ik zal je wel missen. Je ziet er vandaag heel lekker uit, zo lekker opgepoetst.'

Levi spande plichtsgetrouw zijn biceps onder LaShonda's gemanicuurde handen.

'Verdómme. En nu de rest nog. Niet zo verlegen, kom op.'

Hij tilde zijn t-shirt een klein stukje omhoog.

'Nou schat, dat kun je geen sixpack meer noemen. Dat lijken wel zes six-packs! De vrouwen moeten gaan uitkijken voor mijn jochie... verdomme, zeg. Hij is geen jochie meer.'

'Je kent me, LaShonda, ik pas goed op mezelf.'

'Ja, maar wie past er op jou?' zei LaShonda en ze liet haar lach schallen. Ze legde haar hand tegen zijn wang.

'Oké, schatje, ik ga. Tot volgende week, als ik je straks niet meer zie. Voorzichtig aan.'

'Zie je, LaShonda.'

Levi boog zich over een rek met muziek uit *Madame Butterfly* en keek LaShonda na. Iemand tikte hem op zijn schouder.

'Eh... Levi, sorry dat ik...' zei Tom van de afdeling folk, 'ik hoorde net dat je... is er... een bespreking? Ik hoorde dat je iets wilt organiseren... een soort...'

Tom was cool. Levi was het op het gebied van muziek in alle opzichten met hem oneens, maar hij zag ook dat Tom in veel andere opzichten cool was: met zijn mening over die idiote oorlog, het feit dat hij zich niet liet gek maken door klanten, en bovendien was hij leuk in de omgang.

'Yo, man, Tom... hoe staat-ie?' zei Levi en probeerde zijn vuist tegen die van Tom te slaan, wat nooit lukte. 'Maar inderdaad, we hebben een be-spreking, ik wilde er net heen gaan. Werken met kerst is gelul.'

'Nou, dat is echt gelul,' zei Tom terwijl hij zijn dikke blonde pony weg-schoof, 'maar wel tof dat je... je weet wel... een standpunt inneemt en zo.'

Maar soms vond Levi Tom een beetje al te eerbiedig, zoals nu – het was alsof hij Levi altijd graag een pluim wilde geven waarvan Levi niet wist dat hij die had verdiend.

Het viel onmiddellijk op dat alleen de blanke jongeren op kwamen dagen bij de bespreking. Gloria en Gina, de twee latinomeisjes, waren er niet bij, evenmin als Jamal, de brother die bij wereldmuziek werkte, en Khaled, een Jordaniër van de afdeling muziek-dvd's. Alleen Tom, Candy en een kleine jongen met sproetjes die Levi niet zo goed kende, Mike Cloughessy, van de afdeling pop op de derde verdieping.

'Waar is iedereen?' vroeg Levi.

'Gina zei dat ze zou komen, maar...' mompelde Candy. 'Ze heeft een chef die de hele dag achter haar kont aan loopt, dus...'

'Maar heeft ze gezegd dat ze zou komen?'

Candy haalde haar schouders op. Daarna keek ze hem met een hoopvolle blik aan, evenals de anderen. Het was hetzelfde vreemdsoortige gevoel dat hij in de eindexamenklas had gehad, niemand die iets zei als hij niet zijn mond opendeed. Hij was begiftigd met een bepaald gezag, het was iets ingewikkelds en onuitgesprokens dat te maken had met het feit dat hij zwart was – verder dan dat kwam hij niet.

'Ik heb iets van... er moet ergens een grens worden gesteld waar we niet overheen gaan, ergens houdt het op. En werken op eerste kerstdag is die grens. Daar gaat het nu dus om,' zei hij, drukker gebarend met handen dan hij normaal deed omdat ze dit van hem leken te verwachten. 'Ik stel voor dat we een protestactie houden, want nu ziet het ernaar uit dat alle parttimers die weigeren te werken met Kerstmis hun baan kwijtraken. En dat is waanzin – naar mijn mening.'

'Maar wat betekent dat... een protestactie?' vroeg Mike. Hij kon geen moment stil blijven staan. Levi vroeg zich af hoe het was om zo'n kleine, roze, grappig uitziende, nerveuze jongen te zijn. Ondertussen keek hij waarschijnlijk fronsend naar Mike, want de kleine jongen werd steeds onrustiger, hij stak zijn handen een paar keer in zijn zak en haalde ze er dan weer uit.

'Het is een soort van... sit-in, zeg maar,' opperde Tom. Hij had een pakje Drum in zijn ene hand, een vloeipapiertje in de andere, en probeerde een sjekkie te rollen. Met zijn zware lichaam stond hij gebogen in de deuropening om zijn creatie weg te houden uit de wind. Levi – hoewel een fervent tegenstander van roken – hielp hem door voor hem te gaan staan, als een menselijk schild.

'Een sit-in?'

Tom begon uit te leggen wat een sit-in was, maar toen Levi merkte welke kant het op ging, onderbrak hij hem.

'Yo, ik ga niet op de grond zitten. Dat doe ik dus echt niet.'

'Dat hoeft ook niet, weet je... zitten is niet verplicht. We kunnen ook naar buiten lopen. Het gebouw uit.'

'Eh... als we naar buiten lopen, zullen ze wel zeggen dat we meteen door kunnen naar sociale zaken,' zei Candy, terwijl ze een halve Marlboro uit haar zak viste en hem aanstak met Toms lucifer. 'Laat dat maar aan Bailey over.'

'"Jullie gaan helemaal nergens naartoe met je luie reet",' zei Levi in een wrede imitatie van Baileys schokkerig bewegende hanenkop en diens half gebogen houding, waardoor hij eruitzag als een aap die nog maar net rechtop is gaan lopen. '"Jullie gaan nergens naartoe met je luie reet, behalve als je eruit wordt getrapt, en anders gaan jullie helemaal nergens niet naartoe.'"

Levi's publiek lachte wat meewarig, de imitatie was te goed. Bailey was achter in de veertig, onmiskenbaar een tragische figuur voor de tieners die onder hem werkten. Ze beschouwden zulk werk voor een man van boven de zesentwintig als een vernederend symbool van menselijke tekortkomingen. Ze wisten ook dat Bailey hiervoor tien jaar bij Tower Records had gewerkt – de ene tragedie na de andere. En dan had Bailey ook nog eens te kampen met een overschot aan eigenaardige eigenschappen, waarvan één al genoeg was om hem bespottelijk te maken. Door een hyperactieve schildklier puilden zijn ogen uit zijn hoofd. Hij had kwabben in zijn hals die op en neer bewogen als bij een kalkoen. In zijn warrige afrokapsel zat vaak iets: een niet thuis te brengen pluisje, en een keer zelfs een lucifer. Met zijn zwabberende, dikke kont leek hij van achteren precies een vrouw. Hij had de neiging woorden zo erg te verhaspelen dat het zelfs een stel vrijwel ongeletterde tieners opviel, en de huid op zijn handen vervelde en bloedde door een ernstige vorm van psoriasis, die ook in mildere vorm te zien was in zijn hals en op zijn voorhoofd. Levi kon er met zijn verstand niet bij dat iemand zo slecht was bedeeld door God. Ondanks deze fysieke problemen – of misschien juist daardoor – kon Bailey niet van de meisjes afblijven. Hij liep LaShonda achterna door de winkel en raakte haar aan zonder dat hij daar een reden voor had. Een keer ging hij te ver, toen sloeg hij zijn arm rond haar middel, waarop hij ten overstaan van iedereen een scheldkanonnade van LaShonda over zich heen kreeg ('Waag het niet te zeggen dat ik me moet inhouden, ik vloek als ik dat wil, ik schreeuw mijn keel schor, al vliegt straks het dak van het gebouw!'). Maar Bailey leerde het nooit af, twee dagen later zat hij alweer achter haar aan. Imitaties van Bailey behoorden tot de standaardgrappen van het personeel. LaShonda deed het, Levi deed het, Jamal deed het – de blanke werknemers weifelden, omdat ze de dunne lijn tussen imitatie en rassendiscriminatie niet wilden overschrijden. Levi en LaShonda daarentegen gingen helemaal los en overdreven elke misvorming, alsof zijn lelijkheid een persoonlijke belediging was voor hun eigen schoonheid.

'Bailey kan de tering krijgen,' zei Levi fel. 'Kom op, jongens, laten we naar buiten lopen. Kom op, Mikey, je doet toch mee?'

Mike kauwde op de binnenkant van zijn wang zoals de huidige president. 'Ik weet niet zeker of het wel zin heeft. Ik denk dat Candy misschien wel gelijk heeft... dan worden we gewoon ontslagen.'

'Wat... zouden ze ons allemaal ontslaan?'

'Misschien,' zei Mike terwijl hij zijn schouders ophaalde.

'Weet je, man,' zei Tom, terwijl hij hard aan zijn sjekkie zoog, 'ik wil ook niet met kerst werken, maar misschien moeten we er nog even over nadenken. Alleen naar buiten lopen lijkt me niet zinvol... misschien moeten we allemaal een brief schrijven naar de leiding en die ondertekenen...'

'*Beste klootzakken*,' zei Levi, terwijl hij een denkbeeldige pen vasthield en een komische imitatie te zien gaf van Baileys gezicht in diepe concentratie. '*Bedankt voor jullie brief van de twaalfde van deze maand. Het zal me echt een rotzorg zijn. Ga verdomme weer aan het werk. Hoogachtend, meneer Bailey.*'

Ze moesten allemaal lachen, maar het was een geforceerd, gepijnigd soort lach, alsof Levi die met geweld uit hun keel rukte. Soms vroeg Levi zich af of zijn collega's bang van hem waren.

'Als je bedenkt hoeveel geld ze hier verdienen,' zei Tom, in een poging iedereen weer op één lijn te krijgen, waarmee hij de anderen instemmend gemompel ontlokte, 'en dan kunnen ze niet één miezerig dagje sluiten? Wie gaat er nou op kerstmorgen cd's kopen? Het is echt bezopen.'

'Dat zeg ik,' zei Levi, en ze bleven allemaal een ogenblik stilzwijgend uitkijken over de verlaten achterplaats, een dooie boel waar niets te zien was behalve rijen containers overvol polytheen verpakkingen en een basketbalring die niemand mocht gebruiken. Een winterse hemel met roze strepen en heldere zonneschijn zonder warmte gaven het naargeestige vooruitzicht over dertig seconden weer aan de slag te moeten gaan iets venijnigs. Het geluid van de branddeurstang die omlaag werd geduwd maakte een einde aan de stilte. Tom ging erheen om open te doen, in de veronderstelling dat het de kleine Gina was, maar het was Bailey die hem omverduwde, zodat hij drie stappen achteruit viel.

'Sorry, ik wist niet...' zei Tom, terwijl hij zijn hand wegtrok van de plek waar Baileys psoriasisvingers op drukten. Bailey knipperde als een gekooid dier in de zon. Hij had zijn winkelpetje achterstevoren op. Er zat iets pervers in Bailey, voortkomend uit zijn isolement, dat hem tot dit soort halfzachte excentriciteiten dreef. Het was zijn manier om in elk geval te weten waaróm hij geminacht werd, en aldus die minachting min of meer in de hand te houden.

'Dus hier is al mijn personeel,' zei hij op die vreemde, bijna autistische manier van hem, waarbij hij over hun hoofden heen sprak. 'Ik vroeg het me al af. Iedereen tegelijkertijd rookpauze?'

'Ja... ja,' zei Tom, terwijl hij zijn peuk op de grond gooide en hem uittrapte.

'Ga je dood van,' zei Bailey somber, meer als een voorspelling dan als een waarschuwing, 'en jij ook, jongedame, ga je dood van.'

'Dat is een ingecalculeerd risico,' zei Candy kalm.

'Pardon?'

Candy schudde haar hoofd en drukte haar Marlboro uit tegen de betonnen muur.

'Zo,' zei Bailey met een gespannen lachje, 'ik hoor dat jullie een kroep tegen me willen plegen. Een gerucht, een klein vogeltje zei het. Een kroep plegen. En hier zijn jullie dus allemaal.'

Tom keek verward naar Mike en vice versa.

'Sorry, meneer Bailey,' zei Tom. 'Sorry, wat zei u nou?'

'Een kroep, die willen jullie gaan plegen. Tegen mij. Ik kwam even kijken hoe jullie dat willen aanpakken.'

'Een cóup,' legde Tom Bailey heel kalm corrigerend uit. 'Zoiets als een revolutie.'

Levi, die eerst niet had begrepen wat er mis was gegaan en het woord 'coup' niet kende, begon keihard te lachen.

'Kroep? Bailey, dat is een hoestziekte, man. Zouden wij een kroep gaan organiseren? Hoe zou dat moeten?'

Candy en Mike gniffelden. Tom draaide zich om om zijn lach te onderdrukken. Baileys gezicht, eerst nog hoopvol bij het vooruitzicht op triomf, drukte nu een en al verwarring en woede uit.

'Je weet best wat ik bedoel. Trouwens, d'r is niets te doen aan het beleid, dus als het je niet bevalt dan donder je maar op. Het heb geen zin om plannetjes te smeden. En nu iedereen weer aan het werk.'

Maar Levi lachte nog steeds.

'Dat is niet eens wettelijk toegestaan, je mag iemand geen kroep bezorgen. Sommigen van ons hebben een vriendinnetje, man. Ik zou trouwens op kerstdag best met kroep in bed willen liggen, en met mijn vriendinnetje. Jij toch ook, Bailey? We willen alleen proberen om, zeg maar, een afspraak te maken. Kom op nou, Bailey, je wilt ons hier toch niet met kerst laten werken met kroep. Kom op, brother.'

Bailey keek Levi onderzoekend aan. Alle anderen waren al zo'n beetje in de hoek bij de deur gaan staan met de bedoeling te vertrekken. Levi bleef staan waar hij stond.

'Maar er valt nergens over te praten,' zei Bailey op stellige toon. 'Zo is de regel, snap je dat?'

'Eh, mag ik even?' zei Tom, terwijl hij een stap naar voren deed. 'Meneer

Bailey, we willen u niet boos maken, we stonden er gewoon over na te denken of...' Bailey legde hem met een gebaar het zwijgen op. Verder stond er niemand achter hem. Alleen Levi.

'Begrijp je wel? Dit is een order van hogerhand, en daarmee is de kous af. Niets aan te doen. Snap je dat, Levi?'

Levi haalde zijn schouders op en draaide zich iets van Bailey af, net genoeg om te laten merken hoe weinig indruk deze impasse op hem maakte.

'Ik snap het wel... ik vind het alleen gelul.'

Candy floot. Mike duwde zachtjes de branddeur open en wachtte op de anderen.

'Tom, jullie allemaal, terug naar je werk, nú,' zei Bailey terwijl hij met zijn ene hand de andere krabde. Er zaten roze, rauwe striemen op. 'Levi, jij blijft waar je bent.'

'Het is niet alleen Levi, we hebben allemaal...' probeerde Tom dapper, maar weer legde Bailey hem met een opgestoken vinger het zwijgen op.

'En nu wegwezen, als het even kan. Iemand moet hier het werk doen.'

Tom wierp Levi een meelevende blik toe en liep achter Mike en Candy aan. De branddeur viel heel langzaam dicht, waarbij een zuchtje warme lucht uit de winkel de kale, betonnen plek binnen drong. Eindelijk viel de deur met een schok in het slot, wat over de hele achterplaats te horen was. Bailey deed een paar stappen in de richting van Levi. Levi hield zijn armen over elkaar, hoog op zijn borst, maar het was zo'n schok om Baileys gezicht van zo dichtbij te zien dat Levi onwillekeurig met zijn ogen knipperde.

'*Gedraag – je – niet – als – een – nikker – tegenover – mij – Levi*,' zei Bailey op fluistertoon, elk woord een lading gevend, als pijlen die hij op een dartbord richtte. 'Ik zie wel hoe je je uitslooft om mij voor gek te zetten. Je denkt dat je heel wat bent, omdat je de enige zwarte jongen bent die deze jongeren hun hele leven te zien hebben gekregen. Laat ik je dit vertellen: *Ik weet waar jij vandaan komt, brother.*'

'Wát?' zei Levi, wiens maag nog steeds van slag was door dat vreemde woord, dat als een verkeersdrempel in de zin lag, en dat hem zo kwaadaardig in het gezicht was geslingerd. Bailey draaide Levi zijn rug toe en wilde naar de branddeur lopen, met zijn bovenlichaam droevig gebogen.

'Je weet wat het betekent.'

'Waar heb je het over, man? Bailey, waarom praat je zo tegen me?'

'Menéér Bailey,' zei Bailey terwijl hij zich omdraaide, 'ik ben je meerdere. Mocht je 't nog niet weten. Waarom ik zo tegen jóu praat? Hoe zo? Hoe praatte jij net tegen mij waar die anderen bij waren?'

'Ik zei alleen maar dat...'

'Ik wéét waar je vandaan komt. Die kinderen weten geen moer, maar ik wel. Het zijn aardige kinderen uit een buitenwijk. Ze denken dat iedereen die een wijde spijkerbroek aanheeft een rapper is. Maar mij kun je niet voor de gek houden. Ik weet wat voor achtergrond jij voorwendt,' zei hij, en zijn woede vlamde weer op terwijl hij nog steeds de deur vasthield en zich naar Levi toe boog. 'Dat is namelijk míjn achtergrond, maar mij zie je niet de nikker uithangen. Ik zou maar beter op mezelf letten, jongen.'

'Pardon?' Levi's woede werd aan alle kanten gevoed door radeloze angst. Hij was een jonge jongen, en dit was een man die tegen hem praatte op een manier die hij nooit zou hebben gebruikt tegen de andere jongeren die hier werkten. Dit was niet langer de wereld van de megastore, waar iedereen familie van elkaar was en 'respect' een van de vijf 'persoonlijke gedragsregels' was die op het bord in de kantine geschreven stonden. Ze waren door een gat gevallen waar geen wetten en fatsoen en veiligheid meer heersten.

'Ik heb gezegd wat ik te zeggen had, meer zeg ik niet. En nu met je luie zwarte reet weer aan het werk. En jij praat nóóit meer zo tegen me waar de anderen bij zijn. Is dat duidelijk?'

Levi liep met veel vertoon langs Bailey, waarbij hij heftig met zijn hoofd schudde, waarschijnlijk zichzelf beklagend, en direct door naar de vierde etage, langs Candy en Tom, wier vragen hij negeerde terwijl hij een beetje scheef liep, alsof er een pistool in zijn linkerzij drukte. Steeds sneller en doelbewuster ging hij lopen, hij deed zijn honkbalpet af en schopte hem met de neus van zijn schoen over de balustrade. Het petje zweefde met een fraaie boog vier verdiepingen naar beneden. Toen Bailey hem naschreeuwde en vroeg waar Levi in vredesnaam naartoe dacht te gaan, begreep Levi ineens waar hij naar op weg was en stak hij zijn middelvinger naar de man op. Twee minuten later was hij in de kelder en vijf minuten daarna liep hij weer in zijn eigen kleren op straat. Een impulsief besluit had hem uit de megastore gedreven; nu pas drongen de gevolgen van zijn daad ineens tot hem door, ze drukten zo zwaar op zijn schouders dat hij zijn pas vertraagde. Halverwege Newbury Street bleef hij staan. Hij leunde tegen het hekwerk van een klein kerkhof. Twee dikke tranen welden op; hij smoorde ze in zijn handpalm. Krijg de tering. Hij zoog frisse, koele lucht in zijn longen en liet zijn kin op zijn borst zakken. In praktisch opzicht was dit heel vervelend – het was onder de allergunstigste omstandigheden al een nachtmerrie om een dollar van zijn ouders los te krijgen, maar nu? Zora verklaarde hem voor gek omdat hij dacht dat ze zouden gaan scheiden, maar wat zou er anders gebeuren als twee mensen zelfs geen maaltijd meer met elkaar wilden eten? En als je dan bij de een vijf dollar ging vragen, kreeg je te horen dat je maar naar de ander moest... Soms dacht hij: *zijn we nou rijk of niet? We wonen in zo'n teringgroot huis, waarom moet ik dan smeken om tien dollar?*

Een lang, groen blad, nog een beetje slap, hing op ooghoogte naast Levi. Hij trok het naar zich toe en begon er voorzichtig reepjes af te scheuren tot hij alleen de nerf overhield. En het ergste was: zonder die armzalige vijfendertig dollar per week had hij geen geld om op zaterdagavond Wellington uit te vluchten, was het uitgesloten dat hij met al die jongeren ging dansen, al die méisjes die het geen moer kon schelen wie Gram-ski was of waarom hoe-heet-ie – Rem-bran – niet goed was. Soms had hij het gevoel dat die vijfendertig dollar het enige was waardoor hij nog een beetje normaal bleef, een beetje gezond, een beetje zwart. Levi hield het blad in het licht om de nerf te bewonderen. Daarna verfrommelde hij het en liet hij het op de grond vallen.

'Pardon, pardon, pardon, pardon.'

Het was een nors Frans accent afkomstig van een lange, magere jongen. Hij duwde Levi van zijn plekje bij het hek waar hij stond te dagdromen. Samen met nog een stuk of zes jongens was hij bezig enorme beddenlakens neer te leggen vol spullen, aan de bovenkant vastgeknoopt, als plunjezakken. Toen ze die losmaakten kwamen er cd's, dvd's, posters en, vreemd genoeg, handtassen te voorschijn. Levi liep van het trottoir af en volgde hun handelingen, eerst afwezig, daarna met belangstelling. Een van hen drukte op de knop van een grote gettoblaster en zomerse hiphop, misplaatst maar welkom op deze kille herfstdag, barstte los rond de passerende winkelende mensen. Veel van hen lieten afkeurende geluiden horen. Levi glimlachte, hij kende dit nummer en nam moeiteloos het ritme over van de voetcimbaal en de drums – of wat voor apparaat het ook was dat tegenwoordig dit soort geluiden produceert – en begon met zijn hoofd te bewegen terwijl hij naar de bedrijvigheid keek, op zichzelf al een visuele expressie van de heftige baslijn. Als een patchworkdeken die wordt samengesteld uit miljoenen door computers gegenereerde kleuren, werden de dvd-hoesjes in rijen achter elkaar geplaatst, de een nog nieuwer dan de andere, en dus waarschijnlijk niet legaal. Een van de jongens hing snel de tassen aan de palen van de hekken en dit kleurige geheel bezorgde Levi een grote opwelling van vreugde omdat het zo onverwachts gebeurde, en op zo'n vreemd tijdstip. De mannen liepen te zingen en wisselden plagerijen uit, alsof het niet van belang was dat ze klanten trokken. Hun uitstalling was zo schitterend dat ze zich verder niet druk hoefden te maken over de verkoop. In Levi's ogen waren het schitterende wezens, afkomstig van een heel andere planeet dan die waarop hij vijf minuten geleden nog had verkeerd: levendig, atletisch, onbezorgd luidruchtig, roetzwart, lachend, ongevoelig voor de fronsende gezichten van dames uit Boston die langsliepen met hun stomme kleine hondjes. Brothers. Een zinnetje uit Howards toespraak van die ochtend – maar nu zonder de saaie context van het origineel – kwam bij Levi boven. *Situationisten veranderen het stadsbeeld.*

'Hé, wil je hiphop? Hiphop? Wij hebben hiphop voor je,' zei een van de jongens, als een acteur die de onzichtbare muur tussen hem en het publiek afbrak. Hij stak zijn lange vingers uit naar Levi, en die liep meteen naar hem toe.

6

'Mam, wat ben je in godsnaam aan het doen?'

Is het dan zo raar om op een trapje te zitten, half in de keuken en half in de tuin, met verkleumde voeten op de kille tuintegels, wachtend op de winter? Kiki had zich daar bijna een uur lang heel tevreden gevoeld, kijkend naar de donkere wind die de laatste blaadjes naar de grond joeg – en nu was daar haar dochter die haar ongelovig aankeek. Hoe ouder we worden, hoe meer onze kinderen willen dat we keurig recht het levenspad aflopen, met onze armen netjes opzij, ons gezicht in de neutrale positie van mannequins, niet naar links en niet naar rechts kijkend, en niet – alsjeblieft niet – dat we gaan zitten wachten op de winter. Ze willen gerustgesteld worden.

'Mam, halló? Het stormt daarbuiten.'

'O, goedemorgen, schat. Nee, ik heb het niet koud.'

'Maar ík wel. Kan die deur dicht? Wat doe je daar?'

'Ik weet het eigenlijk niet. Kijken.'

'Naar wat?'

'Gewoon, kijken.'

Zora gaapte hierop overdreven en verloor onmiddellijk weer haar belangstelling. Ze trok met veel vertoon kasten open.

'Oké... Heb je al ontbeten?'

'Nee, liefje, ik heb...' Kiki legde allebei haar handen op haar knieën om besluitvaardigheid uit te drukken; ze wilde in Zora's ogen niet als excentriekeling overkomen. Ze had hier met een reden gezeten en nu zou ze met een reden weer opstaan. Ze zei: 'Die tuin kan wel wat liefdevolle aandacht gebruiken. Het gras ligt vol dode bladeren. Niemand raapt die appels op, ze liggen gewoon weg te rotten.'

Maar dat kon Zora niet boeien. 'Nou,' zei ze met een zucht, 'ik ga brood roosteren en eieren bakken. Ik mag eens per week, op zondag, best een gebakken ei. Ik vind dat ik dat wel heb verdiend. Ik heb me deze week helemaal lam gezwommen. Hebben we eieren?'

'In de kast, helemaal rechts.'

Kiki trok haar voeten weer onder zich. Ze had het nu toch wel koud. Aan de dunne rubberen rand van de schuifdeuren hees ze zich overeind. Een eekhoorn die ze een tijdje had zitten bekijken, slaagde er eindelijk in het netje rond de vetbol die Kiki voor de vogels had opgehangen open te maken, en stond nu daar waar ze hem een halfuur eerder had willen zien, recht voor haar op de tegels, met zijn staart in de vorm van een vraagteken trillend in de noordoostenwind.

'Zoor, kijk eens naar dit schatje.'

'Dat heb ik nooit begrepen, waarom staan die eieren niet in de koelkast? Jij bent de enige die ik ken die dat niet doet. Eieren horen in de koelkast. Dat is gewoon standaard.'

Kiki sloot de schuifdeuren en liep naar het prikbord waarop nota's, verjaardagskaarten, foto's en krantenknipsels hingen. Ze begon de laagjes papier op te tillen, keek onder receptjes en achter de kalender. Niets werd er ooit afgehaald. Er hing nog steeds een foto van de oude Bush met een dartbord over zijn gezicht geprojecteerd. En in de linkerbovenhoek een enorme button, die halverwege de jaren tachtig op het Union Square in New York was gekocht: IK HEB NOOIT HELEMAAL KUNNEN ACHTERHALEN WAT FEMINISME IS. IK WEET ALLEEN DAT MENSEN ME EEN FEMINIST NOEMEN ALS IK GEVOELENS LAAT ZIEN DIE ME ONDERSCHEIDEN VAN EEN DEURMAT. Lang geleden had iemand er een vlek op gemaakt en het citaat was vergeeld en krulde om als perkament, krimpend tussen het plastic en het metalen omhulsel.

'Zoor, hebben we het nummer nog van die man die het zwembad schoonmaakt? Ik moet hem bellen. Het loopt daar helemaal uit de hand.'

Zora schudde snel haar hoofd, een beweging waarmee ze een onthutsend gebrek aan belangstelling liet blijken.

'Kweenie. Vraag maar aan pap.'

'Lieverd, zet de afzuigkap eens aan. Straks gaat het brandalarm af.'

Kiki, die de beruchte onhandigheid van haar dochter vreesde, hief haar handen naar haar gezicht toen Zora een koekenpan tussen een rij andere pannen haalde die aan een rek boven de oven hingen. Er viel niets. Nu begon de ventilator te zoemen, even luidruchtig als ongevoelig voor nuance, een mechanisch achtergrondgeluid om alle hiaten in het vertrek en in de communicatie te vullen.

'Waar is iedereen? Het is al laat.'

'Ik geloof dat Levi gisteravond niet eens is thuisgekomen. Je vader slaapt nog, geloof ik.'

'Gelóóf je dat? Weet je dat niet?'

Ze keken elkaar aan, de oudere vrouw nam met een onderzoekende blik de jongere op. Ze wist niet goed raad met die koele, onbewogen ironie die Zora en haar vriendinnen zo graag bezigden.

'Wat nou?' zei Zora gespeeld onschuldig, zonder echte belangstelling. 'Ik weet hier niets van, hoor. Ik weet niet wie er momenteel waar slaapt.' Ze draaide zich weer om en opende de dubbele deur van de koelkast, waarbij ze in de enorme ruimte dook. 'Ik laat jullie liever over aan je eigen kleine drama. Als het drama zo verder moet gaan, dan moet het maar.'

'Er is geen sprake van een drama.'

Zora tilde met twee handen een enorm pak sap uit de koelkast en hield het op enige afstand van haar lichaam, als een trofee die ze had gewonnen.

'Wat je maar wilt, mam.'

'Doe me een lol, Zoor, houd het rustig vanochtend. Ik wil graag een dag doorkomen zonder dat iedereen staat te schreeuwen.'

'Zoals ik al zei: wat je maar wilt.'

Kiki ging aan de keukentafel zitten. Ze wreef met haar vinger over een kuiltje dat door houtworm was ingevreten. Ze hoorde Zora's eieren sissen en spetteren onder druk van het ongeduld van de kokkin; de stank van verbrande pannen was al te ruiken vanaf het moment dat het gas was aangestoken.

'En waar is Levi dan naartoe?' vroeg Zora opgewekt.

'Ik heb geen idee. Ik heb hem sinds gisterochtend niet meer gezien. Hij is niet thuisgekomen van zijn werk.'

'Ik hoop wel dat hij het veilig doet.'

'O gód, Zora.'

'Wat nou? Je kunt beter een lijst maken met de onderwerpen waar we niet meer over mogen praten. Dan weet ik dat.'

'Ik denk dat hij naar een club is geweest. Ik weet het niet. Ik kan hem niet thuis vastbinden.'

'Nee, mam,' zei Zora op sussende toon, bedoeld om die paranoïde, vervelende vrouw in de overgang gerust te stellen, 'dat zegt toch ook niemand.'

'Zolang hij maar wel thuiskomt als hij school heeft. Ik weet niet wat ik er verder nog aan kan doen. Ik ben zijn moeder, niet zijn gevangenbewaarder.'

'Luister, het kan mij niet schelen. Zout?'

'Naast je... daar, ja.'

'En, ga je vandaag nog iets doen? Yoga?'

Kiki plofte naar voren op haar stoel en hield haar kuiten met beide handen vast. Door haar eigen gewicht zakte ze verder voorover dan de meeste andere mensen. Als ze wilde, kon ze haar handen plat op de grond leggen.

'Ik denk het niet. Ik heb de laatste keer iets verrekt.'

'Nou, ik lunch hier niet. Ik mag momenteel eigenlijk maar één maaltijd per dag. Ik ga winkelen, je kunt wel meegaan,' bood Zora zonder veel enthousiasme aan. 'Dat hebben we al zo lang niet gedaan. Ik moet nieuwe zooi hebben om aan te trekken. Ik haat alles wat ik nu heb.'

'Je ziet er goed uit.'

'O ja, wat zie ik er goed uit. Maar niet heus,' zei Zora, sip aan haar oversized t-shirt plukkend. Dat was de reden waarom Kiki had gevreesd om dochters te krijgen; ze wist dat ze niet in staat zou zijn om hen te behoeden voor zelfhaat. Daarom had ze geprobeerd haar de eerste paar jaar televisiekijken te verbieden en was er, voorzover zij wist, nooit een lipstick of een damestijdschrift in huis gekomen, maar al dit soort voorzorgsmaatregelen hadden niets uitgemaakt. Die haat van vrouwen voor hun lichaam zat in de lucht, althans zo leek het in Kiki's ogen; het waaide binnen met elke tochtvlaag in huis, je droeg het op je schoenen mee naar binnen, je ademde het in via de kranten. Er was geen enkele manier om het tegen te gaan.

'Ik moet vandaag niet aan een winkelcentrum denken. Misschien ga ik trouwens wel langs bij Carlene.'

Zora draaide zich met een ruk om van haar eieren.

'Carlene Kipps?'

'Ik heb haar dinsdag gezien. Ze voelt zich niet zo goed, geloof ik. Misschien neem ik de lasagne wel voor haar mee in de koelbox.'

'Jij gaat met diepvrieslasagne naar mevrouw Kipps?' zei Zora terwijl ze met de houten lepel naar Kiki wees.

'Misschien.'

'Dus jullie zijn vriendinnen?'

'Ik geloof het wel.'

'Oké,' zei Zora aarzelend en richtte haar aandacht weer op het fornuis. 'Is dat een probleem?'

'Ik geloof het niet.'

Kiki sloot haar ogen en wachtte op wat er zou volgen.

'Ik bedoel... ik denk dat je wel weet dat Monty het papa op dit moment heel moeilijk maakt. Hij heeft weer zo'n smerig stuk in de *Herald* geschreven. Hij wil zijn giftige lezingen geven en hij beschuldigt Howard ervan – let op – dat hij hem het recht op vrijheid van meningsuiting ontzegt. Ik moet er niet aan denken hoe die man moet worden verteerd door zelfhaat. Tegen de tijd dat hij daarmee klaar is, hebben we helemaal geen antidiscriminatiewet meer, en zit Howard waarschijnlijk zonder werk.'

'Ach, zo'n vaart zal het niet lopen.'

'Misschien heb jij een ander artikel gelezen.' Kiki hoorde de harde toon die in Zora's stem was geslopen. Haar dochters ontluikende wilskracht, op deze leeftijd heel intens, was iets wat ze samen jaar na jaar ontdekten. Kiki voelde zich net een slijpsteen waaraan Zora zich kon scherpen.

'Ik heb het niet gelezen,' zei Kiki die haar eigen wil liet gelden, 'ik probeer zo'n beetje aan het idee te wennen dat er nog een wereld is buiten Wellington.'

'Ik begrijp echt niet waarom je lasagne gaat brengen naar iemand die gelooft dat jij in het hellevuur zult branden, dat is alles.'

'Nee, dat zal best.'

'Leg het me dan uit.'

Kiki gaf het met een zucht op. 'Laten we erover ophouden, oké?'

'Ophouden. Netjes vergeten. Naar de grote vergeetput, net als al het andere.'

'Hoe zijn je eieren?'

'Voortreffelijk,' zei Zora overdreven bekakt, en ging met een zeker aplomb aan de ontbijtbar zitten, met haar rug naar haar moeder.

Zo zaten ze een paar minuten in stilte, terwijl de afzuigkap zijn nuttige werk deed, tot Zora de televisie met de afstandsbediening aanzette. Kiki zag, zonder dat ze het kon horen, een wilde bende sjofele jongens, in de afgedankte sportkleren van rijkere landen dan die waarin zij woonden, door een tropische sloppenwijk denderen. Het hield het midden tussen een stammendans en een opstand. Ze stompten met hun vuisten in de lucht en leken te zingen. Het volgende beeld toonde een jongen die een eenvoudige, zelfgemaakte brandbom gooide. De camera volgde het traject en toonde de explosie die een lege legerjeep, die al tegen een palmboom was geknald, deed schommelen. Er werd gezapt naar een ander kanaal, daarna weer een ander. Zora bleef steken bij het weerbericht: een vijfdaagse vooruitblik liet zien dat de temperaturen langzaam maar zeker daalden. Hierdoor wist Kiki precies hoe lang ze nog moest wachten. Zondag zou de winter beginnen.

'Hoe gaat het op school?' probeerde Kiki.

'Prima. Ik heb dinsdagavond de auto nodig, we gaan op een soort excursie, naar de Bus Stop.'

'De club? Leuk, zeker?'

'Het is voor Claires les.'

Kiki, die dit al vermoedde, zei niets.

'En, is dat goed?'

'Ik weet niet wat je bedoelt. De auto kan wel, denk ik.'

'Ik bedoel, je hebt niets gezegd,' zei Zora tegen het televisiescherm. 'Ik zou die werkgroep niet eens hebben gedaan, maar het is... tja, het telt nu eenmaal mee voor je puntentotaal, ze is bekend, en het is stom, maar dat maakt toch wel uit.'

'Ik heb er geen probleem mee, Zoor. Jij bent degene die er een probleem van maakt. Het lijkt me hartstikke leuk. Goed van je.'

Ze spraken op diplomatieke toon met elkaar, als twee administratief medewerkers die samen een formulier invullen.

'Ik wil me er ook niet rot over voelen.'

'Niemand heeft gezegd dat je je er rot over moet voelen. Is de eerste les al geweest?'

Zora prikte een stukje brood op haar vork en bracht het naar haar mond, maar eerst zei ze: 'We hebben een introductieles gehad – alleen even om kennis te maken. Sommigen hebben wat voorgelezen. Het was nogal een rommelig geheel. Veel Plath-volgelingen. Ik maak me niet te sappel.'

'Mooi.'

Kiki keek achterom naar de tuin en terwijl ze weer dacht aan water en bladeren en de manier waarop die met elkaar te maken hebben, kwam er plotseling een herinnering bij haar boven aan de afgelopen zomer.

'Was die... weet je nog, die jongen, die knappe jongen, bij Mozart... deed hij niet iets bij de Bus Stop?'

Zora kauwde verwoed op haar brood en sprak vanuit haar mondhoek. 'Misschien wel – ik weet het niet meer.'

'Hij had zo'n prachtige kop.'

Zora pakte de afstandbediening en zapte naar de lokale zender. Noam Chomsky zat achter een bureau. Hij sprak recht in de camera, terwijl hij met zijn grote, expressieve handen steeds grotere cirkels maakte.

'Jij ziet dat soort dingen niet.'

'Ma-ham.'

'Nou, dat vind ik opvallend. Dat je daar niet zo op let. Dat vind ik zeer hoogstaand. Een bewonderenswaardige eigenschap.'

Zora zette Noam harder en bracht haar oor dichter bij het scherm.

'Ik geloof dat ik alleen meer... cerebraal ben ingesteld.'

'Toen ik zo oud was als jij liep ik achter jongens op straat aan omdat ze er van achter zo lekker uitzagen. Ik zag graag hoe ze met hun achterste schudden.'

Zora keek verwonderd op naar haar moeder. 'Ik probeer te éten...'

Er klonk een geluid van een deur die openging. Kiki stond op. Haar hart, dat ineens op onverklaarbare wijze in haar rechterdij terechtgekomen leek, bonkte als een bezetene en dreigde haar uit balans te brengen. Ze deed een stap in de richting van de hal.

'Was dat Levi's deur?'

'Ik heb die gast trouwens... gek genoeg... vorige week gezien. Hij heet Carl of zoiets.'

'O ja? Hoe ging het met hem? *Levi... ben jij daar?*'

'Ik weet niet hoe het met hem ging, hij heeft me zijn levensverhaal niet verteld, maar hij leek in orde. Het is eigenlijk een beetje een griezel. In enige mate vervuld van zichzelf. Volgens mij betekent "straatdichter" waarschijnlijk gewoon...' zei Zora, en hield op toen haar moeder door de keuken rende om haar zoon te begroeten.

'Levi! Hallo, jochie. Ik wist niet eens dat je thuis was.'

Levi duwde de knokkels van zijn duimen in zijn korstige ogen en liep op zijn opgeluchte moeder af. Zonder zich te verzetten liet hij zich aan haar royale, vertrouwde boezem drukken.

'Lieverd, wat zie je eruit. Hoe laat was je thuis?'

Levi keek even verdwaasd op voordat hij weer wegzonk.

'Zora, zet even een kop thee voor hem. Die arme schat kan geen woord uitbrengen.'

'Laat hem zelf zijn thee zetten. Die arme schat moet niet zoveel drinken.'

Hierdoor kwam Levi tot leven. Hij maakte zich los uit zijn moeders omhelzing en liep naar de ketel. 'Hou je kop, man.'

'Hou zelf je kop.'

'Ik heb niks niet gedronken, ik ben gewoon moe. Ik was laat thuis.'

'Niemand heeft je binnen horen komen, ik was ongerust, weet je. Waar zat je?' vroeg Kiki.

'Nergens, ik was gewoon met een paar jongens... we zijn uit geweest, naar een club. Het was vet. Mam, is er wat te eten?'

'Hoe was het op je werk?'

'Best. Zoals altijd. Is er wat te eten?'

'Die eieren zijn van mij,' zei Zora, en ze trok haar bord naar zich toe. 'Je weet waar de cornflakes staan.'

'Hou je kop.'

'Lieverd, ik ben blij dat je het naar je zin hebt gehad, maar nu is het wel genoeg. Ik wil dat je deze hele week 's avonds niet meer de deur uitgaat, oké?'

Levi's stem rees een aantal decibellen toen hij zich verweerde: 'Ik wíl niet eens weg.'

'Mooi, want je zit voor je examens en daar moet je nu voor gaan werken.'

'O, wacht, man... ik moet dinsdagavond wel weg.'

'Levi, wat zei ik nou?'

'Maar ik ben al rond elf uur terug. Yo, het is echt belangrijk.'

'Kan me niet schelen.'

'Nee echt, o, man... die gasten die ik heb leren kennen... die treden op... ik ben rond elf uur terug... het is gewoon in de Bus Stop... mag ik dan met een taxi?'

Zora keek op van haar ontbijt.

'Wacht, ík ga dinsdag naar de Bus Stop.'

'Nou en?'

'Dan wil ik jou daar toch niet zien? Ik ga met mijn klas.'

'Nou én?'

'Kun je niet op een andere avond gaan?'

'Ach, hou toch je kop. Mam, ik ben rond elven terug. Ik heb de eerste twee uur vrij op woensdag. Echt waar, man. Ik kom gelijk thuis met Zora.'

'Dat dacht ik niet.'

'Jawel,' zei Kiki op besliste toon, 'dat is afgesproken. Allebei om elf uur thuis.'

'Wát?'

Levi maakte op weg naar de koelkast een huppeltje, en toen hij langs Zora liep deed hij er nog een snelle draai à la Michael Jackson achteraan.

'Jemig, wat oneerlijk,' klaagde Zora, 'dat is nou precies waarom ik in een andere stad had moeten gaan studeren.'

'Zolang je hier in huis woont, moet je je voegen naar de anderen,' zei Kiki, die de hoofdregels aangreep om een besluit te verdedigen waarvan ze voor zichzelf al had geconstateerd dat het niet helemaal eerlijk was. 'Zo hebben we het afgesproken. Jullie hoeven hier geen cent huur te betalen.'

Zora sloeg haar handen boetvaardig in elkaar.

'O, wat ben ik nou dankbaar. Bedankt dat je me laat wonen in het huis waar ik ben opgegroeid.'

'Zoor, hou op met die grappen – ik bedoel, waag het niet om...'

Zonder dat iemand het had gemerkt, was Howard de kamer binnen gekomen. Hij was volledig aangekleed, hij had zelfs schoenen aan. Zijn haar was nat en naar achteren gekamd. Het was misschien wel de eerste keer in een week tijd dat Howard en Kiki op deze manier in een en dezelfde kamer stonden, weliswaar op drie meter afstand, en elkaar recht aankeken, als twee officiële, niets met elkaar te maken hebbende, levensgrote portretten die tegenover elkaar geplaatst waren. Terwijl Howard de kinderen vroeg de kamer te verlaten, nam Kiki de tijd om hem op te nemen. Ze zag hem nu anders, dat was een van de neveneffecten. Of die nieuwe zienswijze de waarheid was, kon ze niet zeggen. Maar het was in elk geval ontluisterend, onthullend. Ze zag elke plooi en elk trillinkje in zijn ooit knappe gezicht. Ze merkte dat ze minachting kon voelen voor zijn meest neutrale fysieke kenmerken. Die dunne, papierachtige, Europese neusgaten. Die deegachtige oren waaruit haren groeiden die hij zorgvuldig weghaalde maar die haar toch steeds weer opvielen. Het enige wat een bedreiging kon vormen voor haar vastberadenheid waren de beelden die zich aan haar voordeden van Howard door de jaren heen: toen hij 22, 40, 45 en 51 was. Het kostte haar moeite al deze Howards erbuiten te laten, het was belangrijk dat haar gedachten nu niet afdwaalden, maar dat ze alleen reageerde op deze laatste Howard, de zesenvijftigjarige Howard. De leugenaar, de hartenbreker, de bedrieger. Ze gaf geen krimp.

'Is er iets, Howard?'

Howard had net zijn weerspannige kinderen de kamer uit weten te krijgen. Ze waren alleen. Hij draaide zich snel om, van zijn gezicht was helemaal niets af te lezen. Hij wist niet wat hij moest doen met zijn handen en voeten, waar hij moest gaan staan, waar hij op moest steunen.

'Er is niet "iets",' zei hij zachtjes, en trok het vest dichter om zijn lichaam. 'Niet iets in het bijzonder. Ik weet niet wat die vraag betekent. Iets? Ik bedoel... kennelijk is alles mis.'

Kiki, die voelde dat zij nu de macht had, sloeg haar armen opnieuw over elkaar.

'Juist. Heel poëtisch uitgedrukt. Ik ben bang dat ik op dit moment niet bepaald in de stemming ben voor poëzie. Wilde je me iets zeggen?'

Howard keek naar de grond en schudde zijn hoofd, teleurgesteld, als een wetenschapper die niet de gegevens krijgt die hij verwacht had van een ingewikkeld experiment.

'Juist,' zei hij ten slotte en deed alsof hij terug wilde lopen naar zijn werkkamer, maar bij de deur draaide hij zich weer om. 'Eh... kunnen we een keer gewoon met elkaar praten? Als mensen. Die elkaar kennen.'

Kiki had haar kans afgewacht. Dit zou hem zijn.

'Ga mij nou niet vertellen dat ik me menselijk moet gedragen. Ik wéét wel hoe ik me menselijk moet gedragen.'

Howard keek haar aan en zei nadrukkelijk: 'Natúúrlijk weet jij dat.'

'Ach, krijg de tering.'

Tegelijkertijd deed Kiki iets wat ze in jaren niet had gedaan. Ze stak haar middelvinger naar haar man op. Howard stond perplex. Met een stem die van heel ver leek te komen zei hij: 'Nee... dit wordt niets.'

'O, nee? Is dit geen goede dialoog? Is dit niet de communicatie waarop je had gehoopt? Howard, ga naar de bibliotheek.'

'Hoe kan ik nu met je praten als je zo doet? Het is totaal onmogelijk om zo met je te praten.'

Hij zag er zo intriest uit dat het even bij Kiki opkwam zelf ook haar verdriet te tonen. Maar in plaats daarvan verhardde ze nog meer.

'Nou, dat spijt me dan voor je.'

Kiki werd zich ineens bewust van haar buik die over haar legging hing; ze duwde hem onder het elastiek van haar onderbroek, waardoor ze zich op de een of andere manier veiliger voelde, steviger. Howard zette zijn handen op de keukenbar als een advocaat die een pleidooi ging houden voor een onzichtbare jury.

'We moeten het natuurlijk hebben over wat er nu gaat gebeuren. Althans... de kinderen moeten dat weten.'

Kiki liet een schelle lach horen. 'Lieve schat, jij bent degene die de besluiten neemt. Wij vangen de klappen zo goed mogelijk op. Wie weet wat je dit gezin hierna weer aandoet. Weet jij dat? Dat weet niemand.'

'Kiki...'

'Ja, wat nou! Wat wil je dat ik zég?'

'Niets!' barstte Howard los, en hervond vervolgens zijn zelfbeheersing, waarbij hij zachter sprak en zijn handen in elkaar klemde. 'Niets... de schuld ligt bij mij, dat weet ik. Het is aan mij om... om... mijn verhaal uit te leggen op een begrijpelijke wijze... en om een, ik weet niet, een verklaring te geven, ik bedoel, wat betreft de motivering...'

'Laat maar... ik begrijp je verhaal, Howard. Oftewel, ik heb je door. We zitten hier niet bij jou in de klas! Ben je in staat om met me te praten op een begrijpelijke manier?'

Hierop kreunde Howard. Hij gruwde van deze verwijzing – een oude oorlogswond in dit huwelijk die voortdurend werd opengehaald – naar het verschil tussen zijn 'academische' woordkeuze en de door zijn vrouw aldus genoemde 'eigen' woordkeuze. Op elk moment kon ze zeggen – en dat deed ze ook herhaaldelijk – 'we zitten hier niet bij jou in de klas' en dat was altijd waar, maar hij zou nooit, maar dan ook nooit toegeven dat Kiki zich emotioneel beter kon uitdrukken dan hij. Zelfs nu, zelfs nu nog, bracht die oude onenigheid tussen hen hem tot razernij. Het kostte hem heel wat wilskracht om zijn wapens buiten de strijd te houden.

'Luister, laten we niet... Het enige wat ik wil zeggen is dat ik het gevoel heb... weet je, dat we een enorme stap terug zetten. Afgelopen voorjaar leek het erop dat we zouden... ik weet niet. Overleven, geloof ik.'

Wat hierop uit Kiki's keel ontsnapte had wel iets weg van een aria. 'In het vóórjaar wist ik nog niet dat jij een van onze vriendínnen neukte. In het voorjaar was het zomaar iemand, een onbekend persoon, een eenmalig avontuurtje. En nu is het Claire Málcolm, en het heeft weken geduurd!'

'Dríe weken,' zei Howard nauwelijks hoorbaar.

'Ik heb je gevráágd me de waarheid te zeggen, en jij hebt me recht in mijn gezicht voorgelogen! Als iedere andere klootzak van middelbare leeftijd in deze stad die zijn stompzinnige vrouw voorliegt. Ik kan niet geloven dat je me zo minacht. Claire Malcolm is een vriendin van ons. Warren is een vriend van ons.'

'Oké. Nou, laten we erover praten.'

'O, kunnen we dat dan? Kunnen we dat echt?'

'Natuurlijk. Als jij dat wilt.'

'Mag ik de vragen stellen?'

'Als je dat wilt.'

'Waarom heb je Claire Malcolm geneukt?'

'Jezus, verdomme, Kieks, toe nou...'

'Sorry, ligt het dan zo voor de hand? Kwetst dit je tere ziel, Howard?'

'Néé, natuurlijk niet... doe niet zo dom... Natuurlijk is het pijnlijk voor me om te proberen... om zoiets banaals uit te moeten leggen, op een manier...'

'O, het spijt me heel erg dat je piemel je intellectuele gevoelens kwetst. Dat moet verschrikkelijk zijn. Daar zit je dan met dat spitsvondige, schitterende, complexe brein van je, en dan blijkt steeds weer dat je piemel maar een vulgair, dom pikkie is. Dat moet echt een ramp voor je zijn!'

Howard pakte zijn tas op, die Kiki nu pas op de grond naast zijn voeten zag liggen.

'Ik moest nu maar gaan,' zei hij, en hij nam de route rechts van de tafel zodat hij ieder fysiek contact zou vermijden. Kiki kon in het ergste geval zomaar gaan schoppen en stompen, en hij kon haar dan zomaar bij haar polsen grijpen totdat ze daarmee ophield.

'Een blank vrouwtje,' gilde Kiki door de kamer, niet langer in staat zich te beheersen. 'Een piepklein blank vrouwtje dat in mijn zák zou passen.'

'Ik ga. Je stelt je aan.'

'En ik weet niet waarom me dat verbaast. Je ziet het niet eens, je ziet nooit iets. Voor jou is het normaal. Overal waar we naartoe gaan, ben ik alleen tussen die... die massa blanken. Ik ken bijna geen zwarten meer, Howie. Mijn hele leven is blank. Ik zie geen zwarte mensen meer tenzij ze vlak onder mijn snufferd lopen te stofzuigen in die verdomde kantine van die verdomde universiteit van je. Of tenzij ze zo'n verdomd ziekenhuisbed door een gang duwen. Ik heb mijn hele leven op jou afgestemd. En ik heb geen flauw idee meer waarom ik dat heb gedaan.'

Howard bleef staan onder een abstract schilderij aan de muur. Het hoofdkenmerk was een dik stuk witte gips, dat eruit moest zien als linnen, verkreukeld als een lap die iemand had weggegooid. Die handeling, dat weggooien, was door de kunstenaar vastgelegd, waarbij het 'linnen' in de lucht bleef hangen, omlijst door een witte houten kist die uit de muur naar voren kwam.

'Ik begrijp jou niet,' zei hij terwijl hij haar eindelijk aankeek, 'wat je zegt slaat helemaal nergens op. Je slaat volkomen door.'

'Ik heb mijn eigen léven voor jou opgegeven. Ik weet niet eens meer wie ik ben.'

Kiki liet zich in een stoel vallen en begon te huilen.

'O god, toe nou toch... toe nou... Kieks, ga nou niet huilen.'

'Kon je niemand vinden die nog minder op mij lijkt?' vroeg ze, terwijl ze met haar vuist op de tafel sloeg. 'Mijn been alleen al weegt meer dan die hele vrouw. Hoe denk je dat ik overkom in de ogen van iedereen in deze stad? Je bent getrouwd met een dik, zwart wijf en je gaat er goddomme vandoor met een witte kabóuter?'

Howard pakte zijn sleutels uit het stenen schoentje op het dressoir en liep doelgericht op de voordeur af.

'Dat ben ik niet.'

Kiki sprong op en liep hem achterna.

'Wat? Ik kan je niet verstaan... wat?'

'Niets! Dat mag ik niet zeggen.'

'Zeg. Het.'

'Ik wilde alleen maar zeggen...' Howard trok geïrriteerd zijn schouders op. 'Nou ja, dat ik ben getrouwd met een slanke zwarte vrouw. Niet dat het er iets mee te maken heeft.'

Kiki's ogen werden groot, het restje tranen dat ze nog had vulde haar ogen.

'Jezus christus. Wil je me vervolgen wegens contractbreuk, Howard? Productuitbreiding zonder waarschuwing vooraf?'

'Doe niet zo bespottelijk. Het gaat niet om zoiets banaals. Dat is het niet... Duizend factoren spelen natuurlijk een rol. Dit is niet de reden waarom mensen een affaire hebben, en ik wil geen gesprek op een dergelijk niveau, echt niet. Het is zo onvolwassen. Dat is te min voor jou, en voor mij.'

'Daar ga je weer. Howard, je zou het tegen je pik moeten hebben, zodat jullie samen hetzelfde liedje kunnen zingen. Je pik is te min voor je. Letterlijk.'

Kiki lachte even en begon toen te huilen, kinderlijke, onbeheerste snikken die uit haar buik oprezen en alles wat ze had ingehouden loslieten.

'Luister,' zei Howard resoluut, en hoe meer ze voelde dat zijn mededogen wegebde, des te harder ze begon te jammeren. 'Ik probeer zo eerlijk mogelijk te zijn. Als je het mij vraagt, speelt het fysieke element natuurlijk een rol. Je bent... Kieks, je bent zo veranderd. Niet dat ik het erg vind, maar...'

'Ik heb mijn leven aan jou gewijd. Ik heb mijn leven gegeven.'

'En ik hou van je. Ik heb altijd van je gehouden. Maar ik wil dit gesprek niet.'

'Waarom kun je me dan niet de waarheid vertellen?'

Howard pakte met zijn linkerhand zijn tas over uit zijn rechterhand en opende de deur. Hij was weer die advocaat die een ingewikkelde zaak vereenvoudigde voor een wanhopige, simpele ziel die zijn raad niet wilde aannemen.

'Het is waar dat mannen... dat ze reageren op schoonheid... het houdt voor hen niet op, die... die belangstelling voor schoonheid als fysiek gegeven in deze wereld, en dat is natuurlijk iets waarin ze gevangenzitten, en het infantiliseert... maar het is wel wáár en... ik weet niet hoe ik anders moet uitleggen wat er...'

'Ga wég.'

'Goed.'

'Ik heb geen belangstelling voor je theorieën over esthetica. Bewaar die maar voor Claire. Zij is er dol op.'

Howard zuchtte. 'Ik wilde niet belerend zijn.'

'Denk jij soms dat er een geweldige filosofische ik-weet-verdomme-niet-wat bestaat omdat je je pik niet in je broek kunt houden? Je bent Rembrandt niet, Howard. En houd jezelf niet voor de gek: lieve schat, ik kijk de hele tijd naar mannen... de hele tijd. Ik zie knappe kerels, elke dag, en ik denk aan hun pik, en hoe ze eruit zouden zien als ze naakt zijn...'

'Nu word je echt vulgair.'

'Maar ik ben een volwassen vrouw, Howard. En ik heb gekozen voor het leven dat ik leid. Ik dacht dat jij dat ook had gedaan. Maar jij rent blijkbaar nog steeds je pik achterna.'

'Maar ze is niet...' zei Howard, nu op een geërgerde fluistertoon, 'je weet wel... ze is van onze leeftijd, ouder nog, geloof ik. Je doet alsof het om een studente gaat, zoals die van Erskine... of... Maar in feite heb ik niet...'

'Wil je nu soms een prijs, verdomme?'

Howard sloeg expres met een klap de deur achter zich dicht en Kiki gaf er expres nog een trap tegenaan. Als gevolg daarvan viel het schilderij met de gipsafbeelding van de muur.

7

Op dinsdagavond knapte er een hoofdleiding op de hoek van Kennedy en Rosebrook. Een donkere stroom vulde de straat en liet alleen het hoger gelegen gedeelte in het midden droog. Het water klotste aan weerskanten van Kennedy Square en verzamelde zich in smerige plassen die in het licht van de straatlantaarns oranje kleurden. Zora had de auto een blok verderop geparkeerd, met de bedoeling op de vluchtheuvel te gaan wachten op haar poëzieklas, maar die werd ook aan alle kanten overspoeld door een modderbad, zodat het meer weg had van een eilandje. De auto's spatten in het voorbijgaan hele watergordijnen op. Dus bleef ze maar op de stoep, waar ze tegen de betonnen pui van een drogist leunde. Hier, op deze plek, meende Zora dat ze haar klas minstens twee minuten voordat zij haar zagen, aan kon zien komen, zoals ook op de vluchtheuvel het geval was geweest. Ze hield een sigaret in haar hand en probeerde te genieten van het schroeiende gevoel op haar schrale lippen. Ze keek naar de overkant, waar zich een bepaald gedragspatroon ontwikkelde. Mensen bleven staan voor de ingang van McDonald's, wachtten tot de passerende auto een plas smerig water had verplaatst, en vervolgden dan hun weg; trots, zich snel aanpassend aan alles waarmee de stad hen kon confronteren.

'Heeft iemand waterstaat al gebeld? Of is dit de tweede zondvloed?' informeerde een schorre Bostonse stem vlak naast Zora. Het was de dakloze man met zijn paarsige huid en zijn krulbaard vol grijze klitten, die witte pandakringen om zijn ogen had alsof hij het halve jaar in Aspen doorbracht. Hij stond hier altijd, met een polystyreen beker waarmee hij voor het bankgebouw om kleingeld schooide, en die hij nu met een korzelig lachje onder Zora's neus hield. Toen Zora niet reageerde, herhaalde hij zijn grapje. Om aan hem te ontkomen liep ze door naar de kant van de weg en keek ze in de goten, zogenaamd om te zien hoe het daar ging en om te kennen te geven hoe zorgelijk ze de toestand vond. Er had zich een dun laagje ijs gevormd op de plassen in de putten en op geulen in het onregelmatige asfalt. Sommige plassen waren al gesmolten tot een vieze brij, maar andere bleven strak, als wafeldunne ijsbaantjes. Zora gooide haar sigaret erop neer en stak meteen een nieuwe op. Ze vond het moeilijk om hier alleen te moeten wachten op de groep. Ze bereidde alvast een gelaatsuitdrukking voor – zoals haar favoriete dichter het omschreef – om de andere gezichten mee tegemoet te treden, iets wat veel tijd en oefening vergde. Als ze niet in gezelschap van anderen verkeerde was het in haar ogen zelfs alsof ze helemaal geen eigen gezicht had... En toch stond ze op de universiteit bekend als iemand die er een eigen mening op na hield, een 'persoonlijkheid', maar de waarheid was dat ze die hartstochtelijke overtuigingen niet mee naar huis nam, zelfs niet uit het lokaal. Ze had niet het gevoel dat ze er echte meningen op na hield, althans niet zoals andere mensen die hadden. Als de les was afgelopen zag ze meteen hoe ze even ondeugdelijk en net zo succesvol het tegendeel had kunnen beweren; Flaubert verdedigen ten koste van Foucault of Austen behoeden voor beschimping in plaats van Adorno. Was iemand ooit echt met iets begaan? Ze had geen idee. Of alleen Zora had dit vreemde, onpersoonlijke gevoel, of iedereen deed, net als zij, alsof. Ze veronderstelde dat ze het antwoord hierop op een gegeven moment zou weten. Intussen voelde ze zich licht, terwijl ze daar zo stond te wachten op echte mensen die haar tegemoetkwamen, licht in de puurste zin van het woord, en nerveus ging ze in gedachten allerlei mogelijke gespreksonderwerpen af, een allegaartje van belangrijke ideeën die ze met zich meedroeg om haar het aanzien te geven van iemand die iets voorstelt. Zelfs voor dit uitstapje naar het bohémienachtige deel van Wellington – een tochtje met de auto, waar lezen uitgesloten was – had ze in haar rugzak drie romans en een verhandeling over ambiguïteit van De Beauvoir gestopt; allemaal extra gewicht om te voorkomen dat ze wegzweefde, boven de zondvloed de nachtelijke hemel in.

'Zora, de verlichte geest, swingend met het zout der áárde.'

Rechts van haar verschenen haar vrienden, die haar begroetten; links van haar stond vlak naast haar schouder de dakloze kerel, waar ze snel vandaan liep, stompzinnig lachend bij de gedachte dat ze iets met hem te maken zou hebben. Ze omhelsden haar en schudden haar de hand. Dit waren mensen, vrienden: een jongen, Ron genaamd, tenger van bouw en met een afgemeten, spottende manier van bewegen, die zich graag schoon voelde en van Japanse dingen hield; een meisje, Daisy, lang en fors als een zwemster, met een doorsnee Amerikaans schrander gezicht, zandkleurig haar, dat zich stoerder gedroeg dan gezien haar uiterlijk nodig was, van romantische komedies uit de jaren tachtig hield en van Kevin Bacon en tweedehands handtassen; Hannah had rood haar en sproeten, een rationeel, hardwerkend, volwassen type, ze hield van Ezra Pound en maakte graag haar eigen kleren. Dit waren mensen. Mensen met hun eigen voorkeuren, koopgewoontes en fysieke kenmerken.

'Waar is Claire?' vroeg Zora, om zich heen kijkend.

'Aan de overkant,' zei Ron, met zijn hand op zijn heup. 'Met Eddie en Lena en Chantelle en z... – bijna de hele groep is er. Claire vindt het helemaal geweldig, natuurlijk.'

'Heeft ze jullie naar mij toe gestuurd?'

'Ik denk het. O-o, dr. Belsey. Bespeurt u een trauma?'

Zora hapte vrolijk. Op grond van wie ze was, beschikte ze over informatie die andere studenten nooit konden weten. Zij vormde de verbinding met het intieme leven van professoren. Ze zag er geen kwaad in om alles wat ze wist aan hen door te vertellen.

'Wat dacht je dan? Ze kan me niet eens recht aankijken – zelfs als ik in de klas iets voorlees, zit ze naar het raam te knikken.'

'Volgens mij heeft ze gewoon ADGP,' teemde Daisy.

'Aandachtstekort door gemis van penis,' zei Zora, bijzonder snel van begrip. 'Alles wat geen pik heeft, komt in feite iets tekort.'

Het groepje bulderde van het lachen, een wereldwijsheid voorwendend die geen van hen in werkelijkheid bezat.

Ron sloeg vriendschappelijk een arm om haar schouders. 'Het loon van de misdaad en zo,' zei hij, terwijl ze wegliepen, en daarna: 'Waar gaat het heen met de moraal?'

'Waar gaat het heen met de poëzie?' zei Hannah.

'Waar gaat het heen, m'n reet?' zei Daisy, en gebaarde naar Zora dat ze een sigaret wilde. Ze waren gevat en slim, hun timing was geweldig, en ze waren jong en uitgelaten. Ze waren echt bijzonder, dachten ze, en daarom praatten en gebaarden ze zo opvallend, om bewondering uit te lokken van toeschouwers.

'Vertel het maar,' zei Zora en wipte het kartonnen doosje open.

En zo voltrok het zich weer, het dagelijkse wonder waarbij de binnenkant zich ontvouwt en de bloem van het leven met de duizenden blaadjes hier, in de grote wereld, met andere mensen, tot bloei brengt. Niet zo moeilijk als ze had gedacht en ook niet zo makkelijk als het eruitzag.

De Bus Stop maakte bijna deel uit van Wellington. Al twintig jaar was het een goedkoop en populair Marokkaans restaurant dat werd bezocht door studenten, de oude hippies van Kennedy Square, professoren, inwoners en toeristen. Het was in handen van een Marokkaanse familie van de eerste generatie en het eten was zeer goed, karakteristiek en zonder pretenties. Hoewel er geen Marokkaanse diaspora in Wellington was om de authenticiteit van lamsstoofschotel of saffraancouscous te kunnen waarderen, was de familie Essakalli daardoor nooit verleid tot veramerikanisering. Ze serveerden wat ze zelf lekker vonden en wachtten tot de bewoners van Wellington zich aanpasten, wat inderdaad gebeurde. Alleen het decor kwam tegemoet aan het verlangen van de stad naar kitscherige etnische charme: eiken tafeltjes ingelegd met paarlemoer, lage bankjes bedolven onder bonte kussens van stekelige geitenwol. Waterpijpen met lange halzen lagen op de hoge planken als exotische vogels die op stok zaten.

Toen de Essakalli's zes jaar geleden met pensioen gingen, nam hun zoon Yousef met zijn Duits-Amerikaanse vrouw Katrin de zaak over. In tegenstelling tot zijn ouders, die de studenten, met hun grote kruiken bier, valse identiteitskaarten en hun verzoeken om ketchup slechts oogluikend hadden toegelaten, genoot de jonge, meer Amerikaanse Yousef van hun aanwezigheid en begreep hij hun behoeften. Het was zijn idee om de kelder van 45 meter te verbouwen tot een ruimte waarin allerlei evenementen en feestjes konden plaatsvinden. Hier werden de beelden van *Star Wars* gecombineerd met de soundtrack van *Dr. Zhivago*. Hier legde een forse roodharige dame met puistjes aan een groep lenige eerstejaarsstudentes de kunst van het buikdansen uit, waarbij je je buik draaibewegingen met de klok mee moest laten maken. Lokale rappers gaven geïmproviseerde voorstellingen. De locatie was favoriet bij Britse gitaarbands die er hun zenuwen kwijt konden raken voor ze aan hun Amerikaanse tournee begonnen. Marokko was, zoals het nu was vormgegeven in de Bus Stop, een plek waar veel gebeurde. De zwarte jongeren uit Boston waren gek op Marokko, gek op de Arabische aard met de Afrikaanse ziel, de enorme hasjpijpen, de chilipepers in het eten, de aanstekelijke ritmes. De blanke jongeren van de universiteit waren ook gek op Marokko; zij hielden van de sleetse glamour, zijn filmhistorie van niet-gepolitiseerd oriëntalisme, de coole, puntige muiltjes. De hippies en activisten van het Kennedyplein kwamen – zonder zich er echt van bewust te zijn – nu vaker naar de Bus Stop dan voordat de oorlog begonnen was. Het was hun manier om zich solidair te verklaren met de ellende in het buitenland. Van alle evenementen in de Bus Stop waren de tweemaandelijkse avondjes van het Gesproken Woord de grootste sensatie. Als kunstvorm bezat het dezelfde veelomvattendheid als de locatie zelf: iedereen kon zich er thuis voelen. Niet alleen rap en niet alleen poëzie, niet formeel maar ook niet al te losgelagen, niet zwart en ook niet blank. Wie er wat te zeggen had en wie het lef had om het kleine podium achter in de kelder te beklimmen, deed dat. Voor Claire Malcolm was het elk jaar weer een kans om haar nieuwe studenten te laten zien dat poëzie een breed gebied besloeg, en dat ze dit met alle plezier nader wilden onderzoeken.

Door deze bezoekjes en omdat ze regelmatig in het restaurant kwam, was Claire een goede bekende van de Essakalli's. Toen Yousef haar aan zag komen, baande hij zich een weg door de menigte die op een tafeltje stond te wachten en hield hij de dubbele deuren voor haar open zodat haar leerlingen uit de kou naar binnen konden komen. Met zijn arm hoog op de deurlijst lachte Yousef hen stuk voor stuk toe, en iedereen kreeg de gelegenheid om zijn smaragdgroene ogen te bewonderen – die je niet zou verwachten in een donker, onmiskenbaar Arabisch gezicht – en de grove, zijdezachte krullen, warrig als van een klein kind. Toen ze allemaal goed en wel binnen waren, boog hij zich behoedzaam naar Claire en liet hij zich op beide wangen kussen. Tijdens dit hoffelijke, on-Amerikaanse vertoon, hield hij een hand op een klein geborduurd petje achter op zijn hoofd. Claires klasje vond het allemaal prachtig. Veel van hen waren eerstejaars voor wie een bezoekje aan de Bus Stop, eigenlijk al aan Kennedy Square, bijna net zo bijzonder was als een reis naar Marokko zelf.

'*Yousef, ça fait bien trop longtemps!*' riep Claire terwijl ze een stap naar achteren zette maar intussen zijn hand in de hare hield. Ze hield meisjesachtig haar hoofd schuin. '*Moi, je deviens toute vieillée, et toi, tu rajeunis.*'

Yousef lachte, schudde zijn hoofd en keek vol waardering naar het kleine figuurtje voor hem, dat een zwarte sjaal een paar keer om zich heen had gedrapeerd.

'*Non, c'est pas vrai, c'est pas vrai... Vous êtes magnifique, comme toujours.*'

'*Tu me flattes comme un diable. Et comment va la famille?*' vroeg Claire met een blik naar de bar aan het einde waar Katrin, die wachtte tot ze werd opgemerkt, haar magere arm ophief en zwaaide. De hoekige vrouw was vandaag gekleed in een sensuele bruine wikkeljurk die haar vergevorderde zwangerschap – een hoge buik, wat op een jongen duidt – duidelijk liet uitkomen. Ze scheurde bonnetjes af en gaf ze aan een rij tieners die ieder hun drie dollar betaalden en de trap afliepen naar de kelder.

'*Bien,*' zei Yousef eenvoudig en daarna, aangemoedigd door Claires verrukte reactie over zijn pure, eerlijke beschrijving, weidde hij uit op een manier die haar minder aanstond, en ratelde hij honderduit over de zwangerschap waar ze zo naar hadden verlangd, over zijn ouders die nog stiller waren gaan leven in de bossen van Vermont, en over de groei en het succes van zijn restaurant. Claires werkgroep, waarvan niemand Frans verstond, dromde verlegen lachend samen achter hun lerares. Maar Claire kreeg altijd snel genoeg van de verhalen van anderen en tikte Yousef nu een paar maal op zijn arm.

'We willen een tafel, schat,' zei ze in het Engels, terwijl ze langs hem keek naar de tafels in de nissen aan weerszijden van een breed looppad, als banken in een kerk. Yousef kwam meteen in actie.

'Ja, natuurlijk. Met hoeveel zijn jullie?'

'Ik heb jullie nog niet eens voorgesteld,' zei Claire, en wees haar bedeesde leerlingen stuk voor stuk aan, waarbij ze over iedereen een aardigheidje vertelde – al was niet alles overeenkomstig de waarheid. Als je een beetje kon pianospelen, werd je omschreven als een maestro. Een keer meegedaan met een studentencabaret? De volgende Minelli. Iedereen kon zich warmen aan het gemeenschappelijke vuur. Zelfs Zora, die werd voorgesteld als 'het brein van de hele club', begon iets te voelen van de echte, onaantastbare magie van Claire: ze gaf je het gevoel dat het het allerbelangrijkste, meest fantastische was om daar op dat moment te zijn. Claire had het in haar gedichten vaak over het idee dat 'dingen kloppen': namelijk wanneer het doel dat je voor ogen hebt en dat wat je eraan doet om dat te bereiken – ongeacht hoe klein of onbeduidend beide ook zijn – bij elkaar passen, kloppen. Dat is het moment, zo stelde Claire, waarop we echt mens worden, volledig onszelf, prachtig. Zwemmen wanneer je lichaam is gemaakt om te zwemmen. Knielen wanneer je je nederig voelt. Water drinken als je dorst hebt. Of, als je het groots wilt aanpakken, een gedicht schrijven waarin precies het bijpassende gevoel of de gedachte die je wilt overbrengen tot uitdrukking komt. In Claires tegenwoordigheid zat je niet verkeerd in elkaar, nee, zeker niet. Je was de ontvanger en het instrument van je talenten, overtuigingen en verlangens. Daarom meldden studenten zich met honderden aan voor haar lessen. De arme Yousef was na de uitgebreide begroeting van deze studenten door al zijn verwonderde gezichtsuitdrukkingen heen.

'Met hoeveel zijn jullie?' vroeg hij weer, toen Claire uitgepraat was.

'Tien, elf? Ik geloof dat we drie tafels nodig hebben, schat.'

De tafelindeling was een politieke kwestie. Iedereen wilde natuurlijk bij Claire zitten, en als dat niet lukte bij Zora, maar toen deze twee onbedoeld aan dezelfde tafel terechtkwamen, begon er een onbetamelijk geharrewar over de resterende plaatsen. De twee die het geluk ten deel viel, Ron en Daisy, staken hun vreugde niet onder stoelen of banken. Aan de tweede tafel achter hen was het daarentegen angstvallig stil. De drie overgeblevenen, die aan een tafel aan de andere kant zaten, zaten duidelijk sip te kijken. Ook Claire was teleurgesteld. Ze had meer op met de studenten die niet aan deze tafel zaten. Ron en Daisy's rauwe, harde humor vond ze niet leuk. Amerikaanse humor deed haar meestal niets. Nooit voelde ze zich minder op haar gemak in de Verenigde Staten dan wanneer ze een van die verwarrende sitcoms zag: mensen die naar binnen en dan weer naar buiten liepen, met kwinkslagen, lachsalvo's, gekkigheden en beschimpingen. Ze had liever aan de tafel met de overblijvers gezeten bij Chantelle, om te luisteren naar de onthutsende verhalen die het sombere meisje te vertellen had over het gettoleven in een achterstandswijk in Boston. Claire was geboeid door verhalen over levens die zo verschilden van het hare, alsof ze zich op een andere planeet afspeelden. Haar eigen achtergrond was internationaal, geprivilegieerd en in emotioneel opzicht hard. Ze was opgegroeid tussen Amerikaanse intellectuelen en Europese aristocraten, een hoogstaande maar kille combinatie. *Vijf talen*, zo stond er in een van haar allereerste gedichten, het soort rijmelarij dat ze begin jaren zeventig had geschreven, *en nog weet ik niet hoe ik moet zeggen dat ik van je hou*. Of, belangrijker: dat ik je haat. In Chantelles familie werden beide zinsneden regelmatig met gevoel voor drama door het huis geslingerd. Maar daarover zou Claire deze avond niets te horen krijgen. In plaats daarvan moest ze fungeren als het net waarover Ron en Daisy en Zora kwinkslagen als tennisballen naar elkaar sloegen. Ze nestelde zich in de kussens en probeerde er het beste van te maken.

Het gesprek ging op dit moment over een televisieprogramma dat zo beroemd was dat zelfs Claire ervan had gehoord – hoewel ze het nooit had gezien – het werd door haar drie studenten belachelijk gemaakt, waarbij dubieuze bedoelingen werden geanalyseerd, er duistere politieke motieven aan werden toegeschreven en ingewikkelde theorieën op losgelaten om het simpele, oprechte buitenkantje ervan af te pellen. Nu en dan dwaalden ze af tot het gesprek zijdelings over de huidige politiek ging – de president, de regering – waarbij Claire werd uitgenodigd haar mening te geven. Ze was blij dat op dat moment de ober hun bestellingen kwam opnemen. Er werd even geaarzeld bij de vraag wat ze wilden drinken, op één na mochten al haar studenten nog geen alcohol. Claire maakte duidelijk dat ze konden doen wat ze wilden. Snel werden er toen dwaze, quasi-mondaine drankjes besteld, die totaal niet bij een Marokkaanse maaltijd pasten: een whisky-ginger, een Tom Collins, een Cosmopolitan. Claire bestelde een fles wijn voor zichzelf. De drankjes werden snel gebracht. Al na de eerste slok kon ze zien dat haar studenten zich losmaakten uit de formaliteit van het klassengebeuren. Het kwam niet door het drinken op zich, maar door het feit dat ze het mochten. 'O, wat had ik daar behoefte aan,' klonk het uit de aangrenzende nis uit de mond van een muisachtig meisje dat Lena heette, terwijl ze een simpel flesje bier van haar lippen haalde. Claire lachte even in zichzelf en keek naar het tafelblad. Elk jaar meer studenten, steeds hetzelfde maar toch anders. Ze luisterde met belangstelling naar de jongemannen uit haar klas die hun bestelling plaatsten. Daarna waren de meisjes aan de beurt. Daisy bestelde een voorgerecht met de mededeling dat ze laat had gegeten (een oude truc uit Claires jonge jaren); Zora koos na lang aarzelen visstoofpot zonder rijst, en dezelfde bestelling hoorde Claire nog drie keer uit de monden van de meisjes in de nis achter hen. Daarna was het de beurt aan Claire. Ze bestelde wat ze al dertig jaar bestelde.

'Alleen de salade, graag.'

Claire gaf haar menukaart aan de ober en plaatste haar beide handen, de ene op de andere, op de tafel.

'Zo,' zei ze.

'Zo,' zei Ron en imiteerde brutaal het gebaar van zijn lerares.

'Hoe vergaat het iedereen in de klas?' vroeg Claire.

'Goed,' zei Daisy beslist, maar keek toen even naar Zora en Ron voor bevestiging. 'Ik geloof goed... en met het discussieprogramma komt het nog wel goed, vast en zeker. Op dit moment gaat het nog een beetje...' zei Daisy, en Ron maakte haar zin af: '... met horten en stoten. Het is namelijk een beetje intimiderend,' zei Ron, terwijl hij vertrouwelijk over de tafel leunde. 'Vooral voor eerstejaars, denk ik. Maar degenen onder ons die al wat meer ervaring hebben...'

'Maar zelfs dan nog kun je heel intimiderend zijn,' vond Zora.

Voor de eerste keer die avond keek Claire Zora Belsey recht aan.

'Intimiderend? Hoezo?'

'Nou,' zei Zora wat aarzelend. Haar minachting voor Claire was als de zwarte achterzijde van een spiegel, terwijl de andere kant onmetelijk veel jaloezie en bewondering reflecteerde. 'Het is allemaal nogal persoonlijk en, en, kwetsbaar, wat we je laten horen, die gedichten. En natuurlijk willen we wel opbouwende kritiek horen, maar je kunt ook...'

'Het is eigenlijk zo dat je duidelijk laat blijken,' zei Daisy, al een tikje aangeschoten, 'aan wie je, zeg maar, de voorkeur geeft. En dat is een beetje demoraliserend. Misschien.'

'Ik geef aan niemand de voorkeur,' protesteerde Claire. 'Ik beoordeel gedichten, geen mensen. Je moet een gedicht op weg helpen naar zijn grootsheid, en dat doen we allemaal, samen, gemeenschappelijk.'

'Juist, juist, juist,' zei Daisy.

'Er is niemand,' zei Claire, 'die volgens mij geen plaats verdient in deze klas.'

'O, nee, zeker,' zei Ron vurig, en in de kleine stilte die daarop volgde, gaf hij een nieuwe, aangenamere wending aan het gesprek.

'Weet je wat het is?' begon hij. 'We zitten gewoon allemaal naar jou te kijken, jij hebt dat allemaal gedaan toen je nog heel jong was, en met zo veel succes, dat boezemt echt ontzag in.' Hierbij raakte hij haar hand aan, wat hij zich door zijn ouderwetse, verwijfde maniertjes kon veroorloven, en zij wierp haar sjaal nog eens over haar schouder, waarbij ze zichzelf de rol aanmat van de diva. 'Dus het is eigenlijk wel logisch... het zou raar zijn als we ons in de klas niet zouden voelen als de stier in de porseleinkast.'

'Olifant,' corrigeerde Claire hem vriendelijk.

'Ja, natuurlijk. God! Wat stom! Zei ik stier? Aaargh.'

'Maar hoe ging dat dan?' vroeg Daisy aan Claire, terwijl Ron donker-rood kleurde. 'Ik bedoel, je was nog piepjong. Ik ben negentien en ik heb al het gevoel dat het te laat voor me is of zoiets. Snap je? Voelt het niet zo?'

'We hadden het er net over hoeveel ontzag Claire ons inboezemt en hoe het voor haar moet zijn geweest om zo jong zo veel succes te hebben en zo,' zei Daisy nu tegen Lena, die onhandig bij het lage tafeltje gehurkt zat met het zwakke excuus dat ze het olie- en azijnstel even wilde lenen. Daisy keek vol verwachting op naar Claire. Ze keken allemaal naar haar.

'Je wilt dus weten hoe het was toen ik pas begon.'

'Ja, was het niet helemaal fantastisch?'

Claire zuchtte. Ze kon er de hele avond over blijven praten, wat ze vaak deed als men erom vroeg. Maar het had niets meer te maken met de persoon die ze nu was.

'God, ja... het was in 1973, en het was een heel vreemde tijd voor een vrouw om dichter te zijn... ik ontmoette allemaal geweldige mensen: Ginsberg, en Ferlinghetti, en af en bevond ik me in zulke krankzinnige situaties... zo heb ik, ik weet niet, Mick Jagger of zo ontmoet, en ik voelde me gewoon zo bekeken, zo uit elkaar geplukt, niet alleen geestelijk maar ook persoonlijk én fysiek... net alsof... alsof ik van mijn lichaam was beroofd. Zo zou je het kunnen zeggen. Maar de volgende zomer was ik alweer weg, ik ging voor drie jaar naar Montana, dus... alles went sneller dan je zou denken. En ik zat daar in dat prachtige land, in dat bijzondere landschap, en het is echt waar, zo'n land vervult je helemaal, het voedt de kunstenaar in je... ik ging helemaal op in een korenbloem... ik bedoel door dat echte, wezenlijke blauw...'

Claire ging door op haar breedsprakige manier over de aarde en haar poëzie, en haar studenten knikten nadenkend, maar een onmiskenbare loomheid had zich van hen meester gemaakt. Ze hadden liever meer gehoord over Mick Jagger, of over Sam Shepard, de man met wie ze naar Montana was gegaan, zoals ze al via google te weten waren gekomen. Landschappen interesseerden hun niet zo. Zij hadden meer op met de poëzie van het karakter, met romantische personages, gebroken harten en emotionele oorlogvoering. Claire, die hiervan al meer dan genoeg in haar leven had meegemaakt, vulde haar gedichten tegenwoordig met New Englands bladergroen, dieren in het wild, kreken, dalen en bergketens. Ondanks haar recente lauwering waren deze gedichten minder populair gebleken dan de erotische verzen uit haar jeugd.

Het eten kwam op tafel. Claire had het nog steeds over het landschap. Zora, die kennelijk ergens over had zitten nadenken, liet zich nu horen. 'Maar hoe voorkom je dat je tot een arcadische dwaling vervalt? Ik bedoel, is het geen gedepolitiseerde materialisering, al dat gedoe over de schoonheid van het landschap? Vergilius, Pope, de romantische school. Waarom zou je het idealiseren?'

'Idealiseren?' herhaalde Claire onzeker, 'ik wil echt niet... Weet je, ik heb bijvoorbeeld altijd gevonden, dat in de *Georgica*...'

'Wat?'

'Vergilius... in de *Georgica* zijn de natuur en de geneugten van het herderlijke bestaan van wezenlijk belang voor...' begon Claire, maar Zora luisterde al niet meer. Ze vond Claires manier van lesgeven saai. Claire wist niets van theorieën, opvattingen, of de laatste denkwijzen. Soms verdacht Zora haar ervan dat ze niet echt een intellectueel was. Bij haar was het altijd 'bij Plato' of 'bij Baudelaire' of 'bij Rimbaud', alsof iedereen de tijd had om te lezen waar ze zin in hadden. Zora knipperde ongeduldig met haar ogen, ze wachtte duidelijk af tot Claire bij de punt van haar zin aan zou komen of, als dat niet lukte, een puntkomma, om haar weer in de rede te kunnen vallen. 'Maar,' zei ze, toen ze haar kans schoon zag, 'waar moet het heen na Foucault?'

Er ontspon zich een intellectueel debat. Iedereen aan de tafel was opgewonden. Lena wipte heen en weer op haar hakken om haar bloed te laten doorstromen. Claire was doodop. Ze was dichter. Hoe kwam het dat ze hier was terechtgekomen, in een van die instellingen, die universiteiten, waar je over alles een debat moest voeren, zelfs als je over een kastanjeboom wilde schrijven?

'Boe.'

Claire en de anderen aan de tafel keken op. Een lange, knappe bruine jongen stond bij hun tafel, met achter hem nog vijf of zes jongens. Levi, niet in het minst uit het lood geslagen door al die aandacht, knikte even.

'Halftwaalf buiten, oké?'

Zora stemde er snel mee in omdat ze hem weg wilde hebben.

'Levi? Ben jij het?'

'O, hallo, mevrouw Malcolm.'

'Mijn god. Kijk hem nou. Dus dat krijg je van al dat zwemmen. Je bent enorm!'

'Ik doe mijn best,' zei Levi, en maakte zich nog wat breder. Hij glimlachte niet. Hij was op de hoogte van Claire Malcolm, Jerome had het hem verteld, en met zijn gebruikelijke nuchterheid waardoor hij twee kanten van een zaak kon bekijken, hield hij zich er heel redelijk onder. Hij vond het natuurlijk wel rot voor zijn moeder, maar hij begreep ook de positie waarin zijn vader zich bevond. Levi had in het verleden ook sommige meisjes aanbeden en het dan om minder hoogstaande redenen aangelegd met andere meisjes; hij vond dan ook niet dat er verschrikkelijk veel mis was met de indeling van seks en liefde in twee verschillende categorieën. Maar nu hij naar Claire Malcolm keek, merkte hij toch dat hij er niet goed raad mee wist. Dit was weer een van de voorbeelden van zijn vaders bizarre smaak. Waar zat het achterwerk? Waar zat de voorgevel? Hij vond deze vrouw een oneerlijke en onlogische vervangster. Hij besloot het gesprek kort te houden uit solidariteit met de royalere afmetingen van zijn moeder.

'Nou, je ziet er geweldig uit,' galmde Claire. 'Treed je vanavond op?'

'Niet per se. Hangt ervan af. Mijn maatjes misschien,' zei Levi, terwijl hij met zijn hoofd een beweging naar achteren maakte in de richting van zijn metgezellen. 'Maar goed, ik geloof dat ik nu naar beneden moet. Halftwaalf,' herhaalde hij tegen Zora en hij liep weg.

Claire, aan wie Levi's onuitgesproken afstraffing niet ongemerkt voorbij was gegaan, schonk zichzelf nog eens royaal in en legde haar mes en vork naast elkaar over de half opgegeten salade.

'Wij moesten misschien ook maar naar beneden gaan,' zei ze rustig.

8

De etnografische samenstelling in de kelder was anders dan bij vorige bezoeken. Vanaf de plaats waar Claire zat kon ze maar een paar andere blanken zien, en geen daarvan was van haar leeftijd. Dit hoefde de gang van zaken niet per se te veranderen, maar het was niet helemaal zoals ze had verwacht en het duurde een tijdje voor ze zich op haar gemak voelde. Ze was blij dat ze aan yoga deed, daardoor kon ze in kleermakerszit op een vloerkussen zitten als een jonge vrouw, gecamoufleerd door haar studenten. Op het podium stond een zwart meisje met haar haar omhoog in een doek gewikkeld ongegeneerd boven het bluesachtige ritme van het bandje achter haar uit te rijmen. *'In mijn schoot ligt de dood van jouw dierbare dwalingen / Ik ken de identiteit van jouw sereniteit / Als jij zegt dat mijn held een blonde blauwoog is / Cleopatra? Brother, wat zit jij ernaast / Ik hóór de Nubische geest onder het laagje wit / O, shit / Mijn verlossing heeft een eigen bedoeling.* Enzovoort. Dit was niet goed. Claire luisterde naar haar studenten die op levendige wijze bespraken waarom het niet goed was. Uit pedagogische overwegingen probeerde ze hen aan te moedigen er niet ongenuanceerd op af te geven, maar specifiek te benoemen wat ze ervan vonden. Daarin slaagde ze slechts gedeeltelijk.

'Ze heeft er in elk geval over nagedacht,' zei Chantelle, een beetje voorzichtig. Ze durfde niet goed haar mening prijs te geven. 'Ik bedoel, het is in elk geval niet constant "bitch" en "nigger". Weet je wel?'

'Ik word hier helemaal beroerd van,' zei Zora luid en ze legde allebei haar handen boven op haar hoofd. 'Het is zo banaal.'

'Mijn vagina / in Carolina / is veel mooier dan die van Tina,' zei Ron, balancerend op de grens van het racistische – vond Claire – terwijl hij op overdreven wijze de uitbundige hoofdbewegingen en de zangerige dreun van het meisje nadeed. Maar de groep lag helemaal dubbel, waarbij Zora het hardste lachte en het daarmee legitiem maakte. Natuurlijk, dacht Claire, zijn ze wat dit betreft veel minder fijngevoelig dan wij vroeger waren. Als het nog 1972 was, zou het hier zo stil zijn als in een kerk.

Ondanks al het gelach en gepraat, het bestellen van drankjes, het open- en dichtgaan van toiletdeuren, bleef het meisje doorgaan. Na tien minuten was ze niet langer aanleiding tot hilariteit en begon ze, zoals Claire het haar studenten hoorde zeggen, 'afgezaagd' te worden. Zelfs de mensen in het publiek die haar eerst nog wel steunden, gingen niet meer met hun hoofd heen en weer. Er werd harder gepraat. De MC, die op een krukje naast het podium zat, zette zijn microfoon aan om in te grijpen: hij vroeg om stilte, aandacht en respect, en dat laatste was een woord dat in de Bus Stop wel enigszins aansloeg. Maar het meisje bakte er niets van en algauw begon het geklets opnieuw. Eindelijk, na de onheilspellende belofte 'En ik zal oprijzen', hield het meisje op. Hier en daar klonk wat applaus.

'Dank je wel, Queen Lara,' zei de MC, met zijn microfoon heel dicht tegen zijn lippen, als een ijsje, 'ik ben Doc Brown, jullie MC voor vanavond, en ik wil dat jullie wat kabaal maken voor Queen Lara... Die sister had het lef om op het podium te komen, en dat is wat, man... om zomaar voor iedereen te gaan staan en te praten over je schoot enzo...' Doc Brown liet even een lachje horen maar speelde toen weer de rol van aangever: 'Nou, wat denken jullie, is daar lef voor nodig of niet... hm? Heb ik gelijk? Ach, kom op, breng je handen naar elkaar. Doe niet zo duf. Klap voor Queen Lara en haar lyrische bespiegelingen... zo, dat is beter.'

Claires klas deed mee aan het onwillige applaus. 'Kom op met de poëzie!' zei Ron, die het als grapje alleen voor zijn vrienden bedoelde, maar hij had het te hard geroepen.

'Poëzie?' herhaalde Doc Brown met grote ogen, terwijl hij in het duister naar de stem zonder gezicht tuurde: 'Shit, hoe vaak hoor je zoiets nou? Kijk, daarom hou ik zo van de Bus Stop. Kom op met de poëzie! Ik weet dat het iemand van Wellington is...' Gelach weerklonk door de kelder, Claires groep lachte het hardst. 'Kom op met de poëzie. We hebben vanavond een stel goed onderlegde brothers in ons midden. Poëzie. En daarna moet zeker trigonometrie volgen, en algebra – de hele klerezooi,' zei hij met de overdreven nuffige uitspraak die zwarte cabaretiers soms hanteren als ze blanken imiteren. 'Nou, je hebt geluk, jongeman, want we laten vanavond inderdaad poëzie horen, het gesproken woord, rap, rijm... alles doen we voor jullie. Poëzie. Prachtig vind ik dat... Nou, vanavond is de keus aan jullie om te bepalen wie er wint, we hebben een magnum champagne, ja ja, bedankt meneer Wellington, dat is uw woord van de dag, een magnum champagne, wat in wezen neerkomt op een flinke hoeveelheid alcohol. En jullie gaan bepalen wie die wint, het enige wat je daarvoor moet doen is een hoop kabaal maken voor je favoriet. We hebben vanavond een geweldige show voor jullie. We hebben een paar Caribiërs in huis, we hebben een paar Afrikanen, we hebben mensen die in het Frans optreden, in het Portugees – ik heb uit vertrouwelijke bron vernomen dat we de Verenigde Naties van het Gesproken Woord hier vanavond hebben, dus jullie boffen wel heel erg. Ja, echt waar,' zei Doc Brown als reactie op het gejoel en gefluit, 'we hebben hier een internationaal zootje bij elkaar. Je weet hoe het hier gaat.'

En zo begon de voorstelling. Er was bijval voor de eerste artiest, een jongeman die stijfjes rijmde maar een goed verhaal hield over de meest recente oorlog van Amerika. Daarna kwam een klungelig, slungelachtig meisje met oren die tussen de steile, ontkrulde gordijnen van haar lange haar uitstaken. Claire onderdrukte haar afkeer van uitgebreide metaforen en slaagde erin te genieten van het wrede, geestige rijm over alle nietsnutten van mannen die het meisje had gekend. Maar daarna kwamen er drie jongens, achter elkaar, met machoverhalen over het straatleven, de laatste in het Portugees. Claires aandacht verslapte. Het toeval wilde dat Zora voor haar zat, op een manier waardoor haar profiel goed te zien was. Zonder dat ze het bewust wilde, nam Claire haar op. Wat had dit meisje veel van haar vader! Die onelegante overbeet, dat lange gezicht, die aristocratische neus. Ze werd alleen wel dik, ze zou onherroepelijk haar moeder achternagaan. Claire bestrafte zichzelf voor deze gedachte. Het was fout om het meisje te haten, fout om Howard te haten of om zichzelf te haten. Met haat schoot ze niets op. Inzicht had ze nodig. Tweemaal per week om halfzeven reed Claire Boston binnen, op weg naar het huis van dr. Byford in Chapel Hill. Ze betaalde hem tachtig dollar per uur om haar aan inzicht te helpen. Samen probeerden ze de chaos die Claire had ontketend te doorgronden. Als de afgelopen twaalf maanden iets positiefs tot gevolg hadden gehad, waren het deze sessies: van alle psychiaters die ze door de jaren heen had bezocht, was Byford degene die haar het dichtst bij een doorbraak had gebracht. Zoveel was duidelijk: Claire Malcolm was verslaafd aan zelfondermijning. Door het patroon dat zo diep in haar leven verankerd lag, en waarvan Byford vermoedde dat het al in het vroegste stadium van haar leven was ingeslepen, ondermijnde Claire dwangmatig elke kans op geluk. Het leek alsof ze er op een bepaalde manier van overtuigd was dat ze het geluk niet verdiende. Het voorval met Howard was alleen het meest recente en meest opzienbarende uit een lange rij emotionele wreedheden die ze zichzelf had aangedaan. Je hoefde maar naar de timing te kijken. Eindelijk, eindelijk, had ze het geluk gehad deze engel te vinden, dit geschenk: Warren Crane, een man die (ze moest zijn goede eigenschappen wel opsommen, zoals Byford haar had aangeraden):

a) haar niet als een bedreiging zag
b) niet bang was voor haar seksualiteit of het feit dat ze vrouw was
c) haar niet geestelijk wilde verlammen
d) haar niet, op een onbewust niveau, dood wilde hebben
e) haar haar geld, reputatie, talent of kracht niet kwalijk nam
f) de innige band die ze met de aarde had niet wilde verstoren – hij hield zelfs net zoveel van de aarde als zij en moedigde haar liefde ervoor aan.

Ze had de vreugde in haar leven ontdekt. Eindelijk, op haar drieënvijftigste. En natuurlijk was dat het perfecte tijdstip geweest om haar eigen leven te ondermijnen. Om dat te bereiken was ze een affaire begonnen met Howard Belsey, een van haar oudste vrienden. Een man voor wie ze geen enkele seksuele begeerte voelde. Nu ze erop terugkeek, was het echt te perfect geweest. Howard Belsey, hoe had ze hem kunnen uitzoeken! Toen Claire die dag in de vergaderkamer van de vakgroep Afro-Amerikaanse Wetenschappen tegen Howard aan leunde, toen ze zich op een dienblaadje aan hem aanbood, had ze eigenlijk niet geweten waarom ze dat deed. Daarentegen had ze alle klassieke mannelijke impulsen en fantasieën die door haar oude vriend heen gingen op zich af voelen komen – de laatste kans op een ander mens, een ander leven, een onbekend lichaam, weer jong te zijn. Howard liet een verborgen, onzeker, beschamend deel van zichzelf zien. En het was een aspect van hemzelf dat hij niet kende, dat hij altijd als minderwaardig had beschouwd. Dit alles voelde ze in de gretige greep van Howards handen om haar minieme taille, de haastige nervositeit waarmee hij haar uitkleedde. Hij werd overweldigd door begeerte. Claire had niets vergelijkbaars gevoeld, alleen maar treurigheid.

Hun affaire van drie weken haalde zelfs nooit de slaapkamer. Een slaapkamer zou een bewuste beslissing verondersteld hebben. In plaats daarvan ontmoetten ze elkaar, al naar gelang hun lesrooster dat toeliet, driemaal per week na het werk in Howards kantoor, waar ze de deur op slot deden en zich op zijn enorme verende divan – gestoffeerd met opzichtige Engelse varens van William Morris – lieten zakken. Zwijgzaam en verwoed neukten ze tussen het gebladerte, bijna altijd rechtop gezeten, waarbij Claire plichtmatig op haar collega zat, met haar besproete benen om zijn middel. Na afloop had hij de gewoonte haar op haar rug te leggen zodat ze onder hem lag. Nieuwsgierig legde hij dan zijn grote handen plat op haar lichaam, haar schouders, haar platte borst, haar buik, achter op haar enkels, op het streepje schaamhaar van haar bikinilijn. Het was alsof hij een soort verwondering ervoer, alsof hij controleerde of ze daar helemaal was en of dit allemaal echt was. Daarna stonden ze op en kleedden ze zich aan. *Hoe kon dat nu weer?* Vaak zeiden ze dit of iets soortgelijks. Een stompzinnig, laf, zinloos zinnetje. Intussen was de seks met Warren extatisch geworden en eindigde altijd met tranen uit schuldgevoel die Warren, in zijn onschuld, uitlegde als vreugdetranen. Het was een verachtelijke toestand, des te meer omdat ze het niet kon verdedigen, zelfs niet tegenover zichzelf, wat des te erger was omdat ze zich beangstigd en vernederd voelde door de enorme invloed die haar ongelukkige, liefdeloze jeugd nog op haar had. Na al die jaren voelde ze nog steeds die wurgende greep om haar hals!

Drie dinsdagen na het begin van hun verhouding kwam Howard naar haar kantoor om te zeggen dat het afgelopen was. Het was voor het eerst dat een van hen met woorden zei dat het ooit was begonnen. Hij verklaarde dat hij was betrapt met een condoom op zak. Het was hetzelfde, onge-opende condoom waar Claire om had gelachen, die middag van hun twee-de afspraakje, toen Howard het als een nerveuze, goedbedoelende tiener te voorschijn had gehaald ('Howard, schat, dat is heel lief van je, maar mijn vruchtbare dagen zijn voorbij.') Toen hij haar het verhaal vertelde, had Claire bijna weer moeten lachen. Het was zo typisch Howard, zo'n onno-dige ramp. Maar wat er daarna gebeurde was niet zo grappig. Hij had haar verteld dat hij Kiki alleen het allernoodzakelijkste had opgebiecht: dat hij ontrouw was geweest. Claires naam had hij niet genoemd. Dat was aardig van hem en Claire bedankte hem ervoor. Hij keek haar bevreemd aan. Hij had die leugen verteld om de gevoelens van zijn vrouw te sparen, niet om Claires gezicht te redden. Hij beëindigde zijn korte, zakelijke toespraakje. Hij stond een beetje op zijn benen te zwaaien. Dit was een andere Howard dan de man die Claire al dertig jaar kende. Niet langer de keiharde acade-micus die haar altijd – vermoedde ze – een beetje belachelijk had gevon-den, die nooit echt leek te weten wat poëzie voor zin had. Die dag in haar kantoor had Howard eruitgezien als iemand die wel een mooi, troostend vers kon gebruiken. In alle jaren dat ze bevriend waren, had Claire zijn ge-wetensvolle intellectualisme op de hak genomen, net zoals hij haar had geplaagd met haar artistieke idealen. Een oud grapje van haar was dat Ho-ward alleen in theorie een mens was. Dit vond men in het algemeen ook in Wellington: zijn studenten konden zich bijna niet voorstellen dat Howard een vrouw had, een gezin, dat hij naar de wc ging, dat hij liefhad. Claire was niet zo naïef als de studenten; ze wist dat hij welzeker liefhad, en in-tens ook, maar ze zag ook dat het niet op een normale manier bij hem naar buiten werd gebracht. Iets aan zijn academische leven had de liefde voor hem anders gemaakt, de aard ervan veranderd. Natuurlijk zou hij nergens zijn zonder Kiki, iedereen die hem kende wist dat. Het was het soort hu-welijk waar je niets van begreep. Hij was een boekenwurm, zij niet. Hij was een theoreticus, zij was politiek actief. Zij noemde een roos een roos. Hij noemde het een accumulatie van culturele en biologische constructies rond de magnetische binaire polen van de natuur. Claire had altijd willen weten hoe het er in zo'n huwelijk aan toeging. Dr. Byford veronderstelde zelfs dat dit precies de reden was waarom Claire Howard na al die jaren had uitge-kozen voor een relatie. Op het moment dat ze zelf een innige band met ie-mand kreeg, verstoorde ze het meest geslaagde huwelijk dat ze kende. En het was waar: toen ze achter haar bureau had nagedacht over deze in de steek gelaten, stuurloze man, had ze op perverse wijze genoegdoening gevoeld. Dat ze hem zo zag had betekend dat ze achteraf gelijk had wat betreft academici (en zij kon het weten, ze was er met drie getrouwd geweest). Ze hadden er geen flauw idee van waar ze mee bezig waren. Howard kon totaal niet uit de voeten met zijn nieuwe realiteit. Hij kon zijn opvatting over zichzelf niet in overeenstemming brengen met wat hij had gedaan. Het was niet iets rationeels en daardoor kon hij het niet begrijpen. Voor Claire was hun verhouding alleen maar een bevestiging van wat ze al wist over de meest duistere kanten van zichzelf. Voor Howard was het duidelijk een openbaring.

Het was afschuwelijk om over hem na te denken nu ze hem herkende in Zora's trekken. Nu Claires aandeel in Howards overspel niet langer een geheim was, was de schuld verschoven van iets wat door de vingers werd gezien naar een openbare bestraffing. Niet dat ze zat met de schande; ze was wel vaker 'de minnares' geweest en was er toen niet bijzonder onder gebukt gegaan. Maar deze keer was het gekmakend en vernederend om gestraft te worden voor iets wat ze met zo weinig begeerte en verlangen had gedaan. Ze was een vrouw die nog steeds werd beheerst door de trauma's uit haar jeugd. Het leek zinvoller om haar driejarige ik in de beklaagdenbank te zetten. Dr. Byford legde uit dat ze in werkelijkheid het slachtoffer was van een verraderlijke psychologische afwijking, waarbij ze het ene voelde en het andere deed. Ze was een vreemde voor zichzelf.

En waren ze nog steeds zo, vroeg ze zich af, die nieuwe meisjes, die nieuwe generatie? Voelden ze nog steeds het een en deden ze het ander? Wilden ze nog steeds begeerd worden? Waren ze nog steeds een object van begeerte in plaats van, zoals Howard het misschien zou zeggen, verlangende subjecten?

Ze dacht na over de meisjes die in kleermakerszit met haar in deze kelder zaten, over Zora, over de boze meisjes die hun poëzie uitschreeuwden vanaf het podium... maar nee, ze kon geen echte verandering zien. Ze hongerden zich nog steeds uit, ze lazen nog steeds vrouwenbladen die vrouwen expliciet haten, ze verwondden zichzelf nog steeds met kleine mesjes op plaatsen waarvan ze dachten dat het niet te zien was, ze fingeerden nog steeds orgasmen met mannen die hun niet aanstonden, ze logen nog steeds over van alles tegen iedereen. Vreemd genoeg had Kiki Belsey haar altijd iemand geleken die daar een prachtige uitzondering op vormde. Claire herinnerde zich de tijd dat Howard zijn vrouw ontmoette, toen Kiki nog de verpleegstersopleiding in New York deed. In die tijd was haar schoonheid ontzagwekkend, bijna onbeschrijfelijk, maar meer nog dan dat straalde ze iets puur vrouwelijks uit zoals Claire zich dit al in haar poëzie had voorgesteld: natuurlijk, eerlijk, sterk, spontaan, vervuld van een oprecht verlangen. Een godin in het gewone leven. Ze hoorde niet bij Howards intellectuele milieu, maar ze was actief in de politiek en haar overtuigingen waren oprecht en ze kon ze goed verwoorden. Een vrouw in de beste zin van het woord. In Claires ogen was Kiki niet alleen het levende bewijs van Howards menselijkheid, maar bewees ze ook dat een nieuw type vrouw haar intrede in de wereld had gedaan, zoals was beloofd, zoals was aangekondigd. Zonder ooit echt op goede voet met haar te staan, had ze het gevoel dat ze in alle eerlijkheid kon zeggen dat zij en Kiki elkaar altijd graag hadden gemogen. Nooit had ze Kiki iets kwalijk genomen of haar iets akeligs toegewenst. Claire kwam weer terug in de realiteit; ze keek nu zo geconcentreerd naar Zora's gezicht dat het weer een opzichzelfstaand gezicht werd en niet een waas van kleur en gedachten van haarzelf. Het lukte haar niet die laatste sprong te maken en erover na te denken wat Kiki nu van háár zou denken. Daardoor zou ze in haar eigen ogen bijna onmenselijk worden, een verstotene die zelfs geen medelijden meer verdient, een verdierlijkt wezen. Niemand kan zichzelf verstoten.

Er was wat commotie op het podium. De volgende act stond al klaar en wachtte tot hij door Doc Brown aan het publiek werd voorgesteld. Het was een grote groep. Negen, tien jongens. Zo'n groep die herrie maakt voor drie keer hun aantal. Ze duwden met hun schouders tegen elkaar aan op het trapje naar boven, en verdrongen elkaar voor een stuk of vijf microfoons op standaards die voor hen stonden – niet genoeg voor allemaal. Een van hen was Levi Belsey.

'Het lijkt erop dat je broer gaat optreden,' zei Claire, terwijl ze Zora zacht in haar rug porde.

'O, god,' zei Zora, terwijl ze tussen haar vingers door gluurde. 'Misschien hebben we geluk, misschien is hij alleen maar de *hypeman*.'

'Hypeman?'

'Zoiets als een cheerleader. Maar dan bij rap,' legde Daisy behulpzaam uit.

Eindelijk stonden alle jongens op het podium. De begeleidingsband werd weggestuurd. Deze groep had zijn eigen tape meegebracht: een zware Caribische dreun en veel te harde, schetterende toetsen. Ze begonnen allemaal tegelijk keihard te praten in het Creools. Dat werkte niet. Na nog wat geduw werd er besloten dat één jongen moest beginnen. Een mager type met een Raiders-capuchontrui kwam naar voren en ging helemaal los. De taalbarrière had een interessant effect. De tien jongens waren er kennelijk zeer op gebrand dat hun publiek begreep wat ze zeiden. Ze sprongen, schreeuwden en bogen zich naar de menigte toe, en de menigte kon niet anders dan reageren, hoewel de overgrote meerderheid alleen iets van het ritme begreep. Levi was inderdaad de hypeman, die om de paar maten zijn microfoon greep en yo! schreeuwde. Een paar van de jongste zwarten in het publiek bestormden het podium als reactie op al die energie en Levi moedigde hen hierbij aan in het Engels.

'Levi spréékt niet eens Frans,' zei Zora, die fronsend toekeek. 'Ik geloof dat hij geen flauw benul heeft waar hij aan meewerkt.'

Maar toen kwam het refrein, door de hele groep, ook door Levi: 'A-ristide, hebzucht en corruptie, zoals je nu wel ziet, vrij zijn we nog niet!'

'Rijmt leuk,' zei Chantelle lachend. 'Leuk basic.'

'Gaat dit over politiek?' vroeg Daisy vol afkeer. Na twee herhalingen van het refrein namen ze weer opgelucht hun toevlucht tot het opgewonden Creoolse rijm. Claire deed een poging om het simultaan te vertalen voor haar groep. Ze gaf het algauw op omdat er te veel onbekende woorden in voorkwamen. In plaats daarvan vatte ze het samen: 'Ze zijn kwaad op Amerika vanwege de bemoeienissen met Haïti. De tekst is erg... grof, zal ik maar zeggen.'

'Hebben we dan iets te maken met Haïti?' vroeg Hannah.

'We hebben overal iets mee te maken,' zei Claire.

'En hoe is je broer bij die gasten terechtgekomen?' vroeg Daisy.

Zora zette grote ogen op. 'Ik heb geen flauw idee.'

'Ik kan mijn eigen gedachten niet meer horen,' zei Ron, en hij stond op om naar de bar te gaan.

De dikste jongen op het podium deed nu een solo. Hij was ook de kwaadste van allemaal, en de andere jongens deden een paar stappen naar achteren om hem de ruimte te geven die hij nodig had om uiting te geven aan dat waar hij zo kwaad om was.

'Een heel lovenswaardige poging,' schreeuwde Claire naar haar groep, boven het ondraaglijke lawaai van alweer een refrein uit. 'Ze hebben de macht van een troubadour... Maar volgens mij moeten ze nog wel wat leren over het integreren van idee en vorm – je breekt de vorm doormidden als je al die onverwerkte politieke woede erin stopt. Ik geloof dat ik boven even een sigaretje ga roken.' Soepel, zonder dat ze haar handen hoefde te gebruiken, kwam ze overeind.

'Ik ga mee,' zei Zora, die veel meer moeite had met dezelfde beweging.

Ze baanden zich zonder iets te zeggen een weg door de menigte in de kelder en het restaurant. Claire vroeg zich af wat er zou gebeuren. Buiten was de temperatuur nog een paar graden gezakt.

'Zullen we samen doen? Dat gaat sneller.'

'Dank je,' zei Claire en nam de sigaret aan die haar werd aangereikt. Haar vingers trilden een beetje.

'Die jongens zijn totaal onbeheerst,' zei Zora. 'Het is dat je, zeg maar, zo graag wilt dat ze goed zijn, maar...'

'Precies.'

'Het komt doordat ze te veel hun best doen, denk ik. Dat is Levi ten voeten uit.'

Ze zwegen even. Claire had het gevoel dat zij iets moest zeggen.

'Zora,' zei ze, onder invloed van de wijn, 'is alles goed tussen ons?'

'O, jazeker,' zei Zora met een stelligheid en een snelheid die je het idee gaven dat ze de hele avond al op die vraag had gewacht.

Claire keek haar twijfelend aan en gaf de sigaret terug. 'Zeker weten?'

'Heel zeker. We zijn volwassen mensen. En ik ben niet van plan me als een onvolwassene te gedragen.'

Claire glimlachte stijfjes. 'Gelukkig.'

'Het stelt niets voor. Het gaat erom de dingen een plaats te geven.'

'Dat klinkt heel volwassen.'

Zora glimlachte. Claire voelde een kilte toen ze naar het vergenoegde gezicht keek. Het was niet voor het eerst dat ze zich, wanneer ze met Howards dochter praatte, vervreemd voelde van zichzelf, alsof ze niet meer was dan een van de zes miljard figuranten die een rol speelden in die fantastische voorstelling, die wereldhit die Zora's leven was.

'Waar het om gaat,' zei Zora, nu op een bijzonder onverschillige toon, 'is erachter te komen... je weet wel... of ik het echt kan... schrijven.'

'Dat is iets wat je elke dag opnieuw moet bekijken,' zei Claire ontwijkend. Zora keek haar met een gretige blik aan en Claire voelde dat er nog iets belangrijks zou volgen, maar op dat moment werd de deur van het restaurant opengegooid. Het was Ron. Mensen aan de tafels achter hem klaagden over de kou.

'O, mijn god, jullie moeten die jongen gaan zien. Hij is fantastisch. Beneden. Bij hem vergeleken stellen die anderen niets voor.'

'Ik mag hopen dat hij echt zo goed is, we staan net een sigaretje te roken.'

'Zoor, echt waar. Hij is Keats in rugzakformaat.'

Met z'n drieën liepen ze weer naar beneden. Eenmaal in de kelder kwamen ze amper verder dan de dubbele deuren, zodat ze moesten blijven staan. Ze konden het wel horen maar niet zien. Het hele publiek stond te wiegen, de muziek ging door de menigte als de wind door een maïsveld. De stem die voor al die opwinding zorgde, was duidelijk te verstaan – voor het eerst die avond hoefde niemand een woord te missen – en gooide er met schijnbaar gemak gecompliceerde zinnen met woorden met meerdere lettergrepen uit. Het refrein bestond uit de herhaling van een simpel zinnetje, dat monotoon maar goedmoedig werd gezongen: *Maar zo is het niet.* Het rijm liet daarentegen een geestig, duidelijk verhaal horen over de verschillende obstakels op geestelijk en materieel gebied die een zwarte jongeman kan tegenkomen. In het eerste couplet probeerde hij te bewijzen dat hij indiaanse voorouders had, en op de beste universiteiten aangenomen wilde worden. Dit thema, dat iedereen in een universiteitsstad aansprak, lokte veel gelach uit. Het volgende couplet, over een vriendin die een abortus had laten doen zonder hem daar iets over te vertellen, bestond onder meer uit het volgende rijm, dat hij zonder adempauze en op een ongelooflijke snelheid bracht:

Mijn leven staat jou niet aan / ik laat me hierin te veel gaan / Toen je me die ochtend sms'te / 'Carl, schat, ik zit zwaar in de nesten / Ik ben al twee weken over tijd' / Viel mijn mobiel in de thee van m'n ontbijt / Nu begin ik te denken dat ik het goed kan maken / Dat ik al dat gedoe moet staken / Geen gevoos meer met Roos en Toos en andere meiden / Maar me op het vaderschap voorbereiden / Na een week ging ik bij je op bezoek / ik dacht: het komt helemaal weer goed / met dr. Spock, die van het boek / Maar jij had al gepraat met je vriendinnen / en besloten dat met mij niks viel te beginnen / Beslis jij of ik vader word / Nou, zeg 's wat? / Je dacht dat je mij een plezier deed, schat / Kind weg, probleem weg, en dat is dan weer dat – Maar zo is het niet.

Hierop klonken in de hele kelder uitroepen van bewondering, gevolgd door nog meer gelach. Er werd gefloten en geklapt.

'O, dit is echt briljant,' zei Claire tegen Ron, die daarop zijn hoofd met beide handen vasthield en net deed of hij in katzwijm viel.

Zora vond een Marokkaans krukje waar ze op klauterde. Toen ze daar stond, slaakte ze een kreet en greep ze Ron bij zijn arm.

'O, mijn god... die jongen ken ik.'

Carl stond daar in een oude voetbaltrui in jarenvijftigstijl en een veel-
kleurig rugzakje. Hij liep heen en weer over het podium op diezelfde re-
laxte, gezellige manier waarop hij met Zora naar de ingang van Wellington
College was gelopen, en hij glimlachte charmant terwijl hij sprak, waarbij
de ingewikkelde zinnen tussen zijn schitterende tanden door gleden alsof
hij in een vierstemmig mannenkwartet meezong. Het enige waaruit bleek
hoeveel inspanning het hem kostte, was het zweet dat van zijn gezicht
stroomde. Doc Brown was in zijn enthousiasme naast Carl op het podium
gaan staan en was nu niet meer dan het soort hypeman dat Levi had neergezet, waarbij hij nog net 'Yo' kon persen in de minieme stiltes die Carl
voor hem overliet.

'Wát?' zei Ron, die als het gevolg van het gebrul en gefluit van het publiek niets meer hoorde, zelfs Carl niet.

'IK KEN DIE GAST.'

'DIE GAST DAAR?'

'JA.'

'MIJN GOD. IS HIJ HETERO?'

Zora lachte. De alcohol had nu uitwerking op iedereen. Ze glimlachte op
een alwetende manier over dingen waar ze niets van wist, en danste mee op
het ritme voorzover het krukje dat toeliet.

'Laten we dichter bij het podium proberen te komen,' stelde Claire voor,
en in de laatste minuut van het optreden kwamen ze, achter Ron met zijn
onbeschaamde ellebogenwerk aan, bij hun oude zitplaats.

'WAT HEB IK GEZEGD?' schreeuwde Doc Brown toen Carls tape was afgelopen. Hij hield Carls rechterhand in de hoogte alsof hij een prijsvechter
was. 'Ik geloof dat we hier een winnaar hebben, correctie: ik wéét dat we
een kampioen hebben!' Maar Carl maakte zich los uit Docs greep en
sprong soepel van het podium op de grond. Tussen het gejuich door was
vaag wat ontevreden boegeroep te horen, maar het gejuich was veel harder.
De Creoolse jongens en Levi waren nergens te bekennen. Iedereen sloeg
Carl joviaal op de schouder en wreef hem over zijn hoofd.

'Hé, wil je je magnum niet? Wat een bescheiden brother, hij wil zijn prijs
niet!'

'Nee, nee, nee, bewaar die champagne nog even,' schreeuwde Carl. 'Ik
moet even mijn kop onder de kraan steken. Al dat zweet afspoelen.'

Doc Brown knikte wijselijk. 'Heel verstandig, heel verstandig... je moet
fris en schoon zijn. Nou, dj, laat intussen maar een lekker nummer horen.'

De muziek begon en het publiek was niet langer een publiek maar veranderde in een menigte mensen.

'Vraag of hij hierheen komt,' drong Ron aan, en toen tegen de klas: 'Zora kent die jongen. We moeten hem hierheen halen.'

'Ken je hem? Hij is zeer getalenteerd,' zei Claire.

'Ik ken hem maar een klein beetje,' zei Zora, en hield haar wijsvinger en duim een centimeter van elkaar. Net toen ze dit zei, draaide ze zich om en zag ze Carl voor haar neus staan. Op zijn gezicht was de verrukte roes af te lezen van de artiest die zojuist weer tussen het gewone volk terecht is gekomen. Hij herkende haar, pakte haar gezicht in zijn handen en drukte een enorm zweterige kus vol op haar mond. Zijn lippen waren het zachtste, het goddelijkste wat ze ooit op haar huid had gevoeld.

'Heb je het gehoord?' zei hij. 'Dat was nou poëzie. Nu moet ik naar de plee.'

Hij wilde net verder lopen naar de volgende schouderklap, de volgende aai over zijn hoofd, toen de kleine Claire zich naar voren drong. Haar klas, bang dat ze zich belachelijk zou maken, hield de adem in.

'Hoi!' zei ze.

Carl keek omlaag en zag wat hem de weg versperde.

'Ja, bedankt, ja, man, bedankt,' zei hij, in de veronderstelling dat ze hetzelfde te melden had als alle anderen. Hij probeerde langs haar te komen, maar ze greep hem bij zijn elleboog.

'Zou je er iets voor voelen om je talent nog wat bij te schaven?'

Carl bleef staan en staarde haar aan.

'Pardon?'

Claire herhaalde haar vraag.

Carl fronste zijn wenkbrauwen. 'Hoe bedoel je, bijschaven?'

'Luister, als je terugkomt van de wc,' zei Claire, en haar klas verbaasde zich over het zelfvertrouwen waarmee ze sprak. Dit moest iets zijn wat je kreeg op grond van leeftijd en positie. 'Kom dan even met mij en de anderen hier praten. We zijn een klasje, een poëzieklas, van Wellington. We willen graag met je praten. We hebben een voorstel.'

Carl haalde zijn schouders op en toen brak er een glimlach door op zijn gezicht. Hij had gewonnen in de Bus Stop. Hij had de hele zaal plat gekregen. De wereld was goed. Hij had tijd voor iedereen.

'Oké,' zei hij.

9

Vlak voor Thanksgiving gebeurde er iets moois.

Zora was in Boston. Ze kwam een boekhandel uit waar ze nooit eerder was geweest. Het was een donderdag, haar vrije dag, en hoewel er storm was voorspeld was ze in een opwelling de stad in gegaan. Ze kocht een dun boekje met Ierse gedichten en liep net met haar handen aan haar hoed het trottoir op, toen vlak voor haar een regionale bus stopte en Jerome uitstapte, die een dag vroeger naar huis was gekomen voor het Thanksgivingweekend. Hij had niemand gezegd hoe of wanneer hij thuis zou komen, en toen ze elkaar zagen pakten ze elkaar vast, zowel om niet weg te waaien als van blijdschap, terwijl een forse windstoot aan hen rukte, droge bladeren de lucht in slingerde en een vuilnisbak omverblies. Voor ze een woord konden uitbrengen klonk achter hen een luide kreet: 'Yo!' Het was Levi, die door de wind pal aan hun voeten werd afgeleverd.

'Dit is ongelooflijk,' zei Jerome, en een tijdlang stonden ze alledrie simpelweg dit zinnetje te herhalen, steeds harder, terwijl ze elkaar omhelsden en het trottoir versperden. Het was ijzig; de wind was sterk genoeg om een klein kind omver te blazen. Ze wilden wel ergens naar binnen gaan voor een kop koffie, maar op de een of andere manier zou weggaan van deze plek dit wonder verstoren, en daar waren ze nog niet klaar voor. Ze voelden alledrie een sterke behoefte om mensen op straat aan te houden en hun te vertellen wat er was gebeurd. Maar wie zou het geloven?

'Dit is waanzinnig. Ik kom echt nóóit hierlangs. Meestal neem ik de trein!'

'Man, dit is gewoon éng. Dit klopt gewoon niet,' zei Levi, van nature vatbaar voor samenzweringstheorieën en mystieke verschijnselen. Ze schudden hun hoofd en lachten, en om het spookachtige gevoel kwijt te raken vertelden ze elkaar welke weg ze precies hadden afgelegd, met de nadruk op nuchtere verklaringen zoals 'Tja, we zijn tegen het eind van de week wel vaker in Boston' en 'Dit is het dichtst bij onze metrohalte', maar geen van hen was hierdoor helemaal overtuigd en de verwondering duurde voort. De drang om het iemand te vertellen werd steeds sterker. Jerome belde Kiki met zijn mobiele telefoon. Ze zat in haar werkkamertje – opgesierd met foto's van deze drie kinderen – medische gegevens in te voeren in de patiëntendossiers van de afdeling Urologie van het Beecham.

'Jerome? Lieverd, wanneer ben je teruggekomen? Je hebt niets gezegd.'

'Nu net... maar is dit niet ongelooflijk?'

Kiki hield op met typen en luisterde nu met meer aandacht naar wat haar werd verteld. Het was zo stormachtig buiten. Om de zoveel minuten zwiepten natte bladeren tegen het raam van haar werkplek en bleven ze even tegen het glas plakken. Elk woord van Jerome klonk als een brul vanaf een schip in de storm.

'Je liep Zoor tegen het lijf?'

'En Levi. We staan hier op dit moment met z'n drieën, we worden helemaal gek!'

Op de achtergrond hoorde Kiki zowel Zora als Levi vragen om de telefoon.

'Niet te geloven, zeg, dit is waanzinnig. Kennelijk is er meer tussen hemel en aarde... Horatius, toch?'

Dit was Kiki's enige literaire citaat en ze gebruikte het voor alle mysterieuze voorvallen en ook voor gebeurtenissen die eigenlijk maar een heel klein beetje mysterieus waren. 'Dat zeggen ze ook over tweelingen: vibraties. Jullie voelen waarschijnlijk op de een of andere manier elkaars aanwezigheid aan.'

'Maar is dat niet ongelooflijk?'

Kiki grinnikte in de hoorn, maar het ontbrak haar aan werkelijk enthousiasme. Er zat een melancholieke bijsmaak aan het idee dat deze drie kersverse volwassenen vrijelijk over de wereld gingen zonder haar hulp, ontvankelijk voor zijn magie en schoonheid, klaar voor ongewone ervaringen en niet, met nadruk níet, bezig met het invoeren van medische gegevens in de patiëntendossiers van de afdeling Urologie van het Beecham.

'Moet Levi niet op school zijn? Het is halfdrie.'

Jerome gaf de vraag door aan Levi en bood hem het mobieltje aan, maar nu deinsde Levi ervoor terug alsof het elk moment kon ontploffen. Terwijl hij wijdbeens probeerde zijn evenwicht te bewaren in de stevige zijwind, begon hij vol vuur geluidloos een woord te vormen met zijn mond.

'Wat?' zei Jerome.

'Levi,' herhaalde Kiki, 'op school. Waarom is hij niet op school?'

'Tussenuur,' zei Jerome, Levi's mime correct vertalend. 'Hij heeft een tussenuur.'

'O. Jerome, mag ik je broer even?'

'Mam? Mam... je valt weg, ik hoor je niet. Het lijkt wel een tornado hier. Ik bel je wel als ik de stad uit ben,' zei Jerome. Het was kinderachtig, maar voor even vormden hij en zijn broer en zus een onafscheidelijk driemanschap en híj wilde niet degene zijn die het fragiele verbond dat het toeval hun had gebracht, zou verbreken. Ze begaven zich naar een nabijgelegen café, namen plaats op krukken die in een rijtje voor de ramen stonden, met uitzicht op de barre heide van het Boston Commonpark, en beetje bij beetje praatten ze bij, met lange, behaaglijke tussenpozen waarin ze zich te goed deden aan hun muffins en koffie. Jerome, die twee maanden lang briljant en gevat had moeten zijn in een vreemde stad onder vreemde mensen, ervoer het als een geschenk. Je hoort wel eens over de gelukzalige rust die tussen twee geliefden kan bestaan, maar dit was ook heerlijk: zonder iets te zeggen tussen zijn zus en zijn broer zitten eten. Vóór de wereld bestond, voor die bevolkt raakte en voor er oorlogen en banen en middelbare scholen en films en kleren en meningen en buitenlandse reizen waren, was er maar één persoon geweest, Zora, en maar één plaats: een tent in de huiskamer, gemaakt van stoelen en lakens. Na een paar jaar kwam Levi; er werd een plaatsje voor hem ingeruimd; het was of hij er altijd al was geweest. Terwijl hij naar hen beiden keek, zag Jerome zichzelf terug in hun vingerknokkels en sierlijke oorschelpen, in hun lange benen en wilde krullen. Hij hoorde zichzelf in hun half slissende spraak, veroorzaakt door dikke tongen die tegen iets vooruitstekende boventanden aan vibreerden. Hij dacht er niet over na óf of waarom hij van ze hield. Ze wáren gewoon liefde: ze waren het eerste bewijs dat hij ooit had gehad van liefde en ze zouden de laatste bevestiging van liefde zijn wanneer al het andere wegviel.

'Weet je nog?' vroeg Jerome aan Zora met een knikje naar het park aan de overkant, 'mijn geweldige verzoeningsplan? Stom idee. Hoe gaat het trouwens met ze?'

Het decor van dat familie-uitje was nu van al zijn kleur en bladeren ontdaan, zo radicaal dat je je nauwelijks kon voorstellen dat het ooit weer groen zou worden.

'Het gaat best. Ze zijn nog getrouwd, dus... Het gaat zo goed als het gaat,' zei Zora en ze gleed van haar kruk af om nog een koffie verkeerd te gaan halen met een stuk kwarktaart. Als je de kwarktaart pas in tweede instantie bestelde, zaten er op de een of andere manier minder calorieën in.

'Voor jou is het het moeilijkst,' zei Jerome, zonder Levi aan te kijken maar wel op hem doelend. 'Jij moet daar de hele tijd zíjn. Alsof je in de buik van het monster zit.'

Levi stapte snel over deze veroordeling heen: 'Kweenie. Het is oké, man. Ik ben veel weg, weet je.'

'Het stomme is,' vervolgde Jerome, spelend met het ringetje om zijn pink, 'dat Kiki nog steeds van hem houdt. Het is zo duidelijk. Ik snáp dat gewoon niet, hoe je kunt houden van iemand die op zo'n manier *nee* zegt tegen de wereld, ik bedoel, zo consequent. Pas als ik van huis ben en met mensen buiten de familie praat, zie ik wat voor psychoot hij is. Tegenwoordig is Japanse techno nog zo'n beetje de enige muziek die je bij ons thuis hoort. Nog even en we moeten ons tevreden stellen met stukjes hout om op te tikken. En dit is dan de man die zijn vrouw het hof heeft gemaakt door onder haar appartement de halve *Zauberflöte* te zingen! Nu mag ze niet eens meer een schilderij in huis hangen dat ze mooi vindt! Vanwege een of andere gestoorde theorie in zijn hoofd moet iedereen het bezuren. Het is zo totaal vreugdeloos, ik snap niet hoe je het daar uithoudt.'

Levi blies door een rietje bellen in zijn americano. Hij draaide op zijn kruk en keek voor de derde keer binnen een kwartier op de klok achter aan de muur.

'Zoals ik al zeg, ik ben veel weg. Ik heb geen idee hoe het ermee gaat.'

'Wat ik wel doorheb is dat Howard een probleem heeft met dankbaarheid,' draafde Jerome door, meer tegen zichzelf dan tegen zijn broer. 'Het is alsof hij wel weet dat hij een gezegend mens is, maar niet weet wat hij met zijn dankbaarheid aan moet, want die geeft hem een ongemakkelijk gevoel, omdat hij dan iets moet met het transcendente... en we weten allemaal wat voor hekel hij dááraan heeft. Dus door te ontkennen dat er in de wereld zoiets bestaat als gaven, als dingen van waarde, omzeilt hij het dankbaarheidsprobleem. Als er geen gaven zijn, hoeft hij niet te denken over een god bij wie die vandaan zouden kunnen komen. Maar dat is nu net waarin je vreugde kunt vinden. Ik kniel iedere dag neer voor God. En Lee, het is echt ongelooflijk,' benadrukte hij, op zijn kruk draaiend om naar Levi's uitdrukkingloze profiel te kijken, 'echt waar.'

'Cool,' zei Levi onverstoorbaar, want binnen de grenzen van Levi's gesprekken was God even welkom als elk ander onderwerp. 'Zo heeft iedereen zijn eigen manier,' voegde hij er onweerspreekbaar aan toe en hij begon de bosbessen uit zijn tweede bosbessenmuffin te peuteren.

'Waarom doe je dat nou?' vroeg Zora, die weer op de kruk tussen haar broers ging zitten.

'Ik hou van bosbessensmáák,' verklaarde Levi een beetje ongeduldig, 'ik ben gewoon niet zo gek op bosbessen zelf.'

Nu draaide Zora rond op haar kruk zodat haar rug naar haar jongere broer gekeerd was en ze zich wat meer op haar oudere broer kon richten.

'Grappig dat je het over die verzoeningspoging had... herinner je je die jongen op dat concert nog?' vroeg Zora, met haar vingers vaag op het glas tikkend, waarmee ze wilde suggereren dat hetgeen ze ging zeggen net bij haar was opgekomen. 'Die jongen van het concert, die dacht dat ik zijn dinges had gestolen, weet je nog?'

'Ja hoor,' zei Jerome.

'Die zit dus nu bij mij in de groep. De werkgroep van Claire.'

'De werkgroep van Claire? Die jongen uit het park?'

'Hij blijkt geweldige teksten te schrijven. We hebben hem gehoord in de Bus Stop, met de hele groep, we gingen naar hem kijken, en toen heeft Claire hem gevraagd erbij te komen. Hij is al twee keer geweest.'

Jerome keek in zijn koffiemok. 'Claires verschopten en verdoolden... die zou zich eens met haar eigen leven moeten bezighouden.'

'Dus, ja, dus blijkbaar heeft hij echt wel wat,' zei Zora over Jerome heen pratend, 'en ik denk dat het jou ook wel zou interesseren wat hij doet, je weet wel... verhalende poëzie... ik zei tegen hem, je zou hem eens... want hij heeft zo veel talent, weet je, je zou hem eens thuis kunnen uitnodigen, of...'

'Zo bijzonder is hij niet,' kwam Levi tussenbeide.

Zora draaide rond. 'Last van jaloezie?' Ze draaide zich weer om naar Jerome en legde uit: 'Levi en – wie waren die gasten eigenlijk? – nou ja, een stel gasten die hij in de haven had ontmoet, net van de boot... in elk geval, ze werden door Carl verpletterd in de Bus Stop. Ver-plétterd. De arme schat, hij likt zijn wonden.'

'Dat heeft er niks mee te maken,' zei Levi bedaard, zonder zijn stem te verheffen. 'Ik zeg gewoon dat hij oké is. Meer is-ie ook niet.'

'Ja, hoor. Wat jij zegt.'

'Hij is gewoon het soort rapper waar blanke lui helemaal van uit hun dak gaan.'

'Ach, hou toch op. Wat ben jij triest, zeg.'

Levi haalde zijn schouders op. 'Het is zo. Hij gaat niet dodelijk spacen, hij wordt niet stronken, niet droengoe, hij houdt zich niet bezig met dat Eastcoast-Westcoast-gedoe,' zei hij, waarmee hij zich in alle blijmoedigheid totaal onverstaanbaar maakte voor zijn broer, zijn zus en 99,9 procent van de wereldbevolking. 'Nee, dan míjn maten, zij hebben het *lijdende volk* achter zich, die gast heeft alleen maar een woordenboek, man.'

'Sorry,' begon Jerome. Hij schudde zijn hoofd om helder te kunnen nadenken. 'Waarom zou ík die gast, Carl, mee naar huis nemen?'

Zora keek verschrikt.

'Nergens om. Ik dacht alleen... je bent terug. Ik dacht dat het misschien leuk voor je zou zijn om wat vrienden te maken en misschien...'

'Ik kan heus wel mijn eigen vrienden maken, dank je vriendelijk.'

'Oké, best.'

'Goed.'

'*Best.*'

Zora's stille gemok was altijd drukkend, en even strijdlustig als wanneer ze uit volle borst tegen je zou schreeuwen. Het hield alleen op als jij je excuses aanbood, óf als Zora je een mooi ingepakt presentje bezorgde met een tikkeltje gif erin.

'Nou ja, in elk geval is het wel goed... weet je dat mam er veel meer op-uit gaat,' zei ze en ze schepte wat schuim van haar koffie verkeerd. 'Ik denk dat het in die zin bevrijdend voor haar heeft gewerkt. Ze komt meer onder de mensen en zo.'

'Mooi zo, dat hoopte ik al.'

'Ja...' Zora slurpte het romige schuim op. 'Ze gaat veel om met Carlene Kipps. Geloof het of niet.' Cadeautje afgegeven.

Jerome bracht zijn koffie naar zijn lippen en slurpte op zijn gemak voor hij antwoord gaf.

'Ik weet het. Dat heeft ze me verteld.'

'Ah,' zei ze. 'Ja... die zijn al helemaal gesetteld, lijkt het. Die van Kipps, bedoel ik. Behalve de zoon, maar die komt over om hier te trouwen, schijnt het. En na de kerst beginnen Monty's lezingen.'

'Michael?' vroeg Jerome, vol kennelijke genegenheid, 'Echt waar? Met wie gaat hij trouwen?'

Zora schudde ongeduldig haar hoofd. Daar ging het haar niet om. 'Ik weet niet. Een of ander christelijk meisje.'

Jerome zette zijn mok terug op tafel, hard en snel. Zora's blik zocht tot ze dat verontrustende sieraad vond dat Jerome af en toe droeg, maar dat nu permanent leek: een klein gouden kruisje om zijn nek.

'Pap gaat ze proberen tegen te houden, de lezingen,' zei ze vlug, 'Ik bedoel, in het kader van de wet tegen het aanzetten tot haat. Hij wil van tevoren de teksten van de lezingen inzien; hij denkt dat hij hem kan pakken op homofobie. Volgens mij maakt hij geen schijn van kans. Ik wou dat het wel zo was, maar het gaat moeilijk worden. Tot nu toe hebben we alleen de naam gekregen, en die is waanzinnig. Gewoon helemaal perfect.'

Jerome zweeg. Hij bleef kijken naar de oppervlakte van de vijver in het park tegenover, waar de wind overheen blies. Hij deinde en golfde als een bad waar twee dikke mannen steeds opnieuw in stapten, elk aan één kant.

'"Universiteitsethiek" – streepje – "Het vrije aspect uit de 'vrije kunsten' halen." Nou jij weer.'

Jerome trok één voor één de manchetten van zijn lange zwarte regenjas over zijn polsen. Hij haakte de boorden achter zijn vingers en steunde met zijn samengebalde vuisten tegen zijn wangen.

'En Victoria?' vroeg hij.

'Hmm? Hoe bedoel je?' informeerde Zora onschuldig, zij het te laat.

In Jeromes zachte stem klonk iets stekeligs door. 'Nou, je hebt me zo jubelend over de rest van hen verteld... komt er niets meer over haar?'

'Helemáál niet jubelend,' zei Zora, 'helemaal wél jubelend,' zei Jerome. Zora bleef ontkennen dat ze had gejubeld, Jerome hield vol dat ze had gejubeld: het begin van een typische broer-zusruzie over subtiliteiten in toon en formulering die noch objectief konden worden aangetoond, noch weggeredeneerd.

'Geloof me,' sneerde Zora om de zaak af te kappen, 'ik voel geen enkele jubeling ten aanzien van Victoria Kipps. Geen spatje. Ze is toehoorder in mijn werkgroep. Paps werkgroep. Er zijn een miljoen eerstejaarswerkgroepen waaraan ze kan deelnemen, maar nee, zij kiest een tweedejaarsseminar. Wat is het probleem van die meid?'

Jerome glimlachte en trok zijn wenkbrauwen op.

'Het is niet grappig. Ik weet niet wat ze daar doet, ze is alleen maar decoratief.'

Jerome wierp zijn zus een ernstige, veelbetekenende blik toe, die zei dat ze hem tegenviel. Ze kende die blik al van hem sinds ze klein waren en verdedigde zich net als altijd door aan te vallen.

'Ja, sorry hoor, maar ik mag die meid niet. Ik kan niet net doen alsof ik haar leuk vind. Ze is echt zo'n typisch barbiepopperig, intens oppervlakkig wezen dat machtsspelletjes speelt. Ze probeert het te verbergen door een boek te lezen van Barthes of hoe heet-ie... ze citeert die man aan één stuk door, zó irritant. Maar waar het op neerkomt is dat ze, zodra het even lastig voor haar wordt, gewoon haar charmes in de strijd gooit. Walgelijk. Mijn god, en die sliert jongens die ze achter zich aan heeft. Mij best hoor, het is natuurlijk triest, maar ja, ieder zijn meug... maar ga niet de groepsdynamiek verpesten met stomme vragen die nergens op slaan. Snap je. En ijdel, god, wat is díe ijdel. Je mag van geluk spreken dat je daar vanaf bent.'

Jerome zag er gekwetst uit. Hij had er altijd een hekel aan als iemand werd zwartgemaakt, behalve als die iemand Howard was, misschien, en dan nog deed hij liever zelf het vuile werk. Nu vouwde hij het papiertje van zijn muffin dubbel en liet het doelloos tussen zijn vingers glijden als een speelkaart. 'Je kent haar niet eens. Zo ijdel is ze helemaal niet, ze weet alleen nog niet helemaal hoe ze met haar uiterlijk moet omgaan. Ze is nog jong. Ze weet nog niet wat ze ermee aan moet. Het is niet niks, hoor, om er zo uit te zien.'

Zora lachte honend. 'O, nou en of ze dat weet. Ze gebruikt het als een duivels kwaad.'

Jerome sloeg zijn blik ten hemel, maar lachte mee.

'Je denkt zeker dat ik een grapje maak. Ze is een slang. Iemand moet haar tegenhouden voor ze een volgend slachtoffer maakt. Serieus.'

Dat ging te ver. Zora besefte het en kromp enigszins in elkaar op haar kruk.

'Je hoeft dit allemaal heus niet te zeggen, niet voor mij althans...' zei Jerome nurks, wat Zora, die alleen maar lucht had gegeven aan haar eigen gevoelens, van de wijs bracht, '...want ik... ik hou niet meer van haar.' Met dit o zo simpele zinnetje leek alle lucht uit zijn longen te stromen. 'Daar ben ik dit semester achter gekomen. Het was moeilijk, ik heb mezelf gedwongen. In feite dacht ik dat ik haar gezicht nooit meer uit mijn systeem zou krijgen.' Jerome sloeg zijn ogen neer naar het tafelblad en keek toen weer op, recht in de ogen van zijn zus. 'Maar dat is toch gelukt. Ik hou niet meer van haar.'

Dit werd zo plechtig, zo ernstig gezegd dat Zora wilde lachen, zoals ze vroeger altijd hadden gelachen op dit soort momenten. Maar niemand lachte.

'Ik ga ervandoor,' zei Levi en hij veerde van zijn kruk. Zijn broer en zus keerden zich verbaasd naar hem toe. 'Ik moet weg,' herhaalde hij.

'Terug naar school?' vroeg Jerome, op zijn horloge kijkend.

'Uh-huh,' zei Levi, want waarom zou je de mensen onnodig ongerust maken? Hij nam afscheid, trok zijn michelinmannetjesjas aan en gaf eerst zijn zus en toen zijn broer een klapje op hun rug. Hij drukte de knop van zijn iPod in – de oortelefoon had hij al die tijd ingehouden. Hij had mazzel: het was een prachtig nummer van de dikste rapper ter wereld: een honderdtachtig kilo zwaar Latinogenie, afkomstig uit de Bronx. Pas vijfentwintig toen hij aan een hartaanval bezweek, maar nog volop in leven voor Levi en miljoenen andere jongeren zoals hij.

Buiten op straat veerde Levi mee op de ingenieuze epische bluf van de dikke man, wiens vormelijke taalgebruik deed denken aan bijvoorbeeld

Milton, of de *Ilias*. Deze vergelijkingen zeiden Levi helemaal niets. Zijn lichaam hield gewoon van dit nummer; hij deed geen moeite om te verhullen dat hij over straat danste, waarbij de wind in zijn rug hem even lichtvoetig als Gene Kelly maakte. Algauw zag hij de kerktoren, en toen, een blok verder, een flits van de spierwitte, aan zwarte hekken vastgeknoopte lakens. Hij was niet zo laat, een paar van de jongens waren nog aan het uitpakken. Felix, de leider, althans degene die over het geld ging, zwaaide. Levi knikte en draafde naar hem toe. Ze drukten hun vuisten tegen elkaar, klemden hun handen ineen. Sommige mensen hebben zweterige handen, de meeste ietwat vochtige, en dan heb je nog een paar zeldzame zielen zoals Felix, wier handen zo droog en koel zijn als steen. Levi vroeg zich af of het iets te maken had met zijn zwartheid. Felix was zwarter dan alle andere zwarte mannen die Levi ooit van zijn leven had ontmoet. Hij had een huid als leisteen. Levi had het idee – hij zou het nooit hardop zeggen en hij wist dat het nergens op sloeg – dat Felix in zekere zin de *essentie* van zwartheid was. Je keek naar Felix en je dacht: híer gaat het nou allemaal om, zó anders te zijn; dit is waar blanke lui bang voor zijn, wat ze bewonderen en waar ze naar verlangen en waar ze als de dood voor zijn. Hij was zo puur zwart als – aan de andere kant – die maffe Zweden met hun doorschijnende wimpers blank zijn. Het was zoiets als wanneer je 'zwart' opzoekt in een woordenboek... het was ontzagwekkend. En als om zijn bijzonderheid te benadrukken treuzelde Felix niet zoals de andere jongens, hij maakte geen grappen. Hij was een en al business. De enige keer dat Levi hem had zien lachen, was toen Levi Felix die eerste zaterdag had gevraagd of hij een baantje te vergeven had. Het was een Afrikaanse lach, met het diepe, galmende timbre van een gong. Felix kwam uit Angola. De anderen waren Haïtiaans en Dominicaans. Er was ook een Cubaan. En nu was er, tot grote verbazing van Felix en van Levi zelf, een Amerikaans staatsburger van gemengd bloed. Het had hem een week gekost om Felix ervan te overtuigen dat hij serieus met hen wilde werken. Maar nu hij zag hoe Felix zijn hand vasthield en zijn rug kneedde, wist Levi dat Felix hem aardig vond. Mensen waren altijd geneigd Levi aardig te vinden en hij was er dankbaar voor, zonder te weten wie hij daarvoor dankbaar moest zijn. De avond in de Bus Stop had voor Felix en de andere jongens de doorslag gegeven. Ze hadden totaal niet verwacht dat hij zou komen. Ze dachten dat hij zomaar wat had gezegd. Maar hij kwam wél en daar respecteerden ze hem om. En hij had meer gedaan dan dat; hij had laten zien hoe nuttig hij kon zijn. Het was zijn welsprekende Engels geweest – relatief dan – dat ervoor had gezorgd dat ze hun tape mochten laten horen en de MC konden overhalen om vijftien man tegelijkertijd op het podium toe te laten, en waardoor ze het krat bier hadden kunnen opstrijken dat aan iedere act wordt toegezegd. Hij hoorde erbij. Het erbij horen was een vreemd gevoel. De afgelopen dagen, waarop hij na school naar de jongens was gegaan en met ze had rondgehangen, waren voor Levi een ware onthulling geweest. Ga maar eens met vijftien Haïtianen over straat lopen en je ziet hoe ongemakkelijk de mensen zich gaan voelen. Hij voelde zich een beetje als Jezus op stap met de leprozen.

'Jij kom weer,' zei Felix knikkend. 'Oké.'

'Oké,' zei Levi.

'Zaterdag en zondag kom je. Iedere week. En donderdag?'

'Nee, man: zaterdag en zondag, ja. Maar niet donderdag. Alleen déze donderdag. Ik heb een vrije dag vandaag – als dat oké is.'

Felix knikte weer. Hij pakte een notitieblokje en een pen uit zijn zak en schreef iets op. 'Het is oké als jij werkt. Het is fokking oké als jij werkt,' vond hij, met de klemtoon op diverse onverwachte lettergrepen.

'Bij mij draait alles om werk, Fe.'

'Alles om werk,' herhaalde Felix goedkeurend. 'Heel goed. Jij werkt andere kant,' zei hij en hij wees naar de overkant van de straat. 'We hebben een nieuwe. Jij gaat met hem werken. 15 procent. Let goed op: fokking politie overal. Let op. Het spul is hier.'

Gehoorzaam pakte Levi twee lakenbundels op en stapte van het trottoir af, maar Felix riep hem terug.

'Neem hem mee. Chouchou.' Felix duwde een jonge man naar voren. Hij was mager, met schouders niet breder dan die van een meisje; je kon een ei tussen de knobbels van zijn ribbenkast stoppen. Hij had een enorm, naturel afrokapsel, een klein, vlassig snorretje en een adamsappel groter dan zijn neus. Levi schatte hem midden twintig, misschien achtentwintig. Hij droeg een goedkope oranje sweater van acryl met opgerolde mouwen ondanks de kou, en over zijn rechterarm liep een oogverblindend litteken, felroze afstekend tegen zijn zwarte huid. Het begon in een punt en spreidde zich uit over zijn onderarm als het kielzog van een schip.

'Is dat je naam?' vroeg Levi terwijl ze overstaken, 'als een trein?'

'Wat betekent dat?'

'Je weet wel, een trein, tsjoeketsjoeke! De trein komt eraan! Als een trein.'

'Het is Haïtiaans. c-h-o-u-c-'

'Ja ja, ik snap het...' Levi dacht na. 'Nou, zo kan ik je niet noemen, man. Wat vind je van gewoon Choo? Ja, dat kan wel. Dat kan. Levi en Choo.'

'Dat is niet mijn naam.'

'Nee, dat snap ik, man. Maar het klinkt gewoon lekkerder: Choo. Levi en Choo. Hoor je?'

Er kwam geen antwoord.

'Ja, dat is *straat*, man. Choo... Dé Choo. Cool. Leg je hand hier – nee, niet daar – zo. Zó ja.'

'Zullen we dan maar?' zei Choo, zijn hand losmakend uit die van Levi en naar beide kanten uitkijkend over de straat. 'We moeten alles verzwaren met die wind. Ik heb stenen van het kerkhof.'

Zo'n lang stuk tekst in grammaticaal correct Engels had Levi niet verwacht. In stille verbazing hielp hij Choo met het uitpakken en op het trottoir leggen van een berg kleurige tassen. Hij stond op het laken zodat de wind er geen vat op kreeg, terwijl Choo stenen op de hengsels van de tassen legde. Vervolgens begon Levi zijn eigen dvd's met wasknijpers vast te pinnen aan net zo'n verzwaard laken. Hij probeerde een praatje aan te knopen.

'Waar het om gaat, Choo, het enige waar je echt op moet letten, is dat je de coppers in het oog houdt en even een gil geeft als je ze ziet. Een goeie harde gil. En je moet ze in de peiling hebben al voor ze er zijn, je moet het áánvoelen, dat je een copper kan ruiken op acht straten afstand. Dat kost tijd, dat is een kunst. Maar je moet het zien te krijgen. Dat is *straat*.'

'Ah.'

'Ik woon al m'n hele leven in deze buurt, dus voor mij is het zo'n beetje een tweede natuur.'

'Tweede natuur.'

'Maar maak je geen zorgen, hoor, je leert het vanzelf.'

'Vast. Hoe oud ben je, Levi?'

'Negentien,' zei Levi, want hij voelde wel dat het hoe ouder, hoe beter was. Maar het leek niet beter. Choo deed zijn ogen dicht en schudde licht maar zichtbaar met zijn hoofd.

Levi lachte nerveus. 'Hé, Choo... je ziet er niet al te enthousiast uit, man, ineens.'

Choo keek Levi recht aan, hopend op gedeelde smart. 'Ik heb er zo'n fokking teringhekel aan om spullen te verkopen, weet je,' zei hij. Het klonk nogal triest, vond Levi.

'Choo, man, je bent geen verkóper,' antwoordde Levi vol vuur. Nu hij zag waar het probleem lag, was hij opgetogen: het was zo gemakkelijk op te lossen! Het was gewoon een kwestie van hoe je ertegenaan keek. Hij zei: 'Je staat hier niet achter de kassa bij de drogist! Je bent een *hosselaar*, man. Da's heel wat anders. Dat is *straat*. Hosselen is het echte leven. Als je niet kan hosselen ben je dood. En als je niet kan hosselen ben je geen brother. Dat is wat ons allemaal bindt, of we nou op Wall Street zitten of op MTV, of dat we op een straathoek zitten met tien-dollarsealtjes. Helemaal vet, man. Wij hosselen!'

Deze meest complete versie van Levi's persoonlijke levensfilosofie die hij ooit had geformuleerd, hing in de lucht te wachten op het terechte antwoord: *Amen!* 'Ik weet niet waar je het over hebt,' zei Choo met een zucht. 'Laten we maar beginnen.'

Levi was teleurgesteld. Zelfs al begrepen de andere jongens niet helemaal waarom Levi zo enthousiast was over hun activiteiten, ze lachten altijd en speelden het spelletje mee, en ze hadden een paar van de kunstmatige termen overgenomen die Levi zo graag gebruikte voor hun alledaags bestaan: *hosselaar, playa, gangsta, pimp*. De weerspiegeling van henzelf in Levi's ogen was in feite een zeer welkome vervanging voor hun eigen realiteit. Wie wil er nu niet liever gangsta zijn dan straathandelaar? Wie wil er niet liever hosselen dan verkopen? Wie zou er hun eigen eenzame, bedompte kamertjes verkiezen boven deze fullcolourvideo, deze openluchtgemeenschap waar ze volgens Levi allemaal deel van uitmaakten? De straat, de geglobaliseerde straat, met allemaal hosselende brothers erlangs die op alle hoeken aan het werk waren, van Roxbury tot Casablanca, van South Central tot Kaapstad.

Levi probeerde het nog eens: 'Ik zeg je, hósselen, man! Dat is iets als...'

'Louis Vuitton, Gucci, Gucci, Fendi, Fendi, Prada, Prada,' riep Choo, zoals hem was opgedragen. Twee blanke vrouwen van middelbare leeftijd hielden stil bij zijn uitstalling en begonnen schaamteloos af te dingen. Levi merkte op dat het Engels van zijn collega direct simpeler, monosyllabisch werd. Hij merkte ook hoeveel gemakkelijker de vrouwen met Choo omgingen dan met hem. Toen Levi er wat kreten over de kwaliteit van de imitatietassen tegenaan wilde gooien keken ze hem vreemd, bijna beledigd aan. Natuurlijk, ze willen nooit praten, dat had Felix al uitgelegd. Ze schamen zich om iets van je te kopen. Dat was nog niet zo makkelijk te onthouden na de megastore, waar mensen juist prat gingen op hun koopkracht. Levi deed zijn mond op slot en keek toe terwijl Choo vlug vijfentachtig dollar inde voor drie tassen. Dat was nog zoiets moois aan deze handel: als mensen iets wilden kopen, deden ze het snel en liepen ze gauw door. Levi feliciteerde zijn nieuwe vriend met de verkoop.

Choo haalde een sigaret te voorschijn en stak hem op.

'Het geld is voor Felix,' zei hij, Levi afkappend, 'niet voor mij. Ik ben taxichauffeur geweest; dezelfde bullshit.'

'Wij krijgen ons deel, man, wij krijgen ons deel. Da's economie, toch?'

Choo lachte bitter. 'Origineel spul: achthonderd dollar,' zei hij en hij wees naar de winkel aan de overkant van de straat. 'Nep: dertig dollar. Productiekosten: vijf dollar, misschien drie. Dát is economie. Amerikaanse economie.'

Levi schudde zijn hoofd in verwondering. 'Niet te geloven dat die stomme wijven dertig dollar neertellen voor een tas van drie dollar. Shit man, niet te geloven. Dát noem ik nog eens een hossel.'

Nu keek Choo omlaag naar Levi's gympen. 'Hoeveel heb je daarvoor betaald?'

'Honderdtwintig dollar,' zei Levi trots en hij demonstreerde de in de zolen verwerkte schokdempers door op en neer te veren.

'Vijftien om ze te maken,' zei Choo, rookpluimen blazend uit beide neusgaten, 'maximaal. Vijftien dollar. Jíj bent degene die wordt gehosseld, vriend.'

'Hoe weet jij dat nou? Niks van waar, man. Helemaal niks van waar.'

'Ik kom van de fabriek waar ze jouw schoenen maken. Waar ze vróeger jouw schoenen maakten. Nu maken we niks meer,' zei Choo, en brulde toen 'PRADA!' Hij had weer een groepje vrouwen te pakken dat groter en groter werd, alsof hij een visnet over het trottoir had uitgeworpen. *Ik kom van de fabriek?* Hun kun je *van een fabriek komen?* Maar er was nu geen tijd om er verder op in te gaan: aan Levi's kant stond een aantal gothicmeisjes. Ze hadden zwart haar en waren wit en mager, met elkaar verbonden door vreemde metalen kettingen, het soort meisjes dat op vrijdagavond rondspookt bij metrohalte Harvard met een fles wodka in hun enorme broeken gestoken. Ze wilden horrorfilms en Levi had die. Hij deed vlot zaken en gedurende een uur of zo zeiden de twee kooplieden niet veel tegen elkaar, behalve wanneer de een kleingeld nodig had uit het heuptasje van de ander. Levi, die niet goed tegen een slechte sfeer kon, had nog steeds de behoefte om ervoor te zorgen dat deze jongen hem aardig vond, zoals de meeste jongens hem aardig vonden. Eindelijk verslapte de handel. Levi greep zijn kans.

'Wat is het met jou, man? Je moet het niet verkeerd opvatten, maar... je lijkt me helemaal geen type voor dit soort dingen, weet je.'

'Zeg, hoor eens even, vriend,' zei Choo rustig, en weer schrok Levi op van het gemak waarmee hij het Amerikaanse idioom hanteerde, 'jij laat mij met rust en ik doe mijn best om jou met rust te laten. Jij verkoopt je films. Ik verkoop deze tassen. Wat zou je daarvan zeggen?'

'Dat is cool,' zei Levi kalm.

'De beste films, topfilms, drie voor tien dollar!' brulde Levi over straat. Hij groef in zijn broekzak en vond twee verpakte Junior Mint-snoepjes. Hij bood Choo er een aan, maar die snoof en sloeg het af. Levi pakte zijn eigen snoepje uit en stak het in zijn mond. Hij was gek op Junior Mint. Pepermunt en chocolade, wat wil je nog meer van een snoepje?

Het laatste beetje pepermunt gleed door zijn keel. Hij deed echt zijn best om niets te zeggen. En toen zei hij: 'Heb je veel vrienden hier?'

Choo zuchtte. 'Nee.'

'Niemand in de stad?'

'Nee.'

'Ken je dan helemaal níemand?'

'Ik ken twee, drie mensen. Ze werken aan de andere kant van de rivier, in Wellington. Op de universiteit.'

'O ja?' vroeg Levi. 'Welke vakgroep?'

Choo staakte het ordenen van het geld in zijn heuptasje en keek Levi bevreemd aan. 'Ze doen schoonmaakwerk. Ik heb geen idee in welke vakgroep.'

Oké, oké, brother, jij wint, dacht Levi en hij hurkte neer om een stel dvd's zonder enige noodzaak opnieuw te herschikken. Hij had het gehad met deze gast. Maar nu was Choo degene die plots geïnteresseerd leek. 'En jij...' zei hij met nadruk, 'jij woont in Roxbury. Zegt Felix.'

Levi keek op naar Choo. Die glimlachte eindelijk.

'Ja, man, dat klopt.'

Choo keek op hem neer als de langste man die ooit op aarde had rondgelopen. 'Ja. Dat heb ik gehoord, dat je in Roxbury woont. En je rapt ook met ze.'

'Niet echt. Ik deed gewoon mee. Ze zijn anders wel goed, helemaal die politieke vibe. Echt heftig. Ik ben me meer in de... zeg maar de politieke context aan het verdiepen, dat is waar ik nu mee bezig ben,' zei Levi, doelend op een boek over Haïti dat hij – al bleef het vooralsnog ongelezen – had geleend in de honderdzevenentwintig jaar oude bibliotheek van de

Arundel-school. Het was voor het eerst dat Levi dat afgezonderde, donkere zaaltje was binnengegaan zonder dat het voor een schoolproject of een naderend examen was.

'Maar ze zeggen dat ze je er nooit zien, in Roxbury. De anderen. Ze zeggen dat ze je nooit zien.'

'Ja, eh... Ik bemoei me graag met mijn eigen zaken.'

'Ah. Nou, misschien zien we elkaar daar dan, Levi,' zei Choo, en zijn glimlach werd breder. '*In da hood*.'

10

Katherine – Katie – Brockes was zestien. Ze was een van de jongste studenten op de universiteit van Wellington. Ze groeide op in Southbend, Indiana, waar ze veruit de knapste leerling op haar middelbare school was. Hoewel de overgrote meerderheid van de leerlingen van Katies middelbare school ofwel voortijdig afhaakte of de prima onderwijsvoorzieningen in Indiana zelf volgde, was niemand erg verbaasd dat Katie met een volledige universitaire studiebeurs naar een vooraanstaande school aan de Eastcoast ging. Katie blonk uit in zowel alfa- als bètavakken, maar haar hart – als je dat zo kunt zeggen – had altijd links van haar hersenen gezeten. Katie was dol op kunst en letteren. Gezien de relatieve armoede en beperkte scholing van haar ouders wist ze dat het haar ouders waarschijnlijk beter was uitgekomen als ze had gekozen voor medicijnen, of zelfs voor een rechtenstudie aan Harvard. Maar haar ouders waren gulle, liefdevolle mensen en ze stonden achter haar, wat ze ook koos.

De zomer voor Katie op Wellington kwam, piekerde ze zich helemaal suf over de vraag of ze als hoofdvak Engelse literatuur of kunstgeschiedenis zou kiezen. Ze wist het nog steeds niet echt. Op sommige dagen wilde ze redacteur bij een uitgeverij worden. Op andere dagen zag ze zichzelf eerder als galeriehoudster of zelfs als schrijfster van een boek over Picasso, de bijzonderste mens die Katie kende. Op dit moment, als eerstejaars, hield ze de verschillende opties open. Ze zat in de werkgroep van professor Cork over twintigste-eeuwse schilderkunst – uitsluitend voor tweedejaars, maar ze had hem gesmeekt – en in twee werkgroepen over literatuur: over Engelse romantische poëzie en Amerikaans postmodernisme. Ze was Russisch aan het leren, werkte bij de telefonische hulplijn voor mensen met eetproblemen en deed het decorontwerp voor een uitvoering van *Cabaret*. Omdat ze verlegen van aard was, moest Katie elke week een heleboel zenuwen overwinnen alleen al om de zaaltjes binnen te gaan waar al deze activiteiten plaatsvonden. Vooral van één werkcollege kreeg ze het Spaans benauwd: dat van professor Belsey over zeventiende-eeuwse kunst. Het semester was grotendeels gewijd aan Rembrandt, de op een na bijzonderste mens die Katie kende. Vroeger droomde ze ervan om ooit een universitair college over Rembrandt bij te wonen, samen met andere intelligente mensen die van Rembrandt hielden en zich niet schaamden om voor die liefde uit te komen. Tot nu toe had ze nog maar drie colleges bijgewoond. Ze begreep er niet veel van. Het grootste deel van de tijd had ze het gevoel dat de professor een andere taal sprak dan de taal die zij de afgelopen zestien jaar had gesproken. Na het derde college ging ze naar haar studentenflat terug om daar uit te huilen, haar jeugd en domheid vervloekend. Had ze op de middelbare school maar andere boeken gelezen, klaarblijkelijk had ze haar tijd aan de verkeerde dingen verspild. Maar inmiddels was Katie gekalmeerd. Ze had een paar van die geheimzinnige termen uit het college opgezocht in haar woordenboek: ze stonden er niet in. Ze vond wel 'liminaliteit', maar dan nog begreep ze niet wat professor Belsey ermee bedoelde. Katie was niet het soort meisje dat het gauw opgaf. Vandaag was het vierde college, en ze had zich goed voorbereid. Vorige week hadden ze werkbladen gekregen met fotokopieën van de twee schilderijen die vandaag zouden worden besproken. Katie had er een volle week naar zitten staren en er diep over nagedacht, en ze had aantekeningen gemaakt in haar notitieboek.

Het eerste schilderij was *Jakob worstelend met de engel* uit 1658. Katie had nagedacht over het krachtige impasto dat, geheel tegen de verwachting in, zorgde voor die sluimerende, dromerige sfeer. Ze maakte aantekeningen over de gelijkenis tussen de engel en Jakob. Als ze naar dit schilderij keek, zag ze een heftige strijd die tegelijkertijd een liefdevolle omhelzing was. In zijn homo-erotiek deed het haar denken aan Caravaggio – sinds ze op Wellington was begonnen vond ze een heleboel dingen homo-erotisch. Ze bewonderde de aardetinten: Jakobs eenvoudige damasten kleed en de ecru boerenkiel van de engel. Caravaggio gaf zijn engelen altijd de donkere, onheilspellende vleugels van adelaars; de engel van Rembrandt daarentegen was geen adelaar, maar ook geen duif. Eigenlijk had geen enkele vogel die Katie ooit had gezien van die rafelige, versleten grijsbruine vleugels. Ze leken bijna bij nader inzien geschilderd om de kijker eraan te herinneren dat dit schilderij over bijbelse, buitenaardse zaken zou moeten gaan. Maar in Rembrandts protestantse hart, dacht Katie, ging de hier afgebeelde strijd eigenlijk om de aardse ziel van een man, om zijn *menselijke* geloof in de wereld. Katie, die haar eigen geloof twee jaar eerder langzaam en met veel pijn had verloren, zocht de betreffende passage op in de bijbel en voegde het volgende toe aan haar aantekeningen:

> Maar Jakob bleef achter; helemaal alleen, en er worstelde iemand met hem tot-dat de dag aanbrak (...) Toen zei de ander: 'Laat mij gaan, het wordt al dag? Maar Jakob zei: 'Ik laat u niet gaan tenzij u mij zegent.'

Dit schilderij vond Katie imposant, mooi, ontzagwekkend, maar niet echt ontroerend. Waarom kon ze niet benoemen, ze kon er haar vinger niet op leggen. Wat ze erover kon zeggen was, nogmaals, dat het geen geloofsstrijd was waar ze naar keek. Tenminste, niet een van het soort dat ze zelf had er-varen. Jakob zag eruit alsof hij verlangde naar genegenheid, en de engel zag eruit alsof hij die wilde geven. Zo ging het niet in een gevecht. Er was geen echte strijd. Sloeg dat ergens op?

Het tweede schilderij daarentegen maakte Katie aan het huilen. Het was *Zittend naakt*, een ets uit 1631. Hierop was een wanstaltige vrouw te zien, naakt, met propperige borstjes en een enorme opgezwollen buik, zittend op een rots, die Katie recht aankeek. Katie had enkele beroemde bespre-kingen van deze ets gelezen. Iedereen vond hem technisch goed maar vi-sueel afstotelijk. Hij stond vele beroemde mannen tegen. Gewoon een blote vrouw was kennelijk veel afzichtelijker dan Samson wiens oog wordt uitgestoken of Ganymedes die alles onderpiest. Was ze werkelijk zo gro-tesk? Aanvankelijk shockeerde ze Katie, als een felbelichte, meedogenloze foto van jezelf. Maar toen begon alle externe menselijke informatie tot haar door te dringen die niet expliciet, maar impliciet aanwezig is in wat we zien. Katie werd ontroerd door de gekartelde afdruk van kousen op haar naakte benen, haar gespierde armen die wezen op zware handarbeid. Die slappe buik waar vele baby's in hadden gezeten, dat nog frisse gezicht dat in het verleden mannen had verleid en misschien nog wel meer mannen zou verleiden. Katie – zelf een bonenstaak – kon in dit lichaam zelfs haar eigen lichaam zien, alsof Rembrandt tegen haar, en tegen alle vrouwen, zei: 'Want jij bent van de aarde, zoals mijn zittend naakt; ook jij zult dit punt bereiken, en wees gezegend als je zo weinig schaamte en zo veel vreugde voelt als zij!' Dit was een vrouw in essentie: onopgesmukt, na kinderen en werk en jaren, en ervaring. Dit waren de sporen die het leven naliet. Zo voelde Katie het. En dat alles door middel van arceringen – Katie tekende zelf strips en wist wel iets van arceringstechnieken – al deze suggesties van sterfelijkheid uit een inktpot!

Helemaal opgewonden kwam Katie de klas in. Ze ging zitten en hield haar notitieblok geopend voor zich, vastbesloten deze keer, *vastbesloten* om een van de drie, vier mensen te zijn die hun mond durfden open te doen tijdens het college van professor Belsey. De groep, veertien in totaal, zat in een carré. De tafeltjes waren tegen elkaar aan geschoven zodat ze elkaar allemaal konden zien. Ze hadden hun namen op blaadjes geschreven, die dubbelgevouwen op hun tafeltjes stonden. Ze zagen eruit als een groep bankbedienden. Professor Belsey was aan het woord.

'Wat we hier... kritisch proberen te bekijken,' zei hij, 'is het mytheem van de kunstenaar als autonoom individu met een bevoorrecht inzicht in de mens. Wat is er in deze teksten, deze beelden bezien als vertelling, dat impliciet aanspraak maakt op het quasi-mystieke begrip "genialiteit"?'

Hierop volgde een afschuwelijk lange stilte. Katie beet op het velletje rond haar nagelriemen.

'Anders gezegd: is hetgeen we hier zien een rebellie, een afwijzing? Ons wordt verteld dat dit een verwerping van het klassieke naakt inhoudt. Oké. Maar: is dit naakt niet een *bevestiging* van de idealiteit van het vulgaire? Op zich al vervat in de idee van een geslachtelijk bepaalde minachting van een bepaalde klasse?'

Weer stilte. Professor Belsey stond op en schreef in grote letters het woord 'LICHT' op het schoolbord achter hem. 'Deze beide schilderijen gaan over verlichting. Waarom? Dat wil zeggen, is er sprake van "licht" als een neutraal concept? Wat is de *logos* van dit licht, dit spirituele licht, deze veronderstelde verlichting? Wat onderschrijven we wanneer we het hebben over de "schoonheid" van dit "licht"?' vroeg professor Belsey, met zijn vingers aanhalingstekens in de lucht krabbend. 'Waar hebben deze beelden wérkelijk betrekking op?'

Hier zag Katie haar kans. Ze begon het lange proces van overwegen of ze misschien haar mond zou opendoen en er geluid uit zou laten komen. Haar tong zat al tegen haar tanden. Maar het was het waanzinnig knappe zwarte meisje, Victoria, dat begon te spreken, en zoals altijd slaagde ze erin om professor Belseys aandacht voor haar alleen op te eisen, terwijl Katie er toch bijna zeker van was dat wat ze zei niet zo vreselijk interessant was.

'Het is een schilderij dat gaat over zijn eigen innerlijk,' zei ze heel traag, met haar blik op haar tafeltje gericht, en dan weer opkijkend op die irritante, flirterige manier van haar. 'Het onderwerp is het schilderen zelf. Het is een schilderij over schilderen. Ik bedoel, dat is de drijvende kracht erachter.'

Professor Belsey roffelde geïnteresseerd op zijn bureau, als om te zeggen: nu komen we in de buurt. 'Goed,' zei hij. 'Ga door.'

Maar voor Victoria weer iets kon zeggen volgde er een onderbreking. 'Ehm... ik begrijp niet in welke zin je hier "schilderen" gebruikt. Ik geloof niet dat je simpelweg de geschiedenis van het schilderen, of zelfs de logos ervan, in dat ene woord "schilderen" kunt vatten.'

Dit argument scheen de professor eveneens te interesseren. Het werd naar voren gebracht door de jongen met het t-shirt met aan de ene kant zijn en aan de andere tijd, een jongen voor wie Katie banger was dan voor ieder ander op deze hele universiteit, veel banger dan ze ooit zou kunnen zijn voor een vrouw, zelfs voor het mooie zwarte meisje, omdat hij onmiskenbaar de op twee na bijzonderste mens was die ze ooit was tegengekomen. Hij heette Mike.

'Maar je hebt de term al opgewaardeerd,' zei de dochter van de professor, aan wie Katie, die niet gauw een hekel aan iemand had, grondig de pest had. 'Je gaat er al van uit dat etsen gewoon een minderwaardige vorm van schilderen is. Dus dáár zit hem jouw problematiek.'

En nu ontging het college Katie, het stroomde tussen haar tenen door als de zee en het zand wanneer ze aan de rand van de oceaan stond en domweg, stómweg, toekeek hoe de vloed wegtrok en de wereld zich aan haar onttrok, zo snel dat ze er duizelig van werd.

Om kwart over drie stak Trudy Steiner aarzelend haar hand op om te zeggen dat het college al een kwartier was uitgelopen. Howard maakte een keurig stapeltje van zijn papieren en verontschuldigde zich voor de tijdsoverschrijding, maar verder nergens voor. Hij vond dit tot nu toe de meest succesvolle bijeenkomst. De groepsdynamiek begon eindelijk samenhang te vertonen, te werken. Vooral van Mike was hij zeer onder de indruk. Dat soort mensen heb je nodig in een groep. In feite deed hij Howard een beetje denken aan Howard zelf op die leeftijd. Die paar gouden jaren waarin hij geloofde dat Heidegger zijn leven kon redden.

Iedereen begon zijn spullen op te bergen. Zora stak haar beide duimen op naar haar vader en haastte zich weg; door een foutje in het rooster miste ze toch al altijd de eerste tien minuten van Claires poëziewerkgroep. Christian en Veronica, die het college bijwoonden als – gezien het kleine aantal studenten volkomen overbodige – student-assistenten, deelden werkbladen uit voor de volgende week. Toen Christian bij Howards tafel kwam, hurkte hij op zijn griezelig lenige manier tot op gelijke hoogte met Howard en streek met een hand zijn opzijgekamde haar glad.

'Dat was geweldig.'

'Ging wel goed, ja, vond ik,' zei Howard en hij nam een werkblad aan.

'Volgens mij zetten de werkbladen aan tot een dialoog,' begon Christian voorzichtig, wachtend op bevestiging. 'Maar serieus, de manier waarop jij die dialoog dan oppikt en in een andere vorm giet, die brengt het echt op gang.'

Howard glimlachte en fronste tegelijkertijd. Er was iets vreemds aan het Engels van Christian, behalve dat hij duidelijk een Amerikaan was. Het leek wel of hij werd vertaald terwijl hij sprak. 'Die werkbladen waren zeker een goede aanzet,' stemde Howard in, waarop Christian hem overspoelde met golven van tegensputterende dankbaarheid. Christian maakte deze werkbladen zelf. Howard nam zich altijd voor ze wat grondiger door te lezen, maar ook deze week zou hij de A4'tjes weer vluchtig doorbladeren op de ochtend voor het college. Dat wisten ze allebei heel goed.

'Heb je die memo over het uitstel van de faculteitsvergadering gekregen?' vroeg Christian.

Howard bevestigde het.

'Hij is op 10 januari gezet, de eerste bijeenkomst na de kerst. Vind je het misschien handig als ik ook kom?' vroeg Christian. Howard betwijfelde of dat nodig was. 'Omdat... ik al dat onderzoek heb gedaan inzake de begrenzing van politieke uitingen op de campus? Ik bedoel, niet dat het zo vreselijk belangrijk is... je zult het vast niet nodig hebben... maar ik denk dat het nuttig zou kunnen zijn, hoewel we de inhoud van de geplande lezingen van professor Kipps zouden moeten kennen om het echt zeker te weten,' zei Christian en hij begon papieren uit zijn tas te halen. Terwijl Christian doorpraatte verloor Howard Victoria niet uit het oog. Maar Christian ging te lang door; ontzet zag Howard hoe ze met haar langbenige, dartele veulentred de deur uit liep, aan weerszijden tussen vriendjes ingeklemd. Elk van haar benen zat perfect ingepakt als een fetisj in zijn denim koker. Haar hielen klikten tegen elkaar in die okerkleurige leren laarzen. Het laatste wat hij zag was de volmaaktheid van haar billen – zo hoog, zo rond – die de hoek om gingen, weg. In de twintig jaar dat hij lesgaf had hij nog nooit iemand gezien als zij. Maar het was natuurlijk ook mogelijk dat hij in de loop der jaren massa's van dat soort meisjes had gezien, maar er pas dit jaar oog voor had. Hoe dan ook, hij had zich erbij neergelegd. Twee colleges geleden was hij opgehouden zijn best te doen om niet naar Victoria Kipps te kijken. Waarom het onmogelijke blijven proberen?

Nu kwam de jonge Mike op Howard af, zelfverzekerd, als een collega, om naar een artikel te vragen dat Howard terloops had genoemd. Eenmaal bevrijd uit zijn vreemde fascinatie voor Victoria, gaf Howard hem met plezier de gegevens over de krant en het jaar. Meer studenten verlieten de zaal. Howard bukte zich onder zijn bureau om niet door nog meer van hen te worden aangesproken en stopte zijn papieren terug in zijn tas. Hij kreeg het nare gevoel dat er iemand bleef staan treuzelen. Treuzelen duidde steevast op een roep om herderlijke zorg. *Ik vroeg me af of we misschien een keer een kop koffie konden gaan drinken... ik heb wat dingetjes waar ik graag over zou willen praten...* Howard richtte zich vol overgave op de sluiting van zijn tas. Nog steeds voelde hij het getreuzel. Hij keek op. Dat vreemde spookmeisje dat nooit een woord zei maakte een hele show van het opbergen van haar notitieblok en pen. Ten slotte kwam ze bij de deur en begon dáár te treuzelen, zodat Howard niets anders overbleef dan zich langs haar te wringen.

'Kathy, alles goed?' vroeg hij overdreven hard.

'O! Ja hoor... ik bedoel, maar ik was net... professor Belsey, is het volgende week in het... hetzelfde lokaal?'

'Precies hetzelfde,' zei Howard en hij beende de gang door, de rolstoelhelling af en het gebouw uit.

'Professor Belsey?'

Buiten, op de kleine achthoekige binnenplaats, was het begonnen te sneeuwen. Brede vlagen sneeuw doorkliefden het daglicht, en dat zonder de mystiek die in Engeland rond sneeuw hangt: *Blijft het liggen? Smelt het? Is het natte sneeuw? Is het hagel?* Dit was gewoon sneeuw, punt, en tegen morgenochtend zou het tot kniehoogte komen.

'Professor Belsey? Kan ik u even spreken, heel even maar?'

'Victoria, ja, natuurlijk,' zei hij en hij knipperde de sneeuw van zijn wimpers. Ze zag er gewoon té volmaakt uit tegen deze witte achtergrond. Als hij naar haar keek voelde hij hoe hij zich openstelde voor ideeën, mogelijkheden, toestemmingen, discussies die hij twee minuten eerder van de hand zou hebben gewezen. Dit zou bijvoorbeeld een uitstekend moment voor Levi zijn om hem twintig dollar te vragen, of voor Jack French om hem als voorzitter te vragen voor een comité over de toekomst van de universiteit. Maar toen – de Heer zij geprezen – wendde ze haar gezicht af.

'Ik kom zo,' zei Victoria tegen twee jongemannen die achterwaarts voor haar uit liepen, grinnikend sneeuwballen vormend in ruwe, roze handen. Victoria stemde haar tred af op die van Howard. Hij merkte op hoe anders de sneeuw op haar haar bleef liggen dan op het zijne. Bij haar bleef het netjes als glazuur op haar hoofd liggen.

'Ik heb dit zo nog nooit gezien!' zei ze uitgelaten terwijl ze de poort uit liepen en op het punt stonden om het pad naar het hoofdterrein van Wellington over te steken. Ze had haar handen in een merkwaardige positie in de kontzakken van haar spijkerbroek gestoken, waardoor haar ellebogen naar achteren uitstaken als vleugelstompjes. 'Zeker begonnen tijdens het college. Jezusmina, het lijkt wel Hollywoodsneeuw!'

'Het lijkt me sterk dat Hollywoodsneeuw een miljoen dollar per week kost om te ruimen.'

'Tjemig, zoveel!'

'Ja, zoveel.'

'Kut zeg, da's niet zuinig.'

'Zeg dat wel.'

Dit gesprekje, pas het tweede persoonlijke gesprek dat ze ooit hadden gevoerd, was net zoals het eerste: onbenullig en met een vreemde humoristische ondertoon, waarbij Vee al haar tanden bloot glimlachte en Howard er niet zeker van was of ze de draak met hem stak of met hem flirtte. Ze was naar bed geweest met zijn zoon – was dat de grap? Zo ja, dan kon hij er niet echt om lachen. Maar vanaf het begin had hij eraan meegedaan, aan dit onuitgesproken doen alsof ze elkaar vóór dit semester nooit hadden ontmoet en er tussen hen geen enkele andere band was dan die tussen docent en student. Hij voelde zich door haar op het verkeerde been gezet. Ze was niet bang voor hem. Elke andere student in zijn klas zou op dit moment zijn hersens aan het pijnigen zijn op zoek naar een briljante zin, nee, ze zouden hem niet eens hebben durven benáderen zonder de een of andere sprankelende openingszin die ze van tevoren hadden bedacht, een of ander stomvervelend stukje briljante retoriek. Hoeveel uren van zijn leven had hij niet halfslachtig staan glimlachen om deze zorgvuldig geconstrueerde opmerkingen, die soms dagen of zelfs weken van tevoren waren uitgebroed en ontwikkeld in de nerveuze, koortsachtige hersenen van deze ambitieuze jongeren? Maar Vee was niet zo. Buiten het college leek ze eerder prat te gaan op nogal debiel gedrag.

'Ehm, hoor eens, u weet wel van dat gedoe dat alle studentenverenigingen organiseren, zo'n stom diner,' zei ze met haar hoofd schuin naar de vaalwitte lucht toegekeerd. 'Iedere tafel moet drie professoren uitnodigen. Ik zit in Emerson Hall, we zijn niet al te formeel, niet zo'n poespas als bij sommige andere... eigenlijk is het wel oké, gemengd, meisjes en jongens, best cool. Het gaat in principe alleen om een dineetje, en gewoonlijk wordt er een of andere speech gehouden, een lange, saaie speech. Dus. Zeg gerust nee als u niet aan dat soort dingen doet... Ik bedoel, ik weet niet, hoor, het is voor mij de eerste keer. Ik dacht, ik vraag het gewoon. Vragen staat vrij, toch?' Ze stak haar tong uit en at een paar sneeuwvlokken.

'O... ik bedoel, als jij graag wilt dat ik kom, dan kom ik natuurlijk,' begon Howard, zich aarzelend naar haar kerend, maar Vee was nog bezig met sneeuw eten. 'Maar... weet je zeker dat je je niet... eh... verplicht voelt om je vader uit te nodigen, misschien? Ik wil niemand op zijn tenen gaan staan,' zei Howard snel. Het was een huldeblijk aan de machtige schoonheid van het meisje dat het geen moment bij hem opkwam dat hij zelf verplichtingen had.

'O, god, nee hoor. Die is al door ongeveer een miljoen andere studenten gevraagd. En daarbij ben ik een beetje benauwd dat hij voor het eten gaat bídden. Ik weet trouwens wel zeker dat hij dat gaat doen, erg... *interessant*.'

Ze begon al net zo'n vaag transatlantisch accent te krijgen als Howards eigen kinderen. Spijtig. Hij hield van dat Noord-Londense stemgeluid, met een vleugje Caraïben, en als hij zich niet vergiste ook een vleugje dure meisjeskostschool. Nu hielden ze stil. Hier moest Howard de andere kant op, de trap op naar de bibliotheek. Ze stonden tegenover elkaar, bijna op gelijke hoogte dankzij haar hooggehakte laarzen. Vee sloeg haar armen om haar lichaam en trok klaaglijk haar onderlip onder haar grote voortanden, zoals mooie meisjes dat soms doen: gekke gezichten trekken zonder enige vrees dat het effect blijvend zal zijn. Van de weeromstuit trok Howard een buitengewoon ernstig gezicht.

'Mijn beslissing hangt sterk af van...'

'Waarvan?' Ze klapte haar besneeuwde wanten tegen elkaar.

'...of er een a-capellakoor komt.'

'Een wat? Ik weet niet... Ik weet niet eens wat dat is.'

'Zingen. Jonge mannen,' zei Howard, licht ineenkrimpend. 'Die zingen. Heel erg close harmony.'

'Ik geloof het niet. Ik heb daar niets over gehoord.'

'Ik kan nergens naartoe gaan waar een a-capellakoor is. Dat is echt heel belangrijk. Een vervelend incident dat me is overkomen.'

Nu was het Vees beurt om zich af te vragen of ze voor de gek werd gehouden. Maar in werkelijkheid was Howard bloedserieus. Ze keek hem schuins aan en klappertandde. 'Maar u komt dus?'

'Als je zeker weet dat je dat graag wilt.'

'Ik weet het absoluut zeker. Het is vlak na Kerstmis, het duurt nog een eeuw, eigenlijk... 10 januari.'

'Geen a-capellakoor,' zei Howard toen ze wegliep.

'Geen a-capellakoor!'

Claires poëziewerkgroep was altijd hetzelfde, en altijd even plezierig. Elk gedicht van de studenten verschilde slechts een beetje van het gedicht dat ze de week ervoor hadden ingeleverd, en alle gedichten werden consequent onthaald op Claires gebruikelijke combinatie van innige genegenheid en waarachtig inzicht. Dus Rons gedichten gingen altijd over moderne seksuele vervreemding, Daisy's gedichten over New York, die van Chantelle over de zwarte strijd en die van Zora waren van het soort dat lijkt te zijn gegenereerd door een machine die willekeurige woorden uitspuugt. Het was Claires grote gave als docente dat ze in al deze pogingen iets van waarde vond en de auteurs ervan toesprak alsof hun namen al dagelijkse kost waren ten huize van poëzieliefhebbers over heel Amerika. En wat machtig was dat, om op je negentiende te horen te krijgen dat een nieuw Daisy-gedicht een perfect voorbeeld was van het Daisy-oeuvre, ja, dat het zelfs getuigde van een Daisy op de top van haar kunnen, die alle traditionele, zo geliefde Daisy-krachten de vrije teugel gaf! Claire was een uitstekend docente. Ze herinnerde je eraan hoe edel het was om poëzie te schrijven, hoe wonderlijk het moest voelen om mee te delen wat je het dichtst aan het hart ligt, en dat op deze gestileerde manier, door rijm en metrum, beelden en ideeën. Nadat iedereen zijn werk had voorgelezen en nadat dit serieus en ter zake was uitgediept, eindigde Claire altijd met het voordragen van een gedicht van een groot – en meestal ook dode – dichter, en de aanmoediging aan haar klas om dit gedicht op dezelfde manier te bespreken als ze de andere hadden besproken. Zo leerde je een continuïteit te zien tussen je eigen poëzie en de poëzie van de wereld. Wat een gevoel! Je liep die klas uit, zo niet schouder aan schouder met Keats en Dickinson en Eliot en de rest, dan toch in dezelfde galmkamer, op dezelfde namenlijst van de geschiedenis. De metamorfose was het duidelijkst zichtbaar bij Carl. Drie weken geleden had hij zijn eerste werkgroep bijgewoond in een komische, sceptisch-slungelige houding. Hij las nukkig mompelend zijn teksten op en leek boos te worden door de geïnteresseerde waardering waarmee deze werden ontvangen.

'Het is niet eens een *gedicht*,' wierp hij tegen, 'Het is rap.'

'Wat is het verschil?' vroeg Claire.

'Dat zijn twee verschillende dingen,' had Carl naar voren gebracht, 'twee verschillende soorten kunst. Behalve dat rap geen kunst is. Het is gewoon *rap*.'

'Maar kun je erover discussiëren?'

'Je kunt erover discussiëren – ik hou je niet tegen.'

Het eerste wat Claire die dag met Carls raptekst deed, was hem laten zien waaruit deze was opgebouwd. Jambes, spondeeën, trocheeën, anapesten. Carl ontkende vol vuur dat hij iets van doen had met die mysterieuze toverkunsten. Hij was eraan gewend dat ze hem toejuichten in de Bus Stop, maar niet in een klaslokaal. Grote delen van Carls persoonlijkheid waren gefundeerd op het basisprincipe dat klaslokalen niets voor hem waren.

'Maar de basisbegrippen ervan,' had Claire uitgelegd, 'zitten stevig in je hersenen geprogrammeerd. Jij dénkt al bijna in sonnetten. Je hoeft het niet te *weten* om het te *doen* – maar dat betekent niet dát je het niet doet.' Nu was dit wel het soort mededeling waar Carl zich onwillekeurig, de volgende dag wanneer hij in de Nike-winkel zou staan en aan een klant zou vragen of hij dezelfde sportschoenen in maat 45 wilde passen, een beetje groter door voelde. 'Jij gaat een sonnet voor me schrijven, oké?' had Claire liefjes gevraagd. Bij de tweede werkgroep vroeg ze hem: 'En, hoe gaat het met dat sonnet?' Hij zei: 'Zit in de pen. Ik laat het je weten als het klaar is.'

Natuurlijk flirtte hij met haar, dat deed hij altijd met docentes, op de middelbare school had hij niet anders gedaan. En mevrouw Malcolm flirtte terug. Op de middelbare school was Carl naar bed geweest met zijn aardrijkskundelerares – geen fraai verhaal. Erop terugkijkend beschouwde hij dat incident als het begin van de periode waarin het helemaal misging tussen hem en klaslokalen. Maar met Claire kreeg je precies de juiste dosis flirt. Het was niet... *ongepast*, dat was het woord. Claire had dat speciale 'iets' dat docenten hebben – en dat hij niet meer had gevoeld sinds hij een kleine jongen was, lang geleden, voor zijn leraren zich zorgen begonnen te maken dat hij ze zou overvallen of verkrachten – *ze wilde dat hij het er goed vanaf bracht*. Al kon dit, academisch gezien, nergens toe leiden. Hij was niet echt een student en zij was niet echt zijn docente. En toch. Ze wilde dat hij het er goed vanaf bracht. En hij wilde het er goed vanaf brengen voor háár.

Dus voor deze vierde werkgroep bracht hij een sonnet voor haar mee. Zoals ze had gevraagd. Veertien regels van tien lettergrepen – of 'beats', zoals Carl ze in gedachten bleef noemen – per regel. Het was geen geweldig sonnet. Maar iedereen in de groep reageerde enthousiast, alsof hij zojuist een atoom had gesplitst. Zora zei: 'Volgens mij is dit het enige grappige sonnet dat ik ooit heb gelezen.' Carl was op zijn hoede. Hij wist nog steeds niet zeker of dit hele Wellington-gebeuren niet een soort misselijke grap was ten koste van hem.

'Bedoel je stom-grappig?'

Iedereen in de klas riep: Néééé! Toen zei Zora: 'Nee nee nee, het lééft. Ik bedoel, de vorm heeft je niet beperkt, mij beperkt hij altijd. Ik weet niet hoe je dat voor elkaar hebt gekregen.' Enthousiast betuigde de klas haar instemming met dit oordeel en er ontspon zich een heel gekke conversatie, die het grootste deel van het uur in beslag nam, over *zijn gedicht*, alsof zijn gedicht echt bestond, zoals een standbeeld of een land. Al die tijd wierp Carl zo nu en dan een blik op het gedicht dat voor hem lag, en hij kreeg een gevoel dat hij nooit eerder had gehad in een klaslokaal: trots. Hij had zijn sonnet slordig neergekalkt, zoals hij dat altijd deed met zijn rapteksten, met een potlood, op een verkreukeld en bevlekt stuk papier. Nu vond hij dit medium eigenlijk niet goed genoeg voor deze nieuwe manier om zijn boodschap te schrijven. Hij besloot het ding maar eens uit te typen als hij ergens een toetsenbord tegenkwam.

Net toen ze hun tas aan het inpakken waren, zei Claire: 'Is het je menens met deze werkgroep, Carl?'

Carl keek beschaamd om zich heen. Dit was een vreemde vraag om zo in ieders aanwezigheid te stellen.

'Ik bedoel, wil je in deze groep blijven? Zelfs als het moeilijk wordt?'

O, dat was het: ze dachten dat hij dom was. Deze eerste fase was oké, maar de volgende fase, wat dat ook was, zou hij niet meer aankunnen. Waarom hadden ze hem dan gevraagd?

'Hoezo moeilijk?' vroeg hij kregelig.

'Ik bedoel, als anderen niet zouden willen dat jij deze werkgroep volgde, zou je er dan voor knokken om erin te blijven? Of zou je míj voor je laten knokken zodat je erin kon blijven? Of je collega-dichters hier?'

Carl keek uitdagend. 'Ik wil nergens zijn waar ik niet welkom ben.'

Claire schudde haar hoofd en wuifde met haar handen die gedachte weg. 'Ik ben geloof ik niet duidelijk. Carl, je wilt graag deze werkgroep volgen, of niet?'

Het scheelde weinig of Carl zei dat het hem eigenlijk geen fuck kon schelen, maar op het laatste moment begreep hij dat Claires geestdriftige gezicht iets heel anders wilde zeggen. 'Ja hoor. Het is interessant, weet je. Ik heb het gevoel dat ik... je weet wel... iets léér.'

'O, dat doet me echt goed,' zei ze en haar glimlach spleet haar gezicht zowat in tweeën. Toen hield ze op met lachen en trok een zakelijke gezicht. 'Goed,' zei ze beslist, 'dat is dan besloten. Goed. Dan blijf jij in deze werkgroep. *Iedereen die deze werkgroep nodig heeft,*' zei ze vol vuur, en ze keek van Chantelle naar een jonge vrouw die Bronwyn heette en bij de Wellington Savings Bank werkte, en toen naar een wiskundestudent genaamd Wong van de Boston Universiteit, '*blijft* in deze werkgroep. Oké, dat was het voor vandaag. Zora, kun je even blijven?'

Achter elkaar liepen de studenten naar buiten, allemaal een tikkeltje jaloers over Zora's uitzonderingspositie. In het voorbijgaan gaf Carl haar met zijn vuist een vriendschappelijke por tegen haar schouder. De zon brak door over heel Zora's gezicht. Claire herkende dat gevoel van vroeger en had medelijden, want het leek haar niet erg realistisch van Zora's kant. Ze glimlachte bij de gedachte aan haarzelf op die leeftijd.

'Zora, heb je gehoord over de faculteitsvergadering?' Claire ging op de tafel zitten en keek in Zora's ogen. Haar mascara was niet goed aangebracht: de wimpers plakten aan elkaar.

'Natuurlijk,' zei Zora. 'De grote klapper, hij is uitgesteld. Howard gaat grof geschut inzetten tegen de lezingen van Monty Kipps. Aangezien kennelijk niemand anders het lef heeft.'

'Hmm,' zei Claire wat ongemakkelijk bij het horen van Howards naam. 'O, dat, ja.' Ze wendde haar gezicht af en keek uit het raam.

'Iedereen komt dit keer, voor de verandering,' zei Zora. 'In feite heeft het de vorm aangenomen van een gevecht om de ziel van de universiteit. Volgens Howard wordt dit de belangrijkste vergadering die Wellington in lange tijd heeft meegemaakt.'

Dat was zo. En het zou tevens de eerste interdisciplinaire faculteitsvergadering zijn sinds de hele toestand van verleden jaar aan het licht was gekomen. Het was pas over meer dan een maand, maar de memo van vanochtend had Claire een overduidelijk beeld gegeven: die kille bibliotheek, het gefluister, de ogen, afgewend of starend, Howard in een leunstoel, haar mijdend, Claires collega's die ervan smulden hoe hij haar meed. En dan had ze het nog niet over het gebruikelijke indienen van moties, het tegenhouden van stemmingen, vlammende toespraken, klachten, eisen, tegeneisen en Jack French die het geheel voorzat – langzaam, héél langzaam. Claire vond niet dat ze zich, in deze cruciale fase van haar psychisch herstel, hoefde bloot te stellen aan zo'n heftige spirituele en mentale aanslag.

'Ja... Zeg, Zora, je weet dat er mensen hier op de universiteit zijn die niet blij zijn met onze werkgroep... ik bedoel, ze zijn niet blij met het feit dat mensen als Chantelle, mensen als *Carl*, worden opgenomen in onze gemeenschap hier in Wellington. Het staat voor die vergadering op de agenda. Er waait op dit moment een algemene conservatieve wind door deze universiteit en ik word er echt, serieus bang van. En naar míj luisteren ze niet. Ze hebben al besloten dat ik die communistische, Looney-tune, anti-oorlogsdichteres ben, of waar ze me ook voor aanzien. Ik denk dat we een sterke pleitbezorger voor deze werkgroep nodig hebben van de andere kant, zodat we niet de hele tijd dezelfde domme discussie blijven voeren. En ik denk dat een student veel geschikter zou zijn om ons standpunt te verdedigen. Iemand die er baat bij heeft gehad om samen met deze mensen onderwijs te volgen. Iemand die... nu ja, in mijn plaats bij de vergadering zou kunnen zijn. Die een hemelbestormende speech kan houden. Over iets waar ze in gelooft.'

Het was Zora's grootste academische droom aller tijden om de faculteitsleden van de Wellington-universiteit toe te spreken met een hemelbestormende speech. 'Wil je dat ík ga?'

'Alleen, echt alleen als je dat ziet zitten.'

'Wacht even; een door mij bedachte en geschreven speech?'

'Nou ja, ik bedoel niet echt een hele speech, maar wat mij betreft... zolang je maar weet wat je...'

'Ik bedoel, waar zijn we mee bézig,' vroeg Zora retorisch, 'als we de enorme middelen van dit instituut niet kunnen inzetten voor mensen die het nodig hebben? Het is zó walgelijk.'

Claire glimlachte. 'Je klinkt nu al perfect.'

'Ik in m'n eentje – ben jij er niet bij?'

'Ik denk dat het veel beter overkomt als jij erheen gaat en gewoon zegt wat je vindt. Ik bedoel, het liefst zou ik Carl er zelf heen sturen, maar je weet het...' zei Claire met een zucht, 'hoe triest het ook is, die lui zullen geen gehoor geven aan een beroep op hun geweten dat in een andere taal is gesteld dan Wellington-taal. En jíj spreekt die taal, Zora. Jij bij uitstek. En niet om nou dramatisch te gaan doen, maar als ik aan Carl denk, dan zie ik iemand die geen stem heeft en die iemand als jij, met een krachtige stem, nodig heeft om voor hem het woord te doen. Ik denk echt dat het in die orde van grootte ligt. En ik denk ook dat het iets moois is wat je in dit klimaat kunt doen voor iemand die het minder goed getroffen heeft. Vind je ook niet?'

11

Twee weken later ging de Wellington-universiteit dicht voor de kerstvakantie. De sneeuw bleef vallen. Elke nacht veegden onzichtbare gemeentewerkers de trottoirs schoon. Na een tijdje waren alle wegen omzoomd door grijze ijswallen, soms wel meer dan anderhalve meter hoog. Jerome kwam naar huis. Vele saaie partijtjes volgden: voor de vakgroep Kunstgeschiedenis, een borrel ten huize van de rector, ten huize van de vice-rector, in Kiki's ziekenhuis, op Levi's school. Meermalen betrapte Kiki zichzelf erop dat ze langs de kant van deze warme, drukke ruimtes liep, champagne in de hand, in de hoop Carlene Kipps ergens te midden van alle pracht en praal en zwarte dienstmeisjes met schotels vol garnalen te ontwaren. Maar al te vaak zag ze Monty, tegen de lambrisering leunend in een van zijn absurde negentiende-eeuwse driedelige kostuums, met zijn horlogeketting en zijn bombastische eigenzinnigheid, bijna altijd iets aan het eten, maar Carlene was nooit bij hem. Was Carlene Kipps zo'n vrouw die vriendschap belooft maar die belofte nooit waarmaakt? Een vriendschapsflirt? Of had Kiki zelf verkeerde verwachtingen? Dit was tenslotte de maand waarin families dicht bij elkaar kropen en zich hermetisch afsloten; tussen Thanksgiving en nieuwjaar kromp ieders wereld met de dag verder ineen tot een microkosmische, feestelijke huishoudelijke eenheid, elk met zijn eigen rituelen en obsessies, regels en dromen. Je had niet het gevoel dat je anderen kon opbellen. Zij hadden niet het gevoel dat ze jou konden bellen. Hoe schreeuw je om hulp vanuit die feestdagengevangenis?

En toen werd er een briefje afgegeven bij huize Belsey. Het kwam van Carlene. De kerst stond voor de deur en Carlene had het gevoel dat ze achterliep met cadeautjes kopen. Ze had onlangs nog een tijdje het bed moeten houden en haar gezin was voor een korte vakantie naar New York gegaan, zodat de kinderen inkopen konden doen en Monty aandacht kon besteden aan een deel van zijn liefdadigheidswerk. Zou Kiki zin hebben om met haar mee te gaan winkelen in Boston?

Op een druilerige zaterdagochtend haalde Kiki haar vriendin op in een Wellingtonse taxi. Ze liet Carlene voorin zitten en kroop zelf achterin, met opgetilde voeten zodat ze geen last had van het ijswater dat op de vloer heen en weer spoelde.

'Waar wil u heen?' vroeg de taxichauffeur, maar toen Kiki de naam van het winkelcentrum gaf had hij er nog nooit van gehoord, hoewel het een van de oriëntatiepunten van Boston was. Hij wilde de straatnaam weten.

'Het is het grootste winkelcentrum van de stad. Kent u de stad dan helemáál niet?'

'Dat is niet mijn werk. U moet weten waar u naartoe wil.'

'Maar beste man, dat is nou net wél jouw werk.'

'Ze zouden geen vergunning moeten krijgen als ze zo slecht Engels spreken,' zei Carlene nuffig.

'Nee, het is mijn schuld,' mompelde Kiki, beschaamd dat zij hiermee begonnen was. Ze zonk terug in haar zitplaats. De auto ging de Wellingtonbrug over. Kiki zag een zwerm vogels onder het gewelf door duiken en op de bevroren rivier landen.

'Ben jij van mening,' vroeg Carlene bezorgd, 'dat het beter is om een heleboel verschillende winkels te bezoeken, of één grote winkel en daar bij te blijven?'

'Ik ben van mening dat het beter is om helemaal niet te winkelen!'

'Houd je niet van Kerstmis?'

Kiki dacht na. 'Nee, dat is het niet helemaal. Maar ik heb er niet meer zo'n gevoel bij als vroeger. Ik was dól op Kerstmis in Florida, het was wárm in Florida, maar daar gaat het niet echt om. Mijn vader was predikant en hij gaf voor mij betekenis aan Kerstmis, niet in religieuze zin, bedoel ik, maar hij zag het als "hoop op het goede". Zo drukte hij dat uit. Het was een soort herinnering aan wat we zouden kunnen zijn. Nu voelt het alsof je alleen maar cadeautjes krijgt.'

'En jij houdt niet van cadeautjes.'

'Ik heb geen dingen meer nodig, nee.'

'Nou, ik zet je toch op mijn lijstje,' zei Carlene monter, en vanaf haar plaats voorin wuifde ze met een klein wit notitieblokje. Toen zei ze, ernstiger: 'Ik zou je echt graag een cadeau willen geven, om je te bedanken. Ik ben de laatste tijd nogal eenzaam geweest. En jij was zo aardig me te komen opzoeken en me een beetje gezelschap te houden... terwijl er op het moment weinig plezier met mij te beleven valt.'

'Doe niet zo mal. Het is fijn om je te zien, ik wou dat het vaker kon. Dus haal mijn naam nu als de donder van die lijst.'

Maar haar naam bleef erop staan, hoewel er geen cadeautje naast stond.

Ze liepen door een enorm, kil winkelcentrum en vonden een paar kleding-stukken voor Victoria en Michael. Carlene was een wispelturige, paniekeri-ge koper: ze stond twintig minuten over een bepaald mooi ding te dubben zonder het te kopen, en vervolgens kocht ze in een opwelling drie minder mooie dingen. Ze babbelde druk over koopjes en waar voor je geld, op een manier die Kiki wat mismoedig maakte gezien de overduidelijke koop-kracht van de familie Kipps. Maar voor Monty wilde Carlene iets 'echt moois' hebben, en zo besloten ze om een wandeling van drie huizenblok-ken door de sneeuw te ondernemen naar een chiquere, kleinere speciaal-zaak waar ze misschien de wandelstok met de bewerkte handgreep hadden die Carlene in haar hoofd had.

'Wat doe jij eigenlijk met de kerst?' vroeg Kiki terwijl ze zich een weg baanden door de menigte op Newbury Street. 'Ga je ergens heen, terug naar Engeland?'

'Nou, gewoonlijk vieren we de kerst buiten. We hebben een prachtig huisje in een plaatsje dat Iden heet, bij Winchelsea Beach. Ken je dat?'

Kiki bekende van niet.

'Het is de mooiste plek die ik ken. Maar dit jaar moeten we in Amerika blijven. Michael is al overgekomen en blijft tot 3 januari. Ik kan niet wach-ten om hem te zien! Onze vrienden hebben een huis in Amherst dat we gaan huren, vlak bij de woonplaats van Emily Dickinson. Het zou wat voor jou zijn. Ik ben er op bezoek geweest, het is prachtig. Heel groot, ofschoon niet zo mooi als Iden, vind ik. Maar wat helemaal schitterend is, is hun col-lectie. Ze hebben drie Edward Hoppers, twee Singer Sargents en een Miró!'

Kiki slaakte een zucht van bewondering en klapte in haar handen. 'O, god, ik ben gék op Edward Hopper. Niet te geloven! Ik ben helemaal wég van hem. Stel je voor, dat zoiets bij je thuis hangt. Sister, ik benijd je, echt waar. Ik zou het graag zien. Dat is fantastisch.'

'Ze hebben vandaag de sleutel afgegeven. Ik wou dat we er allemaal al waren. Maar ik moet echt wachten tot Monty en de kinderen thuis zijn.'

Die laatste woorden, peinzend uitgesproken, brachten andere gedachten naar de voorgrond. 'Hoe gaat het nu thuis, Kiki? Ik heb veel aan je gedacht. Me zorgen om je gemaakt.'

Kiki sloeg haar arm om haar vriendin. 'Carlene, heus, je hoeft je geen zor-gen te maken. Het gaat prima. Alles begint op zijn plek te vallen. Alhoewel Kerstmis niet de gemakkelijkste tijd is in huize Belsey,' kwetterde Kiki, handig het onderwerp omzeilend. 'Howard heeft de pest aan Kerstmis.'

'Howard... mijn hemel, ik geloof dat die aan ontzettend veel dingen een hekel heeft: aan schilderijen, aan mijn man...'

Kiki opende haar mond om dit tegen te spreken maar ze wist niet hoe. Carlene tikte haar op de hand. 'Ik ben een plaaggeest, ik plaagde je alleen maar. Dus hij heeft ook al een hekel aan Kerstmis. Omdat hij niet christelijk is.'

'Nou, dat zijn we geen van allen,' zei Kiki beslist, want daar wilde ze duidelijk over zijn, 'maar Howard is er wel erg drastisch in. Hij wil er niets van in huis zien. Vroeger vonden de kinderen dat vreselijk, maar nu zijn ze eraan gewend, en we compenseren het op andere manieren. Maar nee: geen glaasje eggnog, geen kerstbal komt bij ons over de drempel!'

'Hij klinkt als een soort Scrooge!'

'Nee hoor... hij is helemaal niet vrekkig. In feite is hij ongelooflijk gul. We eten ons te barsten op eerste kerstdag zelf en met oud en nieuw overstelpt hij de kinderen met een waanzinnige lading cadeaus, maar aan Kerstmis dóet hij gewoon niet. We gaan naar vrienden in Londen, dat doen we al vijf jaar zo, zij zijn joods, dus het is geen punt. Dat is precies hoe hij het wil: geen rituelen, geen bijgeloof, geen tradities en geen afbeeldingen van de kerstman. Het klinkt misschien vreemd, maar wij zijn het zo gewend.'

'Ik gelóóf je niet, je houdt me voor de gek.'

'Nee, echt! In feite is het, als je erover nadenkt, best een christelijke aanpak: Gij zult geen gesneden beelden maken; gij zult geen andere goden aanbidden...'

'Ach zo,' zei Carlene, ontstemd over Kiki's luchtige benadering van het onderwerp, 'Maar wie ís zijn God?'

Kiki was aan het warmdraaien om deze moeilijke vraag te beantwoorden, toen ze werd afgeleid door het lawaai en de bonte kleuren van een groep Afrikanen een huizenblok verderop. Ze namen het halve trottoir in beslag met de verkoop van hun imitatiespullen, en een van hen, nee toch, een van hen...

Maar net toen ze zijn naam riep, versperde een groep winkelende mensen die tegen de stroom in gingen haar het zicht, en tegen de tijd dat ze voorbij waren, was de luchtspiegeling verdwenen.

'Gek hè, ik denk áltijd dat ik Levi zie. Nooit de andere twee. Het komt door dat uniform: pet, capuchon, spijkerbroek. Al die jongens dragen precies hetzelfde als Levi. Het lijkt goddomme het leger wel. Waar ik maar ga, overal zie ik jongens die op hem lijken.'

'De dokters kunnen me nog meer vertellen,' zei Carlene, op Kiki leu-

nend terwijl ze het trapje op gingen naar een achttiende-eeuws gemeente-
huis dat was uitgebeend om plaats te bieden aan koopwaar, kopers en ver-
kopers, 'de ogen en het hart staan rechtstreeks met elkaar in verbinding.'

In deze winkel vonden ze een wandelstok die in de buurt kwam van wat
Carlene in gedachten had. Verder een paar zakdoeken met monogram en
een afgrijselijke choker. Carlene leek er blij mee. Kiki stelde voor om met
de cadeautjes naar de inpakservice in de winkel te gaan. Carlene, die er
geen idee van had dat zo'n luxe bestond, hing de hele tijd over het meisje
heen dat inpakte en kon er zichzelf niet van weerhouden om af en toe haar
eigen vingers aan te bieden om een stukje plakband glad te strijken of een
strik de juiste plaats te geven.

'O, een Hopper,' zei Kiki, verheugd over het toeval. Het was een reproductie van *A Road in Main*, een van een serie slecht vervaardigde litho's van
beroemde Amerikaanse schilderijen, bedoeld om de deftigheid van deze
winkel in verhouding tot het winkelcentrum waar ze net vandaag kwamen,
te onderstrepen. 'Iemand heeft daar net gelopen,' murmelde ze terwijl ze
haar vinger voorzichtig over het vlakke, verveloze oppervlak liet glijden.
'In feite denk ik dat ik het zelf was. Ik liep te kuieren en deze elektriciteits-
palen te tellen. Ik had geen idee waar ik naartoe ging. Geen familie. Geen
verantwoordelijkheden. Zou dat niet heerlijk zijn!'

'Laten we naar Amherst gaan,' zei Carlene Kipps met klem. Ze greep
Kiki's hand.

'O, lieverd, dat zou ik zeker een keer willen! Wat een feest zou het zijn
om zomaar die schilderijen te zien, niet in een museum. Jee... wat ontzettend lief aangeboden, dank je wel. Dat is echt iets om naar uit te kijken.'

Carlene keek verontrust. 'Nee, nee, nú... laten we nu gaan. Ik heb de
sleutels. We kunnen de trein nemen, dan zijn we er rond lunchtijd. Ik wil
je de schilderijen laten zien, ze verdienen de waardering van iemand als jij.
We gaan meteen nadat dit is ingepakt. We zijn voor morgenavond terug.'

Kiki keek door de uitgang naar weer een schuin neerstriemende sneeuw-
bui. Ze keek naar het ingevallen, bleke gezicht van haar vriendin, voelde de
bevende hand in de hare.

'Carlene, eerlijk gezegd, een andere keer zou ik er heel graag heen gaan,
maar... het is er niet echt het weer voor... en het is al een beetje laat om te
vertrekken. Misschien kunnen we volgende week een goed voorbereid
uitstapje organiseren, en...'

Carlene Kipps liet Kiki's hand los en richtte zich weer op het inpakken
van haar cadeautjes. Kort daarna verlieten ze de winkel. Carlene wachtte

onder een luifel terwijl Kiki in de sneeuw stond om een taxi aan te houden.

'Dat was heel vriendelijk en behulpzaam van je,' zei Carlene formeel toen Kiki het voorportier voor haar openhield, alsof ze niet allebei met dezelfde taxi gingen. De rit naar huis verliep stil en gespannen.

'Wanneer komen al je huisgenoten terug?' vroeg Kiki, en ze moest het twee keer vragen omdat Carlene haar niet hoorde, of net deed alsof ze haar niet hoorde.

'Het hangt ervan af hoe lang Monty daar nodig is,' antwoordde Carlene gewichtig. 'Er is daar een kerk waar hij veel werk voor doet. Hij gaat pas weg als ze hem kunnen missen. Zijn plichtsgevoel is heel sterk.'

Nu was het Kiki's beurt om geërgerd te zijn.

Bij Carlenes huis namen ze afscheid; Kiki verkoos het laatste stukje naar huis te lopen. Terwijl ze door de sneeuwbrij ploegde, werd ze getroffen door de groeiende, ontstellende overtuiging dat ze een vergissing had begaan. Het was stom en tegennatuurlijk geweest om zo'n gepassioneerde spontaniteit te beantwoorden met gezeur over het weer en tijd. Ze had het gevoel dat het een soort test was geweest en zag nu in dat ze was gezakt. Het was precies het soort aanbod dat Howard en de kinderen absurd, sentimenteel en onpraktisch zouden hebben gevonden. Het was een aanbod dat ze had moeten aannemen. De hele namiddag bleef ze prikkelbaar en chagrijnig, gauw geïrriteerd tegen haar familieleden en niet geïnteresseerd in de vredeslunch – een van de vele in de afgelopen weken – die Howard voor haar had klaargemaakt. Na de maaltijd zette ze haar hoed op, trok haar handschoenen aan en liep terug naar de Redwood Avenue. Clotilde deed open en zei dat mevrouw Kipps zojuist was vertrokken en pas morgen zou terugkomen.

In lichte paniek draafde Kiki zo snel ze kon naar de bushalte, maar besloot dat ze de bus maar liet zitten, liep naar het kruispunt en slaagde erin een taxi aan te houden. Op het station trof ze mevrouw Kipps aan, die warme chocolademelk aan het kopen was en zich opmaakte om in de trein te stappen.

'Kiki!'

'Ik wil graag mee, heel graag, als je me nog mee wilt nemen.'

Carlene legde een gehandschoende hand op haar verhitte wang, op een manier waardoor Kiki zomaar kon huilen.

'Jij blijft lekker logeren. We gaan ergens in de stad een hapje eten en morgen hebben we de hele dag in het huis. Wat ben je toch een gek mens. Dat je dit doet!'

Ze liepen net gearmd het perron op toen ze Carlenes naam verschillende malen door de ruimte hoorden schallen. 'Mam! Hé, mam!'

'Vee! Michael! Dat is toch... hallo, lieve schatten van me! Monty!'

'Carlene, wat doe jij in 's hemelsnaam hier? Kom, laat me je een kus geven, jij malle meid, dáár! Dus je voelt je weer wat beter.' Hierop knikte Carlene als een gelukkig kind. 'Hallo,' zei Monty tegen Kiki, fronsend en afgemeten haar hand drukkend alvorens zich weer naar zijn vrouw te keren. 'New York was een nachtmerrie, wat een onbekwaam type runt die kerk – óf het is onbekwaamheid, óf criminaliteit – maar goed, we zijn eerder terug, en blij toe... vergéét het maar dat Michael daar gaat trouwen, dat kan ik je wel zeggen, vergéét het maar, maar wat ben jij...'

'Ik was op weg naar het huis van Eleanor,' zei Carlene stralend, aan weerszijden omhelzingen in ontvangst nemend van haar twee kinderen, van wie de een, Victoria, Kiki een blik toewierp als van een jaloerse minnaar. Een ander jong meisje, buitengewoon saai gekleed, in een blauw poloshirtje met parelkettinkje, hing aan Michaels vrije arm. Zijn verloofde, nam Kiki aan.

'Kiki, ik denk dat we ons tochtje moeten uitstellen.'

'Die man beweerde dat hij niets, helemaal níets, afwist van de laatste vier brieven die we hem hebben gestuurd over de school in Trinidad. Hij had zijn handen ervanaf getrokken! Jammer dat hij dat niet even aan een van ons had kunnen doorgeven.'

'En zijn boekhouding was zó gewiekst. Ik heb hem doorgenomen; er was duidelijk iets niet pluis,' viel Michael hem bij.

Kiki glimlachte. 'Zeker weten,' zei ze, 'we houden het te goed, ander keertje.'

'Wil je meerijden?' vroeg Monty bruusk aan Kiki, toen het gezin zich omdraaide om weg te gaan.

'O, nee, hoor... jullie zijn met z'n vieren, en in een taxi gaan geen...'

Het gelukkige troepje liep druk door elkaar heen lachend en pratend het perron af, terwijl de trein naar Amherst vertrok en Kiki met Carlenes chocolademelk in haar hand stond.

III

Over schoonheid en vergissingen

'Als ik zeg: ik vervloek de tijd, zegt Paul
hoe anders komt er diepte
in je karakter, of groeit je ziel?'
MARK DOTY

I

Een uitgestrekt natuurpark in Noord-Londen, bestaand uit eiken, wilgen en kastanjebomen, taxussen en platanen, beuken en berken, dat het hoogste punt van de stad omgeeft en zich uitspreidt tot ver van die stad; dat zo goed is aangelegd dat het niet gepland kijkt; dat geen platteland is maar net zomin een tuin als het Yellowstonepark; dat groentinten heeft voor iedere toevallige lichtinval; dat zichzelf in roodbruine en amberen kleuren tooit in de herfst, kanariegeel in de losbarstende lente; met kietelend riet waarin tienerstelletjes en wietrokers zich kunnen verbergen, brede eiken waartegen dappere mannen elkaar kunnen kussen, gemaaide gazons voor zomerse balspelen, heuvels om te vliegeren, vijvers voor hippies, een ijzig zwemwater voor oude mannen met een sterk gestel, gemene lama's voor gemene kinderen, en voor de toeristen een landhuis – met een gevel die wit genoeg is voor elke Hollywood-close-up – compleet ingericht met een theesalon, al zou je alles wat je daar koopt buiten moeten opeten, zittend onder de magnolia met gras onder je tenen, terwijl de witte, omgekeerde bloesemklokjes, blozend roze aan de uiteinden, overal rondom je omlaag vallen. Hampstead Heath! Londens Glorie! Waar Keats wandelde en Jarman neukte, waar Orwell zijn verzwakte longen oefende en Constable altijd wel iets heiligs vond.

Nu was het eind december, de Heath droeg zijn sobere wintermantel. De lucht was kleurloos. De bomen waren zwart en flink gesnoeid. Het gras was witharig en knerpte onder je voeten, en het enige contrast was een scharlakenrode flits van wat hulstbesjes hier en daar. In een hoog, smal huis dat aan de achterzijde grensde aan al deze pracht, brachten de Belseys hun kerstvakantie door met Rachel en Adam Miller, oude studievrienden van Howard die zelfs nog langer getrouwd waren dan de Belseys. Ze hadden geen kinderen en vierden geen Kerstmis. De Belseys vonden het altijd heerlijk om bij de Millers op bezoek te komen. Niet vanwege het huis zelf, dat een chaos was van katten, honden, half voltooide schilderijen, potten vol niet thuis te brengen voedsel, stoffige Afrikaanse maskers, twaalfduizend boeken, te veel ditjes en een gevaarlijke opeenhoping van datjes. Maar de Heath! Vanuit ieder raam dwong het uitzicht je naar buiten te komen en ervan te genieten. Ondanks de kou gehoorzaamden de gasten. Ze brachten de helft van hun tijd door in het overwoekerde tuintje van de Millers, waarvan de geringe afmetingen werden goedgemaakt doordat het eindigde waar de vijvers van Hampstead begonnen. Howard, de kinderen Belsey, Rachel en Adam waren allemaal in de tuin – de kinderen keilden steentjes over het water, de volwassenen keken toe hoe twee eksters een nest bouwden in een hoge boom – toen Kiki de schuifpui opende en op hen af kwam lopen met haar hand voor haar mond.

'Ze is dood!'

Howard keek naar zijn vrouw en was slechts lichtelijk ongerust. Iedereen van wie hij echt hield was hier bij hem, in deze tuin. Kiki kwam heel dicht naar hem toe en herhaalde met hese stem haar boodschap.

'Wie... Kiki, wie is er dood?'

'Carlene! Carlene Kipps. Michael... hij was het, haar zoon, aan de telefoon.'

'Hoe komen die in godsnaam aan dit nummer?' vroeg Howard bot.

'Ik weet het niet... ik neem aan via mijn werk... ik kan het niet geloven. Ik heb haar twee weken geleden nog gezien! Ze wordt hier begraven, in Londen. Op het kerkhof van Kensal Green. De begrafenis is vrijdag.'

Howard fronste zijn wenkbrauwen. 'Begrafenis? Maar... daar gaan we toch niet naartoe?'

'Já, daar gaan we wel naartoe!' schreeuwde Kiki en ze begon te huilen. Haar kinderen, gealarmeerd, kwamen nu ook aangelopen. Howard hield zijn vrouw in zijn armen. 'Oké, oké, oké, we gaan, we gaan. Het spijt me, lieverd. Ik wist niet dat je...' Howard hield op met praten en kuste haar op haar slaap. Fysiek was dat dichterbij dan hij in eeuwen bij haar was geweest.

Slechts anderhalve kilometer verderop, onder aan de heuvel van het lommerrijke Queen's Park, werden de doodse praktische zaken afgewikkeld die volgen op een sterfgeval. Een uur voordat Michael Kiki opbelde waren de gezinsleden Kipps in Monty's studeerkamer bijeengeroepen: Victoria, Michael en Amelia, Michaels verloofde. De toon waarop dit verzoek werd gedaan, bereidde hen voor op nog meer ontstellend nieuws. Pas een week eerder, in Amherst, waren ze achter de oorzaak van Carlene Kipps' dood gekomen: een agressieve vorm van kanker waarover ze haar gezin niets had verteld. In haar koffer vonden ze pijnstillers van het soort dat alleen door ziekenhuizen wordt voorgeschreven. De familie was er nog niet achter gekomen wie die had voorgeschreven. Michael bracht een aanzienlijk deel van de tijd door met artsen uitkafferen door de telefoon. Dat was gemakkelijker dan zich af te vragen waarom zijn moeder, die moest hebben geweten dat ze stervende was, het nodig had gevonden dit te verbergen voor de mensen die het meest van haar hielden. Met een angstig voorgevoel kwamen de jongelui de kamer in en namen plaats op Monty's slecht verende Edwardiaanse stoelen. De jaloezieën waren gesloten. Een open haard met bloemetjestegels waarin een klein houtvuur brandde was de enige lichtbron in de kamer. Monty zag er moe uit. Zijn uitpuilende ogen waren rooddoorlopen en zijn loshangende, vuile vest hing aan weerszijden van zijn buik.

'Michael,' zei Monty en hij overhandigde zijn zoon een kleine envelop. Michael nam hem aan.

'Het enige wat we kunnen bedenken,' zei Monty terwijl Michael een dubbelgevouwen vel postpapier eruit haalde, 'is dat de ziekte van jullie moeder al bezig was haar verstand aan te tasten. Dit is gevonden in haar nachtkastje. Wat maak jij eruit op?'

Over de schouder van haar verloofde rekte Amelia haar hals om te lezen wat er geschreven stond, en toen ze dat had gedaan, slaakte ze een lichte zucht.

'Nou, om te beginnen is er geen sprake van dat dit juridisch bindend is,' zei Michael direct.

'Het is met potlood geschreven!' flapte Amelia eruit.

'Niemand beweert dat het juridisch bindend is,' zei Monty, in zijn neusbrug knijpend, 'Daar gaat het niet om. Waar het om gaat is: wat betekent het?'

'Zij zou dit nooit hebben geschreven,' zei Michael stellig. 'Wie zegt dat dit haar handschrift is? Volgens mij is het dat niet.'

'Wat staat erin?' vroeg Victoria en ze begon opnieuw te huilen, zoals ze al vier dagen lang bijna om het uur had gedaan.

'*Aan wie dit leest,*' begon Amelia, met grote ogen als een kind en een kinderachtig fluisterstemmetje opzettend: '*Na mijn dood laat ik mijn schilderij van Jean Hyp... Hyp...* ik kan die naam nooit uitspreken! *Maitresse Er... Erzu...*'

'We wéten verdomme welk schilderij het is!' snauwde Michael. 'Sorry, pap,' voegde hij eraan toe.

'*...na aan mevrouw Kiki Belsey!*' verkondigde Amelia, als waren dit de opmerkelijkste woorden die ze ooit hardop had moeten uitspreken. 'En het is ondertekend door *mevrouw Kipps!*'

'Zij heeft dat niet geschreven,' zei Michael opnieuw. 'Uitgesloten. Zij zou nooit zoiets doen. Sorry. Uitgesloten. Kennelijk had die vrouw een zekere macht over mama waar wij niets van wisten, ze moet dat schilderij al een tijdje op het oog hebben gehad, we weten dat ze in huis is geweest. Nee, sorry, maar hier klopt helemaal niets van,' concludeerde hij vastberaden, ofschoon zijn bewijsvoering zichzelf keurig in de staart had gebeten.

'Ze heeft mevrouw Kipps' geest beduiveld!' zei Amelia ademloos; haar onschuldige fantasie was geïnfecteerd door bepaalde, wat krassere verhalen uit de bijbel.

'Hou je mond, Ammy,' foeterde Michael. Hij draaide het vel papier om alsof de onbeschreven achterkant ervan een aanwijzing zou kunnen verschaffen over de herkomst ervan.

'Dit is een familiekwestie, Amelia,' zei Monty streng, 'en jij bent nog geen familie. Het zou prettig zijn als je je commentaar voor je hield.'

Amelia hield het kruisje om haar hals vast en sloeg haar ogen neer. Victoria stond op uit haar leunstoel en griste het vel uit haar broers hand.

'Dit is mama's handschrift. Absoluut.'

'Ja,' zei Monty wijselijk. 'Ik denk dat daar geen twijfel over bestaat.'

'Kijk, dat schilderij heeft een waarde van, wat? Zo'n drie ton? In ponden? Driehonderdduizend pond?' zei Michael, want anders dan de Belseys namen de Kipps geen blad voor de mond als het over geld ging. 'Nee, onmogelijk, ab-so-luut onmogelijk dat ze zo'n stuk als dit aan iemand buiten de familie zou nalaten... en dat wordt voor mij bevestigd doordat ze, nog niet zo lang geleden, heeft laten doorschemeren...'

'...dat ze het aan ons wilde geven!' riep Amelia schel uit, 'als huwelijksgeschenk!'

'Dat klopt,' stemde Michael in. 'Wou je me nu vertellen dat ze het waardevolste schilderij in huis heeft nagelaten aan praktisch een vreemde? Aan Kiki Belsey? Ik dacht het niet.'

'Was er geen andere brief of zo?' vroeg Victoria verbijsterd.

'Niets,' zei Monty. Hij wreef met een hand over zijn kale kop. 'Ik kan het maar niet begrijpen.'

Michael gaf een klap op de leuning van de chaise longue waarop hij zat.

'Te denken dat die vrouw misbruik heeft gemaakt van iemand als mama, walgelijk.'

'Michael, de vraag is hoe we hiermee moeten omgaan.'

En nu zetten de Kipps hun praktische petten op. De vrouwen in de kamer kregen geen pet aangeboden en zij gingen instinctief achterover zitten terwijl Michael en zijn vader voorover leunden met hun ellebogen op hun knieën.

'Denk je dat Kiki Belsey iets afweet van dit... *briefje*?' zei Michael, en dat laatste woord kreeg nauwelijks de ruimte om in zijn eigen bestaan te geloven.

'Tja, dat weten we nu juist niet. Ze heeft in elk geval geen aanspraken gemaakt. Nog niet.'

'Of ze er nu wel of niet van afweet,' zei Victoria fel, 'ze kan niets bewijzen, toch? Ik bedoel, ze heeft geen zwart op wit bewijs waarmee ze naar de rechter kan stappen of zo. Dit is verdomme ons gebóórterecht.' Victoria werd weer overmand door snikken. Het waren tranen van verontwaardiging: dit was de eerste keer dat de dood in welke vorm dan ook ooit de toegang had geforceerd tot haar aangenaam voortkabbelende leventje. Naast oprecht verdriet en gemis was er ook een onderstroom van furieus ongeloof. Op elk ander gebied van het leven hadden de Kipps een toevlucht gehad wanneer ze gekwetst waren: Monty had drie verschillende rechtszaken uitgevochten wegens smaad; Michael en Victoria waren grootgebracht met het te vuur en te zwaard verdedigen van hun geloof en politieke overtuiging. Maar dit, dit was niet te bestrijden. Goddeloze liberalen waren één ding. De dood was iets anders.

'Ik wil dat soort taal niet horen, Victoria,' zei Monty met nadruk. 'Je hebt dit huis en je familie te respecteren.'

'Kennelijk respecteer ik mijn familie meer dan mam. Ze nóemt ons niet eens.' Ze zwaaide met het briefje en liet het al doende vallen. Het zweefde lusteloos naar het tapijt.

'Je moeder,' zei Monty en hij stopte, de eerste traan vergietend die zijn kinderen hadden gezien sinds dit alles was begonnen. Tegen deze traan was Michael niet opgewassen; zijn hoofd viel achterover tegen de kussens, hij liet zich een schril, gepijnigd gekras ontvallen en begon zelf ook boze, verstikte tranen te huilen.

'Je moeder,' probeerde Monty opnieuw, 'was een toegewijde vrouw voor mij en een fantastische moeder voor jullie. Maar ze was op het laatst heel erg ziek. De Heer alleen weet hoe ze het heeft gedragen. En dit,' zei hij, het briefje van de vloer rapend, 'is een symptoom van die ziekte.'

'*Amen*!' zei Amelia en greep haar verloofde vast.

'Ammy, alsjeblíeft,' beet Michael haar toe en hij schudde haar van zich af. Amelia verborg haar gezicht tegen zijn schouder.

'Het spijt me dat ik het jullie heb laten zien,' zei Monty, het papier dubbelvouwend. 'Het betekent niets.'

'Niemand denkt dat het iets betekent,' zei Michael verbeten. Hij veegde zijn gezicht af met een zakdoek die Amelia te voorschijn had gehaald. 'Verbrand het ding gewoon en vergeet het.'

Het hoge woord was eruit. Een houtblok knapte hard, alsof het vuur meeluisterde en trek kreeg in nieuwe brandstof. Victoria deed haar mond open maar zei niets.

'Ja, precies,' zei Monty. Hij verfrommelde het briefje in zijn vuist en mikte het in de vlammen. 'Al vind ik wel dat we haar voor de begrafenis moeten uitnodigen. Mevrouw Belsey.'

'Waarom?' riep Amelia, 'Het is een kreng. Ik zag haar die keer op het station en ze keek dwars door me heen, alsof ik niet eens bestond! Ze is arrogant, en ze is praktisch een rasta!'

Monty fronste. Het werd akelig duidelijk dat Amelia niet bepaald de rustigste onder de rustige christenmeisjes was.

'Ammy heeft wel gelijk. Waarom zouden we?' zei Michael.

'Klaarblijkelijk was jullie moeder op de een of andere manier gesteld op mevrouw Belsey. De afgelopen maanden is ze door ons allemaal nogal aan haar lot overgelaten.' Bij het horen van deze heldere waarheid vond iedereen een plekje op de vloer om zich op te concentreren. 'Ze raakte bevriend met die vrouw. Wat wij daar ook van vinden, we moeten het respecteren. We moeten haar uitnodigen, dat is niet meer dan fatsoenlijk. Iedereen akkoord? Ik verwacht trouwens sowieso niet dat ze kan komen.'

Een paar minuten later verlieten de kinderen na elkaar de kamer, nog iets onzekerder ten aanzien van de ware aard van degene wier overlijdensbericht morgenochtend in de *Times* zou staan: Lady Carlene Kipps, liefhebbend echtgenote van sir Montague Kipps, toegewijd moeder van Victoria en Michael, in 1948 met de Windrush vanuit Jamaïca naar Engeland gekomen, actief kerklid, beschermvrouwe van de kunst.

2

Door de groezelige raampjes van hun taxi zagen de Belseys hoe Hampstead overging in West-Hampstead, en West-Hampstead in Willesden. Bij elke spoorbrug wat meer graffiti, op elke straat wat minder bomen, en in de bomen die er waren meer fladderende plastic zakken. Een steeds snellere opeenvolging van zaakjes waar gefrituurde kip werd verkocht, totdat in Willesden Green zo'n beetje om het andere uithangbord melding maakte van gevogelte. In gigantische letters, met ware doodsverachting boven het spoor gekalkt, stond een boodschap: JE MOEDER HEEFT GEBELD. In andere omstandigheden zou dit amusant zijn geweest.

'Het begint er hier een beetje... vervallen uit te zien,' waagde Zora met de nieuwe, zachte stem die ze zich voor deze dood had aangemeten. 'Zijn ze niet rijk? Ik dacht dat ze rijk waren.'

'Dit is hun thuis,' zei Jerome eenvoudig. 'Ze houden van deze plek. Ze hebben hier altijd gewoond. Ze hebben geen pretenties. Dat probeerde ik nou altijd duidelijk te maken.'

Howard tikte met zijn trouwring tegen het dikke glas van het zijraampje. 'Laat je niet bedotten. Er staan hier een paar kasten van huizen. En daarbij, mannen zoals Monty vinden het fijn om de grote vis in een kleine vijver te zijn.'

'*Howard*,' zei Kiki op zo'n toon dat er niets meer werd gezegd tot Winchester Lane, waar hun reis eindigde. Toen het zover was, stopte de auto naast een kleine Engelse plattelandskerk, weggerukt uit zijn dorpse omgeving en in deze grootstedelijke buitenwijk gedropt, tenminste zo scheen het de kinderen Belsey toe. In werkelijkheid was het het platteland dat zich had teruggetrokken. Slechts honderd jaar geleden woonden er maar vijfhonderd zielen in dit dorp van schapenweiden en boomgaarden, op land dat ze pachtten van een Oxfordse universiteit die nog steeds een groot deel van Willesden Green tot zijn bezittingen rekent. Dit wás een plattelandskerk. Vanaf zijn plek op het met kiezels bedekte kerkplein, onder de kale takken van een kersenboom, kon Howard de drukke hoofdstraat bijna wegdenken en in plaats daarvan akkers, hagen en landweggetjes zien.

Er verzamelde zich een menigte rond het gedenkteken van de Eerste Wereldoorlog, een eenvoudige stenen zuil met een onleesbare inscriptie waarvan elk in het steen gebeitelde woord was gladgesleten. De meeste mensen waren in het zwart gekleed, maar ook velen, onder wie de Belseys, niet. Een pezig mannetje in een oranje schoonmakersoverall liet twee identieke bullterriërs rondrennen op het kleine stukje resterende tuin tussen de predikantsplaats en de kerk. Hij leek er niet bij te horen. De mensen keken hem afkeurend na, er klonken misprijzende geluiden. Hij bleef zijn stok maar weggooien. De twee terriërs brachten hem telkens weer terug, hun kaken aan weerszijden eromheen geklemd zodat ze een nieuw, perfect gecoördineerd achtpotig beest vormden.

'Mensen in alle soorten en maten,' fluisterde Jerome, want iedereen fluisterde. 'Je kunt wel zien dat ze met allerlei mensen omging. Kun je je bij ons een begrafenis, of wat voor bijeenkomst ook, voorstellen met zo'n gemengd publiek?'

De Belseys keken om zich heen en zagen hoe waar dat was. Elke leeftijdscategorie, elke kleur en diverse religies, zeer elegant geklede mensen – hoeden en handtasjes, parelkettinkjes en ringen – en mensen die duidelijk uit een andere wereld kwamen, in spijkerbroeken en met honkbalpetjes op, in sari's en duffeljassen. En te midden van hen – tot hun grote blijdschap – Erskine Jegede! Ze konden niet gaan roepen en zwaaien, dus werd Levi erheen gestuurd om hem te halen. Hij kwam aanlopen in zijn stampende stierentred, gekleed in een deftig tweedkostuum en zwaaiend met zijn paraplu als wandelstok. Het enige wat nog ontbrak was een monocle. Toen Kiki hem zo zag, snapte ze niet waarom het haar niet eerder was opgevallen: ondanks Erskines meer dandyachtige stijl pasten Monty en Erskine qua kleding precies bij elkaar.

'Ersk, goddank dat jij er ook bent,' zei Howard terwijl hij zijn vriend omhelsde. 'Maar hoezo eigenlijk? Ik dacht dat je met de kerst in Parijs was.'

'Was ik ook, we logeerden in het Crillon; wát een hotel, zeg, schitterend, en ik kreeg een belletje van Brockes, lord Brockes,' voegde Erskine opgewekt toe, want net als zo veel 'kolonialen' liet hij geen kans voorbijgaan om te laten merken dat hij met bekende mensen omging. 'Maar Howard, je weet toch dat ik onze vriend Monty al héél lang ken. Of híj was de eerste neger aan Oxford, of ik, daar kunnen we het nooit over eens worden. Maar al zitten we niet altijd op één lijn, hij is beschaafd en ik ben beschaafd. Dus hier ben ik.'

'Natuurlijk,' zei Kiki nogal geëmotioneerd en ze drukte Erskines hand.

'En uiteraard stónd Caroline erop,' ging Erskine schalks verder met een knikje naar de magere gestalte van zijn vrouw aan de andere kant van het pad. Ze stond in het kerkportaal, druk in gesprek met een beroemde zwarte Britse nieuwslezer. Erskine keek gemaakt liefdevol naar haar. 'Een ontzagwekkende vrouw, die echtgenote van me. Zij is de enige vrouw die ik ken die haar contacten uitbaat op een begrafenis.' Hier zette Erskine het volume wat lager voor zijn diepe, Nigeriaanse lach. *'Iedereen die iets voorstelt gaat erheen,'* zei hij in een slechte imitatie van het typische nasale Atlanta-accent van zijn vrouw. 'Al ben ik bang dat er minder prominenten aanwezig zijn dan ze had gehoopt. De helft van deze mensen heb ik van mijn levensdagen nog niet gezien. Maar ja. In Nigeria huilen we op begrafenissen, in Atlanta slaan ze kennelijk aan het netwerken. Geweldig! Eigenlijk ben ik wel verbaasd dat ik júllie hier aantref. Ik dacht dat jij en sir Monty jullie zwaarden al aan het slijpen waren voor januari.' Erskine zwaaide met een denkbeeldige degen. 'Zo luidt de universitaire tamtam. Ja, Howard. Je gaat me toch niet vertellen dat je niet hier bent uit persoonlijke, verborgen motieven, hè? Maar heb ik soms iets verkeerds gezegd?' vroeg Erskine toen Kiki haar hand uit de zijne liet vallen.

'Ehm... Eigenlijk waren mama en Carlene nogal close,' mompelde Jerome.

Erskine bracht zijn hand in een theatraal gebaar naar zijn borst. 'Jullie hadden me moeten zeggen dat ik niet voor mijn beurt moest praten! Kiki, ik had geen idee dat je de dame zelfs maar kende. Ik schaam me vreselijk.'

'Dat hoeft niet,' zei Kiki, maar ze keek hem kil aan. Erskine werd door elk soort sociale wrijving totaal verlamd. Hij keek alsof hij fysiek leed.

Het was Zora die hem te hulp schoot. 'Hé, pap, is dat niet Zia Malmud? Hebben jullie vroeger niet met hem op de universiteit gezeten?'

Zia Malmud, kunstjournalist, voormalig socialist, antioorlogsactivist, essayist, gelegenheidsdichter, luis in de pels van de huidige regering en televisiepersoonlijkheid, of, zoals Howard het bondig samenvatte, 'een typische quotezak', stond bij het monument zijn onafscheidelijke pijp te roken. Howard en Erskine baanden zich vlug een weg door de menigte om hun medealumnus van Oxford te begroeten. Kiki keek ze na. Ze zag de banale opluchting op Howards gezicht. Voor het eerst sinds ze op deze begrafenis waren gearriveerd kon hij ophouden met nerveus doen, in zijn zakken friemelen, aan zijn haar zitten. Want hier was Zia Malmud, die in geen enkel opzicht te maken had met het idee van de dood en uit dien hoofde in staat was om welkom nieuws te brengen uit een andere wereld buiten deze begrafenis, *Howards* wereld: de wereld van conversatie, discussie, vijanden, kranten, universiteiten. Vertel me wat je maar wilt, maar praat niet over de dood. Maar de enige plicht die je op een begrafenis hebt is nu juist te accepteren dat er iemand is doodgegaan! Kiki draaide zich om.

'Weet je,' zei ze getergd tegen geen van haar kinderen in het bijzonder, 'ik begin er echt schoon genoeg van te krijgen Erskine zo te horen afgeven op Caroline. Het enige wat die mannen kunnen is vol minachting over hun vrouwen praten. *Minachting*. Ik ben het spuugzat!'

'O, mam, dat meent hij niet,' zei Zora vermoeid; voor de zoveelste keer kon ze haar moeder weer eens gaan uitleggen hoe de wereld in elkaar zat. 'Erskine houdt van Caroline. Ze zijn al ééuwen getrouwd.'

Kiki slikte haar repliek in. In plaats daarvan opende ze haar handtas en begon naar haar lipgloss te zoeken.

Levi, die uit verveling maar tegen steentjes was gaan trappen, vroeg haar wie die vent met die grote gouden kettingen was, met de geleidehond. De burgemeester, gokte Kiki, maar zeker wist ze het niet. *'De burgemeester van Londen?'* Kiki mompelde instemmend maar keerde zich nu om en ging op haar tenen staan om over de hoofden van de menigte te kunnen kijken. Ze was op zoek naar Monty. Ze was nieuwsgierig naar hem. Ze wilde zien hoe een man die zijn vrouw zo had aanbeden, eruitzag nu ze hem was ontvallen. Levi bleef haar aan haar hoofd zeuren: *'Van de hele stad? Zoals de burgemeester van New York?'* Misschien ook niet, gaf Kiki kregelig toe, misschien alleen de burgemeester van dit stadsdeel.

'Serieus... dit is lijp,' zei Levi en hij rukte met gekromde vingers aan de stijve boord van zijn overhemd. Het was Levi's eerste begrafenis, maar hij bedoelde meer dan dat. Het leek inderdaad een surrealistische bijeenkomst, met die vreemde mengeling van rangen en standen – zelfs merkbaar voor een zo Amerikaanse jongen als Levi – en het totale gebrek aan privacy binnen het bakstenen muurtje van nog geen meter hoog. Auto's en bussen reden onophoudelijk voorbij, lawaaiige schoolkinderen rookten sigaretten, wezen en fluisterden, een grote groep moslimvrouwen in volledige hijab zweefde langs als spookverschijningen.

'Geen toplocatie,' waagde Zora.

'Weet je, dit was háár kerk, ik ging met haar hierheen. Ze zou de dienst beslist in haar kerk hebben gewild,' zei Jerome met klem.

'Natúúrlijk zou ze dat,' zei Kiki. Tranen prikten in haar ogen. Ze kneep even in Jeromes hand en hij, verrast door deze emotie, beantwoordde het kneepje. Zonder enige aankondiging, of althans niet een die door de Belseys werd opgemerkt, begon de menigte de kerk binnen te gaan. Het interieur was even sober als de buitenkant deed vermoeden. Houten balken volgden elkaar op met stenen muren ertussen, en het koorhek was van donker eiken met grof houtsnijwerk. Het glas-in-lood was mooi, kleurig, maar niet bepaald verfijnd, en er hing maar één schilderij, hoog tegen de achterwand, onbelicht, stoffig en te donker om er iets van te kunnen maken. Ja, als je omhoog en om je heen keek – zoals je automatisch doet in een kerk – was alles zo'n beetje als je zou verwachten. Maar dan daalden je ogen weer af naar de grond, en op dat moment moesten al degenen die deze kerk voor het eerst waren binnengegaan een huivering onderdrukken. Zelfs Howard, die zichzelf graag als volstrekt onsentimenteel beschouwde ten aanzien van bouwkundige modernisering, kon niets lovenswaardigs ontdekken. De stenen vloer was geheel bedekt door een dun oranje met grijs geblokt tapijt;

een heleboel grote, pluizige industriële vilttegels die aaneen waren gelegd. Het patroon bestond uit kleinere oranje kubussen gevat in een treurige grijze omlijsting. Door slijtage was het oranje bruinachtig geworden. En dan had je nog de kerkbanken, of liever gezegd de afwezigheid daarvan. Ze waren stuk voor stuk weggehaald, en in plaats ervan stonden rijen vergaderstoelen van hetzelfde vliegveldloungeoranje, in een bedeesde halve cirkel die – stelde Howard zich voor – de vriendelijke, informele sfeer moest uitstralen van theeochtenden en parochiebijeenkomsten. Het uiteindelijke effect was er een van weergaloze lelijkheid. De logica hierachter was niet moeilijk te achterhalen: financiële nood, de verkoopopbrengst van de negentiende-eeuwse kerkbanken, de autoritaire strengheid van horizontale rijen, de ontvankelijkheid van halve cirkels. Maar nee, het bleef misdadig. Het was té lelijk. Kiki nam met haar gezin plaats op de ongemakkelijke plastic stoeltjes. Ongetwijfeld wilde Monty zich laten zien als een man van het volk, zoals veel machtige mannen graag doen, en dat ten koste van zijn vrouw. Verdiende Carlene niet wat beters dan een kleine, geruïneerde kerk aan een lawaaiige hoofdstraat? Kiki sidderde van verontwaardiging. Maar toen, terwijl de mensen gingen zitten en er zachte orgelmuziek klonk, maakte Kiki's redenering een ommezwaai. Jerome had gelijk: dit was de plek waar Carlene altijd ging bidden. Eigenlijk verdiende Monty alle lof. Hij had de begrafenis op een chique locatie in Westminster of in de heuvels van Hampstead kunnen houden, of wie weet zelfs in de Saint Paulkathedraal (over de praktische aspecten hiervan brak Kiki zich niet het hoofd). Maar nee, hier, naar Willesden Green, naar de kleine plaatselijke kerk waarvan ze had gehouden, had Monty zijn geliefde vrouw gebracht, bij de mensen die om haar gaven. Nu berispte Kiki zichzelf om haar eerste, typisch Belseyaanse mening. Was ze soms niet meer in staat om ware emotie, pal voor haar ogen, te herkennen? Hier waren eenvoudige mensen die van hun God hielden, hier was een kerk die haar gelovigen op hun gemak wilde stellen, hier was een oprecht man die van zijn vrouw hield – was dat dan allemaal niets waard?

'Mam,' siste Zora, aan haar moeders mouw trekkend, 'Mám. Is dat niet Chantelle?'

Kiki, afgeleid van onbehaaglijke gedachten, keek gehoorzaam in de richting waarin Zora wees, ofschoon die naam haar niets zei.

'Dat kan haar toch niet zijn. Ze zit bij mij in de klas...' zei Zora turend, 'Nou ja, niet echt erín, maar...'

De deuren van de kerk gingen open. Linten van daglicht baanden zich een weg door het donkere interieur, bonden een stapel vergulde gezangboeken bijeen in hun schittering, accentueerden het blonde haar van een mooi kind, de koperen rand van het achthoekige doopvont. Alle hoofden keken tegelijk om, in een vreselijke echo van een trouwerij, om te zien hoe Carlene Kipps in een houten kist naar het altaar werd gedragen. Alleen Howard keek op naar het eenvoudig gewelfde plafond, in de hoop er een ontsnappingsmogelijkheid, verlichting of afleiding te vinden. Maar nee, allesbehalve. In plaats daarvan werd hij onthaald op een golf muziek. Die stroomde neer op zijn hoofd van een balkon boven hem. Daar stonden acht jonge mannen, met nette gordijntjes van haar en blozende jongensgezichten, uit volle borst een ideaal van de menselijke stem na te streven dat groter was dan ieder van hen.

Howard, die dat ideaal allang had opgegeven, merkte dat hij er – op even plotselinge als gruwelijke wijze – fataal door getroffen werd. Hij kreeg niet eens de kans om in het boekje te kijken dat hij in handen had en kwam er zodoende nooit achter dat dit het *Ave Verum* van Mozart was en dat het koor bestond uit zangers van Cambridge. Hij had geen tijd om zichzelf voor te houden dat hij een hekel had aan Mozart, of om te lachen om het poenige idee *Kingsmen* met een bus hierheen te halen om op een begrafenis in Willesden te zingen. Het was te laat voor dat alles. Het lied had hem in zijn greep. *Aaaah veehee, Aahaa vee*, zongen de jongemannen; het zwakke, hoopvolle stijgen van de eerste drie noten, de dalende smart van de volgende drie; de kist die zo vlak langs Howards elleboog kwam dat hij het gewicht ervan in zijn armen voelde; de vrouw erin, slechts tien jaar ouder dan Howard zelf; het vooruitzicht van haar eeuwige verblijf daar binnenin; het vooruitzicht van dat van hemzelf; de kinderen Kipps die er huilend achteraan liepen, een man vóór Howard die op zijn horloge keek alsof het einde van de wereld – want dat was het voor Carlene Kipps – niet meer dan een verstoring van zijn drukke dag was, al zou ook deze vent meemaken dat zijn wereld ten einde kwam, net zoals Howard en tienduizenden andere mensen per dag, van wie maar weinigen tijdens hun leven in staat zijn om werkelijk te geloven in de vergetelheid die hun bestemming is. Howard klampte zich vast aan de armleuningen van zijn stoel en probeerde zijn ademhaling onder controle te krijgen voor het geval dit een astmatische aanval of een geval van uitdroging was, wat hij allebei al eens had meegemaakt. Maar dit was anders: hij proefde zout, waterig zout, een heleboel, en voelde het in zijn neusholtes; het stroomde in beekjes langs zijn hals en vormde een plasje in het sierlijke, driehoekige kuiltje onder aan zijn hals.

Het kwam uit zijn ogen. Hij had het gevoel dat er midden in zijn maag een tweede, gapende mond zat en dat die schreeuwde. Zijn buikspieren trokken zich samen. Overal om hem heen bogen mensen hun hoofd en brachten ze hun handen samen, zoals mensen doen op begrafenissen, zoals Howard inmiddels op vele ervan had meegemaakt. Op dit punt ging Howard doorgaans met een potlood wat figuurtjes krabbelen op de randen van het misblaadje, terwijl hij terugdacht aan de ware, onaangename relatie tussen de dode in de kist en de vent die nu een gloedvolle lofzang afstak, of zich afvroeg of de weduwe van de dode zijn maîtresse op de derde rij een blijk van herkenning zou geven. Maar op deze begrafenis van Carlene Kipps bleef Howard loyaal aan haar doodkist. Hij wendde zijn blik er niet van af. Hij was er redelijk zeker van dat hij gênante geluiden maakte. Hij was niet in staat zich in te houden. Zijn gedachten ontvluchtten hem en snelden weg naar hun donkere holen. Zora's grafzerk. Die van Levi. Van Jerome. Van iedereen. Van hemzelf. Van Kiki. Van Kiki. Van Kiki. Van Kiki.

'Pap, alles oké, man?' fluisterde Levi en hij legde zijn sterke, knedende hand op de plek tussen zijn vaders schouders. Maar Howard dook weg, stond op en liep de kerk uit via de deuren waardoor Carlene was binnengekomen.

Het was helder weer toen de dienst begon, maar inmiddels was het bewolkt geworden. De menigte ging spraakzamer dan voorheen de kerk uit onder het uitwisselen van anekdotes en herinneringen, maar nog zonder te weten hoe ze op respectvolle wijze een gesprek moesten beëindigen, hoe ze van de onzichtbare dingen op aarde – liefde en dood en wat daarna komt – moesten overgaan op de praktische zaken ervan: hoe je een taxi kreeg, of je naar de begraafplaats of naar de koffietafel ging of allebei. Kiki nam niet aan dat ze bij deze gelegenheden welkom was, maar toen ze met Jerome en Levi onder de kersenboom stond, kwam Monty Kipps op hen af en nodigde haar uitdrukkelijk uit. Kiki was stomverbaasd.

'Weet je het zeker? We willen ons absoluut niet opdringen.'

Monty's antwoord was welgemeend. 'Er is geen sprake van dat jullie je opdringen. Iedere vriend of vriendin van mijn vrouw is welkom.'

'Ik was echt haar vriendin,' zei Kiki, misschien wat al te enthousiast, want Monty's glimlach kromp en verstrakte. 'Ik bedoel, ik kende haar niet zo heel goed, maar voorzover ik haar kende... nou, voorzover ik haar kende was ik dol op haar. Het moet een vreselijk verlies voor je zijn. Ze was een geweldige persoon. Zó gul voor anderen.'

'Ja, dat was ze inderdaad,' zei Monty en er gleed een vreemde blik over zijn gezicht. 'Natuurlijk maakten we ons wel eens zorgen dat mensen juist van die eigenschap misbruik zouden maken.'

'Ja!' zei Kiki en ze raakte impulsief zijn hand aan. 'Dat gevoel had ik ook. Maar toen realiseerde ik me dat dat dan jammer zou zijn voor de persoon die dat dééd, ik bedoel, degene die misbruik van haar maakte – nóóit voor haar.'

Monty knikte kort. Natuurlijk moest hij nog veel andere mensen spreken. Kiki trok haar hand terug. Met zijn diepe, muzikale stem omschreef hij waar de begraafplaats was en het huis van de familie Kipps, waar de koffietafel zou plaatsvinden, met een kort knikje naar Jerome als erkenning van het feit dat die daar bekend was. Levi zette grote ogen op bij de uitleg. Hij had geen idee dat er bij dat begrafenisgedoe ook nog een tweede en een derde akte was.

'Hartstikke bedankt, echt waar. En het... het spijt me enorm dat Howard weg moest tijdens de... hij kreeg maag...' zei Kiki, zonder veel overtuigingskracht op haar eigen buik wijzend. 'Het spijt me werkelijk ontzettend.'

'Ach welnee,' zei Monty hoofdschuddend. Hij glimlachte weer kort en verdween geleidelijk in de menigte. Ze keken hem na. Om de paar meter werd hij staande gehouden door mensen die hem condoleerden, en elk van hen betoonde hij dezelfde hoffelijkheid en hetzelfde geduld als de Belseys hadden ondervonden.

'Wat een grootmoedige man,' zei Kiki bewonderend tegen haar zoons. 'Weet je, hij heeft gewoon totaal niets kleingeestigs,' zei ze en ze hield zich in, want ze had onlangs besloten haar echtgenoot niet te bekritiseren waar haar kinderen bij waren.

'Moeten we echt naar al die andere dingen?' vroeg Levi. Hij kreeg geen antwoord.

'Ik bedoel, wat bezíelt hem in godsnaam?' vroeg Kiki ineens. 'Hoe kun je nou weglopen op een begrafenis? Wat gaat er om in zijn hoofd? Hoe kun je nou verwachten...' Ze hield zich opnieuw in en haalde diep adem. 'En waar hangt Zora in godsnaam uit?'

Hand in hand met haar beide zoons liep Kiki langs de muur. Ze zagen Zora bij de kerkdeuren in gesprek met een welgevormd zwart meisje in een goedkoop marineblauw pak. Ze had een kort bobkapsel van steil gemaakt haar dat in een plat krulletje op haar wangen geplakt zat. Zowel Levi als Jerome leefde op bij dit aantrekkelijke uitzicht.

'Chantelle is Monty's nieuwe project,' legde Zora uit. 'Ik wíst dat jij het was, we zitten samen in de poëziewerkgroep. Mam, dit is nou de Chantelle over wie ik het altijd heb.'

Zowel Chantelle als Kiki keek hiervan op.

'Nieuwe project...?' vroeg Kiki.

'Professor Kipps,' zei Chantelle nauwelijks hoorbaar, 'is lid van mijn kerk. Hij heeft me gevraagd als stagiaire tijdens de vakantie. Kerstmis is de drukste tijd; hij moet alle contributies voor de kerst op de eilanden zien te krijgen waar ze nodig zijn; het is een goede kans...' voegde Chantelle toe, maar ze keek er doodongelukkig bij.

'Dus jij zit in Green Park,' zei Jerome, naar voren stappend terwijl Levi achterbleef, want de kennismaking was voldoende geweest om beiden duidelijk te maken dat het meisje niets voor Levi was. Ondanks haar naam en alle andere uiterlijkheden die op het tegendeel leken te wijzen, behoorde ze tot Jeromes wereld.

'Pardon?' zei Chantelle.

'Monty's kantoor, in Green Park. Met Emily en de jongens.'

'O, ja, dat klopt,' zei Chantelle. Haar lip trilde zo erg dat Jerome meteen spijt had van zijn vraag. 'Eigenlijk help ik gewoon een beetje... Ik bedoel, ik zóu gaan meehelpen... maar nu ziet het ernaar uit dat ik morgen naar huis ga.'

Kiki strekte haar arm uit en raakte Chantelles elleboog aan. 'Nou, dan ben je tenminste thuis met Kerstmis.'

Chantelle glimlachte zwakjes. Je voelde wel dat Kerstmis bij Chantelle thuis iets was wat je beter kon missen.

'O, lieverd, wat een schok moet het voor je zijn geweest... hier te komen, en nu dit...'

Dit was gewoon typisch Kiki die het simpele medeleven bood waar haar kinderen aan gewend waren, maar voor Chantelle was het iets te veel van het goede. Ze barstte in tranen uit. Kiki sloeg meteen haar armen om haar heen en drukte haar aan haar boezem.

'O, lieverd toch... ach... het is goed, hoor. Het is goed, lieverd. Toe maar... Goed hoor, meisje. Alles komt goed... het is oké.'

Langzaam trok Chantelle zich terug. Levi gaf haar zachte schouderklopjes. Ze was het soort meisje waarop je wilde passen, hoe dan ook.

'Ga je naar de begraafplaats? Wil je met ons meegaan?'

Chantelle haalde haar neus op en veegde haar ogen af. 'Nee, dank u, mevrouw, ik ga naar huis. Ik bedoel... naar het hotel. Ik logeerde in het huis van sir Monty,' dit zei ze heel zorgvuldig, de eigenaardigheid van deze titels voor Amerikaanse oren en tongen benadrukkend, 'maar nu... nou ja, morgen ga ik toch weg, zoals ik al zei.'

'Naar een hotel? Een hotel, hier in Londen? Sister, dat is waanzin!' riep Kiki uit. 'Waarom blijf je niet bij ons overnachten, bij onze vrienden? Het is maar voor één nachtje, je kunt al dat geld niet betalen!'

'Nee, ik hoef ook...' begon Chantelle, maar toen zweeg ze. 'Ik moet nu gaan,' zei ze. 'Het was leuk jullie te ontmoeten, sorry voor... Zora, dan zie ik je wel weer in januari. Leuk jullie te zien. Dag mevrouw.'

Chantelle knikte ten afscheid naar de Belseys en haastte zich weg in de richting van het hek van het kerkplein. De Belseys kwamen er langzaam achteraan, de hele tijd rondkijkend of ze Howard zagen.

'Dat gelóóf je toch niet. Hij is weggegaan! Levi, geef me je mobieltje.'

'Hij doet het hier niet. Ik heb niet het goede abonnement of zo.'

'Ik ook niet,' zei Jerome.

Kiki boorde de hakken van haar pumps in het grind. 'Vandaag is hij te ver gegaan. Dit was de dag van iemand anders, niet de zijne. Dit was iemands *begrafenis*. Hij kent gewoon geen grenzen.'

'Mam, rustig aan. Kijk, mijn mobieltje doet het. Maar wie wil je eigenlijk bellen?' vroeg Zora wijselijk. Kiki belde Adam en Rachel, maar Howard was niet in Hampstead. Nu de telefonische mogelijkheden waren uitgeput, stapten de Belseys minus één in een taxi die de familie Kipps had gebeld, een van een lange rij buitenlandse mannen in buitenlandse auto's, die met de raampjes omlaag zaten te wachten.

3

Twintig minuten eerder was Howard het kerkplein af gelopen, linksaf geslagen en blijven doorlopen. Hij had geen plannen, althans niet bewust. Zijn onderbewuste dacht daar anders over. Hij zette koers naar Cricklewood.

Te voet legde hij de laatste vierhonderd meter af van een reis die hij vanochtend per auto was begonnen: heuvelaf door het wisselvallige gebied ten noorden van Londen, dat eindigde in het infame Cricklewood Broadway. Op verschillende plekken langs deze heuvel had je buurten die af en toe een zekere veryupping vertoonden, maar de twee uiteinden, Hampstead en Cricklewood, bleven onveranderd. Cricklewood was reddeloos verloren; dat zeiden de makelaars die in hun opgeleukte minicoopers langs de vervallen bingohallen en industrieterreinen reden. Maar ze hadden het mis. Om Cricklewood te kunnen waarderen moest je er over straat gaan lopen, zoals Howard die middag deed. Dan ontdekte je dat een halve kilometer Cricklewood, met al zijn passerende gezichten, meer charme bezat dan alle Georgian huizen van Primrose Hill bij elkaar. De Afrikaanse vrouwen in hun kleurige *kente*-doeken, de platinablondine met drie mobieltjes achter de tailleband van haar joggingpak, de onmiskenbare Polen en Russen die de botstructuur van het sovjetrealisme introduceren op een eiland vol kinloze en voorhoofdloze aardappelgezichten, de Ierse mannen die over de hekken van sociale woonwijken leunen zoals boeren op een varkensmarkt in Kerry... Van deze afstand, terwijl hij ze allemaal voorbijliep en ze zo tot een object maakte, zonder met een van hen te hoeven praten, was de flanerende Howard in staat om van ze te houden, meer nog, zich op zijn eigen romantische manier een van hen te voelen. Wij uitschot, wij heerlijk uitschot! Van dit soort mensen stamde hij af. Tot dit soort mensen zou hij altijd behoren. Het was een afkomst waar hij zich tijdens marxistische conferenties en in geschrifte op beroemde; het was een verbondenheid die hij zo nu en dan voelde in de straten van New York en in de voorsteden van Parijs. Maar verder bewaarde Howard zijn 'arbeidersroots' liever waar ze het best gedijen: in zijn fantasie. Welke angst of macht het ook was die hem van de begrafenis van Carlene Kipps en deze koude straten in had gedreven, het was dezelfde die hem nu tot dit zeldzame uitstapje bracht: de Broadway uit, langs McDonald's, langs de halalslagerijen, tweede straat links, om hier aan te komen, op nummer 46 met de dikke ruit in de voordeur. De laatste keer dat hij op deze stoep had gestaan was bijna vier jaar geleden. Vier jaar! Dat was de zomer waarin de familie Belsey had overwogen om naar Londen terug te keren voor Levi's middelbareschoolopleiding. Na een teleurstellende verkenning van Noord-Londense scholen had Kiki aangedrongen op een bezoek aan nummer 46 met de kinderen, want familie bleef toch familie. Het bezoek was niet goed verlopen. Sindsdien hadden er slechts enkele telefoontjes plaatsgevonden tussen dit huis en Langham 83, naast de gebruikelijke kaarten op feest- en verjaardagen. En hoewel Howard de laatste tijd vaak in Londen was geweest, had hij hier nooit aangebeld. Vier jaar is een lange tijd. Je blijft geen vier jaar weg zonder goede reden. Zodra zijn vinger op de bel drukte, wist Howard dat hij een vergissing had begaan. Hij wachtte – er kwam niemand. Stralend van opluchting draaide hij zich om om te gaan. De perfecte visite: goed bedoeld, maar er was niemand thuis. Toen ging de deur open. Een oudere vrouw die hij niet kende stond voor hem met een lelijke bos bloemen in haar hand: veel anjers, een paar margrieten, een slappe varen en één verwelkte goudlelie. Ze glimlachte koket zoals een vrouw half zo jong zou doen ter begroeting van een vrijer half zo jong als Howard.

'Hallo?' zei Howard weifelend.

'Hallo,' antwoordde ze sereen en ze bleef maar glimlachen. Haar haar, gekapt in de stijl van oude Engelse dames, was zowel volumineus als doorschijnend; iedere gouden krul – blauwe haarspoelingen worden sinds kort niet meer gesignaleerd in deze contreien – was als gaas waardoorheen Howard de gang erachter kon zien.

'Sorry, is Harold thuis? Harold Belsey?'

'Harry? Ja, tuurlijk. Deze zijn voor hem,' zei ze, nogal ruw met de bloemen zwaaiend. 'Kom binnen, hoor.'

'Carol,' hoorde Howard zijn vader roepen vanuit de kleine huiskamer die ze ras naderden. 'Wie is dat? Zeg maar *nee*.'

Hij zat in zijn gemakkelijke stoel, zoals gewoonlijk. Met de tv aan, zoals gewoonlijk. De kamer was zoals altijd heel schoon en, in zijn soort, heel mooi. Er veranderde nooit iets aan. Hij was nog steeds bedompt en slecht verlicht, met slechts één raam met dubbel glas dat uitkeek op de straat, maar overal was kleur. Felle, schreeuwerig gele margrieten op de kussens, een groene bank en drie knalrood geverfde stoelen rond de eettafel. Behang met een druk, Italiaansachtig paisleypatroon in roze en bruine tinten, als driekleurenijs. In het tapijt oranje en bruine zeshoeken, en in iedere zeshoek zwarte getekende cirkels en ruitvormen. Een draagbaar straalkacheltje, dik en hoog als een kleine robot, waarvan de metalen achterkant blauw was geverfd, felblauw als de mantel van Onze-Lieve-Vrouw. Waarschijnlijk was er iets vreselijk komisch aan al deze – door de vorige huurder achtergelaten – jarenzeventiguitbundigheid die de huidige, oudere huurder in een grijs pak omringde, maar Howard kon er niet om lachen. De onveranderlijke details deden hem pijn aan het hart. Hoe beperkt moest een leven niet zijn geworden om een felgekleurde ansichtkaart uit Mevagissey Harbour, Cornwall, vier jaar op de schoorsteenmantel te laten staan! Ook de foto's van Joan, Howards moeder, waren niet verplaatst. Een fotoserie van Joan in de Londense dierentuin zat nog steeds in één lijst, half over elkaar heen. Die waarop ze een pot met zonnebloemen vasthield stond nog steeds op de televisie. De foto waarop ze bijna werd omvergeblazen met haar bruidsmeisjes, sluier flapperend in de wind, hing nog steeds vlak naast de lichtknop. Ze was al zesenveertig jaar dood, maar telkens wanneer Harry het licht aandeed zag hij haar weer.

Nu keek Harry op naar Howard. De oudere man zat al te huilen. Zijn handen beefden van emotie. Met moeite probeerde hij uit zijn stoel te komen, en toen het lukte sloeg hij zijn armen voorzichtig rond het middel van zijn zoon, want Howard torende boven hem uit, nu meer dan ooit. Over de schouder van zijn vader las Howard de kattebelletjes die op de schoorsteenmantel lagen, in een haperend schrift op stukjes papier.

Ben even naar Ed voor haren knippen. Zo terug.
Naar de winkel om ketel terug te brengen. Binnen kwartier terug.
Ben even spijkers halen. Binnen 20 min. terug.

'Ik ga wel even thee zetten. En deze in een vaas doen,' zei Carol schuchter achter hen, en ze ging naar de keuken.

Howard legde zijn handen op die van Harry. Hij voelde de ruwe plekjes van de psoriasis. Hij voelde de oude trouwring, in de huid verzonken.

'Ga zitten, pap.'

'Zitten? Hoe kan ik nou gaan zitten?'

'Kom...' zei Howard. Hij duwde hem zachtjes terug in zijn stoel en koos zelf voor de bank. 'Kom, ga zitten.'

'Is de rest er ook?'

Howard schudde zijn hoofd. Harry nam zijn verslagen houding aan, handen in de schoot, hoofd gebogen, ogen dicht.

'Wie is die vrouw?' vroeg Howard. 'Dat is toch zeker niet de verpleeghulp. Voor wie zijn die briefjes?'

Harry slaakte een diepe zucht. 'Je hebt de rest niet meegenomen. Nou ja. Ze wilden zeker niet komen...'

'Harry, die vrouw daar... wie ís dat?'

'Carol?' herhaalde Harry met op zijn gezicht de gebruikelijke mengeling van onthutsing en gekweldheid. 'Maar dat is Carol!'

'O, en wie is Carol?'

'Gewoon een mevrouw die af en toe langskomt! Wat maakt dat nou uit?'

Howard zuchtte en ging op de groene bank zitten. Op het moment dat zijn hoofd het groene fluweel raakte, kreeg hij een gevoel alsof hij hier al die veertig jaar met Harry had gezeten, zij allebei nog steeds verstrikt in het vreselijke, ondeelbare verdriet om de dood van Howards moeder. Want ze vielen direct terug in hetzelfde patroon, alsof Howard nooit – tegen Harry's advies in – naar de universiteit was gegaan, nooit dit miezerige land had verlaten, nooit buiten zijn kleur en zijn volk was getrouwd. Hij was nooit ergens heen gegaan, had nooit iets gedaan. Hij was nog steeds een slagerszoon en ze waren nog steeds met z'n tweetjes, ze maakten er nog steeds het beste van, al kibbelend in een spoorweghuisje in Dalston. Twee Engelsmannen, samen gestrand, met niets gemeen behalve een dode vrouw van wie ze allebei hadden gehouden.

'Trouwens, ik wil het niet over Carol hebben,' zei Harry gespannen, 'Jij bent hier! Daar wil ik het over hebben! Je bent híer.'

'Ik vraag je alleen wie ze ís.'

Nu was Harry geprikkeld. Hij was een beetje doof en als hij zich druk maakte kon zijn stem ineens, zonder dat hij het merkte, heel hard worden. 'Ze is van de KERK. Komt een paar keer per week op de thee. Gewoon even buurten, KIJKEN OF IK OKÉ BEN. Aardige vrouw. Maar hoe gaat het nou met jóu?' Met een angstvallig joviale glimlach vervolgde hij: 'Dat willen we allemaal weten, hè? Hoe is het in New York?'

Howard klemde zijn kaken opeen. 'We betalen voor een verpleegster, Harry.'

'Wat, jongen?'

'Ik zei, *we betalen voor een verpleegster.* Waarom laat je die teringlijers binnen? Het zijn gewoon van die proselitische teringlijers...'

Harry wreef met zijn hand over zijn voorhoofd. Er was maar weinig voor nodig om hem fysiek en mentaal in paniek te brengen, het soort paniek dat normale mensen overvalt als ze hun kind niet kunnen vinden en er dan een politieman aan de deur komt.

'Prosli-wat? Wat ZEG JE?'

'Christelijke mafkezen, die jou met hun ouwehoerpraatjes willen opzadelen.'

'Maar ze bedoelt er helemaal niks mee! Het is gewoon een aardig mens! Trouwens, ik kon die verpleegster niet uitstaan. Het was een heks, vals en knokig. Feministisch type, weet je wel. Ze was niet aardig tegen me, jongen. Ze was knetter.' Er rolden een paar tranen. Terwijl hij ze provisorisch afveegde met de mouw van zijn vest, zei hij: 'Maar ik heb de hulp stopgezet, verleden jaar heb ik het stopgezet. Jouw Kiki heb het voor me gedaan. Staat in me boekje. Je betaalt er niks voor. Er is geen... geen... kolere, HOE HEET HET OOK WEER? Incasso... ik vergeet steeds... incasso...'

'Directe incasso,' hielp Howard, nu ook met stemverheffing en een hekel aan zichzelf. 'Het gaat niet om dat stomme geld, pa. Het gaat om een zekere verzorgingsstandaard.'

'Ik zorg voor me eigen!' En toen, heel zachtjes, *'Ik zal wel moeten...'*

Hoe lang had het geduurd? Acht minuten? Harry die op het puntje van zijn stoel zat te smeken, en altijd te smeken met de verkeerde woorden. Howard die al razend naar de roos in het plafond zat te kijken. Als er nu een vreemde binnenkwam zou hij denken dat ze allebei volkomen krankjorum waren. En geen van beide mannen zou kunnen vertellen waaróm was gebeurd wat er zojuist was gebeurd, althans niet op een manier die korter zou duren dan met de vreemdeling te gaan zitten en hem mee te voeren in een orale geschiedenis – met dia's – van de afgelopen zevenenvijftig jaar, dag voor dag. Ze wilden niet dat het zo ging. Maar het gíng zo. Allebei hadden ze andere bedoelingen. Howard had acht minuten geleden aangebeld vervuld van hoop, zijn hart ontvankelijk gemaakt door de muziek, zijn geest geschokt en geopend door de onthutsende nabijheid van de dood. Als een grote, kneedbare bal van mogelijke verandering had hij voor de deur staan wachten. Acht minuten geleden. Maar eenmaal binnen was alles hetzelfde als altijd. Het was niet zijn bedoeling om zo agressief te doen, te schreeuwen of ruzie te maken. Hij wilde aardig en verdraagzaam zijn. Net zoals Harry vier jaar geleden heus niet tegen zijn enige zoon had willen zeggen dat je niet kon verwachten dat zwarte mensen zich mentaal net zo ontwikkelen als blanken. Wat hij had wíllen zeggen was: ik hou van je, ik hou van mijn kleinkinderen, blijf nog een dagje.

'Kijk eens,' zong Carol en ze zette de Belseys twee onsmakelijk uitziende kopjes melkige thee voor. 'Nee, ik blijf niet. Ik ga ervandoor.'

Harry veegde nog een traan weg. 'Carol, ga niet weg! Dit is mijn zoon Howard, ik heb je over hem verteld.'

'Aangenaam dan,' zei Carol, maar ze keek niet alsof ze het aangenaam vond, en nu speet het Howard dat hij zo had geschreeuwd.

'Dr. Howard Belsey.'

'Dokter!' riep Carol zonder te glimlachen. Ze kruiste haar armen over haar borst, wachtend om geïmponeerd te worden.

'Nee, nee... niet medisch,' lichtte Harry toe en hij keek verslagen. 'Hij had geen geduld voor medicijnen.'

'Ach ja,' zei Carol, 'we kunnen niet allemaal levens redden. Maar leuk. Leuk je te ontmoeten, Howard. Tot volgende week, Harry. Moge de Heer met je zijn. Anders gezegd: geen gekke dingen doen. Maar dat doe je ook niet, hè?'

'Ik zou het wel willen!'

Ze lachten – Harry veegde nog steeds tranen weg – en liepen samen naar de voordeur onder het voortdurend uitwisselen van die banale Engelse standaardzinnetjes waar Howard altijd helemaal gallisch van werd. Zijn hele jeugd was gevuld geweest met dit betekenisloze achtergrondgeluid, niet meer dan een vervanging voor een werkelijk gesprek. *Het regent ouwe wijven. Ik zeg maar zo, ik zeg maar niks. Hou ze warm, hè.* En zo maar door. En door. Dit was waarvoor hij op de vlucht was gegaan toen hij ontsnapte naar Oxford, en daarna. Een half geleefd leven. *Een niet onderzocht leven is niet levenswaard,* dat was Howards lijfspreuk als onervaren tiener geweest. Niemand vertelt je op je zeventiende dat het onderzoeken nog maar het halve probleem is.

'En, hoeveel zet je in als minimum?' vroeg de man op de televisie. 'Veertig pond?'

Howard slenterde naar het goudgeel geschilderde keukentje om zijn thee door de gootsteen te spoelen en een kop oploskoffie te zetten. Hij doorzocht de kastjes op zoek naar een koekje – wanneer at híj nou koekjes? Alleen hier! Alleen met deze man! – en vond een paar biscuitjes. Hij vulde zijn kopje en hoorde dat Harry zich weer in zijn stoel nestelde. Howard draaide zich om in de smalle ruimte en maaide met zijn elleboog iets van het buffet af. Een boek. Hij raapte het op en nam het mee.

'Is dit van jou?' Hij hoorde hoe zijn accent afzakte naar een niveau van vroeger tijden.

'Godsammekrake, moet je die vent zien. Wat een ongelooflijke nicht,' zei Harry, doelend op de televisie. Hij verplaatste zijn aandacht naar Howard. 'Kweenie. Wat is het?'

'Een boek. Vreemd genoeg.'

'Een boek? Een van de mijne?' vroeg Harry monter, alsof zijn woning de halve Oxfordse bibliotheek herbergde in plaats van drie boeken met allerlei weetjes over een bepaald onderwerp en een gratis koran die bij de post had gezeten. Het was een koningsblauw gebonden bibliotheekboek waarvan het omslag was afgehaald. Howard bekeek de rug.

'*A Room with a View*, Forster.' Howard glimlachte triest. 'Stomvervelend, die Forster. Vind je het leuk?'

Harry vertrok zijn gezicht van afschuw. 'Ooo, nee, niet van mij. Zeker van Carol. Die zit altijd met haar neus in een boek.'

'Niet eens zo'n slecht idee.'

'Wat, jongen?'

'Ik zei, niet eens zo'n slecht idee. Wat lezen, zo af en toe.'

'Zeker, zeker... maar dat was altijd meer je moeder, hè? Altijd een boek in de hand. Ze is een keer tegen een lantarenpaal opgeknald toen ze op straat een boek aan het lezen was,' zei Harry, een verhaal dat Howard keer op keer op keer had gehoord, zoals ook het stukje dat erna kwam, zoals ook nu weer. 'Daar heb jij het zeker van... Allejezus, kijk die sloerie toch es even. Moet je hem zien! Ik bedoel maar, paars en roze. Hoe krijgt-ie het voor mekaar!'

'Wie?'

'Hij, hoeheettieookweer... niet goed bij zijn harses. Hij zou een stuk antiek nog niet herkennen als-ie erbovenop zat... Maar gisteren was-ie wel lollig, toen deed-ie dat je van tevoren de prijs moet raden waarvoor het ding onder de hamer gaat... ik bedoel, het meeste is troep, voor het meeste zou ik eerlijk gezegd nog geen stuiver geven, en bij ons thuis hadden we veel mooier spul gewoon rondslingeren... nooit bij stilgestaan, nooit een bal om gegeven, maar ja... Maar waar had ik het ook alweer over... o ja, meestal heb-ie een echtpaar of moeder en dochter, maar gisteren had-ie die twee vrouwen – leken wel autobussen, allebei even vierkant, stekeltjeshaar, gekleed als kerels natuurlijk, dat doen ze altijd, lillik als de nacht, en die wilden van dat militaire spul kopen, medailles en zo, want ze zaten goddomme in het leger, ja hoor, en handjes vasthouden, o, god... ik heb geláchen, o, god...' Hier grinnikte Harry jolig. 'En je kon wel zien dat híj met z'n mond vol tanden stond... ik bedoel maar, hij is zelf ook niet helemaal koosjer, wel dan?' Harry lachte nog even door en werd toen serieus, mogelijk omdat hij merkte dat er elders in de kamer niet gelachen werd. 'Maar ja, dat heb je altijd al gehad, hè, in het leger. Ik bedoel, daar zitten de meesten, die vrouwen... waarschijnlijk past dat beter bij ze, geestelijk... als het ware,' zei Harry, en uit die laatste frase bestond zijn enige verbale bluf. *'Nou, Howard, als het ware...'* Hij gebruikte het voor het eerst toen Howard thuiskwam in de zomervakantie na zijn eerste jaar in Oxford.

'Ze?' vroeg Howard, zijn koekje neerleggend.

'Wat, jongen? Kijk nou toch, je hebt je koekje gebroken. Je had een schoteltje moeten pakken voor de kruimels.'

'Ze. Ik vroeg me gewoon af wie "ze" zijn.'

'O, Howard, word toch niet boos om niks. Je bent altijd zo boos!'

'Nee hoor,' zei Howard op een toon van pedante vasthoudendheid. 'Ik probeer alleen de clou te begrijpen van het verhaal dat je me zojuist hebt verteld. Probeer je me soms te zeggen dat die vrouwen lesbiënnes waren?'

Harry's gezicht plooide zich tot een toonbeeld van gekwetste esthetische gevoeligheid, alsof Howard zojuist de *Mona Lisa* had kapotgetrapt. De *Mona Lisa*, een schilderij waar Harry dol op was. Toen Howard zijn eerste stukjes gepubliceerd kreeg in het soort kranten dat Harry nooit kocht, had een klant de slager een knipsel laten zien waarin zijn zoon enthousiast schreef over Piero Manzoni's *Merda d'Artista*. Harry was ontzet. Hij deed de winkel op slot en liep de straat af met een handvol muntjes voor de telefoon. 'Stront in een potje? Waarom kan je niet schrijven over iets moois, zoals de *Mona Lisa*? Dan zou je moeder zo trots op je zijn. *Stront in een potje?*'

'Hè Howard, dat is toch niet nodig,' zei Harry nu verzoenend, 'zo praat ik nou eenmaal... ik heb je zo lang niet gezien, ik ben gewoon blij je te zien, weet je, ik probeer gewoon een praatje te maken...'

Met wat hij zag als een bovenmenselijke inspanning zei Howard niets meer. Samen keken ze naar *Countdown*. Harry gaf zijn zoon een wit schrijfblokje waarop hij zijn berekeningen kon maken. Howard scoorde goed in de woordenronde, beter dan de deelnemers van het programma. Intussen had Harry het moeilijk: hij kwam niet verder dan een woord van vijf letters. Maar in de getallenronde ging de macht over in andere handen. Er zijn altijd een paar dingen die je ouders van je weten, en verder niemand. Harry Belsey was de enige persoon die wist dat als het aankwam op het omgaan met cijfers, dr. Howard Belsey, M.A., Ph.D., niet meer dan een kind was. Hij was erin geslaagd dit meer dan twintig jaar lang op zeven verschillende universiteiten verborgen te houden, maar in Harry's huiskamer kwam de waarheid aan het licht.

'Honderdzesenvijftig,' deelde Harry mee; dat was het juiste getal. 'Wat heb jij, jongen?'

'Honderd... Nee, geen flauw idee. Niks.'

'Daar heb ik je, professor!'

'Geef ik toe.'

'Tja, ach...' stemde Harry in, knikkend terwijl de deelneemster op tv haar nogal omslachtige berekeningen toelichtte. 'Natuurlijk kún je het zo doen, meissie, maar mijn manier is een stuk fraaier.'

Howard legde zijn pen neer en drukte zijn handen tegen zijn slapen.

'Alles goed, Howard? Je hebt een gezicht als een oorwurm al sinds je hier binnenkwam. Alles in orde thuis?'

Howard keek op naar zijn vader en besloot iets te doen wat hij nooit deed. Hem de waarheid vertellen. Hij verwachtte niets van deze handelwijze. Hij praatte net zo goed tegen het behang als tegen deze man.

'Nee, het is niet in orde.'

'Niet? Wat is er aan de hand? O, mijn god, jongen, er is toch niemand dood, hè? Ik ga kapot als er iemand dood is!'

'Er is níemand dood,' zei Howard.

'Nou, zeg op dan, je bezorgt me nog een hartaanval.'

'Kiki en mij...' zei Howard met een grammaticale constructie die ouder was dan zijn huwelijk, 'het gaat niet goed... tussen ons. Harry, eigenlijk denk ik dat het afgelopen is.' Howard legde zijn handen op zijn ogen.

'Maar dat kan toch niet,' zei Harry behoedzaam. 'Jullie zijn al, hoe lang al? getrouwd, achtentwintig jaar zowat?'

'Dertig, in feite.'

'Nou dan. Dat kan toch niet inenen weg zijn, nee toch?'

'Wel als je...' Howard liet zijn hoofd hangen. 'Het is te moeilijk geworden. Je kan niet blijven doorgaan als het zo moeilijk wordt. Als je niet eens meer met iemand kan práten... en je het gevoel hebt dat je die vrouw kwijt bent. Je bent gewoon kwijt wat er was. Zo voel ik me nou. Ik kan het zelf niet geloven.'

Harry sloot zijn ogen. Zijn gezicht kreeg een verwrongen uitdrukking zoals dat van een quizkandidaat. Vrouwen kwijtraken was zijn specialiteit. Een tijdlang zei hij niets.

'Omdat zij van jou af wil of jij van haar?' vroeg hij ten slotte.

'Omdat zij het wil,' bevestigde Howard, en hij merkte dat de eenvoud van zijn vaders vragen hem goed deed. 'En... omdat ik niet genoeg redenen kan vinden om te zorgen dat ze dat niet meer wil.'

En nu bezweek Howard aan zijn genetische nalatenschap: vlugge, gemakkelijk vloeiende tranen.

'Goed, jongen. Gooi het er maar uit,' zei Harry kalm. Howard lachte zachtjes om dat zinnetje: zo oud, zo vertrouwd, zo volkomen nutteloos. Harry strekte zijn arm uit en klopte op de knie van zijn zoon. Toen leunde hij achterover in zijn stoel en pakte zijn afstandsbediening weer op.

'Ze heb zeker een zwarte gevonden. Je kon erop wachten, toch. Het zit ze in de genen.'

Hij zapte naar het nieuws. Howard stond op.

'Kut,' zei hij hartgrondig. Hij veegde met zijn hemdsmouw zijn tranen weg en lachte bitter. 'Ik leer het godverdomme ook nooit.' Hij pakte zijn jas op en trok hem aan. 'De ballen, Harry. Volgende keer niet weer zo snel, hè?'

'O, nee!' klaagde Harry, zijn gezicht vertrokken bij deze rampspoed. 'Wat zeg je nou? We hebben het toch gezellig, niet dan?'

Ongelovig staarde Howard hem aan.

'Nee, jongen, alsjeblieft. O, kom nou, blijf toch nog heel even. Ik heb wat verkeerds gezegd, hè? Ik heb wat verkeerds gezegd. Laten we het dan uitpraten! Je hebt altijd zo'n haast! Hup hierheen, hup daarheen. De mensen van tegenwoordig denken dat ze sneller kunnen rennen dan de dood. Het is maar tíjd!'

Harry wilde niets liever dan dat Howard weer ging zitten, opnieuw beginnen. Er lagen nog vier uren primetime voor hen voor het bedtijd was – antiquiteitenprogramma's en reisprogramma's en spelletjesprogramma's – en die zouden hij en zijn zoon samen in stilte kunnen bekijken, met af en toe een opmerking over de hazentanden van de ene presentator, de kleine handjes of seksuele voorkeur van de andere. En dat alles zou een manier zijn om te zeggen: *Het is fijn je te zien. Het is zo lang geleden. We zijn familie.* Maar Howard had dat niet gekund op zijn zestiende en kon het nu ook niet. Hij geloofde gewoon niet, in tegenstelling tot zijn vader, dat tijd liefde is. En dus ging Howard, om een gesprek over een Australische soapactrice te vermijden, naar de keuken om zijn kopje en een paar andere dingen in de gootsteen af te wassen. Tien minuten later vertrok hij.

4

De Victorianen waren meesterlijke kerkhofontwerpers. In Londen waren er zeven, *The Magnificent Seven*: Kensal Green (1833), Norwood (1838), Highgate (1839), Abney Park (1840), Brompton (1840), Nunhead (1840) en Tower Hamlets (1841). Weidse pleziertuinen overdag, necropolen 's nachts. Ze wemelden van de klimop en lieten narcissen ontspringen aan hun vruchtbare humus. Sommige waren nu bebouwd, andere verkeerden in een verregaande staat van verval. Kensal Green bestond nog. Eenendertig hectare, tweehonderdvijftigduizend zielen. Ruimte voor anglicaanse andersdenkenden, moslims, Russisch-orthodoxen, één beroemde zoroaster en een deur verder, in de St. Mary's, de katholieken. Hier stonden engelen zonder hoofd, Keltische kruisen met ontbrekend uiteinde, een paar in de modder getuimelde sfinxen. Zo zou het Cimétière du Père Lachaise eruitzien als niemand wist dat het daar lag. In de jaren dertig van de negentiende eeuw was Kensal Green een vredige plaats ten noordwesten van de stad, waar de fine fleur haar laatste rustplaats kon vinden. Nu raakte dit 'landelijke' kerkhof aan alle zijden aan de stad: flatgebouwen aan de ene kant, kantoren aan de andere, de treinen lieten de bloemen in hun goedkope plastic potten trillen en de kapel stond kleintjes naast de gashouder, als een gigantische trommel ontdaan van zijn vel.

Achter een rij taxusbomen in het noordelijke gedeelte van dit kerkhof werd Carlene Kipps begraven. Terwijl de Belseys wegliepen van het graf bewaarden ze enige afstand tot de rest van de groep. Ze bevonden zich naar hun gevoel in een vreemd sociaal niemandsland. Ze kenden niemand behalve de familie, en toch waren ze niet hecht bevriend met die familie. Ze hadden geen auto – de taxichauffeur wilde niet wachten – en het was hun nog niet duidelijk hoe ze bij de koffietafel moesten komen. Ze hielden hun ogen naar de grond gericht en probeerden in begrafenistempo te lopen. De zon stond zo laag dat de spookachtige schaduwen van de stenen kruisen van de ene rij graven over de graven ertegenover vielen. Zora hield een folder in haar hand die ze uit een bakje bij de ingang had gepakt. Er stond een onbegrijpelijke plattegrond op van de begraafplaats en een overzicht van vooraanstaande overledenen die er begraven lagen. Zora wilde graag Iris Murdoch opzoeken of Wilkie Collins of Thackeray of Trollope of een van de andere kunstenaars die, zoals de dichter het stelde, via Kensal Green naar het paradijs waren gegaan. Ze probeerde deze literaire omweg aan haar moeder voor te stellen. Door haar tranen heen – die maar bleven opwellen sinds de eerste schep aarde op de kist was gegooid – wierp Kiki haar een woeste blik toe. Zora probeerde een beetje achter te blijven en iets van de koers af te wijken om een kijkje te kunnen nemen bij veelbelovende graven. Maar haar intuïtie bedroog haar. De mausoleums van drieënhalve meter hoog met gevleugelde engelen bovenop en laurierstruiken aan de voet ervan zijn voor suikerhandelaren, vastgoedmagnaten en hoge militairen, niet voor schrijvers. Ze had de hele dag kunnen blijven zoeken zonder, bijvoorbeeld, het graf van Collins te vinden: een simpel kruis op een effen stenen blok.

'Zora!' siste Kiki met die krachtige stem van haar die toch geen volume had. 'Ik zeg het niet nog een keer. Bíj ons blijven.'

'Ja.'

'Ik wil hier vanavond nog weg.'

'Jahaa!'

Levi sloeg een arm rond zijn moeder. Ze zat niet goed in haar vel, dat merkte hij wel. Haar lange vlecht zwiepte tegen zijn hand als de staart van een paard. Hij greep hem vast en trok er speels aan.

'Het spijt me van je vriendin,' zei hij.

Kiki bracht zijn hand van achter haar rug naar haar mond en kuste de knokkels. 'Dank je, lieverd. Het is gek... ik weet niet eens waarom ik zo van streek ben. Ik kende die vrouw nauwelijks, weet je? Ik bedoel, eigenlijk kende ik haar helemaal niet.'

'Jaah,' zei Levi bedachtzaam terwijl zijn moeder zijn hoofd zachtjes tegen haar schouder trok, 'maar soms kom je gewoon iemand tegen, zeg maar, en dan weet je gewoon dat het helemaal klikt, net of die persoon, zeg maar, een soort broer van je is... of zus,' corrigeerde Levi zich, want hij was met zijn gedachten bij heel iemand anders geweest. 'Zelfs als ze het, zeg maar, niet erkennen, jíj voelt het toch. En in een heleboel opzichten maakt het niet uit of zij het wel of niet zien; het enige wat jij kunt doen is je gevoel uiten. Dat is jóuw taak. En dan wacht je gewoon af en zie je wel wat er naar jou terugkomt. Dat is de deal.'

Er viel een korte stilte, en Zora voelde zich geroepen die te doorbreken. 'Amén!' zei ze lachend, '*Say it, brother, say it!*'

Levi gaf Zora een por tegen haar bovenarm en Zora gaf hem een por terug en ze holden weg, zigzaggend tussen de graven, Zora voor Levi uit. Jerome riep de twee vermanend achterna of het wat respectvoller kon. Kiki wist dat ze ze moest tegenhouden, maar in weerwil van zichzelf voelde ze het als een opluchting te horen hoe hun gevloek en gelach en geroep de schemering vulde. Het leidde je gedachten af van alle mensen onder je voeten. Nu bleven Kiki en Jerome op de witstenen trappen van de kapel staan en wachtten tot Zora en Levi weer bij hen waren. Kiki hoorde de kletterende voetstappen van haar kinderen weergalmen in de stenen galerij achter haar. Ze stormden op haar af als schaduwen die vanuit hun graf ontsnapten en kwamen hijgend en lachend vlak bij haar tot stilstand. In deze schemering kon ze hun gelaatstrekken niet meer zien, alleen de contouren en bewegingen van geliefde gezichten die ze wel kon dromen.

'Oké, nu is het wel genoeg. Laten we hier alsjeblieft weggaan. Welke kant op?'

Jerome nam zijn bril af en veegde de glazen schoon met een hoekje van zijn hemd. Was de begrafenis niet net links van deze kapel geweest? In dat geval hadden ze in een kringetje rondgelopen.

Nadat Howard bij zijn vader was weggegaan stak hij de straat over en ging naar café The Windmill. Hier bestelde hij een heel redelijke fles rode wijn en begon te drinken. Hij dacht dat hij een kruk had uitgezocht in een rustig hoekje aan de bar, maar twee minuten nadat hij was gaan zitten werd er vlak bij zijn hoofd een enorme flatscreentelevisie omlaaggeschoven en aangezet. Er begon een voetbalwedstrijd tussen een wit team en een blauw team. Mannen dromden eromheen. Ze leken Howard te accepteren en aardig te vinden; ze hielden hem voor een van die fanatiekelingen die vroeg komen om de beste plaats te bemachtigen. Howard liet hen in die waan en werd tot zijn verbazing opgenomen in de algehele opwinding. Algauw was hij met de rest mee aan het juichen en klagen. Toen een vreemde man in zijn enthousiasme wat bier op Howards schouder morste, glimlachte deze, haalde zijn schouders op en zei niets. Even later bracht dezelfde man Howard een biertje en zette dat voor hem neer zonder een woord en kennelijk zonder er iets voor terug te verwachten. Aan het einde van de eerste helft toostte een andere man naast Howard heel joviaal met hem, als goedkeuring voor Howards willekeurige beslissing het blauwe team aan te moedigen, hoewel het nog 0-0 stond. In die score kwam geen verandering. En na afloop van de wedstrijd brak er geen vechtpartij uit en werd niemand boos – het was kennelijk niet zo'n soort wedstrijd. 'Nou ja, we hebben gekregen wat we nodig hadden,' zei een man filosofisch. Drie andere mannen glimlachten en knikten bij deze ware woorden. Iedereen leek tevreden. Howard knikte ook en dronk het laatste staartje wijn op. Het vergt aardig wat oefening om voor elkaar te krijgen dat een hele fles Cabernet en een glas bier slechts een klein deukje slaan in je nuchterheid, maar Howard had het gevoel dat hij hier al aardig in slaagde. Alles wat er de afgelopen dagen was gebeurd, was een prettige wazigheid die hem omgaf als een dekbed: wattig, beschermend. Hij had gekregen wat hij nodig had. Hij liep de gang door naar de telefoon tegenover de toiletten.

'Adam?'

'*Howard.*' Op de toon van een man die eindelijk de zoektocht kan staken.

'Hoi. Eh, ik ben de anderen kwijtgeraakt... hebben ze gebeld?'

Aan de andere kant van de lijn viel een stilte, die Howard terecht interpreteerde als een bezorgde stilte.

'Howard... ben je dronken?'

'Ik zal doen alsof ik dat niet gehoord heb. Ik ben op zoek naar Kiki. Is ze bij jullie?'

Adam zuchtte. 'Ze is jou aan het zoeken. Ze heeft een adres achtergelaten. Ik moest je doorgeven dat ze naar de koffietafel gaan.'

Howard leunde met zijn voorhoofd tegen de muur naast de lijst met taxibedrijven.

'Howard, ik ben aan het schilderen. De telefoon zit onder. Wil je het adres?'

'Nee, nee... ik heb het. Klonk ze...?'

'Ja, heel erg. Howard, ik moet ophangen. We zien je later weer hier.'

Howard bestelde een taxi en ging naar buiten om hem op te wachten. Toen hij aankwam ging het bestuurdersportier open. Een jonge Turk leunde naar buiten en stelde Howard een nogal metafysische vraag: 'Ben jij het?'

Howard stapte naar voren. 'Ja, ik ben het.'

'Waar wil je heen?'

'Queen's Park, alsjeblieft,' zei Howard en hij liep onvast om de auto heen om voor in te stappen. Hij zat nog niet of hij realiseerde zich dat dit niet de normale gang van zaken was. Het was vast niet prettig voor een taxichauffeur om een passagier zo vlak bij zich te hebben zitten, toch? Of wel? Ze reden in stilte, een stilte die Howard ervoer als ondraaglijk beladen met homo-erotische, politieke en gewelddadige implicaties. Hij had het gevoel dat hij iets moest zeggen.

'Je krijgt geen problemen met mij, hoor, ik ben niet een van die Engelse rotzooitrappers... ben alleen een beetje lam, dat is alles.'

De jonge taxichauffeur keek hem aan met een afwerend, onzeker gezicht. 'Wou je soms grappig zijn?' vroeg hij met zijn zware accent, dat niettemin zo vloeiend klonk dat *Wou je soms grappig zijn?* iets had van een Turkse zedenpreek.

'Sorry,' zei Howard blozend. 'Let maar niet op mij.' Hij stopte zijn handen tussen zijn knieën. De taxi zoefde langs het metrostation waar Howard Michael Kipps voor het eerst had ontmoet.

'Rechtdoor, denk ik,' zei Howard heel zacht, 'en dan misschien een afslag naar links van de grote weg af... ja, en daarna over de brug en dan is het aan de rechterkant, denk ik.'

'Je praat te zacht. Ik versta je niet.'

Howard herhaalde het. Zijn chauffeur draaide zich om en keek hem ongelovig aan. 'Weet je de náám niet?'

Howard moest bekennen van niet. De jonge Turk mopperde iets nijdigs in het Turks en even voelde Howard zo'n Engels taxidrama aankomen waarbij passagier en chauffeur maar rondjes blijven rijden en de ritprijs hoger en hoger wordt en het eindresultaat is dat je de huid volgescholden wordt en je de straat op wordt gegooid, verder van je bestemming dan ooit.

'Daar! Dat is het! We kwamen er net langs!' riep Howard en hij opende het portier terwijl de taxi nog reed. Een minuut later gingen de jonge Turk en Howard uiteen in een ijzige sfeer, die niet bepaald opwarmde van zijn fooi van twintig penny, het enige kleingeld dat hij op zak had. Het is op dit soort reizen, waarop je zo vreselijk verkeerd begrepen wordt, dat je ineens terugverlangt naar huis, die plek waar men je volkomen begrijpt, ten goede of ten kwade. Zijn thuis was Kiki. Hij moest haar zien te vinden.

Howard duwde de voordeur van de Kipps open, die wederom op een kiertje stond, maar nu om een andere reden dan de vorige keer. In de zwart-wit betegelde hal was het een drukte van sombere gezichten en zwarte pakken. Niemand draaide zich om naar Howard, behalve een dienstmeisje dat met een schotel vol sandwiches naar voren kwam en hem er een aanbood. Howard nam er een met ei en waterkers en slenterde naar de huiskamer. Het was niet zo'n koffietafel waar de spanning van de begrafenis loskomt en vervliegt. Niemand hier stond zachtjes te lachen om een hartverwarmende herinnering of haalde een schunnig verhaal op. De sfeer was even plechtig als in de kerk en de levendige, verrassende vrouw die Howard een jaar geleden in deze zelfde kamer had ontmoet werd nu devoot geconserveerd in de aspic van gedempte stemmen en flauwe anekdotes, gepekeld in perfectie. *Ze dacht altijd*, hoorde Howard een vrouw tegen iemand zeggen, *aan anderen, nooit aan zichzelf.* Howard liet de sofa links liggen, pakte een groot glas wijn van de eettafel en ging bij de tuindeuren staan. Van hieruit had je een goed zicht op de huiskamer, de keuken en de hal. Geen Kiki. Geen kinderen. Hij zag een stukje van Michael Kipps, die het deurtje van de oven openmaakte en er een groot blad met saucijsjes uit haalde. Plotseling kwam Monty de kamer binnen. Howard keerde zich naar de tuin en keek naar de enorme boom waaronder, zonder dat hij het wist, zijn oudste zoon zijn onschuld had verloren. Niet wetend wat hij anders moest doen stapte hij naar buiten en sloot zachtjes de deur achter zich. In plaats van de lange tuin door te lopen, waar hij, als de enige persoon hier buiten, alleen maar nog meer zou opvallen, liep hij het smalle steegje in tussen het huis van de Kipps en dat van de buren. Hier stopte hij, draaide een dunne sigaret en rookte die. De combinatie van deze nieuwe, zoete witte wijn in zijn hand, de bittere lucht en de tabak gaf hem een licht gevoel in zijn hoofd. Hij liep verder door het steegje naar een zijdeur en ging op de koude stoep zitten. Vanuit dit gezichtspunt liet de voorstedelijke weelde van vijf buurhuizen zich gelden: de knoestige takken van de honderdjarige bomen, de golfdaken van de schuurtjes, de vermogende amberen gloed van halogeenlampen. Zo stil. Een vos die ergens zat te janken als een huilend kind, maar geen auto's, geen stemmen. Zou zijn gezin hier gelukkiger zijn geweest? Hij was van een potentieel Engels bourgeoisleven recht in de armen gevlucht van een feitelijk Amerikaans bourgeoisleven – dat zag hij nu in – en in de teleurstelling van zijn mislukte vluchtpoging had hij andere mensen het leven zuur gemaakt. Howard trapte zijn sjekkie uit in het grind. Hij slikte hoorbaar maar huilde niet. Hij was zijn vader niet. Hij hoorde de deurbel van de Kipps klingelen. Hij kwam half overeind, hoopvol luisterend of hij de stem van zijn vrouw hoorde. Ze was het niet. Kiki en de kinderen waren waarschijnlijk alweer weg. Een moment zag hij zijn gezin voor zich als een Grieks koor dat vol walging en verontwaardiging jegens hem van het podium vluchtte zodra hij het betrad. Misschien zou hij ze de rest van zijn leven moeten achtervolgen van het ene huis naar het andere.

Nu stond hij echt op en maakte de zijdeur achter hem open. Hij kwam tot zijn verbazing in een soort bijkeuken die vol stond met huishoudelijke apparaten. Deze kamer kwam weer uit op de hal, en vandaar ging Howard met gebogen hoofd, meedraaiend met de leuning, met twee treden tegelijk de trap op. Op de overloop werd hij geconfronteerd met zes identieke deuren en geen aanwijzing welke ervan zou uitkomen op een badkamer. Hij opende er zomaar een: een fraaie slaapkamer, zo schoon als een kamer in een modelwoning, zonder een teken van bewoning. Twee nachtkastjes. Op elk een boek. Dit was treurig. Hij deed de deur dicht en opende de volgende. Wat hij in de gauwigheid zag was een muur beschilderd als een Italiaans fresco, met vogels en vlinders en kronkelende wijnranken. Hij kon zich zo'n wuftheid nergens anders voorstellen dan in een badkamer, dus hij duwde de deur een stukje verder open. Een bed met een paar blote voeten.

'Sorry!' zei Howard en hij trok de deur te hard naar zich toe. Het effect daarvan was dat deze dichtsloeg en vervolgens terugveerde naar waar hij vandaan kwam en verder, zodat hij tegen de muur van de kamer aan knalde. Victoria, tot haar middel gekleed in haar zwarte begrafenisoutfit. Alleen was haar knielange rok vervangen door een heel kort katoenfluwelen sportbroekje met zilveren biesjes. Ze had gehuild. Haar lange benen lagen recht voor haar uitgestrekt; nu trok ze ze op en sloeg in verbazing haar armen eromheen.

'Tering!'

'O, god, het spijt me! Sorry,' zei Howard. Hij moest ver de kamer in stappen om de deurknop te kunnen pakken. Terwijl hij dat deed keek hij de andere kant op.

'Howard *Belsey*?' Victoria keerde zich vliegensvlug om en ging op haar knieën zitten.

'Ja, sorry. Ik zal hem even dichtdoen.'

'Wacht!'

'Wat?'

'Wacht even.'

'Ik zal...' zei Howard en begon de deur dicht te doen, maar Victoria sprong nu op en hield de deur van de andere kant vast.

'Je bent nu bínnen, dus kom binnen. Je bent al bínnen,' zei ze boos en duwde de deur met vlakke hand dicht. Een tel stonden ze vlak bij elkaar; toen trok ze zich terug op het bed en keek hem woest aan. Howard hield zijn wijnglas vast en keek erin.

'Ik, eh... gecondoleerd, ik...' begon hij verdwaasd.

'Wát?'

Howard keek verschrikt op en zag hoe Victoria een teug nam uit een groot glas gevuld met rode wijn. Hij zag nu dat er een lege wijnfles naast haar stond.

'Ik moet gaan. Ik was op zoek naar de...'

'Hoor eens, je bent nu bínnen. Ga nou zítten. We zijn hier niet in je college.'

Ze duwde zichzelf naar het hoofdeinde en ging er met gekruiste benen tegenaan zitten, haar tenen in beide handen. Ze was geprikkeld, of in elk geval prikkelbaar; ze zat rusteloos te wiebelen. Howard bleef waar hij was. Hij kon zich niet bewegen.

'Ik dacht dat dit de badkamer was,' zei hij heel zachtjes.

'Wát? Ik kan niet verstaan wat je zegt.'

'De muren – ik dacht dat dit de badkamer was.'

'O. Nou, nee. Het is een *boudoir*,' legde Victoria uit en met haar vrije hand maakte ze vaag een sarcastisch, zwierig gebaartje.

'Dat zie ik,' zei Howard, rondkijkend naar de toilettafel, de schapenvacht en de chaise longue, bekleed met een stof waarvan het patroon de inspiratiebron leek te zijn geweest voor degene die de muren had beschilderd. Het zag er niet uit als de slaapkamer van een christelijk meisje.

'Nou,' zei Howard vastbesloten, 'dan ga ik nu maar.'

Victoria reikte achter zich naar een enorm, harig kussen. Dat smeet ze naar Howard; het kwam tegen zijn schouder en hij morste wat wijn op zijn hand.

'Halló? Ik ben in de róuw!' zei ze met dat ordinaire, nasale Amerikaanse accent dat Howard al eerder had opgemerkt. 'Het minste wat je kunt doen is even komen zitten en me wat pastorale zorg geven, professor. Als je dat fijner vindt,' zei ze terwijl ze van het bed af sprong en door de kamer naar de deur trippelde, 'doe ik de deur op slot zodat niemand ons kan storen.' Ze trippelde terug naar het bed. 'Zo beter?'

Nee, het was zo niet beter. Howard draaide zich om om te gaan.

'Alsjeblieft. Ik moet met iemand praten,' klonk de overslaande stem achter hem. 'Jij bent hier. Niemand anders is hier. Ze zijn allemaal beneden de Heer aan het loven. Jij bent híer.'

Howard bracht zijn vingers naar het slot. Victoria gaf een klap op haar dekbed.

'Gód! Ik ga je heus geen píjn doen! Ik vraag je alleen me te helpen. Hoort dat niet bij je báán? O, vergeet het, oké. Vergeet het maar. Flikker op.'

Ze begon te huilen. Howard draaide zich om.

'Shit, shit, shit. Ik ben het zó zat om te huilen!' zei Victoria door haar tranen heen, en ze begon een beetje om zichzelf te lachen. Howard schoof de chaise longue tegenover het bed en ging langzaam zitten. Eigenlijk was het een opluchting te kunnen gaan zitten. Hij had nog steeds een duizelig gevoel van zijn sigaret. Victoria veegde haar tranen weg met de mouwen van haar zwarte truitje.

'Jezus. Daar zit je wel een eind weg.'

Howard knikte.

'Niet bepaald vriendelijk.'

'Ik ben geen vriendelijke man.'

Victoria nam een grote slok uit haar limonadeglas. Ze frummelde aan de zilveren biesjes van haar groene short.

'Ik zie er vast uit als een halvegare. Maar zodra ik thuis ben móet ik gewoon iets gemakkelijks aan, dat heb ik altijd al gehad. Ik werd gek van die rok. Móet gewoon iets gemakkelijks aan.'

Ze veerde met haar knieën op en neer tegen het matras. 'Ben je met je gezin?' vroeg ze.

'Ik was ze aan het zoeken. Dat was ik aan het doen.'

'Ik dacht dat je zei dat je de plee aan het zoeken was,' zei Victoria beschuldigend, met één oog dicht en haar arm met één onvaste vinger op hem gericht.

'Dat ook.'

'Hmm.' Ze draaide zich weer om en schoof nu op haar buik naar hem toe, zodat haar voeten tegen het hoofdeinde zaten en haar hoofd niet ver van Howards knieën was. Ze liet haar glas vervaarlijk op het dekbed balanceren en steunde haar kin op haar handen. Ze bestudeerde zijn gezicht en na een tijdje glimlachte ze zachtjes, alsof iets wat ze daar had gezien haar amuseerde. Howard volgde met zijn ogen de hare op hun zwerftocht en probeerde ze te fixeren op hetgeen vóór ze was.

'Mijn moeder leeft niet meer,' probeerde hij, niet goed in staat de toon te treffen die hij voor ogen had, 'dus ik weet wat je doormaakt. Ik was jonger dan jij toen ze stierf. Veel jonger.'

'Dat zou wel eens de reden kunnen zijn,' zei ze, nog steeds Howards gezicht onderzoekend, maar met een verflauwende glimlach die ze verving door een peinzende frons, 'waarom je niet in staat bent te zeggen *Ik hou van tomaat*.'

Howard keek nadenkend. Hij haalde zijn pakje shag te voorschijn. 'Ik – hou – van – tomaat,' zei hij langzaam en pakte de vloeitjes eruit. 'Mag ik?'

'Mij best. Wil je niet weten wat dat betekent?'

'Niet echt. Ik heb wel wat anders aan mijn hoofd.'

'Het is een Wellington-grapje, iets van de studenten,' zei Victoria snel, terwijl ze zich omhoogdrukte op haar ellebogen. 'Het is onze code om colleges te typeren. Het college van professor Simeon is bijvoorbeeld 'De aangeboren versus de aangeleerde eigenschappen van de tomaat' en het college van Jane Colman noemen we 'Om de tomaat goed te begrijpen moet je eerst haar onderdrukte geschiedenis onthullen' – zo'n ongelooflijk stom wijf, dat mens – en het college van professor Gilman staat bekend als 'De tomaat heeft de structuur van een aubergine' en het college van professor Kellas komt neer op 'Het is onmogelijk het bestaan van de tomaat aan te tonen zonder naar de tomaat zelf te verwijzen', en het college van Erskine Jegede is 'De postkoloniale tomaat zoals gegeten door Naipaul'. Enzovoort. Dus je vraagt: 'Welk college heb jij zometeen?' en de ander zegt: *"Tomaten 1670-1900"*. Of zoiets.'

Howard zuchtte. Hij likte aan een kant van zijn vloeitje.

'Dolkomisch.'

'Maar jouw college, nee, serieus, jouw college is het echte werk. Ik ben dól op jouw college. Jouw college gaat erover dat je nooit, nóóit zegt *Ik hou van tomaat*. Daarom volgen maar zo weinig mensen het... en ik bedoel het niet negatief, het is een compliment. Ze kunnen het gewoon niet aan om nooit te zeggen *Ik hou van tomaat*. Want dat is het allerergste wat je in jouw college maar kunt doen, toch? Omdat de tomaat er niet is om van gehóuden te worden. Dat vind ik nou zó fantastisch aan jouw college. Het is puur intellectueel. De tomaat wordt gewoon helemaal ontmaskerd als een nep-constructie die je niet tot een hogere waarheid kan brengen; niemand doet alsof de tomaat je leven kan redden. Of je gelukkig kan maken. Of je kan leren hoe je moet leven of je kan *verheffen* of een *groot voorbeeld van menselijke geestkracht* kan zijn. Jouw tomaten hebben niets te maken met liefde of waarheid. Ze zijn geen misvatting. Het is gewoon een stel vrij nutteloze tomaten waar mensen, om totaal egoïstische redenen, culturele – of beter gezegd nutritionele – waarde aan hebben verbonden.' Ze grinnikte mat. 'Zoals jij altijd zegt: laten we deze begrippen eens kritisch bekijken. Wat is er zo mooi aan deze tomaat? Wie heeft de waarde ervan bepaald? Ik vind dat een echte uitdaging. Ik wou je dat al eerder vertellen, en ik ben blij dat ik het je nu verteld heb. Iedereen is zo bang voor je dat ze niks zeggen en ik denk altijd *Kom op, hij is gewoon een vent, professoren zijn gewoon mensen; misschien zou hij het best leuk vinden te horen dat we dit college waarderen*, weet je? Maar goed. Iedereen vindt jouw college het meest rechtlijnig, intellectueel gezien... en Wellington is zo'n nerdhemel, dus dat mag je wel als een compliment zien.'

Nu sloot Howard zijn ogen en ging met zijn vingers door zijn haar. 'Puur interesse, wat is je vaders college?'

Victoria dacht hier even over na. Ze sloeg de rest van haar wijn achterover. 'De tomaat redt.'

'Uiteraard.'

Victoria ondersteunde haar hoofd met haar hand en zuchtte. 'Ongelooflijk dat ik je dat van die tomaten heb verteld. Als we terug zijn word ik geëxcommuniceerd.'

Howard opende zijn ogen en stak zijn sigaret op. 'Ik zal het niet verder vertellen.'

Ze glimlachten naar elkaar, even. Toen scheen Victoria zich te herinneren waar ze was en waarom. Haar gezicht betrok, haar lippen verstrakten en trilden van de inspanning om haar tranen binnen te houden. Howard ging achterover zitten. Een paar minuten lang zwegen ze. Howard pafte er stevig op los.

'Kiki,' zei ze plotseling. Wat een vreselijk verraad, de naam van je lief in de mond van degene met wie je op het punt staat haar te bedriegen! 'Kiki,' herhaalde ze, 'je vrouw. Ze is geweldig. Om te zien. Net een koningin. Zo majesteitelijk om te zien.'

'Koningin?'

'Ze is heel mooi,' zei Victoria ongeduldig, alsof Howard bijzonder traag van begrip was over een evidente waarheid. 'Als een Afrikaanse koningin.'

Howard trok ruw aan het smalle uiteinde van zijn sigaret. 'Die omschrijving zou ze je niet in dank afnemen, ben ik bang.'

'Mooi?'

Howard blies zijn rook uit. 'Nee, Afrikaanse koningin.'

'Waarom niet?'

'Ik denk dat ze het neerbuigend vindt, om niet te zeggen feitelijk onjuist... luister, Victoria.'

'*Vee*. Hoe vaak nog!'

'Vee. Ik ga ervandoor,' zei hij, maar hij maakte geen aanstalten om op te staan. 'Ik denk niet dat ik je vanavond kan helpen. Volgens mij heb je een beetje te veel gedronken en je staat onder grote emotionele...'

'Geef daar eens wat van.' Ze wees naar zijn wijn en duwde zich naar voren. Door de stand van haar ellebogen waren haar borsten samengedrukt, en de bovenkanten ervan, glanzend van een of andere bodycrème, begonnen nu onafhankelijk van hun eigenares met Howard te communiceren.

'Kom, geef op,' zei ze.

Om haar zijn wijn te kunnen laten drinken zou Howard het glas naar haar lippen moeten brengen.

'Eén slokje maar,' zei ze, over de rand van het glas in zijn ogen kijkend. Dus hij kantelde het glas naar haar toe en ze dronk zonder knoeien. Toen ze haar hoofd terugtrok was haar beweeglijke, waanzinnig grote mond nat. De plooitjes in de dikke, donkere lippen waren als die van zijn vrouw: donkerrood in de vouwen en daarbuiten bijna zwart. Wat nog over was van haar lipstick was in haar mondhoeken gekropen, alsof dit gewoon té veel lip was om te bedekken.

'Ze is vast heel bijzonder.'

'Wie?'

'Godsamme, hou je hoofd er eens bij. Je vrouw. Ze is vast heel bijzonder.'

'O ja?'

'Ja. Want mijn moeder is niet – wás niet – zomaar vriendinnen met iedereen,' zei Victoria met stokkende stem toen ze deze verleden tijd uitsprak. 'Ze was heel kieskeurig als het om mensen ging. Ze liet je niet zomaar toe. Ik denk wel eens dat ik haar misschien niet zo heel goed heb gekend...'

'Dat is vast niet...'

'Nee, sst,' zei Victoria dronken en ze liet onachtzaam een paar tranen langs haar gezicht omlaagglijden. 'Daar gaat het niet om... wat ik wou zeggen is, ze kon niet tegen stomkoppen, weet je? Ze moesten iets speciaals hebben. Het moesten *echte mensen* zijn. Niet zoals jij en ik. Echt, speciaal. Dus Kiki moet wel speciaal zijn. Zou jij zeggen,' vroeg Victoria, 'dat ze speciaal was?'

Howard liet zijn peuk in Victoria's lege glas vallen. Borsten of geen borsten, het was tijd om te gaan.

'Ik zou zeggen... dat ze mijn bestaan in de vorm die het heeft aangenomen, mogelijk heeft gemaakt. En die vorm is speciaal voor ons, ja.'

Victoria schudde quasi-medelijdend haar hoofd en strekte een hand uit die ze nu op zijn knie legde.

'Kijk, zie je nou? Jij kunt nooit gewoon zeggen... *Ik hou van tomaat.*'

'Ik dacht dat we het over mijn vrouw hadden, niet over fruit.'

Victoria tikte corrigerend tegen zijn broek. 'Groente, in feite.'

Howard knikte. 'Groente.'

'Kom, professor, geef me nog 's een slokje.'

Howard hield zijn glas hoog, buiten haar bereik. 'Jij hebt wel genoeg gehad.'

'Geef me nog een slokje!'

Ze deed het. Ze sprong van het bed op zijn schoot. Zijn erectie was onmiskenbaar, maar eerst dronk ze koeltjes de rest van zijn wijn op, hem omlaagdrukkend zoals Lolita bij Humbert deed, alsof hij niet meer dan een stoel was waar ze toevallig op zat. Ongetwijfeld had ze *Lolita* gelezen. En toen kwam haar arm rond zijn nek en veranderde Lolita in een verleidster (misschien was ze ook bij Mrs. Robinson in de leer geweest), die wellustig aan zijn oor sabbelde, en toen veranderde ze van verleidster in teder middelbareschoolvriendinnetje, zachte kusjes op zijn mondhoek drukkend. Maar wat was dit voor vriendinnetje? Hij was nauwelijks begonnen haar kus te beantwoorden of ze begon op een verontrustend enthousiaste manier te kreunen, en dit werd gevolgd door een vreemd gedoe met haar tong waar Howard niet op bedacht was. Hij probeerde maar steeds de kus te reguleren, hem terug te brengen tot wat hij wist over kussen, maar ze stond erop haar tong boven in zijn mond heen en weer te laten flitsen, terwijl ze intussen zijn ballen in een vurige en eerlijk gezegd onprettige greep hield. Nu begon ze langzaam zijn hemd los te knopen alsof er muzikale begeleiding was, en leek teleurgesteld hier geen pornografisch tapijtje aan te treffen. Ze wreef er conceptueel overheen, alsof er wel degelijk haar zat, en trok aan het weinige dat Howard bezat terwijl ze – zou het echt? – zat te spinnen. Ze trok hem op het bed. Voor hij had kunnen overwegen haar truitje uit te trekken had ze die klus al voor hem geklaard. En toen kwam er meer van dat gespin en gekreun, hoewel zijn handen haar borsten nog niet hadden bereikt en hij nu aan de andere kant van het bed aan het worstelen was om met zijn ene schoen de andere uit te trappen. Hij kwam iets omhoog zodat hij zijn arm beter kon buigen om bij de onwillige schoen te komen. Op het bed leek zij zonder hem door te gaan, nerveus kronkelend en haar vingers door haar korte dreadlocks halend op de manier waarop je veel langer en blonder haar door de war zou kunnen maken.

'O, Howard,' zei ze.

'Ja, minuutje,' zei Howard. 'Dat is beter.' Hij keerde zich naar haar terug met visioenen waarin hij haar naar zich toe trok en op een wat kalmere manier die prachtige mond kuste, en dan zijn handen over haar bovenlichaam liet gaan, haar schouders, haar armen, haar vlezige billen omhelsde en dat hele prachtige schepsel tegen zich aan trok. Maar zij had zich al op haar buik gedraaid, haar hoofd tegen het bed aangedrukt alsof een onzichtbare hand haar vasthield om haar te verstikken, benen gespreid, broekje uit, haar handen aan weerszijden van haar billen, ze uit elkaar trekkend. Het roze knoopje in het midden stelde Howard voor een dilemma. Ze bedoelde toch niet – of wel? Was dat tegenwoordig in de mode? Howard trok zijn broek uit, zijn erectie verslapte een beetje. 'Neuk me,' zei Victoria, een keer, en toen nog eens, en nog eens. Beneden hoorde Howard het getinkel en geroezemoes van de koffietafel voor de dode moeder van dit meisje. Hij greep naar zijn voorhoofd en knielde achter haar. Bij de geringste aanraking begon ze te jammeren en leek ze te sidderen van preorgastische passie, en toch was ze, zoals Howard bij zijn tweede poging ontdekte, volkomen droog. Een seconde later had ze over haar hand gelikt en die naar achteren gebracht. Hiermee wreef ze woest over zichzelf, en over Howard. Gehoorzaam kwam zijn erectie terug.

'Stop hem ín me,' zei Victoria, 'neuk me. Stop hem in me tot aan de wortel.'

Erg specifiek. Aarzelend reikte Howard naar voren om haar borsten aan te raken. Ze likte zijn hand en vroeg hem verscheidene keren of hij het lekker vond, waarop hij natuurlijk alleen maar bevestigend kon antwoorden. Toen begon ze hem te vertellen hóe lekker hij het precies vond. Omdat hij het begeleidend commentaar een beetje moe werd ging Howard met zijn hand omlaag over haar buik. Ze trok hem meteen omhoog als een kat die zich uitrekt en hield haar buik in – ze leek in feite haar adem in te houden – en pas toen hij ophield haar daar aan te raken, haalde ze weer adem. Hij had het gevoel dat telkens wanneer hij een plek van haar lichaam aanraakte, die plek onmiddellijk buiten zijn bereik werd gesteld en vervolgens een moment later, in een andere gedaante, terug in zijn hand kwam.

'O, ik wil je zo graag ín me,' zei Victoria en ze duwde haar achterste nog hoger de lucht in. Howard probeerde zich over haar uit te strekken, haar gezicht aan te raken; ze kreunde en nam zijn vingers in haar mond, alsof ze de pik van iemand anders waren, en begon erop te zuigen.

'Zeg me dat je me wilt. Zeg me hoe graag je me wilt neuken,' zei Victoria.

'Ik wil het... ik... je bent zo ontzettend mooi,' fluisterde Howard, die zich iets oprichtte op zijn hakken en het enige stukje van haar kuste waar hij goed bij kon komen, haar middel. Met een sterke hand duwde ze hem terug op zijn knieën.

'Stop hem in me,' zei ze.

Goed dan. Howard pakte zijn lul beet en begon naar binnen te gaan. Hij had gedacht dat het gekreun dat al had plaatsgevonden nauwelijks te overtreffen was, maar toen hij Victoria binnenging speelde ze dat toch klaar, en Howard, die niet gewend was aan zo veel applaus zo vroeg in de procedure, was bang dat hij haar pijn had gedaan en aarzelde nu of hij dieper binnen zou dringen.

'Neuk me dieper!' zei Victoria.

Dus stootte Howard dieper, driemaal, tot ongeveer de helft van zijn ruimbemeten tweeëntwintig centimeter – die gelukkige speling van de natuur die, had Kiki ooit gesuggereerd, de ware, primaire reden was dat Howard niet meer in het slagersvak zat aan de Dalston High Street. Maar bij zijn vierde stoot namen de zenuwen, de nauwte en de wijn de overhand en hij kwam klaar op een minieme, beverige manier die hem niet veel plezier verschafte. Hij viel voorover op Victoria en wachtte somber op die o zo bekende geluiden van vrouwelijke teleurstelling.

'O, god! O, god!' zei Victoria en ze schokte heftig heen en weer. 'O, ik word gek als je me neukt!'

Howard liet zich uit haar glijden en ging naast haar op bed liggen. Victoria, nu weer helemaal gekalmeerd, rolde zich om en kuste hem moederlijk op zijn voorhoofd.

'Dat was verrukkelijk.'

'Mmmm,' zei Howard.

'Ik slik de pil, dus.'

Howard trok een grimas. Hij had er niet eens naar gevraagd.

'Zal ik je pijpen? Ik wil je pik proeven.'

Howard ging rechtop zitten en graaide naar zijn broek. 'Nee, dank je, ik... jezusmina!' Hij keek op zijn horloge alsof hij ineens bang was om te laat te komen. 'We moeten naar beneden... Ik weet niet wat er zonet is gebeurd. Dit is krankzinnig. Je bent mijn studente. Je hebt iets met *Jerome* gehad.'

Victoria ging rechtop in bed zitten en raakte zijn gezicht aan.

'Hoor eens, niet om banaal te doen, maar het is nu eenmaal zo: Jerome is een schatje, maar hij is een *jongen*, Howard. Wat ik nu nodig heb is een man.'

'Vee, alsjeblieft,' zei Howard, terwijl hij haar bij haar pols greep en haar het truitje aanreikte dat ze aan had gehad. 'We moeten naar beneden.'

'Oké, oké, wind je niet op.'

Samen kleedden ze zich aan, Howard haastig en Victoria loom, waarbij Howard eventjes verbaasd stilstond bij het feit dat de droom van vele weken – dit meisje naakt te zien – nu radicaal was omgedraaid: hij zou er absoluut alles voor over hebben om haar met al haar kleren aan te zien. Ten slotte, nadat ze allebei geheel waren aangekleed, vond hij zijn boxershort in een kussensloop. Hij stopte hem in zijn zak. Bij de deur hield Victoria hem tegen met een hand op zijn borst. Ze haalde diep adem en moedigde hem aan om hetzelfde te doen. Ze deed de deur van het slot. Streek met een hand zijn haar glad en trok zijn das recht.

'Probeer er niet uit te zien alsof je van tomaten houdt,' zei ze.

5

In het begin van de vorige eeuw begon Helen Keller aan een serie lezingen door heel New England. Ze boeide zalen vol toehoorders met haar levensverhaal, en verbaasde ze af en toe met haar socialistische denkbeelden. Onderweg deed ze ook de Wellington-universiteit aan; ze verleende daar haar naam aan een bibiotheek, plantte er een boom en ontving een eredoctoraat. Vandaar de Keller-bibliotheek: een lange, tochtige zaal op de begane grond van de vakgroep Engels met een groen tapijt, rode wanden en te veel ramen – niet warm te stoken. Aan een wand hing een levensgroot portret van Helen in academische toga met baret, gezeten in een leunstoel, haar nietsziende ogen ingetogen op haar schoot gericht. Haar gezellin Annie Sullivan stond achter haar, een hand teder op de schouder van haar vriendin. In deze kille ruimte werden alle faculteitsvergaderingen Geesteswetenschappen gehouden. Vandaag was het 10 januari. De eerste faculteitsvergadering ging over vijf minuten beginnen. Zoals bij een uitzonderlijk belangrijke stemming in het parlement waren zelfs de meest tegendraadse universiteitsleden op deze ochtend present, tot aan de tachtigjarige kluizenaars met een vaste aanstelling toe. Het was volle bak, al had niemand haast; treuzelend kwamen ze aan, hun sjaals stijf en nat van de sneeuw, met pekelvlekken op hun leren schoenen, met zakdoeken en onder demonstratief gehoest en gepuf. Paraplu's lagen als dode vogels na een jachtpartij opgehoopt in een verre hoek. Professoren, doctoraalassistenten en gastdocenten klonterden samen rond de lange tafels achter in de zaal. Die stonden vol in cellofaan verpakte cakejes en dampende koffie en decafé in stalen bedrijfsthermoskannen. Faculteitsvergaderingen – vooral die met Jack French als voorzitter, zoals deze – stonden erom bekend wel drie uur te duren. Een andere prioriteit was een plaats zo dicht mogelijk bij de uitgang te bemachtigen om er halverwege discreet vandoor te kunnen gaan. Het ideaal – o zo zelden verwezenlijkt – was dat je dan zowel vroeg als ongemerkt kon wegwezen.

Tegen de tijd dat Howard aankwam bij de deuren van de Keller-bibliotheek, waren alle zitplaatsen rond de vluchtroute al bezet. Hij was gedwongen om helemaal voor in de zaal te gaan zitten, recht onder het portret van Helen en twee meter van de plek waar Jack French en Liddy Cantalino zaten te hannesen met een onheilspellend dikke stapel papier, verspreid over twee lege stoelen. Niet voor de eerste keer op een faculteitsvergadering wenste Howard dat hij dezelfde zintuiglijke handicap had als Helen Keller. Hij zou er wat voor geven niet te hoeven kijken naar Jane Colmans puntige heksenkopje, haar bos verdord, springerig blond haar en de manier waarop het uitstak onder het soort baret dat figureert in de 'Wees een Europeaan!'-advertenties in *The New Yorker*. Datzelfde gold voor de studentenfavoriet: de zesendertigjarige Jamie Anderson, reeds hoogleraar, specialist op het gebied van Inheems-Amerikaanse geschiedenis, met zijn kleine, dure laptop die hij nu op zijn stoelleuning liet balanceren. Het vurigst wenste Howard dat hij doof kon zijn voor het giftige gemopper van de professoren Burchfield en Fontaine, twee struise *grandes dames* van de vakgroep Geschiedenis, samengeperst op de enige bank, gehuld in hun stroken gordijnstof, die Howard momenteel zaten te bestoken met het boze oog. Net als matroesjka's waren ze vrijwel identiek, waarbij Fontaine, de iets kleinere van de twee, met alles erop en eraan leek te zijn ontsproten aan het lichaam van Burchfield. Ze hadden praktische bloempotkapsels en droegen enorme plastic brillen die dateerden uit de vroege jaren zeventig, en toch straalden ze de welhaast seksuele allure uit die samengaat met het schrijven – zij het vijftien jaar geleden – van een handvol boeken die vaste kost waren geworden in iedere universiteit van het land. Voor deze tantes geen frivole interpunctie, geen dubbele punten, geen gedachtestreepjes, geen ondertitels. De mensen hadden het nog steeds over Burchfields Stalin en Fontaines Robespierre. Zodoende waren, in de ogen van Burchfield en Fontaine, de Howard Belseys van deze wereld niet meer dan horzels die van universiteit naar universiteit flitsten met hun modieuze onzin die niets betekende en nergens in resulteerde. Na Howards tien dienstjaren hadden ze zijn hoogleraarschap nog steeds tegengehouden toen dat verleden herfst aan de orde was gekomen. Ze zouden dit jaar opnieuw tegen stemmen. Dat was hun recht. En het was ook hun recht, als houders van een levenslange aanstelling, om geest en ziel van Wellington – waarvan zij zichzelf als wachters zagen – te beschermen tegen misbruik en ontwrichting door mannen als Howard, wier aanwezigheid aan dit instituut in het grotere plan alleen maar tijdelijk kon zijn. Speciaal om Howard in bedwang te houden waren ze achter hun bureaus vandaan gekomen om deze vergadering bij te wonen. Hij mocht niet in de gelegenheid worden gesteld om een ongesuperviseerde beslissing te nemen met betrekking tot de universiteit waar ze beiden zo van hielden. Nu, terwijl de klok tien sloeg en Jack voor hen allen stond en zijn waarschuwende kuchjes liet horen, leken Burchfield en Fontaine hun veren uit te schudden en neer te strijken als twee grote hennen die zich op hun eieren nestelen. Ze wierpen Howard een laatste, verachtelijke blik toe. Howard sloot zijn ogen in voorbereiding op de gebruikelijke verbale achtbaan van Jacks openingstoespraak.

'De reden,' zei Jack, zijn handen bijeenbrengend, 'waarom de vergadering van verleden maand is uitgesteld, verzet... misschien zou het feitelijk accurater zijn om te zeggen *gerepositioneerd*, tot deze dag, de tiende januari, is tweevoudig, en ik vind dat voor we kunnen beginnen met deze vergadering, waarbij ik u, tussen twee haakjes, allen van harte welkom heet na, hoop ik, een prettige – en wat belangrijker is – een *verkwikkende* kerstvakantie – ja, en zoals gezegd, voor we dan daadwerkelijk overgaan tot wat een behoorlijk volle vergadering belooft te worden voor wat betreft de agenda – vóór we van start gaan zou ik kort de redenen willen aanstippen voor deze repositionering, want die was op zichzelf, zoals velen van u weten, niet geheel zonder controverse. Ja. Goed. Allereerst waren verscheidene leden van onze gemeenschap van mening dat de kwesties die zouden worden besproken in die geplande vergadering – die nu plaatsvindt – van een omvang en een complexiteit waren die behoorlijke, weloverwogen presentaties van beide zijden over het onderwerp dat nu in het brandpunt van onze collectieve belangstelling staat, wenselijk – nee, *noodzakelijk* maakten – en hiermee wil ik niet suggereren dat deze kwestie een simpel binair karakter heeft; voor mij persoonlijk lijdt het geen twijfel dat we zullen merken dat eerder het omgekeerde het geval is en dat we vanochtend zelfs zullen zien dat we op verschillende punten van de, de, de, de trechter, als ik het zo mag zeggen, van de discussie die we zo meteen gaan voeren, op één lijn zitten. En daarom, om die ruimte tot formulering te creëren, hebben we het raadzaam geacht – zonder faculteitsstemming – om die vergadering uit te stellen, en uiteraard staat het iedereen die van mening is dat de beslissing over dat uitstel is genomen zonder het vereiste overleg, vrij om bezwaar aan te tekenen in ons on line bestandensysteem, dat onze beste Liddy Cantalino speciaal voor deze vergaderingen heeft opgezet... Ik geloof dat de cache te vinden is onder code ss76 op de webpagina van Geesteswetenschappen, en het adres daarvan kent u allemaal al, mag ik hopen... is dat...?' vroeg Jack met een blik naar Liddy, die op een stoel naast hem zat. Liddy knikte, stond op, herhaalde de geheimzinnige code en ging weer zitten. 'Dank je, Liddy. Dus daar is een forum voor klachten. Goed. De tweede reden – heel wat minder beladen, gelukkig – was simpelweg een kwestie van tijdsmanagement die velen van u en mezelf en Liddy was opgevallen, en het was haar mening en die van veel van onze collegae die de kwestie onder haar aandacht hebben gebracht, dat de extreme, sorry voor de afgezaagde vergelijking, opstopping van evenementen op de decemberkalender – zowel van de universiteit als daarbuiten – op zijn zachtst gesproken zeer weinig tijd overliet voor de gebruikelijke en noodzakelijke voorbereiding die faculteitsvergaderingen – willen ze enig effect hebben – toch wel vragen, zo niet vereisen. En ik geloof dat Liddy ons daarover een paar dingen wil meedelen met betrekking tot het verloop van de verdere programmering. Liddy?'

Liddy stond nogmaals op en herschikte kordaat haar boezem. Op haar trui bewogen rendieren zich ongelijkmatig voort, van links naar rechts.

'Hai, lui, nou, om kort te gaan, hetzelfde wat Jack net al heeft gezegd, wij dames van de administratie werken ons een slag in de rondte in december, en als we die hele heisa aanhouden van elke vakgroep die zijn eigen kerstborrel houdt, zoals vorig jaar zo'n beetje was besloten, om nog maar te zwijgen over het feit dat praktisch ieder van die kinderen in de week voor kerst wel een of andere aanbevelingsbrief probeert te bemachtigen, terwijl god weet dat ze de hele herfst lang worden gewaarschuwd om niet tot het laatste moment te wachten met de aanbevelingen, maar hoe dan ook, wij hadden gewoon het gevoel dat het veel verstandiger was om onszelf een beetje ruimte te geven in de laatste week voor de vakantie, zodat ikzelf met nieuwjaar van voren nog weet dat ik van achteren leef...' Dit was aanleiding voor wat beleefd gelach. 'Als u me mijn taalgebruik verexcuseert.'

Dat deed iedereen. De vergadering begon. Howard drukte zichzelf een beetje dieper in zijn stoel. Hij was nog niet aan zet. Absurd genoeg stond hij pas als derde op de agenda, hoewel hoogstwaarschijnlijk iedereen in de zaal was gekomen voor de Monty-en-Howard-show. Maar eerst kwam de uit Wales afkomstige classicist en tijdelijk medewerker huisvesting Christopher Fay in zijn giletje en rode pantalon ondraaglijk lang uitweiden over vergaderruimtefaciliteiten voor promovendi. Howard haalde zijn pen te voorschijn en begon op zijn aantekeningen te droedelen, waarbij hij zijn best deed zijn gezicht in een bedachtzame plooi te trekken die een ernstiger activiteit dan droedelen zou doen vermoeden. *Het recht op vrijheid van meningsuiting op deze campus, hoe sterk ook, moet in sommige gevallen wedijveren met andere rechten, rechten die de studenten aan deze onderwijsinstelling beschermen tegen verbale en persoonlijke aanvallen, tegen conceptuele kleinering, schaamteloze stereotypering en andere manifestaties van de politiek van de haat.* Rond deze tactische openingszet tekende Howard een serie in elkaar grijpende slingers, als siertakken in de stijl van William Morris. Zodra de omtrekken er stonden, begon hij aan het arceerwerk. Zodra de arceringen klaar waren, verschenen er meer slingers; het patroon groeide uit tot het het grootste deel van de linkerkantlijn in beslag nam. Hij tilde het papier op, bewonderde het, en ging toen weer verder met arceren, met kinderlijk plezier oppassend dat hij niet buiten de lijntjes kwam en zich onderwerpend aan deze willekeurige stijl- en vormprincipes. Hij keek op en deed alsof hij zich uitrekte; deze beweging gaf hem een excuus om zijn hoofd van rechts naar links te draaien en de zaal af te speuren op aanhangers en tegenstanders. Erskine zat precies aan de overkant, omringd door zijn vakgroep Afro-Amerikaanse Wetenschappen, Howards cavalerie. Geen Claire, voorzover hij kon zien. Zora, zo wist hij, zat op een bankje in de hal haar eigen speech door te nemen, wachtend tot ze werd geroepen. Howards collega's van Kunstgeschiedenis zaten verspreid, maar waren allemaal present en wel. Monty – en dat was een lelijke schok – zat slechts een paardensprong achter hem. Hij glimlachte Howard als teken van herkenning toe met een buiginkje, maar Howard, die zichzelf zo'n beleefdheid schandelijk onwaardig achtte, kon zich alleen maar schichtig terugdraaien en zijn potlood in zijn knie drukken. Er is een uitdrukking voor het nemen van andermans vrouw: iemand de hoorns opzetten. Maar wat is de uitdrukking voor het nemen van andermans dochter? Als zo'n uitdrukking al bestond, was Howard er vrij zeker van dat Christopher Fay, met zijn uitgevervriendelijke, zwaar geseksualiseerde kijk op de klassieke Oudheid, die zou kennen. Howard keek nu op naar Christopher, die nog steeds bezield stond te spreken, lichtvoetig als een nar, terwijl het rattenstaartje achter op zijn hoofd heen en weer zwiepte. Hij was de enige andere Brit aan de faculteit. Howard had zich vaak afgevraagd wat voor indruk zijn Amerikaanse collega's wel moesten krijgen van de Britten als natie, op basis van hun kennismaking met hun tweeën.

'Dank je wel, Christopher,' zei Jack en nam toen uitgebreid de tijd om diens vervanger als tijdelijk medewerker huisvesting – Christopher ging binnenkort met sabbatical naar Canterbury – voor te stellen, een jonge vrouw die nu opstond om over de aanbevelingen te spreken die Christopher al omstandig had samengevat. Een vérstrekkende doch subtiele beweging, als een *wave*, ging door de zaal toen bijna iedereen ging verzitten. Eén geluksvogel ontsnapte door de piepende deuren – een slappe romanschrijfster met een gastaanstelling – maar dat geschiedde niet ongemerkt. Loerende Liddy zag haar gaan en maakte een aantekening. Nu werd Howard tot zijn eigen verbazing zenuwachtig. Hij ging vluchtig door zijn aantekeningen, te opgewonden om zijn tekst zin voor zin te volgen. Het was bijna tijd. En toen was het tijd.

'En nu vraag ik uw aandacht voor het derde onderwerp op onze agenda deze ochtend, dat betrekking heeft op een serie lezingen die gepland zijn voor komend semester... en mag ik dan nu professor Howard Belsey naar voren roepen, die een motie ter tafel brengt met betrekking tot, tot, tot, deze serie lezingen – ik verwijs u allen naar de memo die Howard aan de agenda heeft toegevoegd, waaraan u naar ik hoop de vereiste tijd en aandacht hebt besteed, en... ja. Dus. Howard, zou je...?'

Howard stond op.

'Misschien zou het wat... als je...?' suggereerde Jack en Howard baande zich een weg tussen de stoelen door en ging naast Jack staan, tegenover de hele zaal.

'Het woord is aan jou,' zei Jack. Hij ging zitten en begon rusteloos aan zijn duimnagel te knagen.

'*Het recht op vrijheid van meningsuiting*,' begon Howard, met een onbedwingbaar trillende rechterknie, '*op deze campus, hoe sterk ook, moet in sommige gevallen wedijveren met andere rechten...*'

Hier maakte Howard de fout op te kijken, rond te kijken zoals sprekers wordt geadviseerd. Hij ving een glimp op van Monty, die breed glimlachend zat te knikken zoals een koning naar een hofnar die is gekomen om hem te amuseren. Howard haperde eens, tweemaal, en fixeerde vervolgens, om het probleem te verhelpen, zijn blik op zijn blaadje. In plaats van nu lichtjes op zijn aantekeningen voort te borduren, al improviserend, zijn betoog doorspekkend met geestige terzijdes en al het andere rake, geïmproviseerde verbale vuurwerk dat hij in gedachten had gehad, las hij stijfjes en met hoge snelheid voor wat er op zijn papier stond. Abrupt en veel te snel kwam hij aan het eind, en wezenloos staarde hij naar de volgende aantekening in potloodschrift die hij voor zichzelf had gemaakt: 'na schetsen grote lijnen, ter zake komen'.

Iemand kuchte. Howard keek op, keek opnieuw recht in het gezicht van Monty – die glimlach was duivels! – en toen weer terug naar zijn papier. Hij streek zijn haar weg dat tegen zijn voorhoofd plakte.

'Laat ik, eh... Laat ik... Ik wil duidelijk aangeven wat mijn grote zorg is. Toen professor Kipps door de faculteit der Geesteswetenschappen op Wellington werd uitgenodigd, was dat om onderdeel te worden van de gemeenschap van dit instituut en om een serie *leerzame* lezingen te geven op het gebied van een van zijn vele, vele, *vele* kennisgebieden...' Hierop ontving Howard het lichte gelach waarop hij hoopte en de stimulans die zijn zelfvertrouwen nodig had. 'Waar hij uitdrukkelijk níet voor is uitgenodigd, is het houden van politieke toespraken die verscheidene groepen op deze campus van elkaar kunnen vervreemden en diep kunnen kwetsen.'

Monty stond nu op, kennelijk geamuseerd zijn hoofd schuddend. Hij stak zijn hand op. 'Pardon,' zei hij, 'mag ik even?'

Jack keek gekweld. Wat een hekel had hij aan dit gekissebis in zijn faculteit!

'Eh, nou, professor Kipps, ik denk dat als we nu even, even, even.. als we Howard nu even zijn praatje laten afmaken, als het ware...'

'Natuurlijk. Ik zal geduldig en verdraagzaam blijven terwijl mijn collega me door het slijk haalt,' zei Monty met dezelfde grijns en hij ging weer zitten.

Howard ging door: 'Mag ik het comité eraan herinneren dat leden van deze universiteit verleden jaar een succesvolle lobby hebben gevoerd om een filosoof te weren die was uitgenodigd om hier te doceren, maar die, zoals werd besloten door voornoemde leden, niet aan dit instituut mocht spreken omdat hij in zijn publicaties uitdrukking gaf aan hetgeen werd beschouwd als anti-Israëlische standpunten en argumenten die aanstootgevend waren voor leden van onze gemeenschap. Dit bezwaar – ofschoon niet door mij onderschreven – werd democratisch aanvaard en de heer in kwestie werd geweerd van Wellington omdat zijn standpunten waarschijnlijk kwetsend zouden zijn voor mensen binnen deze gemeenschap. Om precies dezelfde redenen sta ik vanochtend voor u, met één essentieel verschil. Het is niet mijn gewoonte of mijn keuze om sprekers van een andere politieke kleur dan de mijne de toegang tot deze campus te verbieden; ik vraag dan ook niet om zo'n verbod, maar verzoek veeleer om de teksten van deze lezingen te mogen inzien, zodat ze door deze faculteit in overweging kunnen worden genomen, met als oogmerk dat materiaal waarvan wij als gemeenschap vinden dat het in strijd is met de interne regels van deze instelling met betrekking tot het aanzetten tot haat – zoals opgesteld door onze eigen Commissie Gelijke Kansen, waarvan ik voorzitter ben – kan worden geschrapt. Ik heb professor Kipps schriftelijk om een kopie van zijn teksten gevraagd; dat heeft hij geweigerd. Vandaag vraag ik hem opnieuw om dan toch minstens een beknopte samenvatting van zijn lezingen te geven. Mijn redenen tot bezorgdheid zijn tweevoudig: ten eerste, de minachtende, kwetsende opmerkingen die de professor tijdens zijn hele carrière in het openbaar heeft gemaakt over homoseksualiteit en ras en geslacht. Ten tweede draagt zijn lezingenserie, *Het vrije aspect uit de "vrije kunsten" halen*, dezelfde titel als een artikel dat hij onlangs heeft gepubliceerd in de *Wellington Herald*, dat op zich al voldoende homofobisch materiaal bevatte om de LesBiGay-groep van Wellington ertoe te bewegen om eventuele lezingen van de professor aan dit college te proberen tegen te houden door middel van protestacties. Voor degenen onder jullie die dat artikel hebben gemist, heb ik kopieën gemaakt – ik geloof dat Lydia die aan het eind van de vergadering zal uitdelen aan iedereen die het wil lezen. Dus, ter afsluiting,' zei Howard, zijn papieren dubbelvouwend, 'mijn verzoek aan professor Kipps zelf luidt als volgt: óf wij krijgen de teksten van de lezingen, óf we krijgen een omschrijving van de lezingen, óf, bij gebreke daaraan, hij laat ons vanochtend weten wat de intentie van zijn lezingen is.'

'Is dat...?' vroeg Jack. 'Dat is de kern van je... juist, dan denk ik dat we nu kunnen overgaan naar de professor en... professor Kipps, zou u misschien...'

Monty stond op en hield de rugleuning van de stoel voor hem vast, erop leunend als ware het een katheder.

'Faculteitsvoorzitter, het is me een wáár genoegen. Wat amusant was dit alles. Ik ben dol op liberale sprookjes! Zo kalmerend, geen onnodige belasting van de hersenen.' Nerveus gegiechel van de faculteit. 'Maar als u het niet erg vindt zal ik me even bij de feiten houden en de vragen van de professor zo direct mogelijk beantwoorden. In antwoord op zijn verzoeken ben ik bang dat ik die alledrie moet afwijzen, aangezien ik me in een vrij land bevind en me kan beroepen op mijn onvervreemdbare recht op vrijheid van meningsuiting. Mag ik professor Belsey eraan herinneren dat geen van ons beiden zich nog in Engeland bevindt.' Dit bracht een echt gelach teweeg, sterker dan Howard had geoogst. 'Als hij zich daardoor beter voelt – ik weet hoe fijn de liberale geest het vindt om zich *beter te voelen* – neem ik de volledige verantwoordelijkheid op me voor de lezingen die ik geef. Maar ik ben bang dat ik zijn eerlijk gezegd bizarre verzoek aangaande de "intentie" ervan niet kan inwilligen. Eigenlijk moet ik toegeven dat ik aangenaam verrast ben dat iemand die zichzelf, zoals de professor, een "tekstuele anarchist" noemt, er zo op gebrand is de *intentie* van een tekst te achterhalen...'

Er miezerde een vreugdeloos intellectueel gelach neer, van het soort dat je bij voordrachten in boekwinkels hoort.

'Ik had geen idee,' vervolgde Monty opgewekt, 'dat het absolute karakter van het geschreven woord hem zo ter harte ging.'

'Howard, wil jij...?' vroeg Jack French, maar Howard praatte er al doorheen.

'Luister, mijn punt is het volgende,' voer Howard uit, zich naar Liddy wendend als het dichtstbijzijnde aanspreekpunt, maar Liddy was niet geïnteresseerd. Ze spaarde haar energie voor punt zeven op de agenda, de aanvraag van de vakgroep Geschiedenis voor twee nieuwe kopieerapparaten. Howard wendde zich opnieuw tot de menigte. 'Hoe kán hij de verantwoordelijkheid opeisen voor zijn tekst en tegelijkertijd niet in staat zijn ons te vertellen wat zijn *intentie* is?'

Monty hield zijn handen aan weerszijden van zijn buik. 'Ach, kom nou toch, professor Belsey, dit is te dom voor woorden. Een mens kan toch zeker wel een stuk proza schrijven zonder de "intentie" daar een bepaalde reactie mee los te maken, of hij kan toch op z'n minst wel schrijven zonder elk doel of gevolg van dat stuk proza te voorzien?'

'Dat mag jij míj vertellen, vriend. Jij bent toch die rabiate tegenstander van een ruime uitleg van de grondwet!'

Hierop klonk een algemener, oprechter gelach. Voor het eerst begon Monty er een beetje verstoord uit te zien.

'Ik zal schrijven,' sprak Monty uit, 'over mijn opvattingen over de toestand van het universitaire systeem in dit land. Daarbij zet ik mijn kennis, *maar ook* mijn moreel besef in...'

'Mét de duidelijke bedoeling verscheidene minderheidsgroeperingen tegen de haren in te strijken en van elkaar te vervreemden. Neemt hij daar de verantwoordelijkheid voor?'

'Professor Belsey, mag ik u verwijzen naar een van uw eigen linkse kopstukken, Jean-Paul Sartre: "*We weten niet wat we willen en toch zijn we verantwoordelijk voor wat we zijn – zo liggen de feiten.*" En bent ú juist niet degene, professor, die het heeft over de instabiliteit van tekstuele betekenis? Bent ú niet degene, professor, die het heeft over de onbepaalbaarheid van alle tekensystemen? Hoe kan ik dan ooit vóór ik mijn lezingen geef voorspellen hoe de "multivalentie",' zei Monty, het woord met overduidelijke walging uitsprekend, 'van mijn eigen tekst zal worden ontvangen in het "heterogene bewustzijn" van mijn toehoorders? Professor,' zei Monty met een diepe zucht, 'de hele teneur van uw aanval is een perfect voorbeeld van mijn argument. U fotokopieert mijn artikel maar u neemt niet de tijd het zelf goed te lezen. In het artikel stel ik de vraag: "Waarom bestaat er één regel voor de liberale intellectueel en een geheel andere voor zijn conservatieve collega?" En ik vraag nu aan u: waarom zou ik de tekst van mijn lezingen voorleggen aan een comité van liberale criticasters en aldus toestaan dat mijn eigen recht op vrije meningsuiting – waar juist deze instelling zo hoog van opgeeft – wordt beknot en bedreigd?'

'Ach, flikker toch op, man,' viel Howard uit. Jack sprong op uit zijn stoel.

'Ehm, Howard, mag ik je verzoeken een beetje op je taal te letten.'

'Laat maar, laat maar, ik kan wel wat hebben, mijnheer de voorzitter. Ik had niet de illusie dat mijn collega een wellevend heerschap was...'

'Kijk,' zei Howard met roodaangelopen hoofd, 'wat ik wil weten...'

'Howard, alsjeblieft,' zei Monty afkeurend, 'ik ben zo beleefd geweest om naar jou te luisteren tot je was uitgepraat. Dánk je wel. Welnu: twee jaar geleden verzocht hier op Wellington, in dit fantastische vrijheidslievende instituut, een groep moslimstudenten om het recht op een ruimte voor hun dagelijkse gebeden; een verzoek dat mede door toedoen van professor Belsey werd afgewezen, met als resultaat dat deze groep moslims op dit moment een juridisch proces voert tegen de Wellington-universiteit... voor het recht,' dreunde Monty over Howards protest heen, '*Voor het recht* om hun geloof te praktiseren...'

'Nee, dan jóuw verdediging van het islamitische geloof, die is legendarisch!' hoonde Howard.

Monty trok een gezicht van historisch gewicht. 'Professor, ik ondersteun alle religieuze vrijheid tegen de dreiging van het seculiere fascisme.'

'Monty, jij weet evengoed als ik dat die zaak níets te maken heeft met datgene waar we het nu over hebben. Deze universiteit heeft altijd een beleid gevoerd van, van, niet-religieuze activiteit. We discrimineren niet...'

'Há!'

'We discrimineren niet, maar álle studenten wordt verzocht hun religieuze interesses buiten de muren van de universiteit te houden. Maar die kwestie is vandaag totaal irrelevant. De discussie van vandaag gaat over een cynische poging om onze studenten op te zadelen met iets wat neerkomt op een expliciet rechtse agenda, onder het mom van een serie lezingen over de...'

'Over expliciete agenda's gesproken, laten we het ook eens hebben over de achterkamertjesmanier waarop de toelating tot werkgroepen hier op Wellington is georganiseerd – een beleid dat een schaamteloze verbastering inhoudt van de wet op de voorkeursbehandeling (die overigens op zichzelf al een verbastering is) – waarbij studenten die níet staan ingeschreven aan deze universiteit toch les krijgen in werkgroepen hier, van professoren die op grond van hun eigen "discretionaire bevoegdheid" – zoals het zo achterbaks genoemd wordt – deze "studenten" toelaten in hun werkgroepen, waarbij ze aan hen de voorkeur geven boven féitelijke studenten, die beter gekwalificeerd zijn dan zij – níet omdat deze jonge mensen voldoen aan de academische maatstaven van Wellington, nee, omdat ze worden beschouwd als *hulpbehoevende gevallen* – alsof minderheden erbij gebaat zijn om in een elitaire omgeving geduwd te worden waar ze nog niet geschikt voor zijn! Terwijl de waarheid is dat de liberaal – zoals altijd! – aanneemt dat dit profijt oplevert, enkel en alleen omdat deze handelwijze *haarzelf*,' zei Monty met suggestieve nadruk, 'een goed gevoel geeft!'

Howard klapte in zijn handen en keek diep getergd naar Jack French.

'Sorry hoor, maar over welke kwestie gaat deze discussie nu eigenlijk? Is er binnen deze universiteit iets waar professor Kipps géén kruistocht tegen voert?'

Jack French keek afwezig naar de aantekeningen die Liddy hem zojuist had gegeven. 'Ehm, daar heeft Howard gelijk in, Montague. Ik begrijp dat je een vraag hebt over de toelating tot werkgroepen, maar die kwestie komt als vierde, dat zie je denk ik wel staan, op de agenda. Laten we even bij de... Ik denk dat de vraag, zoals aangegeven door Howard, is: ben je bereid je tekst aan de gemeenschap te geven?'

Monty zette een hoge borst op en hield zijn zakhorloge in zijn hand. 'Nee.'

'Welnu, ben je dan bereid het ter stemming te brengen?'

'Geachte voorzitter, met alle respect voor uw gezag, dat ben ik niet. Net zomin als ik een stemming zou accepteren over de vraag of iemand mijn tong zou mogen uitsnijden. Een stemming is in deze context volkomen irrelevant.'

Jack keek wanhopig naar Howard.

'Commentaar van de aanwezigen?' opperde Howard nijdig.

'Ja...' zei Jack met grote opluchting. 'Commentaar van de aanwezigen? Elaine, wilde jij iets zeggen?'

Professor Elaine Burchfield schoof haar bril omhoog. 'Wil Howard Belsey nu wérkelijk suggereren,' zei ze met aristocratische teleurstelling, 'dat Wellington een zo vreselijk kwetsbaar instituut is dat het het normale woord en wederwoord van het politieke debat binnen zijn zalen vreest? Is het liberale bewustzijn – dat het professor Kipps behaagt te ridiculiseren – werkelijk zó gering dat het niet bestand is tegen een serie van zes lezingen vanuit een andere optiek dan die van zichzelf? Dat lijkt me een zeer alarmerende gedachte.'

Howard, nu ziedend van kwaadheid, richtte zijn antwoord tot een vlek hoog op de achterwand.

'Kennelijk maak ik mezelf niet goed duidelijk. Professor Kipps maakt, samen met zijn "geestverwant" Justice Scalia, homoseksualiteit *in geschrifte* uit voor een kwaad...'

Monty sprong nogmaals op uit zijn stoel. 'Ik teken bezwaar aan tegen die omschrijving van mijn betoog. Ik heb in mijn artikel Justice Scalia's standpunt verdedigd dat het *binnen het recht* van belijdende christenen valt om er een dergelijke mening over homoseksualiteit op na te houden. En verder dat het inbreuk op de rechten van christenen maakt wanneer hun persoonlijke bezwaar tegen homoseksuelen, dat voor hen een moreel principe is, wordt vertaald in het juridisch begrip "discriminatie". Dat was mijn punt.'

Tevreden zag Howard hoe Burchfield en Fontaine bij deze toelichting ineenkrompen van afkeer. Wat het des te verbazender maakte toen Fontaine daarop haar beruchte lesbische bariton verhief om te zeggen: 'Wij mogen deze standpunten bedenkelijk, zelfs afstotelijk vinden, maar dit is een instituut dat staat voor intellectuele discussie en debat.'

'Jezusmina, Gloria, dit is het *tegenovergestelde* van denken!' riep het hoofd van de vakgroep Sociale Antropologie uit. En zo begon er een verbaal gepingpong waaraan meer spelers deelnamen naarmate de discussie zich uitbreidde over de zaal en die verderging zonder behoefte aan Howard als moderator.

Howard ging zitten. Hij luisterde toe hoe zijn argumenten verloren gingen in uiteenzettingen over andere gevallen, soms vergelijkbaar, soms slaapverwekkend irrelevant. Erskine gaf goedbedoeld een lang en uitputtend overzicht van de beweging voor gelijke burgerrechten, waarvan de essentie leek te zijn dat gezien Kipps' strikte opvattingen over de grondwet, Kipps zelf nooit aan de kant van de meerderheid zou hebben gestemd in de zaak *Brown versus Board of Education*. Het was een sterk punt, maar het ging verloren in Erskines emotionele presentatie. Een halfuur ging hiermee heen. Ten slotte kreeg Jack het debat onder controle. Rustig drong hij bij Monty aan op Howards verzoek. Opnieuw weigerde Monty de tekst van zijn lezingen te overleggen.

'Welnu,' gooide Jack de handdoek in de ring, 'gezien de vastbeslotenheid van professor Kipps... maar we hebben nog wel het recht om te stemmen over de vraag of deze lezingen überhaupt moeten plaatsvinden. Ik weet dat dat niet je oorspronkelijke bedoeling was, Howard, maar in de gegeven omstandigheden... die macht hebben we.'

'Ik heb geen bezwaar tegen een democratische stemming wanneer daartoe het recht en de volmacht bestaan, wat hier het geval is,' zei Monty plechtstatig. 'Natuurlijk hebben de leden van deze faculteit de finale stem over de vraag wie er al dan niet vrij is om aan hun universiteit te spreken.'

In antwoord hierop had Howard slechts een gemelijk knikje te bieden.

'Wil iedereen die vóór is – ik bedoel, voor het doorgaan van de lezingen zonder voorafgaande bespreking – zijn hand opsteken.' Jack zette zijn bril op om de stemmen te tellen, maar dat was niet nodig. Met uitzondering van Howards kleine enclaves van medestanders gingen alle handen omhoog. Verdoofd keerde Howard terug naar zijn stoel. Onderweg liep zijn dochter langs hem, die zojuist de zaal in was gekomen. Zora kneep in zijn arm en grijnsde hem toe in de veronderstelling dat hij zich net zo goed van zijn taak had gekweten als zij dat ging doen. Ze nam plaats naast Liddy Cantalino. Ze hield een stapel ongerept papier op haar schoot. Ze zag er machtig uit, van binnenuit verlicht door haar ontzagwekkende jeugd.

'Welnu,' zei Jack, 'zoals u ziet is een van onze studenten aanwezig. Ze zal ons gaan toespreken over een onderwerp dat haar, naar ik begrijp, zeer ter harte gaat, en dat eerder vluchtig werd aangestipt door professor Kipps: onze "uitgenodigde" studenten, zogezegd... Maar voor we daartoe overgaan, zijn er nog wat standaarduniversiteitszaken die om onze aandacht vragen...' Jack reikte naar een vel papier dat Liddy al uit de stapel had getrokken en hem aanreikte. 'Dank je, Liddy. Publicaties! Altijd goed nieuws. En de publicaties voor komend jaar zijn onder andere: dr. J.M. Wilson, *Windmolens van mijn geest: Het realiseren van de droom van natuurlijke energie*, Branvain Press, dat op stapel staat voor mei; dr. Stefan Guilleme, *Paint it black: Avonturen in minimalistisch Amerika*, Yale University Press, verschijnt in oktober; *Grenzen en kruispunten, of Dansen met Anansi: Een onderzoek naar Caribische mythemen* door dr. Erskine Jegede, verschijnt in augustus bij onze eigen Wellington Press...'

Tijdens deze hele lijst triomfantelijke publicaties droedelde Howard zich een weg over twee velletjes papier, wachtend op de onvermijdelijke, nu welhaast traditionele, vermelding van zijn werk.

'En we verwachten... we verwachten,' zei Jack droefgeestig, 'dr. Howard Belseys *Tegen Rembrandt: een meester kritisch bekeken*, dat... dat...'

'Nog geen datum,' bevestigde Howard.

6

Om halftwee gingen de deuren open. De 'trechter' die Jack had voorspeld ontstond nu in de deuropening, waar veel faculteitsleden zich door een smalle opening persten. Howard sloot zich aan bij de rest en luisterde naar het geklets, dat veelal ging over Zora en haar succesvolle toespraak. Zijn dochter had de beslissing over de uitgenodigde studenten weten uit te stellen tot de volgende vergadering, over een maand. Binnen het Wellingtonstelsel was het bereiken van een dergelijk uitstel vergelijkbaar met het toevoegen van een nieuw amendement aan de grondwet. Howard was trots op haar en haar redenaarstalent, maar zou haar later wel feliciteren. Hij moest weg zien te komen uit deze zaal. Hij liet haar doorbabbelen met mensen die haar kwamen feliciteren en deed een vastberaden aanval op de uitgang. In de hal sloeg hij linksaf en vermeed zo de menigte die koers zette naar de kantine. Hij ontsnapte via een van de gangen die uitkwamen op de grote hal. Langs de muur van deze hal stonden allemaal vitrines, elk met zijn eigen buit aan roestige trofeeën, omkrullende certificaten en foto's van studenten in ouderwetse sportkleding. Hij liep hem helemaal uit en leunde tegen de branddeur. Je mocht nergens roken in dit gebouw. Hij ging ook niet roken, alleen maar een sjekkie rollen en dat mee naar buiten nemen. Op de zakken van zijn jasje kloppend vond hij in de borstzak het troostrijke groen-met-gouden pakje. Dit merk is alleen in Engeland te koop, en met Kerstmis had hij een voorraadje aangelegd door op het vliegveld twintig pakjes in te slaan. *Wat is je goede voornemen voor het nieuwe jaar*, had Kiki gevraagd, *zelfmoord?*

'Dáár zit je!'

Het tabakswormpje in Howards handpalm sprong op zijn schoen. 'Oeps!' zei Victoria en ze knielde om het te redden. Elegant stond ze weer op; haar ruggengraat leek zich wervel voor wervel af te rollen tot ze kaarsrecht vlak naast hem stond. 'Hallo, vreemdeling.'

Ze legde de shag terug in zijn hand. Haar nabijheid bezorgde hem een inwendige schok. Hij had haar niet meer gezien sinds die middag. En door het wonder der mannelijke hersenstructuur ook nauwelijks nog aan haar gedacht. Hij had samen met zijn dochter naar oude films gekeken en vredige, meditatieve wandelingen gemaakt met zijn vrouw; hij had een beetje aan zijn Rembrandt-colleges gewerkt. Met de weeë tederheid van de trouwelozen had hij zich herinnerd hoe ontzettend gelukkig en gezegend hij was met dit gezin. In feite was 'Victoria Kipps', gezien als een concept, een *premisse*, een ware weldaad geweest voor Howards huwelijk en zijn geestelijke toestand in het algemeen. Het concept Victoria Kipps had de zegeningen van zijn leven in perspectief geplaatst. Maar Victoria Kipps was geen concept. Ze was echt. Ze tikte op zijn arm. 'Ik heb naar je uitgekeken,' zei ze.

'Vee.'

'Vanwaar deze outfit?' vroeg ze en ze raakte de revers van zijn pak aan. 'O, natuurlijk, faculteitsvergadering... Chic, hoor. Maar pap kun je niet overtreffen, hoor. Zet dat maar uit je hoofd.'

'Vee.'

Ze keek hem aan met dezelfde geamuseerde uitdrukking die hij net bij haar vader had gezien. 'Ja, wat?'

'Vee… Wat… wat dóe je hier?'

Hij verfrommelde het vloeitje met de shag en gooide het in een afvalbak.

'Nou, professor Belsey, toevallig studeer ik hier.' Met zachtere stem: 'Ik heb geprobeerd je te bellen.' Ze duwde beide handen diep in zijn broekzakken. Howard greep haar handen en trok ze eruit. Hij pakte haar bij haar elleboog en trok haar door de branduitgang, die uitkwam op het geheime binnenste van het gebouw: noodtrappen en schoonmaakkasten en voorraadkamers. Onder hen klonk het geluid van een puffend en schuddend kopieerapparaat. Howard liep vlug een paar treden naar beneden om door de spiraal van het trappenhuis de kelder in te kijken, maar er was niemand. Het kopieerapparaat werkte op de automatische piloot, papier uitbrakend en het aan elkaar nietend. Langzaam liep hij terug naar Victoria.

'Je zou niet zo snel weer hier moeten komen.'

'Waarom niet? Wat heeft het voor zin om thuis te blijven? Ik heb geprobeerd je te bellen.'

'Niet doen,' zei hij. 'Niet proberen te bellen. Het is beter van niet.'

Hier beneden in dit oerlelijke trapportaal viel het daglicht door twee betraliede vensters naar binnen op een tegelijk gevangenisachtige en sfeervolle manier, die Howard absurd genoeg deed denken aan Venetië. Het licht viel perfect op de gebeeldhouwde lijnen en vlakken waaruit haar gezicht bestond. Het bracht Howard tot een emotionele intensiteit die hij tot dit moment niet had gevoeld.

'Vergeet mij, vergeet alles. Alsjeblieft.'

'Howard, ik…'

'Nee, Vee, het was krankzinnig,' zei hij, en hij omklemde haar beide ellebogen. 'En het is voorbij. Het was waanzin.'

Zelfs in de paniek en ontzetting van deze toestand was Howard verwonderd over dit drama, de energie die het hem gaf weer deel uit te maken van dit soort dramatiek dat toch eigenlijk is voorbehouden aan de jeugd: het verstoppertje spelen, het gefluister en de stiekeme aanrakingen. Maar nu trok Victoria zich terug en vouwde haar armen over die strakke tienerbuik.

'Eh, ik heb het over vanávond,' zei ze scherp. 'Daarvoor belde ik je. Het Emerson Hall-diner. Waar we samen naartoe zouden gaan. Het is geen huwelijksaanzoek! Waarom denken ál jouw familieleden de hele tijd dat iemand met ze wil trouwen? Hoor eens… ik wilde alleen weten of je nog kwam. Het is gewoon lastig als ik nu nog iemand moet zien te vinden om mee te gaan. O, god, wat gênant. Laat ook maar zitten.'

'Emerson Hall?' herhaalde Howard. De branddeur ging open. Howard maakte zich plat tegen de muur terwijl Vee zich tegen de trapleuning drukte. Een jongen met een rugzakje liep tussen hen door, langs het kopieerapparaat en toen door een deur die god-weet-waar uitkwam.

'God, wat ben jij ijdel, zeg,' zei Victoria op een verveelde manier die bij Howard iets van die middag in het boudoir opriep. 'Het is gewoon een vraag. En weet je: vlei jezelf maar niet. Ik was heus niet van plan om samen met jou bij ondergaande zon weg te lopen. Zó geweldig ben je nou ook weer niet.'

Deze woorden maakten eventjes iets los tussen hen, maar op de een of andere manier miste het zeggingskracht, het was gewoon geluid. Ze kenden elkaar helemaal niet. Het was heel anders dan het met Claire was geweest. Dat was een geval van twee vrienden die op hetzelfde moment doordraaien, twee hardlopers in de laatste ronde van hun leven. En Howard had gewéten, zelfs terwijl het gebeurde, dat ze van renbaan veranderden uit angst, gewoon om te kijken of het anders voelde, beter, gemakkelijker, om op deze nieuwe baan te rennen, bang als ze waren om voor altijd door te gaan op de baan waarop ze liepen. Maar dit meisje was nog niet eens aan de race begonnen. Dat was geen reden voor minachting – God wist dat Howard zelf het startschot pas had gehoord toen hij tegen de dertig was. Maar Howard had niet beseft hoe vreemd het zou zijn over de toekomst van zijn leven te praten met iemand voor wie de toekomst nog steeds onbegrensd leek; een lusthof vol keuzes met een oneindig aantal deuren, waar je wel gek zou zijn om in één kamer te blijven zitten.

'Nee,' stemde Howard in, want toegeven kostte hem niets, 'zo geweldig ben ik niet.'

'Nee... maar... nou ja, je bent ook niet *vreselijk*,' zei ze. Ze kwam dichter naar hem toe en op het laatste moment draaide ze zich om zodat ze naast hem stond, tegen de muur zoals hij. 'Je bent oké. Vergeleken bij sommige minkukels hier.'

Ze porde met haar elleboog zachtjes in zijn maag.

'Maar goed, als je me dan toch voor altijd gaat verlaten, bedankt voor het souvenirtje. Heel hoffelijk van je.'

Victoria hield een strook foto's omhoog. Howard pakte hem zonder ze te herkennen.

'Die vond ik in mijn kamer,' fluisterde ze, 'zeker uit je broekzak gevallen. Hetzelfde pak dat je nu aanhebt. Heb je soms maar één pak?'

Howard bracht de strook dichter bij zijn gezicht.

'Je bent zo'n poseur!'

Howard tuurde van dichterbij. De beelden waren flets, vervagend.

'Ik heb geen idee wanneer die zijn genomen.'

'Ja hoor,' zei Victoria. 'Vertel dat maar aan de rechter.'

'Ik heb ze nog nooit gezien.'

'Weet je waar ik aan dacht toen ik ze zag? Aan Rembrandts portretten. Toch? Niet die, maar kijk eens naar die, met je haar voor je ogen. En wat het 'm doet is dat je er op deze ouder uitziet dan op díe...' Ze leunde tegen hem aan, schouder aan schouder. Howard ging zachtjes met zijn duim over een van zijn gezichten. Dit was Howard Belsey. Dit was wat de mensen zagen terwijl hij door de wereld ging.

'Maar goed... nu zijn ze van mij,' zei ze en griste de foto's weg. Ze vouwde de strook dubbel en stopte hem in haar zak.

'Dus vanavond haal je me op? Net als in de film: ik draag een corsage en naderhand geef ik over op je schoenen.'

Ze stapte naar achteren en ging een tree hoger staan. Met gestrekte armen schommelde ze heen en weer tussen de trapleuning en de muur, zodat de gedachte zich opdrong aan Howards eigen kinderen, vroeger in Langham 83.

'Ik denk niet...' begon Howard, en begon toen opnieuw: 'Waar moesten we ook alweer naartoe?'

'Emerson Hall. Drie professoren per tafel. Jij bent de mijne. Eten, drinken, speeches, naar huis. Niks ingewikkelds.'

'Weet je... Monty – weet hij dat je met mij gaat?'

Victoria sloeg haar ogen ten hemel. 'Nee, maar dat vindt hij prima. Hij vindt dat Mike en ik zoveel mogelijk in aanraking moeten komen met liberalen. Volgens hem leer je op die manier niet stom te zijn.'

'Victoria,' zei Howard en hij deed zijn best haar in de ogen te kijken, 'ik denk dat je iemand anders moet zoeken om mee te gaan. Ik vind het niet gepast. En eerlijk gezegd ben ik op het moment niet in de juiste stemming voor een of ander...'

'Jézusmina! – hállo? Meisje met pas overleden moeder. God, wat heb jij het druk met jezelf!'

Victoria klom de trap weer op en legde haar hand op de branddeur. De tranen stonden haar in de ogen. Howard had medelijden met haar, uiteraard, maar wilde vooral ontzettend graag dat als ze ging huilen, ze dat ver van hier en van hem deed, voor er iemand deze trap af of die deur door kwam.

'Natuurlijk, dat snap ik wel... natúúrlijk... maar ik zeg alleen... weet je, we hebben er nogal een... zootje van gemaakt, en we kunnen het nu maar het beste afkappen nu het... gewoon, streep eronder voordat er meer mensen gekwetst worden.'

Victoria lachte akelig.

'Maar ís het niet zo?' smeekte Howard fluisterend. 'Zou dat niet het beste zijn?'

'Het beste voor wie? Luister,' zei ze, terwijl ze drie treden omlaag stapte. 'Als je nu afzegt komt het nog veel verdachter over. Het is besproken. Ik ben hoofd van mijn tafel, ik moet gaan. Ik heb drie weken condoleancekaartjes en rottigheid achter de rug, ik wou gewoon eens iets normááls doen.'

'Dat begrijp ik,' zei Howard en boog zijn hoofd. Hij overwoog een opmerking te plaatsen over haar bizarre keuze voor het woord 'normaal', maar ondanks al Victoria's sex-appeal en lef was de overheersende indruk die ze nu maakte er een van breekbaarheid. Ze was extreem breekbaar, en daar lag iets dreigends in, in die trillende onderlip; er lag een waarschuwing in. Als hij haar brak, waar zouden de stukjes dan heen vliegen?

'Dus we zien elkaar om acht uur voor Emerson, oké? Doe je dat pak aan? Het was de bedoeling dat je in smoking kwam, maar...'

De branddeur ging open.

'En ik wil dat essay uiterlijk maandag hebben,' zei Howard luid, met de schrik op zijn gezicht. Victoria deed alsof ze boos was, draaide zich om en liep weg. Howard glimlachte en zwaaide naar Liddy Cantalino, die haar kopieën kwam halen.

Toen Howard die avond thuiskwam voor het avondeten was er geen eten; het was een van die avonden waarop iedereen weg moest. Er werd naarstig gezocht naar sleutels, haarspelden, jassen, badhanddoeken, cacaoboter, flesjes parfum, portefeuilles, dat vijfdollarbiljet dat eerder op de keukenbar had gelegen, een verjaardagskaart, een envelop. Howard, die van plan was er weer opuit te gaan in het pak dat hij aanhad, zat op de keukenkruk als een ondergaande zon waar zijn gezinsleden omheen cirkelden. Hoewel Jerome twee dagen tevoren was teruggekeerd naar Brown, was de herrie niet verminderd, noch de drukte die je voelde in de gangen en op de trap. Hier was zijn gezin, en ze waren met velen.

'Vijf dollar,' zei Levi, zich plotseling tot zijn vader richtend. 'Het lag op de bar.'

'Sorry, ik heb het niet gezien.'

'En wat móet ik nou?' drong Levi aan.

Kiki stoof de keuken in. Ze zag er mooi uit in haar groenzijden pak met Nehru-kraagje. De onderste helft van haar lange vlecht was losgehaald en geolied, zodat het haar in losse krullen neerviel. In haar oren droeg ze de enige edelstenen die Howard haar ooit had kunnen geven: twee eenvoudige hangers van smaragd die van zijn moeder waren geweest.

'Je ziet er fantastisch uit,' zei Howard welgemeend.

'Wat?'

'Niets. Je ziet er fantastisch uit.'

Kiki fronste en schudde haar hoofd om deze onverwachte onderbreking van haar gedachten van zich af te zetten.

'Hier, zet even je naam op deze kaart. Hij is voor Theresa, van het ziekenhuis. Ze is jarig. Ik weet niet hoe oud ze wordt, maar Carlos gaat bij haar weg en ze voelt zich ellendig. Ik en een paar andere meiden gaan even wat met haar drinken. Je ként Theresa, Howard, ze is een van de mensen die rondlopen op deze planeet en die niet jou zijn. Ja, dank je. Levi, jij ook. Gewoon je naam, je hoeft er niets bij te zetten. Enne, halfelf thuis, niet later. Doordeweekse avond. Waar is Zora? Zij moet ook even tekenen. Levi, heb je je beltegoed al opgewaardeerd?'

'Hoe kan ik mijn beltegoed nou opwaarderen als mensen mijn poen van de bar jatten? Hè?'

'Wel een nummer achterlaten waar ik je kan bereiken, oké?'

'Ik ga op stap met m'n *vriend*. Hij heeft geen mobieltje.'

'Levi, wat voor soort vriend heeft nou geen mobieltje? Wat zijn dat voor lieden?'

'Mam, eerlijk zeggen,' zei Zora, die in staalblauw satijn gehuld achterstevoren de kamer in kwam lopen met haar handen boven haar hoofd. 'Kan deze jurk qua achterwerk?'

Een kwartier later werd het transport besproken, van eventuele liften tot bussen en taxi's. Howard gleed stilletjes van zijn kruk en trok zijn jas aan. Dit verraste zijn gezin.

'Waar ga jíj nou heen?' vroeg Levi.

'Iets van de universiteit,' zei Howard, 'diner in een van de studentenverenigingen.'

'Een van de diners?' vroeg Zora verbaasd. 'Daar heb je niets van gezegd. Ik dacht dat je dit jaar niet ging. Welk?' Ze was bezig een paar elegante lange handschoenen aan te trekken.

'Emerson,' zei Howard haperend. 'Maar ik zie jou zeker niet meer, of wel? Jij gaat toch naar Fleming?'

'Waarom ga jíj naar Emerson? Je gaat nooit naar Emerson.'

Het kwam Howard voor dat al zijn gezinsleden overmatig geïnteresseerd waren in zijn antwoord. Ze stonden in afwachting in een halve kring hun jassen aan te trekken.

'Een paar voormalige studenten van me wilden...' begon Howard, maar Zora praatte eroverheen. 'Nou, ik ben hoofd van mijn tafel, en ik heb Jamie Anderson gevraagd. Ik ben laat, ik moet ervandoor.' Ze kwam naar voren om haar vader op zijn wang te kussen, maar Howard trok zijn hoofd terug.

'Waarom heb je Anderson gevraagd? Waarom niet mij?'

'Pap, ik ben vorig jaar met jou gegaan.'

'*Anderson*? Zora, die vent is zo'n kapsoneslijer. Hij is nauwelijks de puberteit voorbij. Een imbeciel, dat is-ie.'

Zora glimlachte, gevleid door deze uiting van jaloezie.

'Zo erg is hij nou ook weer niet.'

'Hij is belachelijk! Je hebt me zelf gezegd wat voor belachelijke werkgroep dat is. Post-Inheems-Amerikaanse protestpamfletten of wat dan ook. Ik kan er niet bij waarom je...'

'Pap, hij is best oké. Hij is... fris. Hij heeft nieuwe ideeën. Ik neem Carl ook mee; Jamie is geïnteresseerd in etnische orale cultuur.'

'Dat zal best.'

'Pap, ik moet gaan.'

Ze kuste hem licht op zijn wang. Geen knuffel. Niet even met haar knokkels tegen zijn hoofd wrijven.

'Wacht even!' riep Levi, 'ik wil meerijden!' en hij volgde zijn zus naar de deur.

En nu stond ook Kiki op het punt om hem te verlaten, zonder afscheid. Maar op de drempel draaide ze zich om; ze kwam op Howard af en hield zijn arm vast bij de slappe biceps. Ze bracht haar mond dicht bij zijn oor. 'Howard, Zoor aanbidt je. Doe er niet moeilijk over. Ze wilde met jou gaan, maar klasgenoten hebben geïnsinueerd dat ze op een of andere manier... ik weet niet... wordt voorgetrokken.'

Howard opende zijn mond om dit tegen te spreken, maar Kiki klopte hem op zijn schouder. 'Weet ik toch, maar zij hebben echt geen excuus nodig. Ik geloof dat sommigen behoorlijk rot tegen haar doen. Het zit haar niet lekker. Ze had het er in Londen al over.'

'Maar waarom heeft ze het niet met mij besproken?'

'Lieverd, eerlijk gezegd kwam je een beetje afwezig over in Londen. En je was aan het schrijven, en ze vindt het fijn als je aan het werk bent. Ze wilde je er niet mee lastigvallen. Wat je ook denkt,' zei Kiki, en ze kneep lichtjes in zijn arm, 'we willen allemaal dat je goed werkt. Maar nu moet ik gaan.'

Ze gaf hem een kus op zijn wang, zoals Zora had gedaan, nostalgisch. Een verwijzing naar vroegere genegenheid.

7

In januari, bij de eerste ceremonie van het jaar, komt de ijzeren wilskracht van de studentes van Wellington aan het licht. Helaas voor de jonge vrouwen wordt deze demonstratie van puur doorzettingsvermogen toegeschreven aan 'vrouwelijkheid' – die meest passieve aller deugden – en komt ze derhalve niet ten bate van hun gemiddeld studiecijfer. Het is niet eerlijk. Waarom zijn er geen prijzen voor het meisje dat zich door de kerstperiode heen hongert, dat alle aangeboden suikergoed, braadstukken en likeurtjes afslaat om op de januariceremonie in een avondjurk met lage rug en open schoentjes te kunnen verschijnen, ook al ligt de temperatuur nabij het vriespunt en is de grond bedekt met een dik pak sneeuw? Howard, die een enkellange jas, handschoenen, leren schoeisel en een dikke universiteitssjaal droeg, stond bij het hek van Emerson en keek met waar ontzag naar het waas van witte vlokken die op naakte schouders en handen vielen, de geklede mannen die hun halfnaakte, elegante partners vasthielden terwijl ze samen rond plassen en sneeuwbanken stapten als ballroomdansers op een stormbaan. Ze zagen er allemaal uit als prinsessen – maar wat een stalen inborst moest daaronder schuilen!

'Avond, Belsey,' zei een oude historicus die Howard kende. Howard reageerde met een knikje en liet de man voorbijgaan. Het gezelschap van de historicus was voor deze avond een jonge man. Howard dacht dat zij tweeen er gelukkiger uitzagen dan de gemengde koppels van studenten met faculteitspartners die met tussenpozen de poort door gingen. Het was een oude traditie, dit diner, maar niet bepaald een prettige. De lessituatie werd nooit meer de oude nadat je de studente in kwestie in avondkleding had gezien – al was die grens in Howards geval natuurlijk al lang en breed overschreden. Howard hoorde de eerste bel klinken; het signaal voor de mensen om naar hun plaatsen te gaan. Hij hield zijn handen in zijn zakken en wachtte. Het was zelfs te koud om een sigaret te roken. Hij keek uit over Wellington Square, naar de schitterende witte torenspitsen van de universiteit en de altijdgroene bomen nog versierd met kerstverlichting. In dit bitterkoude weer traanden Howards ogen onophoudelijk. Daardoor spreidde voor hem alle elektrische verlichting zich fonkelend uit: straatlantarens werden fonteinen en stoplichten veranderden in natuurverschijnselen, gloeiend en pulserend als het noorderlicht. Victoria was inmiddels tien minuten te laat. De wind blies de sneeuw in horizontale vlagen op van de grond. Het door gebouwen omgeven plein achter hem zag eruit als een pooltoendra. Nog eens vijf minuten. Howard stak slenterend over naar Emerson Hall zelf en posteerde zich net binnen de deuren, waar hij haar niet kon mislopen. Aangezien iedereen al zat bleef hij over met het bedienend personeel, zo zwart in hun witte hemden, met in hun handen de schotels vol garnalen uit Wellington die er altijd beter uitzagen dan ze smaakten. Hier waren ze informeel, ze lachten en floten, ze spraken hun luidruchtige Creools en raakten elkaar aan. Totaal anders dan de stille, onderdanige bedienden die ze in de zaal werden. Nu gingen ze vlak bij Howard in een rij staan met hun schotels, ongeduldig wiebelend als voetballers in een tunnel, klaar om het veld op te rennen. Bij de harde klap van een zijdeur die dichtsloeg draaide iedereen, inclusief Howard, zich tegelijkertijd om. Vijftien blanke jongemannen in bijpassende zwarte kostuums met goudkleurige gilets liepen de hal in. Vliegensvlug verspreidden ze zich over de grote trap. De dikste zong nu een heldere, vaste noot waarop de anderen invielen tot er een bijna ondraaglijk mooi akkoord in de lucht hing. Het vibreerde zo heftig dat het door Howards lichaam ging, zoals wanneer je naast een enorme luidspreker staat. De voordeur ging open.

'Shit! Sorry dat ik zo laat ben, sorry. Kledingcrisis.'

Victoria, gekleed in een zeer lange jas, veegde de sneeuw van haar schouders. De jongemannen, kennelijk tevreden over hun soundcheck, hielden op met zingen en gingen met z'n allen terug naar de kamer waar ze uit waren gekomen. Een mager applausje – dat uitgesproken ironisch klonk – kwam van de kelners. 'Je bent inderdaad erg laat,' zei Howard terwijl hij de zangers fronsend nakeek, maar Victoria gaf geen antwoord. Ze had het druk met haar jas. Howard draaide zich weer om.

'Wat vind je ervan?' vroeg ze, ofschoon er maar één antwoord mogelijk was. Ze droeg een glinsterend wit, laag uitgesneden pak. Zo te zien zat er niets onder. Haar taille was zo rank als een twijgje, haar billen tekenden zich schaamteloos af. Haar haar zat weer anders: dit keer met een zijschei-

ding en gladgestreken met pommade, zoals op die oude foto's van Josephine
Baker. Haar wimpers leken langer dan anders. De blik van iedere man en
vrouw in de rij bedienden was op haar gericht.

'Je ziet er...' probeerde Howard.

'Tja, ach... ik dacht, één van ons moet toch een mooi pak dragen.'

Ze liepen de hal in tegelijk met de bedienden, die gelukkig het zicht op
hen wegnamen. Howard was bang dat alle activiteit en elke conversatie in
de zaal zou stokken als de dinergasten zomaar werden geconfronteerd met
deze onmogelijke schoonheid die naast hem liep. Ze gingen op hun plaatsen zitten aan een lange tafel die aan de oostelijke muur grensde. Aan deze
tafel zaten vier professoren met hun studenten. De overige plaatsen werden in beslag genomen door eerstejaars van andere studentenverenigingen
die voor hun kaartje hadden betaald. Dit patroon werd door de hele zaal
herhaald. Aan een tafel vooraan bij het podium ontdekte Howard Monty.
Hij zat naast een zwart meisje wier haar in een vergelijkbare stijl was gekapt als dat van Victoria. Zij en alle andere studenten aan tafel richtten hun
aandacht op Monty, die op dat moment op zijn bekende manier aan het
speechen was.

'Is je váder hier?'

'Ja,' zei Victoria onschuldig en ze spreidde haar servet uit over haar witte
schoot. 'Hij zit bij Emerson. Wist je dat niet?'

Voor het eerst kwam het bij Howard op dat ze misschien een spelletje
met hem speelde. Een adembenemende, ongebonden negentienjarige die
haar aandacht schenkt aan een getrouwde man van zevenenvijftig jaar (weliswaar nog met volle haardos) – zou ze misschien andere motieven hebben
dan pure dierlijke passie? Maar Howard werd in zijn bespiegelingen over
dit onderwerp gestoord door een oude man die in vol universitair ornaat
opstond, hun allen welkom heette en iets langs in het Latijn zei. Opnieuw
klonk de bel. Het bedienend personeel kwam naar binnen. De plafond-
lampen werden gedimd, zodat de kaarsen op tafel hun flakkerend licht
konden laten schijnen. De sommeliers gingen rond, bogen zich voorzichtig over de linkerschouders van de gasten en bekroonden het inschenken
telkens met een elegante draai van de fles. Het voorafje volgde. Dit bestond
uit twee van de garnalen die Howard in de hal had zien staan naast een
kommetje mosselsoep met een pakje croutons erbij. Howard had tien jaar
lang met deze pakjes 'Wellington Town'-croutons geworsteld en had geleerd ervan af te blijven. Victoria trok haar pakje open, waarbij drie stuks
tegen Howard aan vlogen. Dat maakte haar aan het lachen. Haar lach was

innemend – op de een of andere manier was ze *niet in functie* als ze lachte. Maar toen werd de voorstelling hervat; ze brak haar broodje open en sprak tegen hem op die schalkse, satirische manier die voor flirterig moest doorgaan. Aan zijn andere kant zat een verlegen, onaantrekkelijk meisje, een gaststudente van de technische universiteit, dat hem probeerde uit te leggen met wat voor soort experimentele natuurkunde ze zich bezighield. Onder het eten probeerde hij te luisteren. Hij stelde haar met opzet allerlei geïnteresseerde vragen; zo hoopte hij het effect van Victoria's overduidelijke desinteresse teniet te doen. Maar na tien minuten was hij door alle mogelijke vragen heen. Natuurkundige en kunsthistoricus ontmoetten hun gelijke in onvertaalbare vaktermen, in twee werelden die maar niet wilden samensmelten. Howard dronk zijn tweede glas wijn leeg en excuseerde zich om naar het toilet te gaan.

'Howard! Hahahahaha! Mooie plek om elkaar tegen te komen. Godskolere, wat een gedoe, hè. Wat een gedoe! Een keer per jaar en dat is goddomme nog veel te veel!'

Het was Erskine, dronken, zwaaiend op zijn benen. Hij kwam naast Howard staan en ritste zijn gulp open. Howard kon niet pissen naast bekenden. Hij deed alsof hij net klaar was en liep naar de wasbak.

'Zo te zien gaat het je anders niet slecht af. Ersk, hoe heb je het voor elkaar gekregen om nu al zo'n stuk in je kraag te hebben?'

'Ik zit me al een uur moed in te drinken. John Flanders, ken je die?'

'Ik geloof van niet.'

'Heb je mazzel. Mijn vervelendste, lelijkste, *stomste* leerling. Wáárom? Waarom is het altijd de student met wie je het allerminst je tijd wilt spenderen die zíjn tijd wil doorbrengen met jou?'

'Passieve agressie,' grapte Howard terwijl hij zijn handen inzeepte. 'Ze wéten dat je ze niet moet. En ze proberen je te pakken: ze leiden je af, ze gieten je vol, totdat je het toegeeft.'

Erskine voltooide met een zucht zijn krachtige stroom, ritste zijn gulp dicht en kwam naast Howard bij de wasbakken staan. 'En jij?'

Howard keek op naar zijn spiegelbeeld. 'Victoria Kipps.'

Erskine proestte het uit. 'Dat is nog eens...' Hier floot Erskine wellustig tussen zijn tanden door, en Howard wist wat er zou volgen. Als het over aantrekkelijke vrouwen ging viel Erskines charmante masker steevast van zijn gezicht. Dat was een kant van hem die Howard altijd al had gekend maar waar hij liever niet bij stilstond. Drank maakte het nog erger. 'Dat meisje,' fluisterde Erskine hoofdschuddend, 'daar gaan mijn ogen van *branden*. Als je op de gang langs die meid komt, moet je pik wel aan je been vastgesnoerd zitten. En kijk jij nou maar niet zo verontwaardigd. Kom, kom... jij bent ook geen lieverdje, Howard, dat weten we intussen allemaal. Die meid, dat is me er een! Je moet wel blind zijn om dat niet te zien. Hoe is het mogelijk dat ze familie is van een walrus als Monty!'

'Ze ziet er goed uit,' stemde Howard in. Hij hield zijn handen onder de droger, hopend dat het lawaai Erskine het zwijgen op zou leggen.

'Die jongens van nu hebben maar mazzel. Ja toch? Hun generatie meisjes weet hoe ze hun lichaam moeten gebruiken. Ze *begrijpen* hun eigen macht. Toen ik met Caroline trouwde was ze beeldschoon, ja, natuurlijk. Maar in bed: als een schoolmeisje uit het Zuiden! Als een *kind*. En nu zijn we te oud. We dromen, maar aanraken gaat niet meer. O, Victoria Kipps in bed te hebben! Maar die tijd is voorbij!'

Erskine liet zijn hoofd hangen in een parodie van bedroefdheid en liep achter Howard de toiletten uit. Het kostte Howard de nodige zelfbeheersing om Erskine niet te vertellen dat hij haar wél had aangeraakt, dat zíjn tijd nog niet voorbij was. Hij versnelde zijn pas een beetje, zo graag wilde hij terug naar zijn tafel. Een ander zo over Victoria te horen praten had zijn verlangen naar haar weer gewekt.

'Daar gaan we weer,' zei Erskine bij de deur naar de zaal. Hij wreef zich in de handen en liet Howard achter om naar zijn tafel te gaan. Een stroom bedienden verliet de zaal toen zij binnenkwamen. Howard was zich bewust van zijn blanke huid terwijl ze zich allemaal langs hem heen wrongen; hij was als een toerist die zich een weg baant door een druk Caribisch steegje. Ten slotte kwam hij bij zijn plaats. Terwijl hij ging zitten kreeg hij het vluchtige pornografische idee om onder tafel zijn vingers in Vee te laten glijden en haar op die manier tot een orgasme te brengen. Maar de realiteit liet zich gelden: ze droeg een lange broek. En ze was druk, ze praatte heel hard tegen het verlegen meisje, de jongen naast haar en de jongen naast hem. Hun gezichten gaven Howard het idee dat Victoria sinds hij van tafel was gegaan aan één stuk door had gepraat.

'Maar ja, zo bén ik nu eenmaal,' zei ze, 'ik ben gewoon het soort persoon dat dat soort gedrag beneden alle peil vindt, zo zit ik nu eenmaal in elkaar. Ik verontschuldig me nergens voor. Ik vind dat ik zo veel respect wel verdien. Ik ben heel duidelijk wat betreft mijn grenzen...'

Howard pakte de kaart die voor hem lag om erachter te komen wat er verder op het menu stond.

Vocaal intermezzo

Maïskip ingerold in parmaham
op een bedje van doperwtenrisotto

Toespraak door dr. Emily Hartman

Limoentaart

Howard wist natuurlijk dat het eraan zat te komen, maar hij wist niet dat het zo snel zou zijn. Voor zijn gevoel had hij niet de kans gehad zich mentaal voor te bereiden. Het was nu te laat om weer weg te gaan, de bel ging. En daar kwamen ze, de jongens in hun goudkleurige giletjes, met hun haar à la F. Scott Fitzgerald en blozende gezichten. Onder luid applaus begaven ze zich naar het podium, je zou bijna kunnen zeggen dat ze erheen drááfden. Opnieuw stelden ze zich trapsgewijs op, de grootste jongens achteraan, de blonde jongens in het midden en de dikke jongen middenvoor. De dikke opende zijn mond en liet die klokachtige toon schallen, doortrokken van oud Bostons kapitaal. Zijn maten vielen in volmaakte harmonie in. Howard voelde het bekende probleem, achter zijn ogen die onmiddellijk waren volgelopen. Hij beet op zijn lip en perste zijn knieën tegen elkaar. Het zou allemaal nog veel erger worden doordat hij zijn blaas niet had geleegd. Rond zijn tafel richtten negen doodernstige gezichten zich afwachtend naar het podium om te worden geëntertaind. Buiten het trillende akkoord was de zaal stil. Howard voelde dat Victoria onder tafel zijn knie aanraakte. Hij schoof haar hand weg. Hij moest zich nu volledig concentreren op het bedwingen van zijn overontwikkelde gevoel voor het belachelijke. Hoe sterk was zijn wilskracht?

Er zijn op deze wereld twee soorten a-capellakoren. Het eerste type zingt gouwe ouwen en melodietjes van Gershwin; ze wiegen er zachtjes bij heen en weer, knippen met hun vingers en met hun ogen. Dat type kon Howard nog wel aan. Evenementen die werden opgeluisterd door dit type a-capellakoor had hij doorstaan. Maar deze jongens waren niet van dat type. Gewieg, vingergeknip en geknipoog waren voor hen slechts een opwarmertje. Vanavond hadden ze als openingsnummer gekozen voor 'Pride (In the Name of Love)' van U2, dat ze voor de gelegenheid hadden gearrangeerd als een samba. Ze wiegden, ze knipten, ze knipoogden. Ze maakten op elkaar afgestemde pirouettes. Ze wisselden onderling van plaats. Ze stapten naar voren, ze stapten naar achteren, en steeds bleef hun opstelling intact. Op hun gezicht lag het soort glimlach dat je zou kunnen aanwenden wanneer je een krankzinnige ervan probeert te overtuigen dat hij moet ophouden een pistool tegen je moeders hoofd te houden. Een van de jongens begon met zijn stem de baslijn van het nummer na te doen. En nu hield Howard het niet langer. Hij begon te sidderen, en omdat hij moest kiezen tussen tranen en geluid, koos hij voor tranen. In een paar tellen was hij doorweekt. Zijn schouders deinden. De inspanning om geen geluid te maken kleurde zijn gezicht paars. Een van de jongens stapte uit het ensemble om de moonwalk te doen. Howard drukte een dik katoenen servet tegen zijn gezicht.

'Hou op!' fluisterde Victoria en kneep in zijn knie. 'Iedereen kijkt!'

Het verbaasde Howard dat een meisje dat gewend was aan zo veel bekijks, zo'n hekel had aan blikken van deze andere soort. Verontschuldigend haalde hij het servet weg, maar het resultaat daarvan was dat het geluid vrijkwam. Een schril gegier klonk op in de zaal. Het trok de aandacht van de mensen aan Howards eigen tafel en van die aan de vier tafels ernaast. Het bereikte zelfs de tafel van Monty: alle gasten aan die tafel draaiden hun hoofd zoekend om, zonder vooralsnog in staat te zijn de brutale stoornis te lokaliseren.

'Wat dóe je? Ben je niet lekker?! Hou óp!'

Howard gebaarde machteloos. Zijn gegier ontaardde in een gegak.

'Neem me niet kwalijk,' zei een stugge vrouwelijke hoogleraar aan de tafel achter hem, die hij niet kende, 'maar dit is bijzonder grof.'

Maar Howard wist zich geen raad. Hij kon zijn blik ofwel weer op de zangers richten, ofwel weer zijn eigen tafelgenoten aankijken, die nu allemaal deden alsof ze niets met hem te maken hadden, achteroverleunden in hun stoelen en zich hardnekkig op het podium concentreerden.

'Alsjeblieft,' zei Victoria dwingend, 'dit is niet grappig. Ik schaam me dood.'

Howard richtte zijn blik weer op de zangers. Hij probeerde aan ongrappige dingen te denken: de dood, echtscheiding, belastingen, zijn vader. Maar iets in het geklap van de dikke jongen deed hem de das om. Hij stoof op van zijn stoel, stootte hem om, zette hem overeind en ontsnapte via het middenpad.

Toen Howard thuiskwam verkeerde hij in een middelmatige staat van dronkenschap. Te dronken om te werken, niet dronken genoeg om te slapen. Het huis was leeg. Hij ging de huiskamer in. Hier zat Murdoch, ineengekruld. Howard bukte zich en streelde zijn hondensnuitje, waarbij de bruinroze huid van zijn bek werd weggetrokken van de onschuldige, stompe tandjes. Murdoch bewoog humeurig. Toen Jerome een klein kind was, mocht Howard graag de kinderkamer in gaan en zijn zijdezachte hoofdje aanraken, wetend, wíllend dat hij wakker zou worden. Hij had dat warme, naar talk geurende gezelschap op zijn schoot aangenaam gevonden, die kleine peutervingertjes die zich uitstrekten naar het toetsenbord van zijn typemachine. Computers waren er toen nog niet. Howard tilde Murdoch uit zijn stinkende mand, hield hem onder één arm vast en liep zo naar de boekenkast. Hij liet een rusteloos oog over de regenboog aan ruggen en titels glijden. Maar elk ervan stuitte op weerstand in Howards ziel, hij wilde geen fictie of biografie, hij wilde geen poëzie of iets academisch, geschreven door een bekende. De slaperige Murdoch blafte zachtjes en nam twee van Howards vingers in zijn bek. Met zijn vrije hand pakte Howard een uitgave van *Alice in Wonderland* van rond de eeuwwisseling van de plank en nam hem samen met Murdoch mee naar de bank. Zodra hij werd losgelaten, trok Murdoch zich terug in zijn mand. Hij leek Howard daarbij verontwaardigd aan te kijken, en eenmaal terug in zijn eerdere houding verborg hij zijn kop tussen zijn voorpoten. Howard legde een kussen aan een uiteinde van de bank en strekte zich erop uit. Hij sloeg het boek open, en werd naar een paar zinnen in hoofdletters getrokken.

HEEL

HAALDE EEN HORLOGE UIT ZIJN VESTZAK

MARMELADE

DRINK MIJ

Hij las enkele regels. Gaf het op. Bekeek de illustraties. Gaf het op. Deed zijn ogen dicht. Het eerste wat hij daarna voelde was een zachte, zware massa die de bank ter hoogte van zijn dij omlaag drukte, en toen een hand op zijn gezicht. Het licht op de veranda was aan en de kamer baadde in een amberen gloed. Kiki nam het boek uit zijn handen.

'Taaie kost. Blijf je hier beneden?'

Howard schoof een stukje op. Hij bracht zijn hand naar zijn oog en veegde er een hard stukje gele slaap uit. Hij vroeg hoe laat het was.

'Laat. De kinderen zijn al terug. Heb je ze niet gehoord?'

Dat had Howard niet.

'Ben je vroeg teruggekomen? Had het me maar gezegd, dan had ik je gevraagd Murdoch uit te laten.'

Howard schoof verder op en pakte haar bij de pols. 'Slaapmutsje,' zei hij, en hij moest het herhalen want de eerste keer kwam er alleen een schor geluid.

Kiki schudde haar hoofd.

'Kieks, toe nou, eentje maar.'

Kiki drukte haar handpalmen in haar oogkassen. 'Howard, ik ben doodop. Ik heb een emotionele avond achter de rug. En voor mij is het een beetje laat om te drinken.'

'Toe, lieverd. Eentje.'

Howard stond op en liep naar het drankkastje naast de geluidsinstallatie. Hij opende het deurtje, keerde zich om en zag Kiki staan. Hij keek haar smekend aan. Ze zuchtte en ging zitten. Howard voegde zich bij haar met een fles amaretto en twee cognacglazen. Dit was een drankje waar Kiki van hield en ze hield haar hoofd schuin, als om toe te geven dat hij goed gekozen had. Howard ging dicht bij zijn vrouw zitten.

'Hoe was het met Tina?'

'*Theresa.*'

'Theresa.'

Er volgde niets. Howard accepteerde het gebrom, de golven van stille boosheid die van Kiki af sloegen. Ze tikte met haar vingers op het leer van de bank. 'Ach ja, ze is woest. Túúrlijk is ze woest. Carlos is een misselijke klootzak, hij heeft de advocaten er al bij gehaald. Theresa weet niet eens wie die vrouw ís. Bla, bla, bla. De kleine Louis en Angela zijn er kapot van. En nu gaan ze naar het gerecht, ik heb geen idee waarom. Ze hebben niet eens geld om over te ruziën.'

'Ah,' zei Howard, niet gerechtigd om meer te zeggen. Hij schonk twee glazen amaretto in, gaf Kiki er een van en bracht zijn glas naar het hare. Hij hield zijn glas hoog in de lucht. Ze keek hem met samengeknepen ogen aan, maar tooste wel.

'Dus, daar gaat er weer een,' zei ze, terwijl ze door de openslaande deuren naar het silhouet van hun wilg keek. 'Dit jaar... zowat iedereen in onze omgeving gaat uit elkaar. Wij zijn niet de enigen. Iédereen. Dit is al het vierde stel sinds de zomer. Net dominostenen. Tik, tik, tik. Alsof er een tijdschakelaar op al die huwelijken zit. Het is diep treurig.'

Howard leunde net als zij naar voren, maar zei niets.

'Erger nog, het is voorspélbaar.' Kiki zuchtte. Ze schopte haar instappers uit en stak haar blote voet uit naar Murdoch. Met haar grote teen volgde ze de lijn van zijn ruggengraat.

'We moeten praten, Howard,' zei ze, 'zo kan het niet langer. We moeten echt praten.'

Howard trok zijn lippen samen en keek naar Murdoch. 'Maar niet nu, toch,' zei hij.

'Nou, we moeten écht praten.'

'Dat ben ik met je eens. Ik zeg alleen niet nu. Niet nu.'

Kiki haalde haar schouders op en bleef Murdoch aaien. Ze stopte haar teen onder zijn oor en liet het omklappen. Het verandalicht werd automatisch uitgeschakeld en liet hen achter in landelijke duisternis. Het enige resterende licht was het kleine lampje onder de afzuigkap in de keuken.

'Hoe was je diner?'

'Gênant.'

'Hoezo? Was Claire er?'

'Néé. Dat is niet eens...'

Ze waren weer stil. Kiki ademde zwaar uit. 'Sorry. Waarom was het gênant?'

'Er was een a-capellakoortje.'

In de schaduw kon Howard Kiki zien glimlachen. Ze keek hem niet aan maar ze glimlachte. 'O, hemel. Néé toch.'

'Een a-capellakoortje met alles erop en eraan. Gouden giletjes.'

Kiki glimlachte nog steeds en knikte enkele malen snel achter elkaar. 'Zongen ze "Like a Virgin"?'

'Ze zongen iets van U2.'

Kiki haalde haar vlecht naar de voorkant van haar lichaam en draaide het uiteinde ervan rond haar pols.

'Wat?'

Howard vertelde het haar. Met samengetrokken wenkbrauwen dronk Kiki haar amaretto op en schonk zich nog eens in.

'Nee... die ken ik niet. Hoe gaat dat nummer?'

'Bedoel je hoe dat liedje *eigenlijk* gaat of hoe ze het zongen?'

'Het was in elk geval niet erger dan die ene keer, toch? Onmogelijk. O, god, ik bestierf het bijna, toen.'

'Yale,' zei Howard. Hij was altijd de schatbewaarder geweest van hun data, hun namen, hun plaatsen. Waarschijnlijk een vrouwelijk trekje van hem. 'Het dineetje voor Lloyd.'

'Yale. De revanche van de wittejongenssoul. God almachtig. Ik moest maken dat ik wegkwam. Ik huilde van het lachen. Hij praat nog steeds nauwelijks tegen me vanwege die avond.'

'Lloyd is een arrogante zak.'

'Dat is waar...' zei Kiki peinzend, haar glas ronddraaiend in haar hand. 'Maar wij twee hebben ons inderdaad niet netjes gedragen die avond.'

Buiten jankte een hond. Howard was zich bewust van Kiki's knie in de ruwe groene zijde, die tegen zijn knie aan lag. Hij was er nog niet zeker van of zij zich er ook van bewust was.

'Dit was erger,' zei hij. Kiki floot tussen haar tanden. 'Nee,' zei ze, 'je gaat me toch niet vertellen dat het net zo erg was als Yale. Dat is godsonmogelijk.'

'Erger.'

'Sorry, maar daar geloof ik niets van.'

Nu begon Howard, die een goede zangstem had, een treffende imitatie.

Kiki sloeg haar hand voor haar mond. Haar boezem schudde. Ze zat eerst voorovergebogen te giechelen, maar nu viel haar hoofd met een ruk naar achteren en barstte ze uit in haar vette bulderlach. 'Je verzint het gewoon!'

Howard schudde ontkennend zijn hoofd. Hij zong verder. Kiki schudde haar vinger naar hem. 'Nee, nee, nee... ik moet de gebáren erbij zien. Zonder dat gedoe is het niet hetzelfde.'

Howard stond op, nog steeds zingend, en ging met zijn gezicht naar de bank staan. Hij deed nog geen pasjes; eerst moest hij zich de bewegingen voor de geest halen en ze dan aanpassen aan zijn slecht gecoördineerde lichaam. Eventjes raakte hij in paniek, niet in staat het idee en zijn spieren in dezelfde gedachte te vatten. Maar plotseling viel alles op zijn plek. Zijn lichaam wist wat het te doen stond. Hij begon met een draai en een tongklak.

'O, hou toch je mónd. Ik geloof er geen barst van! Néé! Nee toch, dat déden ze toch niet!'

Kiki liet zich achterover vallen in de kussens, alles aan haar schudde. Howard verhoogde het tempo en het volume, met groeiend zelfvertrouwen en steeds meer fantasie in zijn voetenwerk.

'O, mijn god! Wat heb je gedáán?'

'Ik moest vluchten,' zei Howard snel en ging door met zingen.

De deur van Levi's kelderkamer ging open. 'Yo! Kan het wat rustiger, man. Er zijn mensen die willen slapen!'

'Sorry!' fluisterde Howard en hij ging zitten, pakte zijn glas en bracht het naar zijn mond, nog nalachend, hopend op een omhelzing, maar op hetzelfde moment stond Kiki geagiteerd op, als een vrouw die wordt herinnerd aan een karwei dat ze nog niet heeft afgemaakt. Zij lachte ook nog steeds, maar niet blij, en naarmate het gelach wegstierf werd het meer een soort gekerm, en toen een vage zucht, en toen niets meer. Ze depte haar ogen.

'Nou,' zei ze. Howard zette zijn glas op tafel, hij wilde iets zeggen, maar ze stond al in de deuropening. Ze zei dat hij boven in de kast een schoon laken kon vinden voor op de bank.

8

Levi had zijn slaap hard nodig. Hij moest vroeg op om iemand in Boston op te zoeken en tegen de middag terug op school te zijn. Om halfacht stond hij in de keuken, sleutels op zak. Voor hij wegging bleef hij staan bij de provisiekast, zonder echt te weten wat hij zocht. Als kind had hij zijn moeder vergezeld op bezoekjes in Bostonse woonwijken aan zieke of eenzame mensen die ze kende uit het ziekenhuis. Dan nam ze altijd iets te eten mee. Maar Levi had als volwassene nog nooit een bezoek aan iemand in Boston gebracht. Met een lege blik keek hij in de kast. Boven hoorde hij een deur opengaan. Hij pakte vlug drie pakjes Aziatische noedelsoep en een pak rijstpilaf, stopte ze in zijn rugzak en ging het huis uit.

Het 'straat'-uniform kwam goed tot zijn recht in de vrieskou van januari. Terwijl anderen liepen te bibberen had Levi het behaaglijk in zijn sweaters en capuchons, lekker ingepakt met een muziekje erbij. Hij stond bij de bushalte, onbewust meerappend, te luisteren naar een nummer dat eigenlijk vroeg om een meisje vlak voor hem, dat met hem meebewoog en, op en neer verend, haar rondingen tegen zijn wasbord zou drukken. Maar de enige vrouw in de buurt was de stenen Maagd Maria op het plein van de St. Peter. Zij moest het, zoals altijd, zonder haar beide duimen doen. Haar handen lagen vol sneeuw. Levi bestudeerde haar knappe, droeve gezicht, dat hem vertrouwd was door al het wachten bij de halte. Hij vond het altijd leuk om even te kijken wat ze vasthield. Aan het eind van de lente waren het bloemblaadjes, neergeregend uit de bomen boven haar hoofd. Wanneer het weer minder veranderlijk werd, stopten de mensen allerlei rare dingen in haar verminkte handen: chocolaatjes, foto's, kruisbeelden, een keer zelfs een teddybeer, of ze bonden haar een zijden lint rond haar pols. Levi had nooit iets in haar handen gestopt. Hij vond dat dat niet aan hem was, aangezien hij niet katholiek was – niets was.

De bus kwam eraan. Levi merkte het niet. Op het laatste moment stak hij zijn hand omhoog. De bus kwam piepend een paar meter van hem vandaan tot stilstand. Hij liep er in zijn schokkerige, swingende tred op af.

'Hei man, kan dot de volgende keer een beitje eerder, ja?' zei de buschauffeur. Hij had zo'n botervet Bostons accent. 'Horvord' in plaats van 'Harvard'. 'Kaartje' dat klinkt als 'koortje'. Hij was een van die dikke oude Bostonse kerels met vlekken op hun hemd die voor de gemeente werken en zwarte jongens bij voorkeur aanspreken als *man*.

Levi stopte zijn vier kwartjes in de gleuf.

'Ik zeg, kan dot wot eerder, jongeman, zodot ik behoorlijk kan stoppen?'

Langzaam verwijderde Levi een van zijn oortelefoons. 'Hebt u het tegen mij?'

'Ja, ik heb het tegen jou.'

'Hallo, kan die deur dicht zodat we verder kunnen?' riep iemand van achteren.

'Okei, *okei!*' schreeuwde de buschauffeur.

Levi deed zijn oortelefoon weer in, trok een gezicht en liep naar achteren.

'Arrogonte rotte...' begon de buschauffeur, maar Levi hoorde de rest niet meer. Hij ging zitten en leunde met de zijkant van zijn hoofd tegen het koude glas. In stilte moedigde hij een meisje aan dat met fladderende sjaal de besneeuwde heuvel af kwam hollen om de bus bij de volgende halte te pakken.

Toen de bus bij Wellington Square kwam maakte hij contact met de elektrische bovenleiding en ging ondergronds om uit te komen bij de metrohalte die Boston in gaat. In het metrostation kocht Levi een donut en warme chocolademelk. Hij stapte op zijn trein en zette zijn iPod uit. Hij sloeg een boek op zijn schoot open en hield de bladzijden tegen met zijn ellebogen, zodat hij zijn handen vrijhield om het warme bekertje vast te houden. Dit was Levi's leestijd, dit ritje van een halfuur de stad in. Hij had in de metro meer gelezen dan hij ooit in de klas had gedaan. Het boek van vandaag was hetzelfde waar hij al sinds ver voor Kerstmis in bezig was. Levi was geen snelle lezer. Hij las misschien drie boeken per jaar, en alleen in bijzondere omstandigheden. Dit was het boek over Haïti. Hij moest nog eenenvijftig bladzijden. Als hem om een leesverslag werd gevraagd, zou hij moeten zeggen dat de voornaamste indruk die hij er tot nu toe aan had overgehouden was dat er een piepklein landje bestaat, een landje *heel dicht bij Amerika waar je nooit wat over hoort*, waar duizenden zwarte mensen als slaven hebben geleefd, hebben gestreden en in de straten zijn gestorven voor hun vrijheid, mensen van wie de ogen zijn uitgestoken en de testikelen afgebrand, die met machetes zijn afgemaakt en gelyncht, verkracht en gemarteld, onderworpen en onderdrukt en alle andere vormen van 'onder'... en dat alles zodat een of andere vent in het enige fatsoenlijk uitziende huis in dat hele land kon wonen, een groot wit huis op een heuvel. Levi wist niet zeker of dat de werkelijke boodschap van het boek was, maar zo kwam het over op hem. Die gasten waren geobsedéérd door dat witte huis. Papa Doc, Baby Doc. Het was alsof ze zó lang witte lui in dat witte huis hadden gezien dat het ze nu redelijk leek dat iedereen eraan ging zodat zij ook een kans kregen om daar te wonen. Het was zo'n beetje het deprimerendste boek dat Levi ooit had gelezen. Het was zelfs nog deprimerender dan het vorige boek dat hij helemaal uit had gelezen, dat ging over de vraag wie Tupac Shakur had vermoord. Het lezen van deze twee boeken was een pijnlijke ervaring voor hem geweest, want Levi had een milde, open, linkse opvoeding gehad, met gevoel voor andermans pijn, en hoewel alle leden van het gezin Belsey iets van dit trekje hadden meegekregen, was het bij Levi – die niets wist over geschiedenis of antropologie, die geen hard ideologisch pantser om zich heen had om hem te beschermen – het meest uitgesproken. Hij werd verpletterd door het kwaad dat mensen elkaar aandoen. Dat blanken zwarten aandoen. Hoe was het godverdomme mogelijk! Telkens wanneer hij verder las in het boek, werd hij erdoor opgezweept; hij wilde Haïtianen in de straten van Wellington staande houden en iets voor ze doen. En omgekeerd wilde hij het Amerikaanse verkeer stilleggen, voor de Amerikaanse auto's gaan staan en eisen dat iemand iets dééd voor dit ellendige, met bloed bevlekte eilandje dat op maar een uur varen van Florida lag. Maar Levi was ook een mooi-weer-vriend wat dit soort boeken betrof. Hij hoefde het boek over Haïti maar een week in een vergeten rugzak in zijn kast te laten liggen en het hele eiland met z'n geschiedenis zou weer vervagen. Dan zou het lijken alsof hij er niet meer over wist dan hij ooit had gedaan. Haïtiaanse aidspatiënten in Guantánamo, drugsbaronnen, geïnstitutionaliseerde marteling, door de staat gefinancierde moord, slavenarbeid, CIA-betrokkenheid, Amerikaanse bezetting en corruptie: dat alles loste zich op in de nevelen der geschiedenis. Hij behield alleen het schrijnende, onaangename bewustzijn dat ergens, niet ver van hem vandaan, een volk was dat vreselijk leed.

Twintig minuten en vijf bladzijden vol onleesbare statistische gegevens later stapte Levi uit bij zijn halte en zette de muziek weer aan. Bij de uitgang van het metrostation keek hij om zich heen. Het was druk in deze buurt. Wat was het vreemd om straten te zien waar iedereen zwart was. Alsof hij thuiskwam, behalve dat hij dit 'thuis' nooit gekend had. En toch haastte iedereen zich langs hem heen alsof hij erbij hoorde, niemand keek van hem op. Hij vroeg een oude man bij de uitgang naar de weg. De man droeg een ouderwetse hoed en een vlinderdas. Zodra hij zijn mond opendeed besefte Levi dat hij niets aan hem zou hebben. Heel traag zei de oude man dat hij hier rechtsaf moest, dan drie huizenblokken moest doorlopen, langs de gezegende meneer Johnson – *pas op voor die slangen!* – en dan linksaf naar het plein, want als hij zich niet vergiste, lag de straat die hij zocht daar ergens in in de buurt. Levi had geen idee waar de man het over had, maar hij bedankte hem en ging rechtsaf. Het begon te regenen. Het enige wat Levi niet was, was waterdicht. Als zijn hele outfit nat zou worden, zou het voelen alsof hij nog een tweede persoon met zich mee moest torsen. Drie straten verderop hield Levi onder de luifel van een pandjeshuis een zwarte jonge man aan en kreeg nauwkeurige aanwijzingen in een taal die hij kende. Hij holde schuin over het plein en vond algauw de straat en het huis. Het was een groot, vierkant gebouw met twaalf ramen aan de voorkant. Het zag eruit alsof het doormidden was gesneden. De snijkant had een rauwe baksteenrode kleur. Struiken en vuilnis kropen langs deze muur omhoog, naast een uitgebrande auto die op zijn kop lag. Drie leegstaande bedrijfspanden lagen tegenover hem. Een sleutelmaker, een slager en een advocaat hadden het hier niet kunnen rooien. Naast elke deur zaten meerdere bellen voor de appartementen boven. Levi keek op zijn papiertje. Nummer 1295, appartement 6b.

'Hé, Choo?'

Stilte. Levi wist dat er iemand was, want de intercom was ingeschakeld.

'Choo? Ben je thuis? Levi hier.'

'*Levi?*' Choo klonk maar half wakker, met een slaperig en zacht Frans accent als van Pepe le Pew. 'Wat doe jij hier, man?'

Levi hoestte. De regen kwam nu met bakken uit de hemel. Het maakte een scherp, metalig geluid op het trottoir. Levi bracht zijn mond dicht bij de intercom. 'Bro, ik kwam hierlangs, want ik woon niet ver van hier... en

het gíet hier, joh, dus... nou ja, je hebt me toen je adres gegeven, dus, aangezien ik in de buurt was...'

'Wil je binnenkomen...?'

'Ja, man... ik was gewoon... Zeg Choo, het is koud hier, man. Laat je me
nog binnen of hoe zit het?'

Weer stilte.

'Wacht even.'

Levi liet de intercom los en probeerde met beide voeten op het smalle
stoepje te gaan staan, wat hem een kleine tien centimeter overdekking
bood van de dakrand. Toen Choo de deur openmaakte, viel Levi zowat
boven op hem. Samen gingen ze een betonnen trappenhuis in, waar het
stonk. Choo drukte zijn vuist tegen die van Levi. Levi merkte op dat zijn
vriend rode ogen had. Choo gaf met een knikje te kennen dat Levi hem
moest volgen. Ze begonnen de trap te bestijgen.

'Waarom ben je hier gekomen?' vroeg Choo. Zijn stem was vlak en zacht
en hij draaide zich niet naar Levi toe terwijl hij sprak.

'Yo, weet je... ik dacht, ik bel even aan,' zei Levi stuntelig. Dat was de
waarheid.

'Ik heb geen telefoon.'

'Nee, ik bedoel,' zei Levi terwijl ze op een overloop kwamen met een
zwaar beschadigde deur, opgelapt met een ongeverfd houten schot, '*even
aanbellen*. Hier in Amerika zeg je dat als je bij iemand langsgaat om te kijken hoe het ermee gaat, snap je.'

Choo maakte zijn voordeur open. 'Je wou kijken hoe het met me ging?'

Ook dit was waar, maar Levi zag wel in dat het een beetje vreemd klonk.
Hoe moest hij het uitleggen? Hij wist het zelf niet. Gewoon: Choo was in
zijn gedachten geweest. Omdat... omdat Choo anders was dan de andere
jongens van de groep. Hij reisde niet samen met de groep, had geen horde
vriendinnetjes en ging niet naar de disco; hij leek juist eenzaam, geïsoleerd.
In feite vermoedde Levi dat Choo gewoonweg *slimmer* was dan de anderen, en Levi, wiens huisgenoten met hetzelfde euvel behept waren, dacht
dat zijn ervaring op dit terrein (als hoeder van slimme mensen) hem bijzonder geschikt maakte om Choo te helpen. En verder was het boek over
Haïti in Levi's geest een verbinding aangegaan met het weinige dat hij had
geraden over Choo's privé-leven. De sjofele kleren die hij droeg, het feit
dat hij nooit een broodje of een colaatje kocht zoals de anderen. Zijn woeste haardos. Zijn norsheid. Dat litteken op zijn arm.

'Jaah... eigenlijk... dacht ik, nou ja, we zijn *maten*, niet dan? Ik bedoel, ik weet dat je onder het werk niet veel kletst, maar... ik beschouw je als mijn vriend, weet je. Echt waar. En brothers zorgen voor elkaar. In Amerika.'

Voor een naar zijn gevoel ontzettend lang moment dacht Levi dat Choo op het punt stond hem in elkaar te slaan. Maar toen bedaarde hij ineens en begon te grinniken. Hij legde zijn hand zwaar op Levi's schouder. 'Volgens mij heb jij te veel tijd over. Jij moet wat meer te doen hebben.'

Ze kwamen binnen in een kamer van redelijke afmetingen, maar nu zag Levi dat de keukenspullen, het bed en de tafel allemaal opeengepropt in deze ene kamer stonden. Het was er koud en het stonk naar marihuana.

Levi liet zijn rugzak afglijden. 'Ik heb wat spul voor je meegebracht, man.'

'Spul?' Choo pakte een dikke joint uit zijn asbak en stak hem weer op. Hij bood Levi de enige stoel aan en ging zelf op de rand van het bed zitten.

'Wat eten, zeg maar.'

'*Nee*,' zei Choo beslist, terwijl hij met zijn hand de lucht doorkliefde. 'Ik lijd geen honger. Hou je liefdadigheid maar bij je. Ik heb deze week gewerkt, ik heb geen hulp nodig.'

'Nee, nee, zo bedoel ik het niet... ik had gewoon... zeg maar, als je iemand gaat opzoeken, dan breng je iets mee. In Amerika – zo gaat dat hier. Bijvoorbeeld een muffin. Mijn moeder neemt altijd muffins mee, of taart.'

Choo stond langzaam op, stak zijn handen uit en nam de pakjes van Levi aan. Hij leek niet zeker te weten wat er nou eigenlijk in zat, maar hij bedankte Levi en terwijl hij ze nieuwsgierig bekeek liep hij de kamer door om ze op het aanrecht te leggen.

'Ik had geen muffins en ik dacht... Chinese soep. Lekker als het koud is,' zei Levi en deed alsof hij rilde. 'Nou... Hoe gaatie? Ik heb je niet gezien dinsdagavond.'

'Ik heb een paar baantjes. Dinsdag had ik een andere klus. '

Buiten klonk de harde stem van een gek die stevig vloekend over straat liep. Levi verstrakte, maar Choo leek het niet op te merken.

'Vet, man,' zei Levi, 'je hebt allerlei projecten, zoals ik – cool. We houden de boel draaiend. Gewoon hosselen, man.'

Levi ging op zijn handen zitten om ze warm te houden. Hij begon er spijt van te krijgen dat hij hierheen was gekomen. Het was een kamer zonder enige afleiding van zijn eigen stilte. Normaal gesproken stond de tv altijd aan voor achtergrondgeluid als hij bij een vriend rondhing. Van alle ontberingen die in deze kamer opvielen, trof het ontbreken van een televisie Levi als het meest schrijnend en ondraaglijk.

'Wil je een glaasje water?' vroeg Choo, 'Of rum? Ik heb goeie rum.'

Levi glimlachte aarzelend. Het was tien uur in de ochtend. 'Water is oké.'

Terwijl de kraan liep maakte Choo kastjes open en dicht op zoek naar een schoon glas. Levi keek rond. Naast zijn stoel lag op een tafeltje een lang vel geel papier, een van die Haïtiaanse 'bulletins' die je overal voor niets kreeg. Wat meteen opviel was een foto van een kleine zwarte man op een goudkleurige stoel met een vrouw van gemengd ras op een andere gouden stoel naast hem. *Ja, ik ben Jean-Bertrand Aristide, las Levi, en natuurlijk geef ik iets om het ongeletterde, arme Haïtiaanse uitschot! Daarom ben ik getrouwd met mijn prachtige vrouw (had ik al gezegd dat ze een lichte huid heeft???) die uit bourgeois-kringen afkomstig is, anders dan ik, die uit de goot kom (en ziet u niet hoe ik me dat herinner!). Deze redelijk geprijsde stoelen heb ik niet met drugsgeld gekocht, o, nee! Ik mag dan misschien een buitengewoon totalitair dictator zijn, maar ik mag toch zeker wel mijn buitenhuisje van vele miljoenen dollars hebben terwijl ik de arme stakkers van Haïti bescherm!*

Choo zette een glas water boven op deze foto en ging weer op bed zitten. De natte kring verspreidde zich over het papier. Hij keek Levi aan, rookte zijn joint en zweeg. Levi kreeg het gevoel dat Choo niet vaak bezoek had.

'Heb je geen muziek?' vroeg Levi. Choo antwoordde van niet.

'Is het goed als ik...?' vroeg Levi en uit zijn rugzak haalde hij een wit luidsprekersetje te voorschijn, waarvan hij de stekker in het stopcontact bij zijn voeten stopte en dat hij vervolgens aansloot op zijn iPod. Het nummer waar hij zojuist op straat naar had lopen luisteren vulde de kamer. Choo kwam op handen en knieën naar voren om het ding te bewonderen. 'Shit! Zo hard en zo klein!'

Levi ging ook op de vloer zitten en liet hem zien hoe je nummers of albums kon selecteren. Choo bood zijn gast de joint aan.

'Nee, man. Ik rook niet. Ik ben astmatisch en zo.'

Ze zaten samen op de vloer en luisterden *Fear of a Black Planet* helemaal uit. Choo, ofschoon volkomen stoned, kende het album goed; hij herhaalde alle teksten en probeerde Levi te beschrijven wat voor effect het op hem had gehad toen hij er voor het eerst een bootleg van hoorde. 'Toen wisten we het,' zei hij vol vuur, zijn benige vingers achteroverbuigend op de vloer, 'op dat moment wisten we het, begrepen we het! We beseften dat we niet het enige getto waren. Ik was pas dertien, maar ineens begreep ik het: Amerika heeft getto's! En Haïti is het getto van Amerika!'

'Jaah... dat is diep, bro,' zei Levi en hij knikte breeduit. Alleen al ademhalen in deze kamer gaf hem een stoned gevoel.

'O, *man*, já!' riep Choo uit toen het volgende nummer begon. Dat deed hij aan het begin van elk nieuw nummer. Hij knikte niet met zijn hoofd zoals Levi; hij deed iets heel geks met zijn bovenlichaam, alsof hij zo'n elektrische trillende riem omhad waar je slank van wordt. Telkens wanneer hij dat deed, lag Levi helemaal dubbel.

'Ik wou dat ik je wat van onze muziek kon laten horen, Haïtiaanse muziek,' zei Choo mistroostig toen het album was afgelopen en Levi met zijn duim langs andere mogelijkheden zapte. 'Je zou het goed vinden. Het zou je aangrijpen. Het is politieke muziek, zoals reggae, snap je? Ik zou je heel wat dingen kunnen vertellen over mijn land. Ze zouden je aan het huilen maken. Die muziek maakt je aan het huilen.'

'Cool,' zei Levi. Hij wilde – maar voelde zich niet zelfverzekerd genoeg – iets zeggen over het boek dat hij aan het lezen was. Nu bracht Levi zijn kleine muziekapparaat dicht bij zijn gezicht; hij zocht naar een bepaald nummer waarvan hij de naam niet helemaal goed wist, waardoor het onmogelijk te vinden was op de alfabetische lijsten.

'En ik weet best dat je niet hier in de buurt woont, Levi,' voegde Choo toe. 'Luister je? Ik ben niet gek.' Hij zat gehurkt en strekte zich nu uit met zijn rug op de vloer. Zijn t-shirt kroop op over zijn rechte borstkas. Er zat geen grammetje vet aan zijn lichaam. Hij blies een grote kring rook in de lucht en toen een tweede die er precies in paste. Levi bleef in zijn duizend nummers zoeken.

'Jij denkt dat we allemaal proleten zijn,' zei Choo, maar zonder enig teken van wrok, alsof hij als een buitenstaander geïnteresseerd was in deze veronderstelling. 'Maar we wonen niet allemaal in dit soort krotten. Felix woont in Wellington – nee, dat wist je niet. Groot huis. Zijn broer runt de taxi's daar. Hij heeft je daar gezien.'

Levi ging op zijn knieën zitten, nog steeds met zijn rug naar Choo. Hij had nooit recht in iemands gezicht kunnen liegen. 'Ja, dat komt omdat mijn óóm, weet je, híj woont daar... en ik doe wel eens klusjes voor hem, weet je, in de tuin en zo...'

'Ik was daar dinsdag...' zei Choo, hem negerend, 'op de *universiteit*.' Hij sprak dit woord uit alsof het inkt op zijn tong was. 'Voedsel opdienend als een aap, godverdomme... leraar wordt bediende. Dat doet pijn! En ik kan het zeggen, want ik weet hoe het is.' Hij bonsde op zijn borst. 'Het doet pijn vanbinnen! Het is verdomde pijnlijk!'

Plotseling ging hij rechtop zitten. 'Ik geef les, ik ben leraar, weet je, in Haïti. Dat ben ik. Ik geef les aan een middelbare school. Franse taal en literatuur.'

Levi floot. 'Bro, ik háát Frans, man. Wij hebben die shit ook. Ik háát het.'

'En nu,' ging Choo verder, 'zegt mijn neef: kom hier werken, een avond als bediende, dertig dollar cash, slik je trots in! Je trekt een apenpakje aan, je ziet eruit als een aap en serveert ze hun garnalen en hun wijn, de grote blanke professoren. We krégen niet eens dertig dollar, want we moesten zelf betalen voor het stomen van onze kleding! Blijft over tweeëntwintig dollar!'

Choo reikte Levi de joint aan. Die sloeg hem nogmaals af.

'Hoeveel denk je dat die professoren verdienen? Nou?'

Levi zei dat hij het niet wist en dat was waar, hij wist het niet. Het enige wat hij wist was hoe moeilijk het was om een miezerige twintig dollar van zijn vader los te krijgen.

'En dan geven ze ons een hongerloontje om hen te bedienen. Dezelfde slavernij als altijd. Er verandert niets. *Fok* die muziek van je, man,' zei Choo, maar met zijn accent klonk het ongevaarlijk en komisch. 'Genoeg Amerikaanse shit. Zet Marley op! Ik wil Marley horen!'

Levi willigde zijn verzoek in en zette het enige op dat hij van Marley had, een verzamelalbum met zijn grootste hits, gekopieerd van een cd van zijn moeder.

'En ik heb hem gezien,' zei Choo, die op handen en knieën overeindkwam en langs Levi heen staarde, zijn bloeddoorlopen ogen fel en gefixeerd op de een of andere demon die zich niet in deze kamer bevond. 'Als een *lord* aan tafel. *Sir* Montague Kipps...' Choo spuugde op zijn eigen vloer. Levi, voor wie properheid lang de plaats had ingenomen van goddelijkheid, voelde afkeer. Hij moest anders gaan zitten zodat de fluim buiten zijn zicht viel.

'Ik kén die gast...' zei Levi terwijl hij over de vloerbedekking schoof. Choo lachte. 'Nee, serieus... ik bedoel, ik kén hem niet echt, maar hij is, zeg maar, die vent die... mijn pa heeft de pést aan hem, jongen, je hoeft zijn naam maar te noemen of...'

Choo priemde zijn lange wijsvinger recht naar Levi's gezicht. 'Als je hem kent, weet dan één ding: die man is een leugenaar en een dief. We weten alles van hem, in onze gemeenschap, we volgen hem op de voet: de leugens die hij schrijft, de gloriedaden waarop hij zich beroept. De boeren van hun kunst beroven en de rijke man gaan uithangen! De rijke man! Die kunstenaars zijn gecrepeerd van de armoe. Ze hebben alles wat ze bezaten voor een paar dollar verkocht uit pure wanhoop – wisten zij veel! Gecrepeerd! Ik serveerde hem zijn wijn...' Hier hief Choo zijn hand en deed alsof hij een glas inschonk, met een overdreven dienstbare uitdrukking op zijn gezicht. 'Verkoop nooit je ziel, brother. Die is geen tweeëntwintig dollar waard. Ik huilde vanbinnen. Verkoop hem nooit voor een paar dollar. Iedereen probeert de zwarte man te kopen. *Iedereen*,' zei hij, met een vuist op het tapijt bonkend, 'probeert de zwarte man te kopen. Maar hij is niet te koop. Zijn dag komt nog.'

'Absoluut,' bevestigde Levi, en om geen ondankbare gast te zijn nam hij de joint aan die hem opnieuw werd aangeboden.

Diezelfde ochtend, in Wellington, legde ook Kiki een onaangekondigd bezoekje af.

'Clotilde, toch?'

Het meisje stond te bibberen en hield de deur op een kiertje. Met lege ogen staarde ze Kiki aan. Ze was zo tenger dat Kiki haar heupbeenderen dwars door haar spijkerbroek heen kon zien. 'Ik ben Kiki, Kiki Belsey... We hebben elkaar al eens ontmoet.'

Nu deed Clotilde de deur een beetje verder open en toen ze Kiki herkende, raakte ze van streek. Ze klampte de deurknop vast en draaide met haar kaarsrechte bovenlichaam. Ze vond geen Engelse woorden om haar nieuws mee te delen. 'Oh... madame, oh, mon Dieu, Mieses Kipps – Vous ne le savez pas? Mme Kipps n'est plus ici... *Vous comprenez?*'

'Sorry, ik...'

'Mieses Kipps – Elle a été très malade, et tout d'un coup elle est morte! Dood!'

'O, ja, nee, dat weet ik...' zei Kiki met wapperende handen om het vuur van Clotildes ongerustheid te doven. 'O, god, ik had beter eerst kunnen bellen – ja, Clotilde, ja, ik begrijp het... ik was op de begrafenis... nee, lieverd, het is oké... Ik vroeg me alleen af of *meneer* Kipps er was, professor Kipps. Is hij thuis?'

'Clotilde!' klonk Kipps' stem van ergens ver weg in het huis. 'Doe de deur dicht – *fermez* – moeten we met z'n allen bevriezen? *C'est froid, c'est très froid*. Goeie genade...'

Kiki zag hoe zijn vingers zich om de rand van de deur klemden; de deur zwaaide open; hij stond voor haar. Hij zag er verbaasd uit en bepaald niet zo verzorgd als gewoonlijk, hoewel hij zijn gebruikelijke driedelig pak aanhad. Kiki zocht wat er niet klopte in het plaatje en vond het in zijn wenkbrauwen, die wild boven zijn ogen woekerden.

'Mevrouw Bélsey?'

'Ja! Ik, ik...'

Zijn enorme hoofd met de glanzende schedel en woeste, uitpuilende ogen waren te veel voor Kiki. Ze was haar tekst kwijt. In plaats daarvan hield ze de pols van haar linkerhand omhoog, waaraan een van de stevige papieren zakken van de favoriete bakkerij van Wellington hing.

'Voor mij?' vroeg Monty.

'Ja, u was zo... zo vríendelijk voor ons in Londen en ik... nou ja, eigenlijk kwam ik gewoon even kijken hoe het met u ging en u wat...'

'Cake brengen?'

'Taart. Ik vind gewoon dat soms, wanneer iemand een groot...'

Monty, die van zijn verbazing was bekomen, nam de touwtjes in handen. 'Wacht, kom binnen, het is Siberisch buiten. Waarom zouden we hier blijven staan praten, kom binnen. Clotilde, uit de weg, neem mevrouws jas even aan.'

Kiki stapte de hal van de Kipps in.

'O, dank u wel... ja, want ik vind dat als iemand een groot verlies heeft geleden, nou ja, dan zijn de mensen geneigd om weg te blijven... en ik weet nog dat toen mijn moeder stierf, íedereen wegbleef, en ik vond dat echt kwalijk, weet u, in feite voelde ik me gewoon in de steek gelaten, dus daarom wilde ik even langskomen om te zien hoe het met u en de kinderen gaat, wat taart brengen en... ik bedoel, ik weet wel dat we, als families, wat strubbelingen hebben, maar als er zoiets gebeurt als dit vind ik gewoon...'

Kiki merkte dat ze te veel praatte. Monty had een razendsnelle blik op zijn zakhorloge geworpen.

'O! Maar als het slecht uitkomt...'

'Nee hoor, helemaal niet, nee – ik moet zo naar de universiteit, maar...' Hij keek over zijn schouder en legde toen een hand op Kiki's rug om haar verder te loodsen. 'Maar ik ben ergens mee bezig... zou u misschien even... zou ik u hier misschien even mogen achterlaten, twee minuutjes maar, terwijl ik... Clotilde zal u een kopje thee geven en... ja, gaat u hier maar zitten,' zei hij terwijl ze op het vloerkleed van koeienhuid in de bibliotheek stapten. '*Clotilde!*'

Kiki ging op het pianokrukje zitten, net als de vorige keer, en keek met een droevige glimlach naar de boekenkast vlak bij haar. Alle N'en stonden perfect op volgorde.

'Ik ben zo terug,' mompelde Monty, zich omdraaiend, maar op datzelfde moment klonk er een hoop lawaai in het huis en het geluid van iemand die de hal in stormde. De persoon in kwestie bleef in de deuropening van de bibliotheek staan. Een jong zwart meisje. Ze had gehuild. Haar gezicht was vertrokken van woede, maar met een schok ontdekte ze nu Kiki. De kwaadheid in haar gelaatsuitdrukking werd verdrongen door verrassing.

'Chantelle, dit is...' zei Monty.

'Mag ik naar buiten? Ik ga,' zei ze en ze liep door.

'Als je dat wilt,' zei Monty kalm en hij liep haar een paar passen achterna. 'Tussen de middag praten we verder. Eén uur in mijn kantoor.'

Kiki hoorde de voordeur dichtslaan. Monty bleef een moment waar hij was en keerde toen terug naar zijn gast. 'Neem me niet kwalijk.'

'Neem míj niet kwalijk,' zei Kiki met haar blik gericht op het kleed onder haar voeten. 'Ik wist niet dat u bezoek had.'

'Een studente... nou ja, dat is eigenlijk de vraag,' zei Monty. Hij liep door de kamer en nam plaats in de witte leunstoel bij het raam. Kiki realiseerde zich dat ze hem nooit zo had gezien, zittend, in een normale, huiselijke omgeving.

'Ja, ik geloof dat ik haar al eens heb ontmoet. Ze kent mijn dochter.'

Monty zuchtte. 'Onrealistische verwachtingen,' zei hij, naar het plafond kijkend en toen naar Kiki. 'Wáárom scheppen we onrealistische verwachtingen voor deze jonge mensen? Wat kan daar voor goeds van komen?'

'Sorry, ik begrijp niet...?' zei Kiki.

'Hier hebben we een jonge Afro-Amerikaanse dame,' legde Monty uit terwijl hij zijn rechterhand met zegelring stevig op de arm van de Victoriaanse stoel legde, 'zonder universitaire opleiding en zonder universitaire ervaring, die niet eens haar middelbare school heeft afgemaakt, en die toch vindt dat de academische wereld van Wellington haar een plekje verschuldigd is binnen haar gezegende muren. En waarom? Als schadeloosstelling voor haar eigen tegenslagen, of die van haar familie. In feite ligt het probleem nog breder. Deze kinderen worden aangemoedigd om herstelbetalingen te eisen *voor de geschiedenis zelf*. Ze worden ingezet als politieke pionnen; ze worden met leugens gevoed. Ik vind het ronduit deprimerend.'

Het was vreemd om zo toegesproken te worden, als een eenkoppig publiek. Kiki wist niet goed hoe ze moest reageren.

'Ik geloof niet dat ik... wat wilde ze dan eigenlijk precies van u?'

'Simpel gezegd: ze wil blijven deelnemen aan een werkgroep op Wellington waarvoor ze niet betaalt en waarvoor ze totaal niet gekwalificeerd is. Dat wil ze omdat ze zwart en arm is. Wat een demoraliserende filosofie! Wat voor boodschap geven we aan onze kinderen als we ze vertellen dat ze niet geschikt zijn voor dezelfde meritocratie als hun blanke leeftijdsgenoten?'

In de stilte die volgde op deze retorische vraag, slaakte Monty opnieuw een zucht. 'Dus dat meisje komt naar mij toe – in mijn huis, vanochtend, onaangekondigd – om me te vragen een aanbeveling aan het bestuur te doen zodat ze in een werkgroep kan blijven waar ze illegaal aan deelneemt. Ze denkt dat ik, omdat ze lid van mijn kerk is, omdat ze heeft geholpen met ons liefdadigheidswerk, met de regels ga marchanderen. Omdat ik, zoals ze hier zeggen, haar brother ben? Ik heb haar gezegd dat ik daar niet toe bereid was. En het resultaat hebben we gezien. Mevrouw is woedend!'

'Ah...' zei Kiki en sloeg haar armen over elkaar. 'Daar weet ik wel iets van. Als ik me niet vergis zit mijn dochter in het andere kamp.'

Monty glimlachte. 'Inderdaad. Ze heeft een bijzonder indrukwekkende speech gehouden. Ik vrees dat ze een geduchte tegenstandster is.'

'O, jongen,' zei Kiki, hoofdschuddend zoals kerkgangers dat doen, 'dát staat buiten kijf!'

Monty knikte hoffelijk. 'Maar uw taart dan?' vroeg hij met een diepbedroefd gezicht. 'Ik neem aan dat dat betekent dat de families Kipps en Belsey wederom in staat van oorlog verkeren?'

'Nee... ik zou niet weten waarom. In liefde en... en *academia* is alles geoorloofd.'

Monty glimlachte weer. Hij keek op zijn horloge en wreef met een hand over zijn buik. 'Maar helaas is het de *tijd*, en niet de ideologie, die tussen uw taart en mij komt. Ik moet naar de universiteit. Ik had hem graag vanochtend in alle rust met u verorberd. Het is echt reuze attent van u.'

'Ach, een ander keertje. Maar gaat u te voet naar de stad?'

'Ja, ik ga altijd te voet. Moet u ook die kant op?' Kiki knikte. 'Laten we in dat geval samen over 's heren wegen kuieren,' zei hij met overvloedig rollende erren. Hij legde zijn beide handen op zijn knieën en stond op, en op dat moment zag Kiki de lege wand achter hem.

'O!'

Monty keek vragend naar haar op.

'Nee, alleen – het schilderij, hing daar geen schilderij? Van een vrouw?'

Monty draaide zich om en keek naar het lege oppervlak. 'Inderdaad, dat klopt. Hoe wist u dat?'

'Tja, ik heb hier een keer met Carlene gezeten en ze had het over dat schilderij. Ze vertelde me hoe ze eraan gehecht was. Die vrouw stelde toch een of andere godin voor? Een soort symbool. Ze was zo mooi.'

'Nou,' zei Monty, zich weer omkerend naar Kiki, 'ik kan u verzekeren dat ze nog steeds mooi is. Ze is gewoon van plaats veranderd. Ik heb besloten haar in mijn kantoor in de vakgroep Afro-Amerikaanse Wetenschappen te hangen. Het is... nou ja, ze is goed gezelschap,' zei hij verdrietig. Even hield hij zijn hand op zijn voorhoofd. Toen liep hij de kamer door en opende de deur voor Kiki.

'Wat zult u uw vrouw vreselijk missen,' zei Kiki vurig. Het zou haar hebben geschokt om van emotioneel vampirisme te worden beschuldigd, want haar enige bedoeling was om deze man te laten merken dat ze met hem meevoelde, maar hoe dan ook, Monty gaf haar daartoe geen kans. Hij zweeg en overhandigde Kiki haar jas.

Ze gingen het huis uit. Samen liepen ze over het smalle stukje trottoir dat door de sneeuwschuivers van de buurt was vrijgemaakt. 'Weet u... ik vond het interessant wat u daarstraks zei over die "demoraliserende filosofie",' zei Kiki, terwijl ze uitkeek voor bevroren plassen op de grond voor haar. 'Ik bedoel, ík heb beslist niets cadeau gekregen in mijn leven, en mijn moeder en háár moeder ook niet... en mijn kinderen ook niet... ik heb ze altijd het tegenovergestelde voorgehouden, weet u? Mijn moeder zei altijd tegen me: *je moet vijf keer zo hard werken als het blanke meisje dat naast je zit.* En dat was een waarheid als een koe. Maar ik zit in tweestrijd... want ik ben altijd een voorstander geweest van positieve discriminatie, ook al voelde ik me er persoonlijk niet altijd even gemakkelijk bij. Ik bedoel, mijn man is er natuurlijk sterk bij betrokken. Maar ik vond het interessant hoe u dat formuleerde. Het zet je toch weer aan het denken.'

'Kansen,' bazuinde Monty, 'zijn een recht, niet een cadeau. Rechten moet je verdienen. En kansen móeten via de juiste kanalen komen. Anders krijg je een fundamentele ontwaarding van het systeem.'

Een boom vlak voor hen schudde een dik pak sneeuw van zijn takken op straat. Monty hield zijn arm beschermend voor Kiki. Hij wees op een paadje tussen twee ijsbanken, en dat volgden ze tot aan de open weg, waarna ze pas bij de brandweerpost op het trottoir kwamen.

'Maar,' protesteerde Kiki, 'is het punt nu niet juist dat hier in Amerika – ik bedoel, ik ben met je eens dat de situatie in Europa anders is – maar dat hier, in dít land, onze kansen ernstig zijn achtergebleven, geblokkeerd of hoe je het ook wilt noemen, als gevolg van een geschiedenis van gestolen rechten, en dat er om dát in orde te maken wat flexibiliteit, concessies en steun nodig zijn? Het is een kwestie van het herstellen van de balans, want we weten allemaal dat die verdomd lang weg is geweest. In mijn moeders buurt reden er tot in 1973 gesegregeerde bussen. Echt waar. Die toestanden liggen nog maar vlak achter ons. Ze zijn heel recent.'

'Zolang we een cultuur van slachtofferschap aanmoedigen,' zei Monty met de ritmische soepelheid van een eigen citaat, 'blijven we slachtoffers grootbrengen. En zo zet de vicieuze cirkel van ondermaatse prestaties zich voort.'

'Hmm,' zei Kiki, terwijl ze zich aan een hek vastgreep om over een grote plas te kunnen springen, 'ik weet niet... Ik vind toch dat het een beetje riekt naar, tja, naar een soort *zelfhaat* als je zwarten hoort pleiten tegen meer kansen voor zwarten. Ik bedoel, moeten we nu ook nog onderling gaan ruziemaken? Er is een oorlog gaande! Zwarte kinderen sneuvelen aan de andere kant van de wereld in de frontlinie, en ze zitten in dat leger omdat ze denken dat de universiteit ze niets te bieden heeft. Ik bedoel, dat is de werkelijkheid waar we mee te maken hebben.'

Monty schudde zijn hoofd en glimlachte. 'Mevrouw Belsey, wilt u nu beweren dat ik ongekwalificeerde studenten in mijn werkgroepen moet toelaten om te voorkomen dat ze bij het Amerikaanse leger gaan?'

'Zeg maar Kiki, hoor... nou, oké, misschien is dat geen houdbaar argument... maar die *zelfhaat*. Als ik kijk naar Condoleezza, en Cólin – god! Ik word er mísselijk van – dan zie ik die koortsachtige behoefte om zich te onderscheiden van de rest van ons, zo van: "Wij hebben onze kans gegrepen en nu is de quota vol, dank u vriendelijk en bye-bye." Het is die rechtse zwarte zelfhaat – sorry als ik u beledig door dat te zeggen, maar ik bedoel... zit dat er niet in? Ik heb het nu niet eens over politiek, ik heb het over iets... iets... iets *psychologisch*.'

Ze hadden de top van Wellington Hill bereikt en hoorden nu de verschillende kerkklokken twaalf uur slaan. Aan hun voeten, ingestopt in zijn bedje van sneeuw, lag een van de vredigste, welvarendste en lieflijkste stadjes van Amerika.

'Kiki, als er één ding is dat ik van jullie linkse liberalen begrijp, dan is het hoe graag jullie sprookjes willen horen. Jullie klagen over scheppingsmythen, maar jullie hebben er zelf ook een stel! Liberalen geloven nooit dat conservatieven worden gemotiveerd door morele overtuigingen die *even diep gaan* als de overtuigingen die jullie liberalen eropna zeggen te houden. Jullie geloven liever dat conservatieven worden gemotiveerd door een diepe zelfhaat, door een of ander... *psychologisch gebrek*. Maar mijn beste Kiki, dat is wel het grootste sprookje van allemaal!'

9

Zora Belseys ware talent lag niet op het vlak van de poëzie, maar van de volharding. Zij kon op een middag drie brieven versturen, alledrie aan dezelfde persoon gericht. Zij was kampioen automatisch terugbellen. Ze verzamelde handtekeningen en stelde ultimatums. Toen de gemeente Wellington Zora een – volgens haar – onterechte parkeerbon gaf, was het niet Zora maar de gemeente die – vijf maanden en dertig telefoongesprekken later – het onderspit dolf.

In cyberspace kwam Zora's uithoudingsvermogen het beste tot uitdrukking. Er waren twee weken verstreken sinds de faculteitsvergadering, en in die tijd had Claire Malcolm drieënzeventig – nee, vierenzeventig – e-mails ontvangen van Zora Belsey. Dat wist Claire omdat ze ze zojuist had laten uitprinten door Liddy Cantalino. Nu maakte ze er een keurig stapeltje van op haar bureau en wachtte. Om precies twee uur werd er op haar deur geklopt.

'Kom binnen!'

Erskines lange paraplu verscheen en tikte tweemaal op de vloer. Erskine kwam erachteraan in een blauw hemd met een groen jasje, een combinatie die een vreemde uitwerking had op Claires gezichtsvermogen.

'Hallo, Ersk, hartstikke bedankt dat je bent gekomen. Ik weet dat dit helemáál niet jouw probleem is, maar ik waardeer je hulp heel erg.'

'Tot je dienst,' zei Erskine met een buiging.

Claire zuchtte. 'Eigenlijk heb ik alleen wat steun nodig. Ik word door Zora Belsey bestookt om een bepaalde jongen in de werkgroep te houden, en ik wil graag een goed woordje voor hem doen, maar uiteindelijk sta ik toch machteloos in deze kwestie. En dát is nou juist wat ze gewoon niet van me wil aannemen.'

'Zijn dit ze?' informeerde Erskine, die zijn handen uitstak naar de uitdraaien op het bureau en vervolgens ging zitten. 'De verzamelde brieven van Zora Belsey.'

'Ik word stapelgek van haar. Ze is helemaal geobsedeerd door deze kwestie – en dan sta ik nog áchter haar. Stel je voor hoe het zou zijn om tégen haar te zijn.'

'Stel je voor,' zei Erskine. Hij haalde zijn leesbril uit zijn borstzak.

'Ze heeft een enorme handtekeningenactie georganiseerd, alle studenten ondertekenen haar petitie. Ze wil dat ik van de ene op de andere dag de regels van deze universiteit omverwerp, maar ik kan voor die jongen geen plaats op Wellington *creëren*! Het is echt een plezier hem in mijn werkgroep te hebben, maar als Kipps het bestuur zover krijgt dat ze tegen toelating van niet-ingeschreven studenten stemmen, wat kan ik dan nog doen? Mijn handen zijn gebonden. En ik heb toch al het gevoel dat er geen einde aan mijn werk komt. De na te kijken papers komen mijn oren uit, mijn uitgevers hebben nog drie verschillende boeken van me te goed, mijn huwelijk verloopt via e-mail, ik kan gewoon...'

'Sssssj, ssssj,' zei Erskine en hij legde zijn hand op die van Claire. Zijn huid voelde heel droog en mollig en warm. 'Claire, laat het maar aan mij over, oké? Ik ken Zora Belsey heel goed, al sinds ze een klein meisje was. Ze vindt het heerlijk om stennis te trappen, maar houdt daar even gemakkelijk weer mee op. Ik handel dit wel af.'

'Wil je dat doen? Je bent een schát! Ik ben gewoon zó uitgeput!'

'Ik moet zeggen dat ik die onderwerpen van haar niet onaardig vind,' zei Erskine speels, 'heel dramatisch. Re: *Forty Acres and a Mule**. Re: *Vechten voor het recht om mee te doen*. Re: *Kunnen onze universiteiten talent kopen?* En, is die jongen zo getalenteerd?'

Claire trok rimpeltjes in haar kleine, sproetige neus. 'Nou... já. Dat wil zeggen, hij is totaal ongeschoold, maar... nee, ja, dat is hij zeker. Hij is extreem charismatisch, en bijzonder knap om te zien. Bijzónder knap. Carl is eigenlijk een rapper, hij is een heel goede rapper, en hij heeft echt talent. Hij is enthousiast. Het is geweldig om hem les te geven. Erskine, alsjeblieft – is er iets wat je kunt doen? Kun je die jongen niet iets laten doen op de campus...?'

'Ik heb het. We maken hem professor!'

Ze lachten allebei, maar Claires lach ging over in gejammer. Ze zette haar elleboog op het bureau en liet haar gezicht op haar hand steunen. 'Ik wil hem gewoon niet weer op straat zetten. Echt niet. We weten allebei dat het bestuur volgende maand hoogstwaarschijnlijk tegen de toelating van

---

* In 1865, aan het eind van de Amerikaanse burgeroorlog, werd aan voormalige slaven die in het regeringsleger hadden gevochten land en dieren (veertig morgens en een muildier) toegezegd als herstelbetaling. Een jaar later werd deze maatregel weer teruggedraaid en werd het land teruggegeven aan de oorspronkelijke (blanke) bezitters.

niet-ingeschreven studenten gaat stemmen, en dan ligt hij er vierkant uit. Maar als hij iets anders te doen had dat... Ik wéét dat ik hem waarschijnlijk sowieso niet in de werkgroep had moeten opnemen, maar nu ben ik eraan begonnen en ik heb het gevoel dat ik te veel hooi...' De telefoon begon te rinkelen. Claire hield haar opgestoken wijsvinger voor haar gezicht en nam op.

'Kan ik...?' mimede Erskine terwijl hij opstond en de uitdraaien vragend omhoog hield. Claire knikte. Erskine wuifde ten afscheid met zijn paraplu.

Erskines grote talent – naast zijn encyclopedische kennis van de Afrikaanse literatuur – was dat hij mensen het gevoel kon geven dat ze veel belangrijker waren dan ze in feite waren. Hij beschikte over allerhande technieken. Zo kon je een dringend bericht van Erskines secretaresse op je voicemail krijgen, tegelijk met een e-mail en een handgeschreven briefje in je postvakje. Hij kon je op een feestje terzijde nemen en je een heel persoonlijk verhaal uit zijn jeugd vertellen, waarvan jij, als pas aangekomen academica van de UCLA, niet kon weten dat hij het al in vertrouwen had verteld aan iedere andere studente binnen de vakgroep. Hij was bedreven in uiteenlopende kunsten zoals valse vleierij, geveinsd ontzag en het voorwenden van respectvolle aandacht. Als Erskine je prees of je een professionele gunst verleende, leek het alsof jij degene was die er beter van werd. En misschien werd je er inderdaad beter van. Maar in vrijwel alle gevallen werd Erskine er nóg beter van. Door jou naar voren te schuiven voor de grote eer een voordracht te mogen houden tijdens de conferentie in Baltimore, hoefde Erskine simpelweg zelf niet meer naar die conferentie in Baltimore. Door jouw naam te noemen in verband met de tekstbezorging van de bloemlezing, werd Erskine zelf bevrijd van de zoveelste belofte aan zijn uitgever die hij vanwege andere verplichtingen niet kon nakomen. Maar wat geeft het? Jij bent blij en Erskine is blij! En aldus organiseerde Erskine zijn academisch leven aan Wellington. Maar af en toe kwam Erskine moeilijke zielen tegen die hij níet gelukkig kon maken. Louter loftuitingen konden hun woede niet bekoelen en hun antipathie en argwaan jegens hem niet verminderen. Voor die gevallen had Erskine nog een troef achter de hand. Wanneer iemand koste wat kost zijn rust en vrede wilde verstoren, wanneer ze weigerden hem ófwel aardig te vinden ófwel hem het kalme leventje te laten leiden dat hij zo op prijs stelde, wanneer ze, zoals in het geval van Carl Thomas, iemand op de nek zaten die op zijn beurt *Erskine* op zijn nek zat, in dat soort situaties gaf Erskine ze, in zijn hoedanigheid van assistent-directeur van de vakgroep Afro-Amerikaanse Wetenschappen, gewoon een baan. Hij *creëerde* een baan waar tot dat moment alleen vloeroppervlak geweest was. *Hoofdbibliothecaris van de Afro-Amerikaanse audiotheek* was zo'n verzonnen post geweest. *Hiphoparchivaris* was een logische volgende stap.

Nog nooit in zijn leven had Carl zo'n baantje gehad. Hij kreeg het minimumsalaris voor administratief werk (Carl had een dergelijk bedrag gekregen om papieren op te bergen in een advocatenkantoor en om de telefoon aan te nemen op het kantoor van een zwarte radiozender). Daar ging het niet om. Hij was ingehuurd omdat hij kennis bezat over dit bepaalde onderwerp, dit bepaalde ding genaamd hiphop, en wel een veel grotere kennis dan Jan-met-de-pet, misschien wel meer dan wie dan ook op deze universiteit. Hij bezat een deskundigheid en deze baan vereiste die specifieke deskundigheid. Hij was *archivaris*. En wanneer zijn looncheques in zijn moeders appartement in Roxbury aankwamen, dan kwamen ze aan in Wellington-enveloppen bedrukt met het Wellington-embleem. Die enveloppen liet Carls moeder op opvallende plaatsen in hun keuken liggen, zodat gasten ze konden zien. Bovendien hoefde hij niet eens een pak aan. In feite, hoe nonchalanter hij eruitzag, hoe beter iedereen in de vakgroep het scheen te vinden. Zijn werkplek was in een afgesloten gang van de vakgroep Afro-Amerikaanse Wetenschappen, waar drie kantoortjes op uitkwamen. In een van die kantoortjes stond een rond bureau, en dat deelde hij met ene Elisha Park, de hoofdbibliothecaresse van de audiotheek. Zij was een klein, dik zwart meisje, afgestudeerd aan een derderangs universiteit in het diepe Zuiden, dat Erskine tijdens een van zijn boekpresentaties in den lande had ontmoet. Net als Carl voelde ze ten aanzien van de grandeur van Wellington een mengeling van ontzag en wrevel, en samen vormden ze een bende van twee, altijd gepantserd tegen de verachting van studenten en faculteit, maar in gelijke mate erkentelijk wanneer 'ze' aardig tegen hen waren. Ze werkten goed met z'n tweeën, ieder aan zijn eigen computer, maar terwijl Elisha stug doorwerkte aan haar 'inhoudskaartjes' – korte, puntsgewijze beschrijvingen van de zwarte-muziekgeschiedenis die naast de cd's en platen zelf zouden komen te staan – gebruikte Carl zijn computer nauwelijks, behalve om te googlen. *Nuttig* googlen, aangezien het een onderdeel van zijn werk was om nieuwe albums op te zoeken en eventueel aan te kopen als hij vond dat ze in het archief thuishoorden. Hij had maandelijks een bepaald bedrag te besteden. Cd's kopen die hij mooi vond was nu onderdeel van zijn werk! Binnen een week na zijn indiensttreding had hij het grootste deel van zijn maandbudget al uitgegeven. Maar Elisha viel hem er niet hard over. Ze was een kalme, geduldige cheffin, en zoals de meeste vrouwen die Carl in zijn leven was tegengekomen probeerde ze hem altijd te helpen en dekte ze hem als hij de fout in ging. Ze was zo goed een beetje met de cijfers te rommelen en zei hem de volgende maand wat voorzichtiger te zijn. Geweldig. Carls andere taak was de hoezen van het oudere gedeelte van het archief, de 45-toerenplaten, te fotokopiëren, alfabetiseren en op te bergen. Daar zaten een paar mooie klassiekers tussen. Vijf jongens met enorme afrokapsels in minuscule roze shorts, die met hun armen om zichzelf heen geslagen poseerden naast een Cadillac die werd bestuurd door een aap met een zonnebril op. Klassiekers. Toen Carls maten over zijn nieuwe baantje hoorden, konden ze hun oren niet geloven. Geld om cd's mee te kopen! Betaald worden om naar muziek te luisteren! *Yo, man, je kaapt ze de dollars zó onder de neus weg! Shit man, dat is te gek!* Carl werd tot zijn eigen verbazing een beetje pissig over dit soort gelukwensen. Iedereen bleef hem maar vertellen wat een fantastische job hij had: geld krijgen voor niksdoen. Maar hij deed niet niks. Dr. Erskine Jegede zelf had hem een welkomstbrief geschreven waarin stond dat hij deel uitmaakte van het project om 'een publiekelijk toegankelijk archief van onze gemeenschappelijke audiocultuur aan te leggen voor toekomstige generaties'. Hoezo niksdoen?

Het was een baan voor drie dagen per week. Tenminste, dat was wat van hem verwácht werd, maar in werkelijkheid kwam hij vijf dagen per week. Soms keek Elisha hem een tikkeltje bezorgd aan; er was gewoonweg niet genoeg werk voor hem om vijf dagen mee vol te maken. Dat wil zeggen, hij kon in de komende zes maanden de achterstallige elpeehoezen kopiëren, maar Carl begon het idee te krijgen dat dit een zinloos klusje was, iets wat ze hem lieten doen omdat ze dachten dat hij niets beters kon. Maar in feite had hij allerlei ideeën over hoe het archief verbeterd kon worden, hoe het studentvriendelijker gemaakt kon worden. Hij wilde een vergelijkbare opzet als van de grote platenwinkels, waar je naar binnen loopt, een koptelefoon opzet en toegang hebt tot honderden verschillende nummers, alleen zou in Carls archief de koptelefoon zijn aangesloten op computers waarop automatisch de door Elisha geschreven en gerangschikte artikelen over de muziek in het archief zouden verschijnen.

'Dat klinkt duur,' zei Elisha toen ze over dit plan hoorde.

'Oké, dat is waar, maar mag ik weten wat het nut van een audiotheek is als je niet eens toegang hebt tot de bronnen? Geen hond gaat die ouwe platen lenen. De meeste jongeren weten niet eens meer wat een platenspeler is.'

'Toch klinkt het duur.'

Carl probeerde Erskine te spreken te krijgen over zijn ideeën, maar die brother had nooit tijd, en toen Carl hem op de gang tegen het lijf liep, leek Erskine in verwarring te verkeren over wie Carl eigenlijk was en raadde hij hem aan al zijn vragen voor te leggen aan de bibliothecaresse – wat was haar naam ook weer? O ja, Elisha Park. Toen Carl dit verhaal doorvertelde aan Elisha, zette ze haar bril af en zei iets tegen Carl wat diepe weerklank in hem vond, iets wat hij vastpakte en aan zijn hart drukte als een songtekst.

'Dit is het soort baan,' zei Elisha, 'waar je zélf iets van moet maken. Je kunt natuurlijk wel onder die poort door lopen en in de lunchroom gaan zitten en doen alsof je een Wellington-student bent of zo...' Als Carls huid kon blozen, zou ze dat op dit moment gedaan hebben. Elisha doorzag hem. Hij vond het geweldig om onder die poort door te lopen. Hij vond het heerlijk om met een rugzakje over de besneeuwde binnenplaats te slenteren of in die bedrijvige kantine te zitten en er voor de buitenwereld uit te zien alsof hij werkelijk de student was die zijn moeder zich altijd had gedroomd. 'Maar mensen als jij en ik,' vervolgde Elisha streng, 'wij zijn niet echt deel van deze gemeenschap, of wel dan? Ik bedoel, niemand doet er iets voor om ons dat gevoel te geven. Dus als jij wilt dat deze baan iets bijzonders is, moet je er iets bijzonders van máken. Niemand gaat dat voor jou doen, en dat is een feit.'

Dus in zijn derde werkweek begon Carl zich te verdiepen in de onderzoekskant. Financieel en qua tijd had dit totaal geen zin. Niemand zou hem meer betalen voor het extra werk. Maar voor het eerst in zijn leven merkte hij dat hij geïnteresseerd was in het werk dat hij deed; hij wílde het doen. En wat had het voor zin dat Elisha – wier specialisme de blues was – hem altijd van alles moest vragen over rapartiesten en de geschiedenis van rapmuziek, als hij hersens in zijn hoofd en een toetsenbord tot zijn beschikking had? Zij kon dan alle informatie schriftelijk terugvinden. Het eerste waar hij voor ging zitten was het schrijven van een inhoudskaartje over Tupac Shakur. Het enige wat hij wilde was een korte biografie van duizend woorden schrijven, zoals Elisha hem had gevraagd, en die aan haar doorgeven zodat zij er een van haar minidiscografieën en bibliografieën aan toe kon voegen met verwijzingen voor verder lezen en luisteren. Om tien uur 's ochtends ging hij achter de computer zitten. Tegen lunchtijd zat hij op vijfduizend woorden. En dat alles zonder zelfs maar bij het gedeelte te zijn gekomen waar Tupac als tiener van de Oostkust naar de Westkust verhuist. Elisha suggereerde dat hij in plaats van personen als onderwerp te nemen, kon uitgaan van een bepaald aspect van rapmuziek in het algemeen en alle voorbeelden van dat aspect kon vermelden, zodat de mensen van het een bij het ander konden komen. Dat hielp niet. Vijf dagen geleden had Carl het onderwerp *kruispunt* gekozen. Alle vermeldingen van kruispunten, afbeeldingen van kruispunten op platenhoezen en rapnummers gebaseerd op het idee van een cruciaal punt op iemands levensweg. Vijftienduizend woorden en er kwam nog meer. Het was alsof hij ineens de typeziekte had. Waar was die ziekte geweest toen hij nog op school zat?

'Klop klop,' zei Zora geheel overbodig terwijl ze haar hoofd om de hoek van de deur stak en aanklopte. 'Heb je het erg druk? Ik kwam toevallig langs, dus.'

Carl schoof zijn pet van zijn gezicht en keek op van zijn toetsenbord, geïrriteerd over de onderbreking. Zeker, het was zijn bedoeling om altijd aardig voor Zora Belsey te zijn, want zij was ook altijd aardig voor hem. Maar ze maakte het hem niet gemakkelijk. Ze was het soort persoon waar je nooit omheen kon. Zo'n tweemaal per dag kwam ze 'toevallig langs' zijn kantoor, gewoonlijk met nieuws over haar campagne om hem bij Claire Malcolms poëziewerkgroep te houden. Hij had haar nog niet kunnen vertellen dat het hem geen moer meer kon schelen of hij in die werkgroep kon blijven of niet.

'Hard aan het werk, zoals altijd,' zei ze en stapte de kamer in.

Hij stond versteld van de ruime inkijk waarmee hij werd geconfronteerd, omhoog- en bijeengeduwd in een strak wit topje dat niet helemaal was opgewassen tegen de inhoud die eraan was toevertrouwd. Er hing ook een maf stola-achtig geval om haar schouders in plaats van een jas, en Zora was gedwongen het ding de hele tijd goed te hangen, aangezien het aan de linkerkant afgleed.

'Hallo, professor Thomas. Ik dacht, ik ga even langs.'

'Hé,' zei Carl en hij duwde zijn stoel instinctief een beetje verder van de deur. Hij zette zijn koptelefoon af. 'Je ziet er anders uit. Ga je ergens heen? Je ziet er heel... heb je het niet kóud?'

'Nee, niet echt... waar is Elisha? Lunchen?' Carl knikte en keek naar zijn computerscherm. Hij zat midden in een zin. Zora ging op Elisha's stoel zitten en rolde ermee om het bureau heen tot naast die van Carl.

'Zullen we gaan lunchen?' vroeg ze. 'We zouden de stad in kunnen gaan. Ik heb pas om drie uur weer les.'

'Weet je... ik zou best willen, maar ik moet nog zoveel doen, man... ik kan het net zo goed meteen doen... dan is het maar gedaan.'

'O,' zei Zora, 'o, oké.'

'Nee, ik bedoel, een ander keertje is cool, maar ik kan me niet zo goed concentreren, er is de hele tijd zo veel lawaai buiten. Lui die een uur lang lopen te gillen. Weet jij misschien wat er aan de hand is?'

Zora stond op, liep naar het raam en opende de jaloezieën. 'Een of andere Haïtiaanse protestactie,' zei ze en ze schoof het raam open. 'O, uit deze hoek kun je het niet zien. Ze staan folders uit te delen op het plein. Hoop gedoe, massa's mensen. Ik neem aan dat er straks een protestmars komt.'

'Man, ik kan ze niet zien maar ik hoor ze des te beter, god, wat maken die een herrie. Waar gaat het eigenlijk om?'

'Minimumloon, de hele tijd door iedereen worden genaaid... een heleboel dingen, lijkt me zo.' Zora deed het raam dicht en ging zitten. Ze leunde over Carl heen om op zijn computer te kijken. Hij bedekte het scherm met zijn handen.

'Ai, man, niet doen, ik heb de spellingcontrole er nog niet eens doorheen gehaald, man...'

Zora trok zijn vingers één voor één van het toetsenbord. '*Crossroads*... die plaat van Tracy Chapman?'

'Nee,' zei Carl, 'het thema.'

'Ach zo,' zei Zora plagerig. 'Sorry hoor. Het *thema*.'

'Jij denkt zeker dat ik geen woorden ken die jij kent, hè?' zei Carl gepikeerd, en hij had er meteen spijt van. Je kon gewoon niet boos worden op dat soort mensen uit betere milieus, ze raakten veel te gauw van de kook. En ja hoor, Zora's gezicht betrok.

'Nee, ik, ik bedoel, nee, Carl, zo bedoelde ik het niet.'

'O, man... dat weet ik ook wel. Rustig aan, joh.' Hij klopte zachtjes op haar hand. Hij kon niet weten wat voor elektrische zwieper er door haar lichaam ging als hij dat deed. Nu keek ze hem vreemd aan.

'Waarom kijk je me zo gek aan?'

'Nee, ik was gewoon... ik ben zó trots op je.'

Carl lachte.

'Nee, serieus. Je bent echt heel bijzonder. Moet je zien wat jij voor elkaar hebt gekregen, wat je elke dag voor elkaar krijgt. Dat is nou precies waar het mij om gaat. Jij verdíent het op deze universiteit te zitten. Je bent wel tien keer zo briljant en ijverig als de meeste van die verwende zeikerds hier.'

'Man, hou toch op.'

'Het is gewoon waar.'

'Wat waar is, is dat ik niets van dit alles zou kunnen doen als ik jou niet was tegengekomen. Dus dáár dan, als we dan toch op zijn Oprah's bezig zijn.'

'Nou moet jíj ophouden,' zei Zora stralend.

'Laten we *allebei* in godsnaam ophouden,' stelde Carl voor en hij sloeg een toets aan. Zijn scherm, dat in de afgelopen seconden in slaapstand was gegaan, kwam weer tot leven. Hij probeerde de draad van zijn laatste, half voltooide zin te hervatten.

'Ik heb weer vijftig handtekeningen voor de petitie erbij. Ze zitten in mijn tas. Wil je ze zien?'

Carl moest even denken voor hij wist waar ze het over had. 'O, oké... dat is cool... nee, doe geen moeite... wel hartstikke cool. Dank je wel, Zora. Ik waardeer echt wat je voor me doet.'

Zora zei niets, maar bracht dapper een plan ten uitvoer waar ze al op had zitten broeden sinds voor de kerst: het ómgekeerde handklopje: ze raakte tweemaal vlug de bovenkant van zijn hand aan. Hij schreeuwde niet. Hij rende de kamer niet uit.

'Serieus, ik ben geïnteresseerd,' zei ze met een knikje naar de computer. Ze schoof haar stoel nog een stukje dichterbij. Carl leunde achterover en legde haar terloops iets uit over het beeld van het kruispunt en hoe vaak rappers dat gebruiken. Het kruispunt als symbool voor persoonlijke beslissingen en keuzes, in de zin van 'voor het goede kiezen', of als symbool voor de geschiedenis van hiphop zelf, de splitsing tussen 'bewuste' teksten en 'gangstarap'. Hoe meer hij praatte, des te meer werd hij door zijn onderwerp aangestoken en meegesleept.

'Weet je, ik gebruikte het zelf ook de hele tijd – nooit bij stilgestaan waarom. En ineens zegt Elisha tegen me: "Ken je die muurschildering in Roxbury, die met de stoel die naar beneden hangt onder die boog?" En ik zo van ja, natuurlijk, man, want ik woon daar vlakbij, weet je welke ik bedoel?'

'Vaag,' zei Zora, maar ze had slechts eenmaal een wandeling door Roxbury gemaakt, tijdens de Zwarte-Geschiedenismaand toen ze nog op de middelbare school zat.

'Nou, je hebt dus dat kruispunt dat daarop geschilderd is, hè. Met die slangen en die gozer – van wie ik nu natuurlijk weet dat hij Robert Johnson is – ik heb m'n hele leven pal naast die muurschildering gewoond, nooit geweten wie die brother was... maar anyway: dat is Johnson op die muurschildering, die midden op het kruispunt zit te wachten om zijn ziel aan de duivel te verkopen. En daarom – mán, wat een kankerherrie daarbuiten – daarom hangt er een échte stoel onder die boog naar beneden in dat steegje. Mijn hele leven heb ik me afgevraagd waarom iemand een stoel in die steeg had gehangen. Dat moet Johnsons stoel voorstellen, snap je? *Midden op het kruispunt.* En daar is de hiphop helemaal van doordrongen, voor mij is dat zo'n beetje de essentie van rap. JE MOET LEERGELD BETALEN. Dat staat boven die muurschildering, toch? Vlak bij de stoel? En dat is het voornaamste principe van rapmuziek. Je moet leergeld betalen, man. Dus het is als... Ik ben dat idee aan het uitwerken... *man*, wat maken die brothers een herrie! Ik kan mijn eigen gedachten hier binnen niet eens meer horen!'

'Het raam staat van boven een stukje open.'

'Ik weet het, ik krijg het niet dicht, die ramen sluiten niet goed.'

'Jawel hoor, jou lukt het alleen niet, je moet er handigheid in hebben.'

'Wat zou ik toch moeten zonder mijn moppie, hmm?' vroeg Carl terwijl Zora opstond. Hij gaf haar een speels klapje op haar dikke achterwerk. 'Ze staat altijd voor me klaar. Weet alles over *alles.*'

Zora rolde haar stoel naar het raam en liet zien hoe het dicht moest.

'Dát is beter,' zei Carl. 'Een beetje rust voor een brother die aan het werk is.'

Je weet nooit hoe de hotels in je eigen stad zijn, omdat je daar nooit hoeft te overnachten. Howard beval al tien jaar lang het aan de rivier gelegen Barrington-hotel aan bezoekende professoren aan, maar afgezien van een matige vertrouwdheid met de lobby kende hij het hotel eigenlijk niet. Daar zou zo meteen verandering in komen. Hij zat op een van de imitatie-Georgian sofa's op haar te wachten. Uit een raam kon hij de rivier zien, en het ijs op de rivier, en de witte lucht weerspiegeld in het ijs. Hij voelde helemaal niets. Zelfs geen schuld, zelfs geen begeerte. Hij was gedwongen hierheen te komen door een reeks e-mails die ze hem de afgelopen week had gestuurd, overvloedig geïllustreerd met het soort zelfgemaakte digitalecameraporno waar tegenwoordig ieder tienermeisje zo bedreven in lijkt te zijn. Haar motieven waren hem volstrekt duister. De dag na het diner had ze hem een furieuze e-mail gestuurd, waarop hij had gereageerd met een slappe verontschuldiging, zonder te verwachten dat hij nog iets van haar zou horen. Maar dit ging anders dan in een huwelijk, zoals bleek: Victoria vergaf hem direct. Zijn verdwijnact bij het diner scheen haar alleen maar nog vastbeslotener te hebben gemaakt om het gebeuren in Londen te herhalen. Howard voelde zich te zwak om tegen wie dan ook in te gaan die haar zinnen op hem had gezet. Hij opende al haar bijlagen en beleefde een wellustige week vol forse erecties achter zijn bureau, bonte visioenen waarin hij haar liet doen wat ze had gevraagd te mogen doen. *Ik kruip onder je bureau. Doe mijn mond open. Pijp je. Pijp je. Pijp je.* Wat zijn die woorden geil! Howard, die zelf vrijwel geen ervaring met pornografie had – hij had een bijdrage geleverd aan een boek dat het veroordeelde, onder eindredactie van Gloria Steinem – ging helemaal op in deze moderne seks: hard, glanzend, vochtvrij en gewelddadig. Het paste bij zijn stemming. Twintig jaar geleden had het misschien zijn afkeer gewekt, maar nu niet. Victoria stuurde hem afbeeldingen van openingen en spleetjes die gewoon op hem *wachtten*, zonder gepraat, zonder discussies, zonder botsende persoonlijkheden en zonder het gevoel dat er moeilijkheden van zouden komen. Howard was zevenenvijftig jaar oud. Hij was al meer dan dertig jaar getrouwd met een moeilijke vrouw. Wachtende openingen binnengaan was op het moment zo ongeveer het maximaal haalbare voor hem in het strijdperk van de persoonlijke betrekkingen. Er was niets meer om voor te vechten of om te redden. Binnenkort zou hij ongetwijfeld worden weggestuurd om een appartement voor zichzelf te zoeken, om te gaan leven zoals zo veel mannelijke kennissen van hem leefden, alleen en opstandig en altijd enigszins aangeschoten. Alles bij elkaar was het wel een beetje veel voor hem. Het was onvermijdelijk wat er ging komen. En daar was het, daar was zíj. De draaideur spuwde haar uit, aantrekkelijk als altijd in een hooggesloten felgele jas met grote, kinderlijke vierkante knopen van hoorn. Ze spraken nauwelijks. Howard ging naar de balie om de sleutel te halen.

'Het is een kamer aan de straatkant, meneer,' zei de baliemedewerker, want Howard had gedaan alsof hij er zou overnachten, 'en het kan vandaag een beetje rumoerig zijn. Er wordt een protestmars gehouden in de stad. Als u er last van heeft, belt u dan even, dan kijken we of we iets aan de andere kant van het gebouw kunnen regelen. Een prettige dag verder.'

In de lift naar boven waren ze alleen. Ze drukte haar hand tegen zijn kruis. Kamer 614. Bij de deur duwde ze hem tegen de muur en begon hem te kussen.

'Je gaat toch niet weer weglopen, hè?' fluisterde ze.

'Nee... wacht, laten we eerst naar binnen gaan,' zei hij en duwde de elektronische kaartsleutel in de gleuf. Het groene lampje ging aan, de deur klikte. Ze stonden in een muffe kamer, waar de gordijnen dicht waren. Er waaide een kil briesje en Howard hoorde gedempt gezang. Hij liep naar het raam om te kijken waar het openstond.

'Laat die gordijnen maar dicht. Ze hoeven niet allemaal m'n striptease te zien.'

Ze liet haar gele jas op de vloer vallen. Daar stond ze in al haar jeugdige glorie in het stoffige licht. Korset, panty's, G-string, jarretelles... niet één treurig detail was vergeten.

'O! Pardon! Neem me niet kwalijk!'

Een vrouw van over de vijftig, een zwarte vrouw in T-shirt en joggingbroek, was uit de badkamer gekomen met een emmer in haar hand. Victoria gilde en knielde neer om haar jas te pakken.

'Sorry, sorry,' zei de vrouw, 'ik schoonmaken... later, ik kom...'

'Hoorde u ons niet binnenkomen?' vroeg Victoria woest, terwijl ze vlug overeindkwam.

De vrouw keek smekend naar Howard.

'Ik vráág iets,' zei Victoria, de jas nu als een cape om haar heen gedrapeerd. Ze ging voor haar slachtoffer staan.

'Mijn Engels, sorry, kunt u... nog eens zeggen, alstublieft?'

Buiten klonk een fluitconcert.

'Godverdomme, het was toch duidelijk dat we hier binnen waren – u had moeten laten merken dat u hier was.'

'Sorry, sorry, pardon,' zei de vrouw en ze begon achterwaarts de kamer uit te lopen.

'Néé,' zei Victoria. 'Niet weggaan, ik vráág u iets. Hello? Spreekt u Engels?'

'Victoria, alsjeblieft,' zei Howard.

'Neem me niet kwalijk, sorry,' ging het kamermeisje verder; ze opende de deur en slaagde er al buigend en knikkend in te ontsnappen. De deur gleed langzaam terug en viel klikkend in het slot. Ze bleven alleen achter in de kamer.

'*God*, ik word hier zo pissig om,' zei Victoria. 'Nou ja. Klote. Sorry.' Ze lachte zachtjes en deed een stap in de richting van Howard. Howard deed een stap terug.

'Ik denk dat de sfeer hierdoor een beetje...' zei hij terwijl Victoria dichterbij kwam, sssssjt zeggend en een schouder van haar jas omlaag schuivend. Ze drukte haar lichaam tegen het zijne en duwde haar dijbeen zachtjes in zijn ballen. Howard kwam nu met een afgesleten zinnetje dat perfect paste bij de jas, het korset, de jarretelles en de muiltjes met pluizige pompons erop die Victoria in haar schooltas had meegebracht.

'Het spijt me, ik kan dit niet!'

IO

'Het is heel simpel. Ik heb alle afbeeldingen opgeslagen op je harde schijf, en het enige wat jij hoeft te doen is ze in de goede volgorde zetten voor de lezing en er eventueel citaten of grafieken onder zetten, op volgorde, net als in een normaal tekstbestand. En dan staat het allemaal in het juiste format. Zie je dit?' Smith J. Miller leunde over Howards schouder en raakte met zijn vingers Howards toetsenbord aan. Hij had een babyadem: warm, geurloos en fris als stoom. 'Klik aan en verplaats. Klik aan en verplaats. En je kunt ook dingen van het web halen. Ik heb een uitstekende Rembrandtsite voor je gesaved, kijk: daar vind je hogeresolutieafbeeldingen van alle schilderijen die je nodig hebt. Oké?'

Howard knikte sprakeloos.

'Nou, ik ga even lunchen, maar ik kom vanmiddag terug om dit op te halen en het om te zetten in powerpoint. Oké? Dit is de toekomst.'

Howard zuchtte.

'Howard,' zei Smith en hij legde een hand op zijn schouder, 'dit wordt een perfecte lezing. Prettige sfeer, leuke, kleine galerie, en iedereen staat aan jouw kant. Glaasje wijn, stukje kaas, lezinkje, en allemaal weer naar huis. Het wordt gelikt, het wordt professioneel. Niets om je zorgen over te maken. Je hebt dit al een miljoen keer gedaan. Nou, ik kom om een uur of drie terug om dit op te halen.'

Smith gaf Howard een laatste kneepje in zijn linkerschouder en pakte zijn dunne aktetas.

'Wacht even,' zei Howard, 'hebben we alle uitnodigingen verzonden?'

'Heb ik in november al gedaan.'

'Burchfield, Fontaine, French...'

'Howard, iedereen die iets voor je kan betekenen is uitgenodigd. Is allemaal gebeurd. Geen zorgen. Nu alleen nog die powerpoint afmaken en we zijn klaar voor de start.'

'Heb je mijn vrouw uitgenodigd?'

Smith bracht zijn aktetas over naar zijn andere hand en keek zijn werkgever verward aan.

'Kiki? Sorry, Howard... eh... ik heb alleen zakelijke uitnodigingen verstuurd, zoals gewoonlijk... maar als je een lijstje hebt met vrienden en familie die je...'

Howard wuifde het idee weg.

'Oké dan.' Smith salueerde. Mijn werk hier zit erop. Drie uur.'

Smith ging. Howard klikte wat op de website die voor hem was geopend. Hij vond de lijst met schilderijen waar Smith het over had en opende *De waardijns van het lakengilde*, beter bekend als *De staalmeesters*. Op dit schilderij zitten zes Nederlanders, allemaal ongeveer van Howards leeftijd, in het zwart gekleed rond een tafel. De staalmeesters hadden als taak de lakenproductie te controleren in het zeventiende-eeuwse Amsterdam. Ze werden jaarlijks benoemd en werden uitgekozen op grond van hun vermogen om te beoordelen of de hun voorgelegde stoffen consistent van kleur en kwaliteit waren. Een Turks kleed bedekt de tafel waaraan ze zitten. Waar het licht op dit kleed valt, onthult Rembrandt ons de diepe bordeauxrode kleur ervan en het geraffineerde goudstiksel. De mannen kijken het schilderij uit, ieder in een andere houding. Vierhonderd jaar speculeren heeft een gedetailleerd verhaal gesponnen rond dit beeld. Het zou om een vergadering van aandeelhouders gaan; de mannen zitten op een verhoogde estrade, zoals je bij een moderne paneldiscussie zou kunnen zien; aan hun voeten zit een groep onzichtbare toehoorders, van wie één de staalmeesters zojuist een moeilijke vraag heeft gesteld. Rembrandt zit dicht bij, maar niet naast, de vragensteller; hij legt het tafereel vast. In zijn weergave van ieder gezicht biedt de schilder ons telkens een iets andere opvatting van het probleem dat aan de orde is. Dit is het moment van overweging, zoals te zien op zes verschillende gezichten, zo ziet *beoordeling* eruit: een weloverwogen, rationele, welwillende beoordeling. Aldus de traditionele kunstgeschiedenis.

Howard de beeldenstormer verwerpt al deze ongefundeerde veronderstellingen. Hoe kunnen wij weten wat er buiten de lijst van het schilderij gebeurde? Wát voor toehoorders? Wát voor vragensteller? Wát voor moment van beoordeling? Het is allemaal onzin en sentimentele traditie. Het idee dat dit schilderij een bepaald moment in de tijd afbeeldt, zo stelt Howard, is een anachronistische, fotografische misvatting. Het is een en al pseudo-historische verhalenvertellerij met een bedenkelijk religieuze ondertoon. We willen geloven dat deze staalmeesters wijze mannen zijn die een wijs oordeel vellen over dit denkbeeldige publiek, en impliciet over ons. Maar niets van dit alles zit werkelijk ín het schilderij. Al wat we werkelijk zien is zes rijke mannen die model zitten voor hun portret, verwachtend – éisend – om met zijn allen te worden geportretteerd als vermogend, succesvol en rechtschapen. Rembrandt, die voor zijn diensten goed kreeg betaald, heeft alleen maar gedaan wat van hem werd gevraagd. De staalmeesters kijken naar helemaal niemand: er is niemand om naar te kijken. Het schilderij is een exercitie in het afbeelden van economische macht – naar Howards mening een bijzonder boosaardige en beklemmende afbeelding. Howard heeft zijn relaas door de jaren heen zo vaak herhaald en er zo vaak over geschreven dat hij vergeten is uit welk onderzoek zijn oorspronkelijk bewijsmateriaal afkomstig is. Hij zal hierover het een en ander moeten opdiepen voor de lezing. De gedachte alleen al maakt hem erg moe. Hij zakt in op zijn stoel.

Het draagbare kacheltje in Howards kantoor staat zo hoog dat hij het gevoel heeft dat hij op zijn plaats wordt gehouden door hete, dikke lucht. Howard klikt met zijn muis en maakt de afbeelding zo groot als zijn scherm. Hij kijkt naar de mannen. Achter Howard beginnen de ijspegels die zijn kantoorraam twee maanden lang hebben gesierd te smelten en te druppen. Op het binnenplein trekt de sneeuw zich terug en zijn er kleine oases van groen te zien, hoewel het van belang is daar niet te veel hoop uit te putten: er is zeker meer sneeuw in aantocht. Howard tuurt naar de mannen. Buiten luiden er klokken om het uur aan te geven. Er is het dreunende geluid van de tram die contact maakt met de bovenleiding, het loze gekwetter van studenten. Howard kijkt naar de mannen. De geschiedenis heeft een paar van hun namen bewaard. Howard kijkt naar Volkert Jansz, een mennoniet en verzamelaar van curiositeiten. Hij kijkt naar Jacob van Loon, een katholieke lakenfabrikant die op de hoek van de Dam en de Kalverstraat woonde. Hij kijkt naar het gezicht van Jochem van Neve: het is een sympathiek spaniëlgezicht met vriendelijke ogen, dat bij Howard een zekere genegenheid oproept. Hoe vaak heeft Howard al naar deze mannen gekeken? De eerste keer was hij veertien; hij kreeg een kopie van het schilderij te zien in de tekenles. Hij was geschokt en verbaasd geweest over de directe manier waarop de staalmeesters naar hem schenen te kijken, hun ogen (zoals de leraar het zei) 'volgden je door het hele lokaal', en toch, als Howard probeerde terug te staren naar de mannen, was hij niet in staat om een van hen recht in de ogen te kijken. Howard keek naar de mannen. De mannen keken naar Howard. Op die dag, drieënveertig jaar geleden, was hij een onontwikkelde, bijzonder slimme, kwade, mooie, geïnspireerde, stijfkoppige schooljongen met vuile knieën geweest, afkomstig uit de sociale onderlaag en toch vastbesloten zo niet te blijven – dát was de Howard Belsey die de staalmeesters die dag zagen en beoordeelden. Maar wat was hun oordeel nu? Howard keek naar de mannen. De mannen keken naar Howard. Howard keek naar de mannen. De mannen keken naar Howard.

Howard klikte op de inzoomoptie op zijn scherm. Inzoomen, inzoomen, inzoomen, tot hij alleen nog werd omgeven door de bordeauxrode pixels van het Turkse kleed.

'Hé pap, wat zit je te doen? Dagdromen?'

'Jezus! Kun je niet kloppen?'

Levi trok de deur achter zich dicht. 'Niet voor familie, nee... dat niet.' Hij streek neer op het hoekje van Howards bureau en strekte een hand uit naar zijn vaders gezicht. 'Alles oké? Je zweet, man. Je voorhoofd is kletsnat. Voel je je wel goed?'

Howard sloeg Levi's hand weg. 'Wat wil je?' vroeg hij.

Levi schudde afkeurend zijn hoofd maar lachte. 'O, man... wat hard. Alleen maar omdat ik bij je langskom denk je dat ik wat van je moet!'

'Kom je op visite?'

'Ja, eigenlijk wel. Ik vind het leuk je aan het werk te zien, kijken hoe het allemaal gaat, je weet wel, de grote *intellectueel* in universiteitsland. Je bent, zeg maar, mijn rolmodel en zo.'

'Oké. Hoeveel had je gewild?'

Levi gierde het uit. 'O, man... jij bent keihard! Niet te filmen, zeg!'

Howard keek naar het klokje in de hoek van zijn scherm. 'En school? Moet jij niet op school zitten?'

'Euh...' zei Levi, over zijn kin wrijvend, 'technisch gezien wel, ja. Maar ze hebben zo'n regel dat je niet op school mag zitten als de temperatuur in het lokaal onder een bepaalde, zeg maar, temperatuur ligt – ik weet niet hoeveel graden, maar die gozer Eric Klear weet hoeveel het is – hij brengt z'n thermometer mee. En als de temperatuur onder die temperatuur zakt, dan, nou ja, in feite gaan we dan gewoon allemaal naar huis. Kunnen ze niks tegen doen.'

'Heel ondernemend,' zei Howard. Toen lachte hij en keek vol tedere verwondering naar zijn zoon. Wat een tijd was dit om in te leven! Zijn kinderen waren oud genoeg om hém aan het lachen te maken. Ze waren echte mensen, die vrienden ontvingen en ruziemaakten en een bestaan hadden geheel onafhankelijk van hem, al had hij het geheel in gang gezet. Ze dachten en geloofden in andere dingen. Ze hadden niet eens dezelfde huidskleur als hij. Ze waren een soort wonder!

'Dit is geen normaal gedrag voor een kind, weet je,' zei Howard joviaal terwijl hij al naar zijn achterzak reikte. 'Dit is een overval in je eigen kantoor.'

Levi gleed van het bureau af en ging uit het raam staan kijken. 'De sneeuw smelt. Maar het zal niet lang duren. Man,' zei hij en hij draaide zich om, 'zo gauw ik mijn eigen geld en mijn eigen leven heb, verhuis ik naar een plek waar het lekker heet is. Ik verhuis naar, zeg maar, Afrika. Maakt me niet eens uit of het er arm is. Zolang het er warm is, vind ik alles flex.'

'Zes-, zeven-, achtentwintig... meer heb ik niet,' zei Howard terwijl hij de inhoud van zijn portemonnee ophield.

'Dat vind ik echt tof, man. Ik ben totaal blut op het moment.'

'En dat baantje van je dan?'

Levi draaide wat heen en weer voor hij het opbiechtte. Howard lag met zijn hoofd op tafel en luisterde.

'Levi, dat was een goed baantje.'

'Ik heb al wat anders! Alleen is dit wat meer... onregelmatig. En ik ben er nu niet mee bezig, want ik heb andere dingen te doen, maar binnenkort begin ik weer, want het is, zeg maar...'

'Zeg maar niet,' zei Howard met nadruk en hij sloot zijn ogen. 'Zeg maar niet. Ik wil het niet weten.'

Levi stopte de dollars in zijn achterzak. 'Anyway, voor de tussentijd heb ik een beetje cashflow. Maar ik betaal het je terug.'

'Met ander geld dat uit mijn zak komt.'

'Ik heb een baantje, dat zeg ik toch! Chill, man. Oké? Kan je effe chillen? Je bezorgt jezelf nog een hartaanval, man. *Chill.*'

Met een zucht gaf hij zijn vader een kus op diens bezwete voorhoofd en deed zachtjes de deur dicht.

Levi liep op zijn swingende manier door het gebouw van de vakgroep naar het hoofdportaal van de faculteit der Geesteswetenschappen. Hier stopte hij om een passend liedje te selecteren om de vrieskou buiten te kunnen trotseren. Iemand riep zijn naam. Hij zag niet meteen wie het was.

'Yo, Levi! Hierzo! Hé, man! Lang niet gezien, man.'

'*Carl*?'

'Ja, Carl. Ken je me soms niet meer?'

Ze drukten hun vuisten tegen elkaar, maar Levi bleef fronsen.

'Wat doe jij hier, man?'

'Shit, wist je dat dan niet?' zei Carl, terwijl hij met een gemaakt glimlachje aan de hals van zijn T-shirt trok. 'Ik zit tegenwoordig op de universiteit!'

Levi lachte. 'Nee, even serieus, bro – wat doe je hier?'

Carls glimlach verdween. Hij tikte op het rugzakje op zijn rug. 'Heeft je zus je dat niet verteld? Ik zit tegenwoordig op de universiteit. Ik werk hier.'

'*Hier*?'

'Vakgroep Afro-Amerikaanse Wetenschappen. Ik ben net begonnen, als archivaris.'

'*Wát*?' Levi bracht zijn gewicht over op zijn andere voet. 'Man, je zit me te dissen.'

'Nope.'

'Jij wérkt hier. Ik snap 't niet... als schoonmaker?'

Levi bedoelde het niet zoals het klonk. Het was alleen dat hij gisteren tijdens de protestmars een heleboel mensen had ontmoet die schoonmaakten op Wellington, en dat was het eerste dat in hem opkwam. Carl was beledigd.

'Nee, man, ik run het *archief*, ik ben geen schoonmaker. Het is een audiotheek. Ik ga over de hiphop en R&B en moderne stedelijke zwarte muziek. Het is een ongelooflijke collectie, je moet eens een kijkje komen nemen.'

Levi schudde ongelovig zijn hoofd. 'Carl, bro, ik volg je niet... je moet me dit nog eens uitleggen. Werk jij *hier*?'

Carl wierp een blik over Levi's hoofd naar de klok aan de wand. Hij moest naar een afspraak. Hij zou iemand van de vakgroep Moderne Talen ontmoeten die een paar Franse rapteksten voor hem zou vertalen.

'Ja, man, zo moeilijk is het nou ook weer niet. Ik werk hier.'

'Maar... Vind je het hier léuk?'

'Ja hoor. Nou ja... het is af en toe een beetje kouwe kak, maar de vakgroep Afro-Amerikaanse Wetenschappen is cool. Je kunt een heleboel van de grond krijgen op een plek als deze. Hé, ik zie je vader hartstikke vaak. Hij werkt daarachter.'

Levi, in beslag genomen door de vele vreemde feiten die hem werden meegedeeld, negeerde dit laatste. 'Dus, wacht even: maak je geen muziek meer?'

Carl verschoof zijn rugzakje. 'Ach... wel een beetje, maar... ik weet niet man, die rappersscene... het is een en al gangsta's en playa's tegenwoordig... dat is niet mijn ding. Voor mij, zoals ik het zie, moet rap helemaal gaan over de juiste proporties. En weet je, als je dezer dagen naar de Bus Stop gaat, heb je daar al die heftige, kwade brothers, die, zeg maar... tekeergaan... en ik voel dat niet echt zo, dus, ja... je weet hoe het is...'

Levi haalde een kauwgumpje uit het papiertje en stak het in zijn mond zonder Carl er ook een aan te bieden. 'Misschien hebben ze een reden om kwaad te zijn,' zei Levi ijzig.

'Ja... nou, hoor eens, man, ik moet er eigenlijk vandoor, ik heb een... dinges. Hé, maar kom eens langs in de audiotheek. We beginnen binnenkort met open-luistermiddagen, dan kun je een willekeurige plaat pakken en beluisteren. We hebben een paar heel zeldzame dingen, dus kom langs. Kom morgenmiddag langs. Waarom doe je dat niet?'

'Morgen is de tweede protestmars. We protesteren de hele week.'

'Protesteren?'

Op dat moment gingen de grote deuren open en waren ze even in het gezelschap van de meest ongelooflijk uitziende vrouw die de beide jongens ooit hadden gezien. De vrouw liep snel en hoog op de benen langs hen heen in de richting van de vakgroep Geesteswetenschappen. Ze droeg een strakke spijkerbroek met een roze coltruitje en hoge okergele laarzen. Een lange, zijdeachtige weave viel over haar rug. Levi bracht haar niet in verband met het huilende, kortharige meisje in het zwart dat hij een maand geleden op wat serener en godvruchtiger wijze achter een doodkist aan had zien lopen.

'Sister, wow!' mompelde Carl, hard genoeg om te worden gehoord, maar Victoria was geoefend in het negeren van dergelijk commentaar en liep gewoon door. Levi staarde naar haar sensationele achteraanzicht.

'O, mijn god...' jammerde Carl en hij drukte zijn hand tegen zijn borst, 'heb je die *ass* gezien? O, mán, het doet gewoon pijn.'

Levi had inderdaad die ass gezien, maar ineens was Carl niet degene met wie hij het daarover wilde hebben. Hij had Carl nooit goed gekend, maar in een soort kalverliefde had hij behoorlijk tegen hem opgekeken. Zo zie je maar weer wat er gebeurt als je volwassener wordt. Levi was overduidelijk een flink stuk volwassener geworden sinds vorige zomer – dat had hij al aangevoeld, en nu zag hij dat het klopte. Van zwakke brothers als Carl was hij helemaal niet meer onder de indruk. Levi Belsey was overgegaan naar het volgende niveau. Het was vreemd om te denken aan hoe hij vroeger was geweest. En het was zó vreemd om naast deze ex-Carl te staan, deze uitgerangeerde loser, dit omhulsel van een brother bij wie alles wat mooi en opwindend en waar was, in rook was opgegaan.

Howard wilde juist even een bagel gaan halen in de kantine. Hij stond op van zijn bureau, maar kreeg net op dat moment bezoek. Ze gooide de deur open en smeet hem weer dicht. Ze kwam niet ver de kamer in. Ze stond met haar rug tegen de deur aan gedrukt.

'Zou je even willen gaan zitten,' zei ze terwijl ze niet naar hem keek maar naar het plafond, alsof ze een gebed tot daarboven richtte. 'Kun je even gaan zitten, luisteren en niets terugzeggen. Ik wil iets zeggen en dan wil ik weer weggaan en meer niet.'

Victoria's verstikte stem stond op het punt om uit te schieten. Howard vouwde zijn jas dubbel en ging zitten met het kledingstuk op zijn schoot.

'Zo ga je niet met mensen om, hoor je?' zei ze, nog steeds tegen het plafond pratend. 'Dat flik je me geen *twee keer*. Eerst zet je me voor paal bij dat diner en dan... je laat iemand niet in zijn eentje achter in een hotel, je gedraagt je godverdomme niet als een kind en geeft iemand dan ook nog eens het gevoel dat-ie niets waard is. Dat dóe je gewoon niet.'

Ten slotte verplaatste ze haar blik naar beneden. Haar hoofd schommelde wild op haar hals. Howard keek naar zijn voeten.

'Ik weet dat jij denkt,' zei ze, elk woord gesmoord in tranen en daarom moeilijk te verstaan, 'dat je... me ként. Je kent me helemaal niet. Dit,' zei ze en ging met haar handen over haar gezicht, haar borsten, haar heupen, '*dit* is wat je kent. Maar míj ken je niet. En jij was degene die *dit* wilde, het is het enige wat iedereen altijd...' Ze ging met haar handen nog eens langs dezelfde drie plaatsen. 'En daarom heb ik dat...'

Ze veegde haar ogen af met de boord van haar truitje. Howard keek op.

'In ieder geval,' zei ze, 'wil ik dat je de e-mails vernietigt die ik je heb gestuurd. En ik stop met je werkgroep, dus dáár hoef je je geen zorgen meer om te maken.'

'Het is niet nodig dat je...'

'Jij hebt geen idee wat ik nodig heb. Je weet niet eens wat je zélf nodig hebt. Maar goed. Zinloos.'

Ze legde haar hand op de kruk. Het was egoïstisch, hij wist het, maar voor ze wegging wilde Howard alleen maar haar belofte dat deze ramp tussen hen bleef. Hij stond op en legde zijn handen op het bureau, maar zei niets.

'O ja, en ik weet wel,' zei ze, haar ogen dichtknijpend, 'dat het je geen fuck interesseert wat ik te zeggen heb, want ik ben toch alleen maar een idiote griet of wat dan ook... maar als iemand met een redelijk objectieve kijk... wat jíj je eens zou moeten realiseren is dat je niet de enige persoon op de wereld bent. Naar mijn mening. Ik heb zo mijn eigen problemen. Maar jij zou eens iets aan die van jou moeten doen.'

Ze deed haar ogen open, draaide zich om en liep weg, opnieuw met veel kabaal. Howard bleef waar hij was, zijn handen om de kraag van zijn jas geklemd. Op geen enkel moment tijdens het debacle van de afgelopen maand had hij werkelijk romantische gevoelens gekoesterd voor Victoria, ook nu niet, maar het drong op dit late moment wel tot hem door dat hij haar eigenlijk heel graag mocht. Ze had iets moedigs, ze was spijkerhard en trots. Dit kwam Howard voor als de eerste keer dat ze eerlijk tegen hem had gesproken, of in elk geval op een manier die hij als waarachtig ervoer. Hij trok zijn jas aan; hij trilde. Bij de deur wachtte hij een minuutje om niet het risico te lopen haar buiten tegen te komen. Hij had een eigenaardig gevoel: paniekerig, beschaamd, opgelucht. *Opgelucht!* Was het zo erg het gevoel te hebben dat hij was ontsnapt? Zou zij dat niet ook hebben? Was er naast de fysieke aardverschuiving en de psychische schok, veroorzaakt door zijn aandeel in een dergelijke scène – en wat is het vreemd om zo te worden toegesproken door iemand die je eigenlijk maar nauwelijks kent – niet aan de andere kant van de explosie het tevreden gevoel dat je het hebt overleefd? Zoals een confrontatie op straat waarbij je fysiek wordt bedreigd en daar tegenin durft te gaan, om vervolgens met rust te worden gelaten. Je loopt weg, huiverend van angst en blijdschap om de verademing, de opluchting dat de dingen niet slechter hebben uitgepakt. In zo'n stemming van ambigue opgetogenheid liep Howard de afdeling uit. Hij kuierde langs Liddy aan de balie, door de hal, langs de drankautomaat en de internetplek, door de deuren van de Keller-bibl...

Howard deed een stap terug en drukte zijn wang tegen het glas van een van de deuren. Twee opmerkelijke details, nee, drie in feite. Eén: Monty Kipps op een podium, waar hij een voordracht hield. Twee: de Keller-bibliotheek volgepakt met mensen, meer mensen dan Howard ooit op Wellington bij elkaar had gekregen. Drie, en dit was het detail dat aanvankelijk Howards aandacht had getrokken: op nog geen twee meter van de deur, recht en rijzig in haar stoel, met een notitieblok in haar hand, kennelijk aandachtig en geïnteresseerd, zat een zekere Kiki Belsey.

Howard vergat zijn afspraak met Smith. Hij ging rechtstreeks naar huis en wachtte zijn vrouw op. In zijn razernij zat hij op de bank met Murdoch stevig op schoot geklemd allerhande openingszinnen te bedenken voor het komende gesprek. Hij had al een aardig rijtje koele, afstandelijke opties, maar toen hij de voordeur hoorde opengaan verdween elk sarcasme. Hij kon zich maar net bedwingen om niet op te springen en op de meest vulgaire manier over haar heen te vallen. Hij luisterde naar haar voetstappen. Ze kwam langs de huiskamerdeur – 'Ha. Alles oké?' – en liep verder. Howard ziedde inwendig.

'Kom je uit je werk?'

Kiki keerde op haar schreden terug en bleef staan in de deuropening. Zoals alle langgetrouwde mensen merkte ze meteen aan de toon waarop haar partner sprak dat er iets mis was.

'Nee... vrije middag.'

'Was het leuk?'

Kiki stapte de kamer in. 'Howard, wat is het probleem?'

'Ik geloof,' zei Howard terwijl hij Murdoch, die er genoeg van had half te worden gewurgd, losliet, 'dat ik zelfs nog een tikkeltje – een tíkkeltje – minder verbaasd zou zijn geweest om jou aan te treffen bij een bijeenkomst van...'

Ze begonnen door elkaar heen te praten.

'Howard, wat is dit? O, god...'

'...van *godverdómme* de Ku Klux Klan. Nee, in feite zou dat nog iets makkelijker...'

'Kipps' lezing... Jezus christus, wat een roddelnest is het daar ook... Hoor eens, ik hoef geen...'

'Ik weet niet wat voor andere neoconservatieve evenementen je nog op het programma hebt staan – nee, schat, géén geroddel, ik heb je gewoon gezíen, terwijl je daar aantekeningen zat te maken – ik had geen idéé dat je zo ingenomen was met het werk van de grote man, hád ik het maar geweten, dan had ik je zijn verzamelde speeches kunnen bezorgen, of...'

'Ach, rot op, zeg, laat me met rust.'

Kiki draaide zich om en wilde weglopen, maar Howard vloog naar de andere kant van de bank, ging op zijn knieën zitten en pakte haar bij de arm. 'Waar ga je heen?'

'Weg van hier.'

'We zijn aan het praten. Jij wilde toch praten, nou, dat doen we nu dus.'

'Dit is geen praten, dit is Howard die tekeergaat. Hou óp, laat me los. Jezus!'

Howard was erin geslaagd haar arm, en zo haar lichaam, te draaien en haar naar de voorkant van de bank te slepen. Onwillig ging ze zitten.

'Hoor eens, ik hoef jou geen rekenschap af te leggen,' zei Kiki, maar begon dat vervolgens meteen wel te doen. 'Weet je wat het is? Ik heb soms het gevoel dat de dingen hier in huis altijd maar van één en dezelfde kant worden bekeken. En ik probeer alleen maar alle zienswijzen te begrijpen. Is dat zo'n misdaad, gewoon te proberen je blikveld...'

'Omwille van de evenwichtige verslaggeving...' zei Howard met de nasale stem van een Amerikaanse tv-verslaggever.

'Weet je, Howard, het enige wat jij altijd doet is iedereen afmaken. Jij gelóóft nergens in, daarom ben je zo bang voor mensen die wél ergens in geloven, mensen die zich ergens aan hebben gewijd, aan een idéé.'

'Je hebt gelijk... ik ben inderdaad bang voor fascistische gekken. Ik ben... ik ben gewoon verbíjsterd. Kiki, deze man wil de vernietiging van het arrest *Roe versus Wade*; hij wil dat abortus grondwettelijk verboden wordt. En dat is nog maar het begin. Deze man...'

Kiki stond op en begon te schreeuwen. 'Daar gáát dit niet over! Monty Kipps interesseert mij geen ruk, ik heb het over jóu, jij bent als de dood voor iedereen die ergens in gelooft. Kijk eens hoe jij Jerome behandelt, je kunt hem niet eens áánkijken omdat je weet dat hij nu christelijk is, dat weten we allebei, we hebben het er nooit over. Waaróm niet? Je maakt er alleen maar grappen over, maar het is niet grappig, voor hem is het niet grappig, en het lijkt gewoon alsof je vroeger nog enig idee had over waar je... ik weet niet... waar je in gelóófde en waar je van híeld, maar nu ben je alleen maar zo'n...'

'Hou op met schreeuwen.'

'Ik schreeuw niet.'

'Je schreeuwt wel. Hou op met schreeuwen.' Het was even stil. 'En ik heb geen idee wat Jerome in godsnaam te maken heeft met...'

Gefrustreerd bonsde Kiki met beide vuisten tegen de zijkanten van haar benen. 'Het heeft allemaal met elkaar te maken, ik heb zitten denken over ál deze dingen, het is onderdeel van hetzelfde soort... grauwsluier die over dit huis is neergedaald. We kunnen nergens serieus over praten, alles wordt belachelijk gemaakt, niets is serieus. Iedereen is bang om iets te zeggen, want stel dat jíj het een cliché of domme opmerking vindt. Je bent een soort gedachtepolitie! En je geeft nergens iets om, je geeft niets om óns. Weet je, ik zat daar naar Kipps te luisteren – oké, het grootste deel van de tijd is hij zo gek als een deur – maar hij staat daar wel te praten over iets waar hij in gelóóft...'

'Ja, dat zeg je de hele tijd. Kennelijk doet het er niet toe wáár hij in gelooft, zolang het maar íets is. Je moest eens naar jezelf luisteren! Hij gelooft in háát – waar héb je het over? Hij is een misselijke, leugenachtige...'

Kiki priemde een vinger vlak voor Howards gezicht. 'Jij wou toch niet gaan beginnen over leugens, hè? Jij wou toch zeker niet bij mij aankomen met een verhaal over leugens? Al stelt hij verder niets voor, dan is die man nóg een fatsoenlijker mens dan jij ooit zult zijn.'

'Je bent niet goed wijs,' pruttelde Howard.

'Hou daarmee op!' schreeuwde Kiki. 'Ondermijn me niet zo. Gód! Het is alsof... je kunt niet eens... ik heb niet eens het gevoel dat ik je nog kén... net als na 11 september, toen je dat belachelijke mailtje rondstuurde over Baudry-, Bodra...'

'Baudrillard. Dat is een filosoof. De naam is Baudrillard.'

'Over gesimuleerde oorlogen of wat voor gelul het ook was... En ik maar denken: *wat is er toch met die man aan de hand?* Ik scháámde me voor je. Ik zei niets, maar ik schaamde me echt. Howard,' zei ze, haar hand naar hem uitstrekkend maar niet ver genoeg om hem aan te raken, 'dit is de realitéit. Dit is het leven. We zijn echt hier, dit gebeurt echt. Lijden is *echt*. Als je mensen pijn doet, is dat *echt*. Als je een van onze beste vrienden neukt is dat echt en het doet me píjn.'

Kiki zakte neer op de bank en barstte in tranen uit.

'Massamoord vergelijken met mijn overspel lijkt me een tikkeltje...' zei Howard zachtjes, maar de storm was voorbij, en wat had het voor zin. Kiki huilde in een kussen.

'Waarom hou je van me?' vroeg hij.

Kiki bleef huilen en gaf geen antwoord. Een paar minuten later vroeg hij het opnieuw.

'Is dat een vraag om me erin te luizen?'

'Het is een oprechte vraag. Een *echte* vraag.'

Kiki zei niets.

'Ik zal je helpen,' zei Howard, 'ik zet het in de verleden tijd. Waarom híeld je van me?'

'Ik heb geen zin in dit spelletje. Het is stom en agressief. Ik ben moe.'

'Kieks, je houdt me al zo lang op een afstand, ik weet niet eens meer of je me ook maar áárdig vindt, vergeet die liefde, het enige wat ik wil weten is of je me áárdig vindt.'

'Ik heb altijd van je gehouden,' zei Kiki, maar op zo'n furieuze manier dat het verband tussen woorden en gevoel zoek was, 'altijd. Ik ben niet veranderd. Laten we niet vergeten wie hier is veranderd.'

'Ik ben eerlijk, éérlijk niet uit op ruzie met jou,' zei Howard vermoeid en hij drukte zijn vingers tegen zijn ogen. 'Ik vraag je waarom je van me hield.'

Ze zaten een tijdje te zwijgen. In de stilte dooide er iets. Hun ademhaling vertraagde.

'Ik weet daar geen antwoord op. Ik bedoel, we kennen allebei alle goede dingen, maar dat helpt niet,' zei Kiki.

'Je zegt dat je wilt praten,' zei Howard, 'maar dat doe je niet. Je sluit me buiten.'

'Het enige wat ik weet is dat van jou houden is wat ik met mijn leven heb gedaan. En ik ben als de dood voor wat er met ons is gebeurd. Dit had ons niet moeten gebeuren. Wij zijn niet zoals andere mensen. Je bent mijn beste vriend...'

'Beste vriend, ja,' zei Howard ongelukkig, 'dat is altijd zo geweest.'

'En we zijn co-ouders.'

'En we zijn *co-ouders*,' zei Howard vol spot jegens dat Amerikanisme dat hij verafschuwde.

'Dat hoef je niet zo sarcastisch te zeggen, Howard, dat is een deel van wat we nu zijn.'

'Ik was niet...' Howard zuchtte. 'En we waren verliefd,' zei hij.

Kiki liet haar hoofd weer tegen de bank vallen. 'Nou, Howie, die verleden tijd kwam van jou, niet van mij.'

Ze waren weer stil.

'Én,' zei Howard, 'natuurlijk waren we ook altijd heel goed in de Hawaiiana.'

Nu was het Kiki's beurt om te zuchten. *Hawaiiana* was om persoonlijke, aloude redenen een eufemisme voor seks in huize Belsey.

'In feite waren we experts in de Hawaiiana,' voegde Howard eraan toe. Hij nam een risico en dat wist hij. Hij legde een hand op het gevlochten haar van zijn vrouw. 'Dat kun je niet ontkennen.'

'Dat heb ik ook nooit gedaan. Jíj hebt dat gedaan. Toen je hebt gedaan wat je hebt gedaan.'

Deze zin, met zijn overvloed aan 'gedaans', was onontkoombaar grappig. Howard deed zijn best een glimlach te onderdrukken. Kiki glimlachte eerst. 'Rot op,' zei ze.

Howard legde zijn beide handen onder de overweldigende borsten van zijn vrouw.

'Rot op,' herhaalde ze.

Hij schoof zijn handen rond de toppen en masseerde een handvol. Hij beroerde met zijn lippen haar nek en kuste haar daar. En opnieuw op haar oren, die nat waren van de tranen. Ze draaide haar gezicht naar het zijne. Ze kusten elkaar. Het was een zware, substantiële, tongrijke kus. Het was een kus uit het verleden. Howard hield het prachtige gezicht van zijn vrouw in zijn beide handen. En nu begon dezelfde reis van zo veel nachten in zo veel jaren: het spoor van kussen langs de mollige vleesringen van haar hals naar beneden, naar haar borst. Hij knoopte haar blouse los, terwijl zij de stevige sluiting van haar beha openmaakte. Haar tepels zo groot als zilveren dollars, waaraan hier en daar een haartje ontsproot, hadden de vertrouwde diepbruine kleur met slechts een zweempje roze. Ze staken naar voren als geen andere tepels die hij ooit had gezien. Ze pasten perfect in zijn mond.

Ze rolden op de vloer. Allebei dachten ze aan de kinderen en aan de mogelijkheid dat een van hen zou thuiskomen, maar geen van beiden durfden ze naar de deur te gaan om hem af te sluiten. Elke beweging weg van deze plek zou het einde betekenen. Howard lag boven op zijn vrouw. Hij keek haar aan. Zij keek hem aan. Hij voelde zich gekend. Murdoch liep vol afkeer de kamer uit. Kiki kwam omhoog om haar man te kussen. Howard trok de lange rok van zijn vrouw en haar degelijke, realistische ondergoed uit. Hij legde zijn handen onder haar prachtige dikke billen en kneep erin. Ze stootte een zacht, tevreden gehum uit. Ze kwam overeind en begon die lange vlecht van haar los te halen. Howard hief zijn handen om haar te helpen. Spiralen van lang afrohaar kwamen los en veerden terug tot de stralenkrans van vroeger haar gezicht omgaf. Ze ritste zijn gulp open en nam hem in haar handen. Langzaam, gestaag, sensueel en bedreven betastte ze hem. Ze begon in zijn oor te fluisteren. Haar accent werd dik en zuidelijk en schunnig. Om persoonlijke, aloude redenen speelde ze nu een Hawaïaanse visvrouw genaamd Wakiki. Het noodlottige aan Wakiki was haar gevoel voor humor. Ze bracht je tot aan de grens van de vergetelheid en zei dan iets zo grappigs dat alles in duigen viel. Niet grappig voor een ander. Grappig voor Howard. Grappig voor Kiki. Hard lachend ging Howard nu achteroverliggen en trok Kiki boven op zich. Ze beheerste de kunst om dicht boven hem te hangen zonder al haar gewicht op hem te laten neerkomen. Kiki's benen waren altijd verdomd sterk geweest. Ze kuste hem opnieuw, strekte haar rug en kwam op haar hurken over hem heen. Hij stak als een kind zijn handen uit naar haar borsten en ze legde ze erin. Met haar hand tilde ze haar buik op en duwde ze haar man in zichzelf. Thuis! Maar dit gebeurde eerder dan Howard had verwacht, en ergens vond hij dat jammer, want hij wist even goed als zij dat hij uit vorm en dus gedoemd was. Bovenop redde hij het wel, of van achteren, of lepeltje-lepeltje of een van de vele andere vertrouwde varianten. In die posities was hij een volhouder. Was hij een kampioen. Ze brachten vroeger lange uren door, met hem zijdelings achter haar, zachtjes heen en weer bewegend, de dag doornemend en pratend over grappige voorvallen, een gekke streek van Murdoch, zelfs over de kinderen. Maar als zij boven op hem kwam, waarbij haar reusachtige borsten met een glanzend laagje zweet op en neer veerden en haar prachtige gezicht geconcentreerd toewerkte naar wat ze wilde, als de vreemde demon van haar spieren hem vastgreep en weer losliet – tja, dan had hij drieënhalve minuut, maximaal. Zo'n tien jaar lang was dit tussen hen een bron van enorme seksuele frustratie geweest. Ziehier haar favoriete standje; ziedaar zijn onvermogen om het genot ervan te weerstaan. Maar het leven is lang, en het huwelijk ook. In een zeker jaar kwam er een doorbraak toen Kiki ontdekte hoe ze zijn opwinding kon bespelen om zo op de een of andere manier nieuwe spieren te stimuleren, en die brachten haar in een hogere versnelling tot ze gelijk met hem opging. Ze probeerde hem een keer uit te leggen hoe ze dat deed, maar het anatomische verschil tussen de seksen is te groot. De metaforen werken niet. En ach, wie maalt er om technische informatie wanneer die explosie van plezier en liefde en schoonheid bezit van je neemt? De Belseys werden er zo goed in dat ze er haast blasé van werden, meer trots dan opgewonden. Ze wilden de techniek aan de buren demonstreren. Maar op dit moment voelde Howard zich niet blasé. Hij kwam met zijn hoofd en schouders omhoog van de vloer, klampte haar billen vast en trok haar dichter tegen zich aan; hij verontschuldigde zich omdat hij te vroeg klaarkwam, maar in feite voegde ze zich een paar tellen later bij hem, terwijl de laatste golven door hen beiden trokken. De achterkant van Howards hoofd kwam op het tapijt neer en hij lag daar uitzinnig te hijgen, zonder iets te zeggen. Kiki kroop langzaam van hem af en ging met gekruiste benen als een grote boeddha naast hem zitten. Hij strekte zijn hand uit, zijn open handpalm in afwachting van de hare, zoals altijd. Ze pakte hem niet.

'O, god,' zei ze in plaats daarvan. Ze pakte een kussen op en begroef haar gezicht erin.

Howard aarzelde niet. Hij zei: 'Nee, Kieks, dit is goed. Het is een helse tijd geweest...' Kiki duwde haar gezicht dieper in het kussen. 'Dat weet ik. Maar ik wil niet zonder... *ons*. Jij bent degene van wie ik... je bent mijn leven, Kieks. Dat was je, dat ben je en dat blijf je. Ik weet niet hoe ik het moet zeggen. Jij hoort bij mij – jij bént mij. Dat hebben we altijd geweten, en er is hoe dan ook geen uitweg meer. Ik hou van jou. Jij hoort bij mij,' herhaalde Howard.

Kiki had haar hoofd niet opgetild en praatte nu in het kussen. 'Ik weet niet zeker of jij voor mij nog wel de juiste persoon bent.'

'Ik versta je niet... wat?'

Kiki keek op. 'Howard, ik hou van je. Maar ik heb gewoon geen zin om deze tweede puberteit mee te maken. Ik heb mijn eigen puberteit gehad. Ik kan nu niet weer met de jouwe beginnen.'

'Maar...'

'Ik ben in geen drie maanden ongesteld geweest, wist je dat? Ik doe rare dingen en word de hele tijd emotioneel. Mijn lichaam vertelt me dat het feest is afgelopen. Dat is de realiteit. En ik gá er niet dunner of jonger op worden, mijn achterste zakt nog tot op de grond, als dat niet al het geval is... en ik wil bij iemand zijn die mij nog kan zíen hier binnenin. Ik bén nog steeds hier binnenin. En ik wil niet veracht of verafschuwd worden omdat ik verander... dan ben ik nog liever alleen. Ik wil niet dat iemand me min-acht om wie ik ben geworden. Ik heb jou óók zien worden wie je nu bent. En ik vind dat ik mijn best heb gedaan om het verleden, en wat je was en wat je nu bent, in ere te houden – maar jij wilt meer dan dat, je wilt iets nieuws. Ik kán niet nieuw zijn. Lieverd, we hebben alles gegeven.' Huilend tilde ze zijn handpalm omhoog en kuste die in het midden. 'Dertig jaar, bij-na allemaal echt gelukkig. Dat is een heel léven, niet te geloven. De mees-te mensen krijgen dat niet. Maar misschien is het gewoon voorbij, weet je. Misschien is het voorbij...'

Howard, zelf nu ook aan het huilen, stond op en ging achter zijn vrouw zitten. Hij sloeg zijn armen rond haar massieve naaktheid. Fluisterend begon hij te smeken, en kreeg hij, terwijl de zon onderging, waar mensen altijd om smeken: een beetje meer tijd.

II

De voorjaarsvakantie brak aan, met roze en lila bloesemknoppen in de appelbomen en oranje strepen aan de natte hemel. Het was nog steeds even koud, maar nu gloorde er hoop voor de mensen van Wellington. Jerome kwam thuis. Voor hem geen Cancún, Florida of Europa: hij wilde zijn familie zien. Kiki, die hierdoor heel ontroerd was, nam zijn hand en leidde hem de kille tuin in om de veranderingen daar in ogenschouw te nemen. Maar haar motieven waren niet uitsluitend van plantkundige aard.

'Ik wil dat je weet,' zei ze terwijl ze vooroverboog om wat onkruid uit het rozenbed te plukken, 'dat we altijd achter je staan, waar je ook voor kiest.'

'Zo,' zei Jerome sarcastisch, 'dat is nog eens een fraai eufemisme.'

Kiki kwam overeind en keek hulpeloos naar haar zoon met zijn gouden kruisje. Wat kon ze anders zeggen? Hoe kon ze hem volgen op het pad dat hij had ingeslagen?

'Grapje,' stelde Jerome haar gerust. 'Ik waardeer het, echt. En vice versa,' zei hij en keek zijn moeder op dezelfde manier aan als zij naar hem had gekeken.

Ze gingen zitten op het bankje onder de appelboom. Door de sneeuw was de verf van het bankje afgebladderd en was het hout kromgetrokken, waardoor het wiebelde. Ze verdeelden hun gewicht om dit probleem te verhelpen. Kiki bood Jerome een stuk van haar gigantische omslagdoek, maar hij sloeg het af.

'Er is iets waarover ik met je wil praten,' zei Kiki behoedzaam.

'Mam... Ik wéét wat er gebeurt als een man zijn dinges in een vrouw haar...'

Kiki kneep hem in zijn zij. Schopte hem tegen zijn hiel.

'Over Levi. Je weet, als jij er niet bent heeft hij niemand... Zora wil niet met hem optrekken en Howard behandelt hem als een stuk... weet ik veel... máánsteen. Ik maak me zorgen om hem. Hoe dan ook, hij heeft zich aangesloten bij zo'n groepje – prima hoor, ik heb ze wel eens gezien – het is een grote groep Haïtiaanse en Afrikaanse jongens, ze verkopen spullen op straat, marktkooplui, neem ik aan.'

'Is het legaal?'

Kiki tuitte haar lippen. Ze was altijd dol op Levi geweest en in haar ogen kon hij nooit iets echt verkeerd doen.

'O jee,' zei Jerome.

'Ik weet niet of het nou echt íllegaal is.'

'Mam, het is ófwel...'

'Nee, maar dat is niet... het is meer dat hij zich zo laat mééslepen door die lui. Ineens heeft hij geen andere vrienden meer. Ik bedoel, in een heleboel opzichten is het interessant voor hem, hij is nu bijvoorbeeld heel wat politiek bewuster. Hij staat zo'n beetje elk weekend folders uit te delen op het plein om de campagne van die Haïtiaanse steungroep te helpen, daar is hij nu ook.'

'Campagne?'

'Hogere lonen, onterechte arrestaties, een heleboel kwesties. Howard is beretrots, natuurlijk, trots zonder erbij stil te staan wat dit allemaal zou kunnen betekenen.'

Jerome strekte zijn benen boven het gras en legde zijn ene voet kruiselings over de andere. 'Ik ben het met pap eens,' moest hij toegeven, 'ik zie het probleem niet echt.'

'Nou oké, het is ook geen probléém, maar...'

'Maar wat?'

'Vind je het niet een beetje vreemd dat hij zo geïnteresseerd is in Haïtiaanse dingen? Ik bedoel, wíj zijn geen Haïtianen, hij is nooit in Haïti geweest. Een halfjaar geleden kon hij Haïti niet eens aanwijzen op de kaart. Ik vind het eigenlijk een beetje... ongerijmd.'

'Levi ís ongerijmd, mam,' zei Jerome terwijl hij opstond en wat bewegingen maakte om warm te worden. 'Kom, laten we naar binnen gaan, het is koud.'

Ze wandelden vlug terug over het gras, dwars door zompige hoopjes bloesem die van de bomen was gerukt door de stortbui van de vorige avond.

'Maar zou je toch een beetje met hem willen optrekken? Beloof je dat? Want hij heeft de neiging zich helemaal op één ding te storten... je weet hoe hij is. Ik maak me zorgen dat alle rottigheid die zich hier in huis heeft voorgedaan hem op de een of andere manier... uit balans heeft gebracht. En het is een belangrijk schooljaar.'

'Hoe... hoe gaat het met al die rottigheid?' vroeg Jerome.

Kiki sloeg haar arm om zijn middel. 'Wil je de waarheid weten? Het is verdomd hard werken. Het is het hardste werk dat ik ooit heb gedaan. Maar Howard doet echt zijn best, dat moet ik hem nageven. Echt.' Kiki merkte Jeromes twijfelachtige gezicht op. 'O, ik weet wel dat hij een ontzettende klier kan zijn, maar... ik mág Howie heel graag, weet je. Ik laat het misschien niet altijd zien, maar...'

'Dat weet ik, mam.'

'Maar beloof je dat, van Levi? Ga iets met hem doen, probeer uit te vissen hoe het zit, goed?'

Achteloos deed Jerome de belofte, in de veronderstelling dat het bij de uitvoering ervan ook niet zo nauw zou luisteren. Maar toen ze het huis weer binnenstapten liet zijn moeder haar ware gezicht zien. 'Ja, hij is daar nu, op het plein,' zei ze, alsof Jerome ernaar gevraagd had, 'en die arme Murdoch moet nodig uitgelaten worden...'

Jerome liet zijn ingepakte tassen in de gang staan en deed wat hem was gevraagd. Hij lijnde Murdoch aan en samen liepen ze genietend door hun oude buurt. Het verbaasde Jerome hoe blij hij was om terug te zijn. Drie jaar geleden had hij gedacht dat hij Wellington vreselijk vond: een onrealistisch protectoraat, hoge inkomens, morele zelfgenoegzaamheid, een stelletje hypocrieten zonder spirituele kracht. Maar intussen was zijn jeugdige felheid geluwd. Wellington werd een troostend droombeeld en hij was dankbaar en prees zich gelukkig dat het zijn thuis was. Het was zeker zo dat dit een onwerkelijke plek was waar nooit iets veranderde. Maar Jerome – vlak voor zijn laatste jaar op de universiteit, en al het onbekende wat daarna zou komen – begon juist deze eigenschap te waarderen. Zolang Wellington Wellington bleef, kon hijzelf ieder soort verandering riskeren.

Hij liep het plein op, dat aan het einde van de middag bruiste van de activiteit. Een saxofonist die over een blikkerig achtergrondmuziekje heen speelde maakte Murdoch aan het schrikken. Jerome pakte de hond op. Een kleine versmarkt stond aan de oostzijde en wedijverde met de gewone chaos van de taxistandplaats, studenten achter een tafel die protesteerden tegen de oorlog, anderen die campagne voerden tegen het gebruik van proefdieren en een paar jongens die handtassen verkochten. Vlak bij de metrohalte zag Jerome de tafel die zijn moeder had omschreven. Hij was bedekt met een gele doek waarop de woorden STEUNGROEP HAÏTI geborduurd waren. Maar Levi was nergens te bekennen. Jerome hield stil bij de krantenkiosk buiten het station en kocht de laatste *Wellington Herald*. Zora had hem drie e-mails gestuurd waarin ze erop aandrong dat hij er een kocht. Hij bleef in de relatieve warmte van de kiosk en bladerde de krant door op zoek naar *het teken van Zorra*. Hij vond zijn zus' naam op pagina 14, boven aan de wekelijkse universitaire column 'Speaker's Corner'. Alleen die naam irriteerde Jerome al; hij riekte naar die duffe Wellingtoniaanse eerbied voor alles wat Engels was. De Britse smaakmakers zaten tot in de inhoud van de column zelf, die, ongeacht welke student hem schreef, immer zijn superieure, Victoriaanse toontje behield. Woorden en zinnen die de student nooit eerder nodig had gehad ('mitsdien', 'het behoeft geen betoog') vloeiden als vanzelf uit hun pen. Zora, die viermaal in de Speaker's Corner had gestaan (een record voor een tweedejaars) week niet af van de huisstijl. De standpunten in deze columns werden altijd gepresenteerd als waren het moties die werden voorgelegd aan de Oxford Union. De titel van vandaag was: 'Deze spreker vindt dat Wellington het niet bij academische woorden moet laten', door Zora Belsey. Direct hieronder stond een foto van Claire Malcolm *in medias res*, geanimeerd pratend aan een ronde tafel met studenten eromheen, met op de voorgrond een knap gezicht dat Jerome vaag herkende. Jerome betaalde één dollar twintig aan de jongen van de kiosk en liep terug naar het plein. *Waar moet het heen met echte positieve discriminatie?* las Jerome. *Dat is de vraag die ik heden wil voorleggen aan alle redelijk denkende Wellingtonianen. Staan wij werkelijk voor gelijke kansen of niet? Matigen we ons aan te spreken over vooruitgang, wanneer juist binnen onze eigen muren het beleid zo schandalig op de vlakte blijft? Nemen we er genoegen mee dat de Afro-Amerikaanse jeugd van deze fraaie stad...*

Moe onder het gewicht van zo veel retorische vragen gaf Jerome het op en stopte de krant onder zijn arm. Hij hervatte zijn zoektocht naar Levi en ontdekte hem ten slotte in de deuropening van de Wellington Savings Bank, waar hij tegen de muur een hamburger stond te eten. Zoals Kiki al voorspelde had hij vrienden bij zich. Lange, magere zwarte jongens met honkbalpetjes op, duidelijk geen Amerikanen, die ook verdiept waren in hun hamburgers. Van tien meter afstand brulde Jerome naar Levi en stak zijn hand op, in de hoop dat zijn broer hem een gênante voorstelsessie zou besparen. Maar Levi wenkte hem.

'Jerome! Hé, man, dit is mijn brother. Mijn échte broer.'

Jerome vernam de gemompelde namen van zeven onduidelijk sprekende jongens die niet erg geïnteresseerd leken in zijn naam.

'Dit zijn mijn vrienden, dít is Choo, hij is mijn maat, hij is cool. Hij geeft me rugdekking. Dit is Jerome. Híj is helemaal...' zei Levi en hij tikte zachtjes op Jeromes slapen. 'Hij is een dénker, man, altijd dingen aan het analyseren, zoals jij.'

Jerome, die zich ongemakkelijk voelde in dit gezelschap, schudde Choo de hand. Jerome werd er niet goed van dat Levi altijd maar aannam dat iedereen zich in iedere mogelijke situatie zo gemakkelijk voelde als Levi zelf. Nu liet Levi Choo en Jerome aan hun lot over terwijl hij zich bukte om Murdoch op te pakken. 'En dit hier is mijn kleine soldaatje. Hij is mijn luitenant. Murdoch geeft me *altijd* rugdekking.' Levi liet de hond zijn gezicht likken. 'En, hoe gaat het, man?'

'Goed,' zei Jerome. 'Met mij gaat het goed. Blij dat ik weer thuis ben.' 'Iedereen al gezien?'

'Alleen mam.'

'Cool, cool.'

Ze knikten wat af met z'n twee. Een vlaag van bedroefdheid kwam over Jerome. Ze hadden elkaar niets te zeggen. Een leeftijdsverschil van vijf jaar tussen broers is als een tuin die voortdurend om aandacht vraagt. Je hoeft elkaar maar drie maanden niet te zien en het onkruid is al tussen jou en hem opgeschoten.

'En,' zei Jerome in een zwakke poging zijn moeders opdracht te volbrengen, 'wat voer jij allemaal uit? Mam zegt dat je met van alles bezig bent.'

'Gewoon... weet je wel... met mijn maten rondhangen, dingen van de grond krijgen.'

Zoals gewoonlijk probeerde Jerome de eventuele flintertjes waarheid uit Levi's cryptische taal te filteren.

'Zijn jullie allemaal betrokken bij de...?' zei Jerome met een gebaar naar het tafeltje aan de overkant. Erachter stonden twee jonge zwarte mannen met brillen op folders en krantjes uit te delen. Achter hen hing een spandoek: EERLIJK LOON VOOR DE HAÏTIAANSE ARBEIDERS VAN WELLINGTON.

'Choo en ik, ja, we laten onze stem horen. Als vertegenwoordigers.'

Jerome vond dit gesprek steeds irritanter worden en ging aan de andere kant van Levi staan om buiten gehoorsafstand van de zwijgende hamburgeretende jongens ernaast te komen. 'Wat heb je in zijn koffie gedaan?' grapte Jerome stijfjes tegen Choo. 'Ik kreeg hem niet eens zover dat hij ging stemmen bij de schoolverkiezingen!'

Choo klemde zijn arm om de schouders van zijn vriend, welk gebaar werd beantwoord. 'Je broer,' zei hij vol genegenheid, 'denkt om al zijn brothers. Daarom houden we van hem. Hij is onze Amerikaanse mascotte. Hij vecht schouder aan schouder met ons voor gerechtigheid.'

'Aha.'

'Hier,' zei Levi en trok een dubbelzijdig bedrukt papier, als een krant, uit zijn ruime achterzak.

'Dan is deze voor jou,' zei Jerome, en hij gaf hem op zijn beurt de *Wellington Herald*. 'Zora. Pagina 14. Ik koop wel een andere.'

Levi nam de krant aan en propte hem in zijn zak. Hij stopte het laatste stukje hamburger in zijn mond. 'Cool. Ik lees het straks...' Jerome wist dat dit inhield dat het over een paar dagen gescheurd en verfrommeld tussen de rest van de troep in zijn kamer zou liggen. Levi overhandigde de hond aan Jerome.

'Jerome, eerlijk gezegd heb ik nu iets te doen, maar ik zie je straks... kom je vanavond naar de Bus Stop?'

'De Bus Stop? Nee... nee, eh, Zora zou me meenemen naar een of ander studentenfeest, in...'

'Bus Stop, vanavond!' riep Choo erdoorheen, en hij floot tussen zijn tanden. 'Het wordt geweldig! Zie je al die jongens?' Hij wees naar hun zwijgende metgezellen. 'Als die het podium op komen, breken ze de tent af!'

'Het gáát ergens over,' vertrouwde Levi hem toe. 'Politiek. Serieuze teksten. Over de strijd. Over...'

'Terugnemen wat van óns is,' zei Choo ongeduldig. 'Terugpakken wat van onze mensen gestolen is.'

Jerome kromp ineen onder die collectieve term.

'Het is verdíepend,' legde Levi uit, 'diepe teksten. Echt wat voor jou.'

Jerome, die dit zwaar betwijfelde, glimlachte beleefd.

'Anyway,' zei Levi, 'vanavond ben ik dus weg.'

Hij drukte vuisten met Choo en elk van de mannen in de deuropening. Jerome kreeg geen vuistdruk, en ook niet de omhelzing zoals Levi hem vroeger gaf, maar een wat ironisch tikje tegen zijn kin.

Levi stak het plein over. Hij liep door de hoofdpoort van Wellington, dwars over de binnenplaats naar het terrein van de faculteit der Geesteswetenschappen, het gebouw in, door de gangen, de vakgroep Engels in, er aan de andere kant weer uit, weer een gang door, en kwam ten slotte aan bij de deur van de vakgroep Afro-Amerikaanse Wetenschappen. Het was hem nooit eerder opgevallen hoe *gemakkelijk* het was om door dit heilige der heiligen te lopen. Geen sloten, geen codes, geen identiteitskaartjes. Als je er maar een beetje uitzag als een student, was er feitelijk geen mens die je tegenhield. Levi duwde met zijn schouder de deur van Afro-Amerikaanse Wetenschappen open en lachte naar het knappe latinomeisje achter de balie. Hij liep door de gang en vormde met zijn mond gedachteloos de namen op iedere deur. Er hing zo'n laatste-vrijdag-voor-de-vakantie-gevoel in de vakgroep: mensen die zich haastten om de laatste klusjes af te ronden. Al die bedrijvige zwarte lui, het leek net een mini-universiteit binnen de universiteit! Het was gek. Levi vroeg zich af of Choo wist dat Wellington deze kleine zwarte enclave had. Misschien zou hij er aardiger over spreken als hij ervan wist. Een bekende naam maakte nu een eind aan Levi's wandeling: PROF. M. KIPPS. De deur was dicht, maar links ervan kon je door een glazen bovenpaneel het kantoor erachter in kijken. Monty was er niet. Desondanks bleef Levi even treuzelen om de weelderige details in zich op te nemen, om ze later aan Choo door te geven. Mooie stoel. Mooie tafel. Mooi schilderij. Dik tapijt. Hij voelde een hand op zijn schouder. Levi schrok op.

'Levi! Cool... kom je...'

Levi keek verbluft.

'De audiotheek is hierheen.'

'O, ja...' zei Levi, tegen de vuist slaand die hem werd voorgehouden. 'Ja, man, dat klopt. Je... je zei, kom eens langs, dus hier ben ik.'

'Je bent net op tijd, man. Ik stond op het punt om af te nokken. Kom binnen, man, kom binnen.'

Carl liet hem binnen in de audiotheek en bood hem een stoel aan.

'Wou je wat horen? Je zegt het maar.' Hij klapte in zijn handen. 'Ik heb álles voor je, man.'

'Eh... ja... iets horen... nou, oké, er is zo'n groep waar ik van alles over heb gehoord... Haïtiaans... de naam is moeilijk uit te spreken. Ik schrijf het wel voor je op zoals het klinkt.'

Carl keek teleurgesteld. Hij boog zich over Levi heen terwijl die de naam fonetisch op een geel memobriefje schreef. Vervolgens pakte Carl het papiertje op en keek er fronsend naar.

'O... dat is niet mijn gebied, man, maar ik wed dat Elisha het wel weet, zij doet wereldmuziek. *Elisha!* Ik ga haar even voor je opsporen. Is dit de naam?'

'Zoiets,' zei Levi.

Carl liep de kamer uit. Levi zat al een paar minuten niet lekker op zijn stoel, en nu herinnerde hij zich hoe dat kwam. Hij kwam overeind en trok de krant uit zijn kontzak. Hij voelde zich nog steeds rusteloos. Vandaag had hij zijn iPod niet bij zich en hij bezat geen persoonlijke bagage die het alleenzijn zonder muziek draaglijk kon maken. Het kwam niet eens in hem op dat de krant die voor hem lag hem wat afleiding zou kunnen bezorgen.

'Ben jij Levi?' zei Elisha. Ze stak hem haar hand toe en Levi stond op en schudde hem. 'Het is ongelooflijk. Jij bent een van de eerste bezoekers van deze schitterende collectie,' zei ze vermanend, 'en dan kom je me aan met zo'n *weird* verzoek. Je kon niet gewoon naar Louis Armstrong vragen. Nee hoor, hij niet.'

'Ga er niet naar zoeken, hoor, als het veel gedoe is,' zei Levi, die zich nu gêneerde.

Elisha lachte hartelijk. 'Welnee, joh, met alle plezier. Het gaat alleen even duren om alle platen te doorzoeken. We zijn niet helemaal geautomatiseerd... nóg niet. Als je wilt kun je later terugkomen. Het kan zo'n tien minuten, een kwartiertje gaan duren.'

'Blijf hier, man,' drong Carl aan. 'Ik word al de hele dag knettergek hier binnen.'

Levi had niet veel zin om te blijven, maar onbeleefd zijn kostte meer moeite. Elisha ging weg om in haar archieven te kijken. Levi ging weer in haar stoel zitten.

'En, hoe gaat het?' vroeg Carl, maar juist op dat moment klonk er een harde pieptoon uit Carls computer. Een blik van gretige verwachting verscheen op zijn gezicht. 'O, Levi, sorry, man, een minuutje – e-mail.'

Levi leunde verveeld achterover in zijn stoel terwijl Carl met twee vingers verwoed zat te typen. Hij voelde de moedeloosheid die universiteiten lange tijd bij hem hadden opgeroepen. Hij was erin opgegroeid; hij kende de stapels boeken en opbergkasten en binnenplaatsen en torenspitsen en onderzoeksgebouwen en tennisbanen en gedenkplaten en standbeelden. Hij had medelijden met de mensen die gevangen zaten in zo'n dorre omgeving. Als klein kind al was hij er absoluut zeker van dat hij hier nooit, maar dan ook nooit naartoe zou gaan. In universiteiten vergaten mensen hoe ze moesten leven. Zelfs midden in een muziekbibliotheek waren ze vergeten wat muziek was.

Met het zwierige gebaar van een pianist drukte Carl op de returnknop. Hij slaakte een verrukte zucht. Hij zei: 'O, mán.' Maar hij scheen Levi's nieuwsgierigheid naar andermans leven te hebben overschat.

'Weet je wie dat was?' vroeg hij ten slotte maar.

Levi haalde zijn schouders op.

'Weet je nog dat meisje? Ik zag haar voor het eerst toen ik met jou was. Die met dat kontje dat gewoon...' Carl kuste de lucht. Levi deed zijn best om niet onder de indruk te lijken. Als hij ergens de pest aan had, was het aan brothers die lopen op te scheppen over hun vriendinnen. 'Dat was zíj, man. Ik heb iemand gevraagd hoe ze heette en haar opgespoord in het jaarboek. Eitje. Victoria. Vee. Ze maakt me gék, man... ze stuurt me e-mails...'

Carl bracht zijn stem terug tot gefluister. 'Ze is zó geil. Foto's en ga zo maar door. Ze heeft een lichaam als... ik heb geeneens wóórden voor wat zij in huis heeft. Stuurt ze me... nou... wil je wat zien? In een minuutje gedownload.' Carl klikte een paar keer met zijn muis en begon zijn monitor om te draaien. Levi had een kwart borst gezien toen ze Elisha op de gang hoorden aankomen. Carl zwiepte zijn monitor weer terug, schakelde het beeldscherm uit en pakte de krant.

'Hé, Levi?' zei Elisha. 'We hebben mazzel. Ik heb gevonden wat je zocht. Kom je even met me mee?'

Levi stond op en zonder Carl nog te groeten volgde hij Elisha de kamer uit.

'Lieverd, tegen mij kun je niet liegen. Ik zie het aan je gezicht.'

Kiki nam Levi bij zijn kin, duwde zijn hoofd naar achteren en bestudeerde de wallen onder zijn ogen, de gesprongen adertjes in het oogwit, de droge lippen.

'Ik ben gewoon moe.'

'Jij bént niet "gewoon moe".'

'Laat mijn kin los.'

'Ik wéét toch dat je hebt gehuild,' drong Kiki aan, maar ze wist het niet half: ze kon niet weten, zou nooit weten hoe de prachtige droefheid van die Haïtiaanse muziek klonk, noch hoe het was om er alleen mee in een klein, donker hokje te zitten; het klaaglijke, onregelmatige ritme, als een hartenklop; de manier waarop al die harmoniërende stemmen in Levi's oren hadden geklonken, als een heel volk dat op de wijs huilt.

'Ik weet dat het hier thuis niet best is geweest de laatste tijd,' zei Kiki en ze keek in zijn rode ogen, 'Maar het wordt beter, dat beloof ik je. Je pappie en ik zijn vastbesloten om ervoor te zorgen dat het beter wordt. Oké?'

Het had geen zin om het uit te leggen. Levi knikte en ritste zijn jas dicht.

'De Bus Stop,' zei Kiki en ze weerstond de neiging om hem een tijd mee te geven waar hij zich toch niet aan zou houden. 'Ga maar, en veel plezier.'

'Wil je meerijden?' vroeg Jerome, die met Zora door de keuken liep. 'Ik drink niet.'

Vlak voordat ze de auto in stapten, trok Zora haar jas uit en liet Levi haar rug zien. 'Serieus, denk je dat ik dit kan hebben? Ik bedoel, ziet het er oké uit?'

Haar jurk had de verkeerde kleur, een blote rug, de stof combineerde niet met haar ongelijkmatige figuur en hij was te kort. Normaliter had Levi zijn zus dit alles onomwonden verteld, en dan zou ze geschokt en boos geweest zijn, maar was ze toch teruggegaan om iets anders aan te trekken, en dan was ze een stuk knapper op het feest aangekomen. Maar vanavond was Levi met zijn hoofd bij andere zaken. 'Mooi,' zei hij.

Een kwartier later zetten ze Levi af op het Kennedyplein en reden verder naar het feest. Er was geen parkeerplaats; ze moesten de auto verschillende straten verderop achterlaten. Zora had de schoenen die ze droeg nou juist aangetrokken omdat ze geen wandeling had voorzien. Om vooruit te kunnen komen moest ze haar broer rond zijn middel vasthouden en kleine duivenstapjes maken, ver naar achteren geleund op haar hakken. Jerome hield zijn commentaar lang voor zich, maar bij de vierde rustpauze kon hij zich niet langer inhouden. 'Ik snap jou niet. Was jij geen feministe? Waarom maak je jezelf zo kreupel?'

'Ik vind deze schoenen móói, oké? Ze geven me juist een machtig gevoel.'

Ten slotte kwamen ze bij het huis. Zora was nog nooit zo blij geweest om een verandatrap te zien. Trappen waren makkelijk, en opgelucht zette ze de bal van haar voet op de brede houten treden. Een hun onbekend meisje deed open. Ze zagen direct dat het een beter feest was dan ze allebei hadden verwacht; er waren een stel pas-afgestudeerden en zelfs een paar faculteitsleden. Sommige mensen waren al luidruchtig dronken. Zo'n beetje iedereen die Zora van belang achtte voor haar sociale succes in de komende jaren was aanwezig. Met enig schuldgevoel bedacht ze dat ze op dit feest beter voor de dag was gekomen zonder Jerome op haar hielen, met zijn nette broek en zijn te strak ingestopte т-shirt.

'Victoria is hier,' zei hij terwijl ze hun jassen op de stapel legden.

Zora tuurde de gang af en kreeg haar in het oog, overdressed en half-naakt tegelijk. 'Ach, wat maakt het uit,' zei Zora, maar toen kreeg ze een idee. 'Maar Jerome... Als, ik bedoel, als je weg wilt... snap ik dat wel, dan neem ik wel een taxi terug.'

'Nee, het gaat prima. Natuurlijk gaat het prima.' Jerome liep naar een kom vol punch toe en schepte voor hen allebei een glas vol. 'Op de verloren liefde,' zei hij en nam een teugje. 'Eén glaasje maar. Heb je Jamie Anderson gezien? Hij is aan het dánsen.'

'Ik mag Jamie Anderson wel.'

Het was vreemd om als broer en zus op een feestje te zijn en in een hoekje te staan met je plastic bekertje in beide handen. Broers en zussen praten niet over koetjes en kalfjes. Ze stonden maar wat met hun hoofden op de muziek mee te knikken, een beetje van elkaar afgewend, en deden hun best er niet alleen en toch ook niet als een stel uit te zien.

'Daar heb je Veronica,' zei Jerome terwijl deze voorbijliep in een jarentwintigsoepjurk die haar niet stond, compleet met haarband. 'En is dat niet jouw rapvriendje? Ik zag hem in de krant.'

'Carl!' riep Zora, te hard. Hij zat met de stereoinstallatie te klooien, en draaide zich om en kwam naar hen toe. Zora dacht eraan haar beide handen achter haar rug te houden en haar schouders omlaag te trekken. Zo kwamen haar borsten beter uit. Maar hij keek daar helemaal niet naar. Hij klopte haar gemoedelijk op haar arm en schudde krachtig Jeromes hand.

'Goed je weer eens te zien, man!' zei hij en wierp hun die filmsterrenglimlach toe. Jerome, die zich de jongen van die avond in het park herinnerde, merkte de verandering ten goede op: die open, vriendelijke houding, dat bijna Wellingtoniaanse zelfvertrouwen. In antwoord op Jeromes beleefde vraag over waar Carl zoal mee bezig was, babbelde Carl aan één stuk door over zijn audiotheek, niet op een verdedigende toon en ook niet bijzonder opschepperig, maar zo vol van zichzelf dat het geen moment in hem opkwam om Jerome iets soortgelijks te vragen. Hij praatte over het hiphoparchief en de behoefte aan meer gospel, de groeiende Afrikaanse afdeling, het probleem om geld van Erskine los te krijgen. Zora wachtte tot hij iets zou zeggen over hun campagne om de studenten van buiten de universiteit in hun werkgroep te houden. Dat gebeurde niet.

'En,' zei ze en ze probeerde opgewekt te klinken, 'heb je mijn gastcolumn gelezen, of...?'

Carl, die midden in een verhaal zat, zweeg en keek verward op. Jerome, vredestichter en probleemdetector, kwam tussenbeide. 'Ik was je vergeten te zeggen dat ik het heb zien staan in de *Herald* – Speaker's Corner – echt hartstikke goed. Echt helemaal 'Mr. Smith goes to Washington'... Goed hoor, Zoor. Jij hebt mazzel dat je deze dame aan jouw kant hebt,' zei Jerome en hij klonk zijn beker tegen die van Carl. 'Als zij haar tanden ergens in zet, laat ze niet meer los. En geloof me, ik kan het weten.'

Carl grinnikte. 'O, jongen, ik weet er alles van. Zij is mijn Martin Luther King. Nee, serieus, ze... sorry,' zei Carl, van hen wegkijkend naar het balkon. 'Sorry, ik zie net iemand die ik moet spreken... Zeg, Zora, ik spreek je later... goed je te zien, man. Ik zie jullie twee later.'

'Hij is heel charmant,' zei Jerome welwillend, terwijl ze hem nakeken. 'Op het gladde af, zelfs.'

'Alles gaat nu zo goed voor hem,' zei Zora onzeker. 'Zodra hij eraan gewend is staat hij wel meer open voor anderen, denk ik. Meer tijd en aandacht voor andere belangrijke dingen. Hij heeft het nu gewoon een beetje druk. Geloof me,' zei ze, met meer overtuiging. 'hij zal echt een aanwinst zijn voor Wellington. We hebben meer mensen nodig zoals hij.'

Jerome bromde wat twijfelachtig. Zora draaide zich naar hem om. 'Weet je, er zijn nog meer manieren om een succesvolle universitaire carrière te maken behalve de jouwe. Traditionele kwalificaties zijn niet alles. Alleen omdat...'

Jerome gebaarde dat hij zijn lippen dichtritste en de sleutel weggooide. 'Ik sta voor 100 procent achter je, Zoor, zoals altijd,' zei hij lachend. 'Nog een glas punch?'

Het was het soort feest waar elk uur twee mensen weggaan en dertig aankomen. Broer en zus Belsey verloren elkaar uit het oog en vonden elkaar verschillende malen terug, en verloren nieuwe mensen uit het oog die ze hadden gevonden. Je draaide je even om om een handje pinda's te pakken en dan zag je de persoon met wie je stond te praten niet meer, tot je hem of haar veertig minuten later tegenkwam in de rij voor de toiletten. Rond tien uur zat Zora op het balkon een joint te roken in een waanzinnig cool groepje dat bestond uit Jamie Anderson, Veronica, Christian en drie afgestudeerden die ze niet kende. In normale omstandigheden zou ze hier helemaal hoteldebotel van zijn, maar zelfs terwijl Jamie Anderson serieus inging op haar theorie over vrouwelijke interpunctie, waren Zora's hersenen ergens anders mee bezig en vroeg ze zich af waar Carl was, of hij al was weggegaan en of hij haar jurk mooi had gevonden. Van de zenuwen bleef ze maar doordrinken en haar glas bijschenken uit een verdwaalde fles witte wijn die aan haar voeten stond.

Vlak na elven kwam Jerome het balkon op, midden onder het geïmproviseerde college van Anderson, en plofte bij zijn zus op schoot. Hij was ladderzat.

'Sorry!' zei hij en hij raakte Andersons knieën aan. 'Ga door, sorry, let maar niet op mij. Zoor, ráád eens wat ik net zag? Of beter gezegd, wie?'

Anderson trok zich gepikeerd terug en nam zijn acolieten mee. Zora duwde Jerome van haar schoot, stond op en leunde tegen het balkon dat uitkeek op de stille, lommerrijke straat waar geen taxi of auto was langsgekomen sinds ze hier buiten was.

'Fíjn, en hoe gaan we nu thuiskomen? Ik heb veel te veel op. Taxi's zijn er niet. Jij zou rijden. Jezusmina, Jerome!'

'Godslasteraar,' zei Jerome, niet geheel onserieus.

'Hoor eens even, ik zal jou als een christen behandelen zodra jij je daarnaar gedraagt. Je weet dat je niet meer dan één glas alcohol aankunt.'

'Maar...' fluisterde Jerome en hij sloeg zijn arm rond haar schouders, 'ik heb nieuws. Mijn allerliefste ex is in de garderobe en ze heeft het heel druk met jouw rapvriendje.'

'Wat?' Zora schudde zijn arm af. 'Waar heb je het over?'

'Miss Kipps. Vee. En de rapper. Dat vind ik nou zo énig aan Wellington: iedereen kent iedereen.' Hij zuchtte. 'Ach ja. Nee, maar het is oké... ik geef er echt geen zier om. Ik bedoel ik gééf er wel om, natuurlijk geef ik erom! Maar wat heeft het voor zin? Het is alleen nogal smakeloos. Ze wíst dat ik hier was, we hebben elkaar een uur geleden nog gegroet. Het is gewoon smakeloos. Je zou toch denken dat ze op zijn minst kon probéren...'

Jerome praatte verder maar Zora luisterde niet langer. Een onbekende macht nam bezit van haar; het begon in haar buik en joeg de adrenaline door de rest van haar lichaam. Misschien wás het adrenaline. Het was in elk geval een soort woede van fysieke aard, nooit van haar leven had ze zo'n lichamelijke emotie meegemaakt. Het was alsof ze geen verstand of wil had; ze was één en al gebundelde spierkracht. Naderhand kon ze op geen enkele manier verklaren hoe ze van het balkon naar de garderobe was gekomen; het was alsof razernij haar daar in één klap naartoe had getransporteerd. En toen stond ze in de garderobe, en het was zoals Jerome had beschreven. Hij boven op haar. Haar handen rond zijn hoofd. Ze zagen er perfect uit samen. Zo perfect! En toen, een moment later, stond Zora zelf buiten op de veranda met Carl, met Carls capuchontrui in haar hand, want ze had hem – zoals haar later werd verteld – letterlijk door de gang gesleurd, weg van het feest. Nu liet ze hem los en duwde hem weg van haar, op het natte hout. Hij hoestte en wreef met zijn hand over zijn keel, die dichtgesnoerd was geweest. Ze had nooit geweten hoe sterk ze was. Iedereen had altijd tegen haar gezegd dat ze een 'stevig meisje' was – was dit waar die stevigheid toe diende? Om volwassen mannen aan hun capuchon mee te sleuren en ze op de grond te gooien?

Zora's kortstondige fysieke vervoering maakte snel plaats voor paniek. Hier buiten was het koud en nat. Carls spijkerbroek was doorweekt bij de knieën. Wat had ze gedaan? *Wat had ze gedaan?* Nu zat Carl geknield voor haar, hij haalde zwaar adem en keek vol woede naar haar op. Haar hart brak, en terecht. Ze zag dat ze niets meer te verliezen had.

'O, man, O, man... ongelooflijk...' fluisterde hij. Toen stond hij op en begon te schreeuwen: 'Wat de *fuck* denk jij...'

'Heb je dat stuk zelfs maar gelézen?' gilde Zora, trillend als een rietje. 'Ik heb daar zó lang op gezeten, ik heb mijn scriptie niet af kunnen maken, ik ben continu voor jóu aan het werk geweest en...'

Maar natuurlijk viel hier zonder het geheime stukje van het verhaal in Zora's hoofd – het stukje dat 'artikelen schrijven voor Carl' verbond met 'Carl die Victoria Kipps kust' – niet wijs uit te worden.

'Waar héb je het over, stomme bitch? Wat wás dat daarnet?'

Zora had hem voor schut gezet ten overstaan van zijn meisje en van een heel feestgezelschap. Dit was niet de charmante Carl Thomas van Wellingtons zwarte-muziekaudiotheek. Dit was de Carl die op zinderende zomerdagen in de portieken van flats in Roxbury zat. Dit was de Carl die in het spel van schimpscheuten over en weer scherper van tong was dan wie ook. Nooit van haar leven had iemand zo tegen Zora gesproken.

'Ik... ik... ik...'

'Denk jij soms dat je mijn vriendin bent?!'

Zora begon hartverscheurend te huilen.

'En wat de *fuck* heeft jouw artikel te maken met... Moet ik je soms dankbaar zijn?'

'Ik probeerde alleen maar je te helpen. Meer niet. Ik wilde alleen maar helpen.'

'Nou,' zei Carl en hij zette zijn handen in zijn zij, wat Zora absurd genoeg deed denken aan Kiki, 'kénnelijk wilde je een beetje meer dan alleen maar helpen. Kénnelijk verwachtte je een soort beloning. Kénnelijk moest ik hem ook nog in die tweederangse witte reet van je stoppen!'

'O, fuck toch op, man!'

'Ja precies, dáár ging het jou om, hè?' zei Carl en hij floot spottend, maar je kon aan zijn gezicht aflezen hoe gekwetst hij was, en zijn pijn werd dieper naarmate hij zich steeds meer dingen realiseerde, het een na het ander. 'Man o man. Is dát de reden waarom je me hebt geholpen? Ik kan zeker helemaal niet schrijven... is dat het? Je hebt me gewoon voor paal gezet in die werkgroep. Sonnetten! Je hebt me voor de gek gehouden, vanaf het begin. Je pikt me op van de straat en als ik niet doe wat jij wilt, keer je je tegen me? Godverdomme! Ik dacht dat we vríenden waren, man!'

'Ik ook!' huilde Zora.

'Hou op met huilen, zo gemakkelijk kom je er niet vanaf,' waarschuwde hij verhit, en toch hoorde Zora nog steeds bezorgdheid in zijn stem. Ze durfde nog te hopen dat dit misschien nog goed kon komen. Ze stak een hand naar hem uit, maar hij stapte naar achteren.

'Zeg op,' eiste hij. 'Wat is er aan de hand? Heb je een probleem met mijn meisje?'

Bij het horen van deze formulering viel er een klodder snot en tranen op dramatische wijze uit Zora's neus.

'Je meisje!'

'Heb je soms wat tegen haar?'

Zora veegde haar gezicht af aan de hals van haar jurk. 'Nee,' snauwde ze verbolgen, 'ik heb helemaal niets tegen haar. Ze is het niet waard om iets tegen te hebben.'

Carl sperde zijn ogen wijdopen, geschokt door dit antwoord. Hij drukte een hand tegen zijn voorhoofd in een poging het te begrijpen. 'Wat de fuck heeft dat te betekenen, man?'

'Niks. Gód! Jullie passen perfect bij elkaar. Allebei uitschot.'

Carls ogen werden koud. Hij bracht zijn gezicht vlak voor het hare, in een afschuwelijke omkering van hetgeen waar Zora zes maanden lang op had gehoopt. 'Weet je wat jij bent?' zei hij, en Zora bereidde zich voor op zijn oordeel over wat hij zag, 'jij bent een kútwijf.'

Zora keerde hem haar rug toe en begon aan haar moeilijke tocht de verandatrap af, zonder haar jas en haar tas, zonder haar trots en met akelig veel moeite. Deze schoenen konden een trap maar in één richting aan. Ten slotte wist ze de straat te bereiken. Ze wilde nu alleen nog maar naar huis; de vernedering begon zwaarder te wegen dan de woede. Ze begon een vermoeden te krijgen van de schaamte die haar, zo voelde ze, voor lange, lange tijd zou bijblijven. Ze moest thuis zien te komen en zich verstoppen onder iets zwaars. Op dat moment verscheen Jerome op de veranda.

'Zoor? Alles oké?'

'Jerome, ga maar weer naar binnen... ik ben oké... ga alsjeblieft weer naar binnen.'

Terwijl ze dat zei rende Carl de trap af en kwam weer voor haar staan. Ze kon aan zijn gezicht zien dat hij niet bereid was haar met dit laatste, lelijke beeld van hem achter te laten; op de een of andere manier maakte het hem nog steeds iets uit wat ze van hem vond.

'Ik probeer alleen maar te begrijpen waarom je zoiets idioots doet,' zei hij oprecht; hij kwam weer dicht naar haar toe en zocht in haar gezicht naar een antwoord; Zora viel hem bijna in de armen. Vanuit Jeromes standpunt leek het er echter op dat Zora ineenkromp van angst. Jerome vloog de trap af om tussen zijn zus en Carl te gaan staan.

'Hé, makker,' zei hij weinig overtuigend, 'Even dimmen, ja?'

De voordeur ging opnieuw open. Het was Victoria Kipps.

'Geweldig!' schreeuwde Zora. Ze gooide haar hoofd in haar nek en zag het kleine publiek op het balkon dat het hele gebeuren stond te bekijken. 'Laten we kaartjes gaan verkopen!'

Victoria deed de deur achter zich dicht en trippelde de trap af met de elegantie van een vrouw die ruime ervaring heeft met onmogelijke hakken. 'Wat bezielt jou?' vroeg ze aan Zora toen ze beneden was; ze leek eerder nieuwsgierig dan boos.

Zora sloeg haar ogen ten hemel. Victoria keerde zich maar tot Jerome.

'Jerome? Waar gaat dit over?'

Jerome schudde zijn hoofd en keek naar de grond. Victoria liep weer op Zora af. 'Had je me iets te zeggen?'

Gewoonlijk was Zora beducht voor een confrontatie met haar medestudenten, maar de zelfverzekerde uitstraling van Victoria Kipps, recht tegenover haar doorgedraaide snotterige aanblik, was gewoon té onuitstaanbaar.

'Ik heb jou helemaal NIETS te zeggen! Niets!' gilde ze en ze begon de straat af te marcheren. Onmiddellijk struikelde ze over haar hakken en Jerome pakte haar elleboog om haar overeind te houden.

'Ze is jaloers, dat is haar probleem,' hoonde Carl. 'Gewoon jaloers omdat jij mooier bent dan zij. Dat kan ze niet hebben.'

Zora draaide zich met een ruk om. 'In feite verlang ík van mijn partners iets meer dan een lekker kontje. Om de een of andere reden dacht ik dat dat voor jou ook gold, maar ik blijk me vergist te hebben.'

'Pardon?' zei Victoria.

Zora strompelde een stukje verder over de weg, haar broer naast haar, maar Carl kwam achter hen aan.

'Jij weet helemaal niks van haar. Jij denkt gewoon dat je beter bent dan ieder ander.'

Zora stopte nogmaals. 'O, maar ik weet heel veel van haar. Ik weet dat ze een leeghoofd is. Ik weet dat ze een slét is.' Victoria haalde uit naar Zora maar Carl hield haar tegen. Jerome pakte Zora's wijzende hand vast.

'Zoor!' zei hij met stemverheffing. 'Kappen nu! Zo is het genoeg!'

Zora wrong haar hand los uit de greep van haar broer. Carl keek vol afkeer naar hen beiden. Hij pakte Victoria's hand en begon samen met haar naar het huis te lopen.

'Breng je zus naar huis,' zei hij zonder om te kijken. 'Ze is straalbezopen.'

'En ik weet ook het een en ander over jongens zoals jíj,' schreeuwde Zora hem machteloos na. 'Jij kunt je pik nog geen vijf minuten in je broek houden, dat is het enige wat voor jou telt. Dat is het enige waar jij aan kunt dénken. En je hebt niet eens de goede smaak om hem in iets met een tikkeltje meer klasse te steken dan Victoria Kipps. Jij bent gewoon een van die stomme klootzakken.'

'Krijg de tering!' schreeuwde Victoria en ze begon te huilen.

'Zo een als je vader?' viel Carl uit. 'Zo'n stomme klootzak als je vader? Zal ik jou eens even wat vertellen...' maar Victoria begon uit alle macht eroverheen te praten. 'Nee! Alsjeblieft, Carl, alsjeblíeft, laat zitten. Dat heeft geen zin, alsjeblieft!'

Ze was hysterisch, legde haar handen overal op zijn gezicht, kennelijk om hem het zwijgen op te leggen. Niet-begrijpend keek Zora haar boos aan.

'Waarom niet, godverdomme?' vroeg Carl, die een hand van Victoria van zijn mond trok en haar bij haar schouders vasthield terwijl ze hard doorhuilde. 'Ze voelt zich zo verdomde superieur, iemand moet haar eens flink de waarheid vertellen. Ze denkt dat haar pappie zo'n...'

'Nee!' schreeuwde Victoria.

Zora zette haar handen op haar heupen, volkomen verbijsterd, bijna geamuseerd door deze nieuwe scène die zich voor haar ogen afspeelde. Iemand zette zichzelf voor paal, en voor de eerste keer vanavond was dat niet Zora. Ergens in de straat werd een raam omhooggeschoven. 'Kan het godverdomme wat zachter! Het is goddomme midden in de nacht!'

De keurige houten huizen met gesloten luiken leken zwijgend in te stemmen met het vertrek van de lawaaiige nachtbrakers.

'Vee, liefje, ga terug naar binnen. Ik kom zo,' zei Carl en hij veegde met zijn hand teder wat tranen van Victoria's gezicht. Zora liet haar nieuwsgierigheid varen. Ze voelde de woede in haar toenemen. Ze dacht niet na over wat er net was gebeurd, en volgde Jerome zodoende niet, wiens geest een tot dat moment verborgen pad insloeg naar een duistere bestemming: de waarheid. Jerome legde zijn hand tegen de doorweekte stam van een boom, en alleen die hield hem overeind. Victoria belde aan om weer het huis in te komen. Een moment keek Jerome haar aan met een blik waarin alles besloten lag wat hij voelde: teleurstelling omdat hij van haar had gehouden, verdriet omdat ze hem had bedrogen.

'Kan het wat rustiger hier?' verzocht een jongen aan de deur en hij liet de verslagen, gebroken Victoria binnen.

'Zo is het wel genoeg,' zei Jerome beslist tegen Carl. 'Ik breng Zora naar huis. Je hebt haar al genoeg van streek gemaakt.'

Van alle dingen waarvan hij tot nu toe was beschuldigd, trof dit redelijk klinkende verwijt Carl als het meest onterecht.

'Dit komt niet door míj, man,' zei Carl onvermurwbaar, terwijl hij zijn hoofd schudde. 'Ík heb dit niet gedaan. Godverdomme!' Hij trapte keihard tegen een trede. 'Jullie gedragen je gewoon niet als mensen, man, ik heb nog nooit mensen zich zo zien gedragen als jullie. Jullie zeggen niet de waarheid, jullie bedríegen mensen. Jullie doen allemaal zo arrogant maar je zegt de waarheid niet! Jij weet zelfs helemaal niks over je eigen vader, man. Mijn vader is ook een waardeloze lul, maar ik wéét tenminste dat hij een waardeloze lul is. Ik heb gewoon medelijden met jullie, weet je dat? Echt.'

Zora veegde haar neus af en wierp Carl een boze, hooghartige blik toe. 'Carl, hou alsjeblieft je mond over onze vader. We wéten het, van onze vader. Jij gaat een paar maandjes naar Wellington, vangt wat roddels op en dan denk je dat je weet wat er aan de hand is? Joh, je hebt geen flauw idee van onze familie óf ons leven, oké? Bedenk dat wel.'

'Zoor, niet...' waarschuwde Jerome, maar Zora deed een stap naar voren en voelde een plas water haar open schoentjes binnendringen. Ze bukte zich en trok de schoenen uit.

'Daar heb ik het niet eens over,' fluisterde Carl.

Overal in het donker om hen heen drupten de bomen. Op de hoofdstraat, ver van deze weg, klonk het gespetter en gesuis van auto's die door plassen raasden.

'Nou, waar heb je het dan wel over?' vroeg Zora, met haar schoenen zwaaiend om haar woorden kracht bij te zetten. 'Wat ben jij triest, zeg. Laat me toch met rust.'

'Ik zeg alleen,' zei Carl duister, 'dat jij denkt dat iedereen die je kent zo puur is, zo perfect. Mán, je weet helemaal niks over die Wellington-lui. Je weet niet wat ze allemaal flikken.'

'Genóeg,' drong Jerome aan. 'Je ziet hoe ze eraan toe is, man. Heb een beetje respect. Ze kan dit niet gebruiken. Alsjeblieft, Zoor, laten we naar de auto gaan.'

Maar Zora was nog niet klaar. 'Ik weet dat de mannen die ik ken volwássen zijn. Het zijn intellectuélen, geen kinderen. Zij lopen niet als hitsige tieners achter elk lekker kontje aan dat voorbij komt wiebelen!'

'Zora,' zei Jerome met overslaande stem, want de gedachte aan zijn vader met Victoria begon hem te veel te worden. Er bestond een zeer reële kans dat hij hier midden op straat over zijn nek ging. 'Toe nou! Kom mee naar de auto! Ik kan dit niet! Ik moet naar huis!'

'Weet je, ik heb echt geprobeerd mijn geduld te bewaren,' zei Carl met gedempte stem. 'Maar het wordt tijd dat iemand jou de waarheid vertelt. Jullie allemaal, stelletje zogenaamde intellectuelen... Oké, neem Monty Kipps. Victoria's pa. Ken je hem? Oké. Hij neukt met Chantelle Williams. Ze woont bij mij in de straat, ze heeft het me verteld. Zijn kinderen weten van niets. Dat meisje dat je net aan het huilen hebt gemaakt? Ze weet er niets van. En iedereen maar denken dat hij een heilige is. Nu wil hij Chantelle uit de werkgroep, en waarom? Om zijn hachje te redden. En ik moet die hele shit weer aanhoren, terwijl ik er helemaal niets van wil weten. Ik probeer alleen maar een stapje verder te komen in mijn leven...' Carl lachte bitter. 'Maar dat kun je wel schudden hier, man. Mensen zoals ik zijn gewoon speelgoedpoppetjes voor mensen zoals jij... Ik ben gewoon een experiment voor jou, om mee te spelen. Jullie lui zijn niet eens zwart meer, man. Ik weet niet wát jullie zijn. Jullie denken dat je te goed bent voor je eigen soort. Jullie studeren af aan de universiteit, maar jullie leven maar raak. Jullie zijn allemaal hetzelfde,' zei Carl, die omlaag keek en zich tot zijn schoenen richtte. 'Ik moet bij mijn éigen mensen zijn, man, ik trek dit niet langer.'

'Tja,' zei Zora, die halverwege was opgehouden naar Carls speech te luisteren, 'wat verwacht je ook anders van iemand als Kipps. Zo vader, zo dochter. En is dát jouw niveau? Is dát jouw voorbeeld? Dan wens ik je nog een fijn leven, Carl.'

Het was nu echt gaan regenen, maar in elk geval had Zora gewonnen, want Carl gaf het op. Langzaam, met hangend hoofd liep hij de trap op. Zora wist eerst niet zeker of ze het goed hoorde, maar toen hij weer iets zei, merkte ze tevreden op dat ze gelijk had gehad. Carl huilde.

'Jullie zijn zó zeker van jezelf, zó arrogant,' hoorde ze hem foeteren terwijl hij aanbelde, 'jullie allemaal. Ik weet niet hoe ik me met jullie heb kunnen inlaten, er kan toch niets goeds van komen...'

Zora, verder ploeterend op haar blote voeten, hoorde de klap waarmee Carl de deur dichtsloeg.

'Idioot,' mompelde ze en ze stak haar arm door die van haar broer terwijl ze wegliepen. Pas toen Jerome zijn hoofd op haar schouder liet zakken, drong het tot haar door dat ook hij huilde.

12

De volgende dag was de eerste dag van de lente. Voor vandaag was er ook al bloesem geweest, en de sneeuw was al verdwenen, maar het was op déze nieuwe morgen dat er voor iedereen aan de Oostkust een blauwe lucht werd voorspeld, déze dag die een zon met zich meebracht die niet alleen licht, maar ook warmte beloofde. Het eerste wat Zora ervan meekreeg waren streepjes licht; haar moeder die de jaloezieën opentrok.

'Wakker worden, schat. Sorry, lieverd. Lieverd?'

Zora deed haar andere oog open en zag haar moeder op haar bed zitten.

'De universiteit belde net. Er is iets gebeurd, ze willen je spreken. In het kantoor van Jack French. Ze klonken nogal opgewonden. Zora?'

'Het is záterdag...'

'Ze wilden mij niets vertellen. Ze zeiden dat het urgent was. Heb je iets uitgehaald?'

Zora ging rechtop zitten. Haar kater was verdwenen. 'Waar is Howard?' vroeg ze. Ze kon zich niet herinneren dat ze zich ooit zo geconcentreerd had gevoeld als vanmorgen. De eerste dag dat ze een bril droeg was ongeveer ook zo geweest: scherpere lijnen, helderder kleuren. De hele wereld als een oud schilderij dat is gerestaureerd. Ten slotte begreep ze het.

'Howard? Naar de bibliotheek. Hij is gaan lopen omdat het zulk lekker weer is. Zoor, zal ik met je meegaan?'

Zora sloeg dit aanbod af. Voor het eerst in maanden kleedde ze zich aan zonder iets anders in gedachte dan basale, praktische lichaamsbedekking. Ze kamde haar haar niet. Deed geen make-up op. Geen contactlenzen in. Geen hakken aan. Wat een tijdsbesparing! Hoeveel meer zou ze kunnen doen in dit nieuwe leven! Ze stapte in de auto en reed met agressieve vaart de stad in, andere auto's snijdend en vloekend op onschuldige verkeerslichten. Ze parkeerde fout op een faculteitsplaats. Omdat het weekend was, waren de deuren van het vakgroepsgebouw gesloten. Met een druk op de zoemer liet Liddy Cantalino haar binnen.

'Jack French?' vroeg Zora op eisende toon.

'Jij ook een goeiemorgen, jongedame,' snauwde Liddy terug. 'Ze zitten allemaal in zijn kantoor.'

'Wie allemaal?'

'Waarom ga je zelf niet even kijken, schat?'

Voor de allereerste keer liep Zora ergens in een faculteitsgebouw naar binnen zonder kloppen. Ze trof een bizarre samenstelling van mensen aan: Jack French, Monty Kipps, Claire Malcolm en Erskine Jegede. Allemaal in een andere, verontruste pose. Niemand zat, zelfs Jack niet.

'Ah, Zora, kom binnen,' zei Jack. Zora ging bij de anderen staan. Ze had geen idee waar het allemaal over ging, maar ze was absoluut niet zenuwachtig. Ze werd nog steeds gedreven door razernij en was tot alles in staat.

'Wat is er aan de hand?'

'Het spijt me vreselijk dat we je uit bed hebben gehaald,' zei Jack, 'maar het is een urgente kwestie en ik vond niet dat het kon wachten tot na de voorjaarsvakantie...' Hier snoof Monty verachtelijk. 'En zelfs niet tot maandag.'

'Wat is er aan de hand?' herhaalde Zora.

'Nu,' zei Jack, 'het schijnt dat gisteravond, nadat iedereen was vertrokken, rond tien uur denken we, al zijn we nog aan het onderzoeken of een van onze schoonmakers misschien nog op een later tijdstip hier is geweest en op de een of andere manier degene heeft geholpen die...'

'O, in 's hemelsnaam, Jack!' riep Claire Malcolm. 'Sorry hoor, maar jezus christus, we gaan toch niet de hele dag hier zitten... Ik voor mij wil graag weer terug naar mijn vakantie... Zora, weet jij waar Carl Thomas is?'

'Carl? Nee, hoezo? Wat is er gebeurd?'

Erskine, moe van zijn eigen voorgewend paniekerige gedrag, ging zitten. 'Gisteravond,' legde hij uit, 'is er een schilderij gestolen uit de vakgroep Afro-Amerikaanse Wetenschappen. Een zeer waardevol schilderij, eigendom van professor Kipps.'

'Ik kom er nú pas achter,' zei Monty op een toon twee keer zo hard als die van alle anderen, 'dat een van die *straatkinderen* uit de verzameling van dr. Malcolm al een maand lang drie deuren bij mij vandaan werkt, een jongeman die kennelijk...'

'Jack, ik ben níet van plan,' zei Claire terwijl Erskine zijn hand over zijn ogen legde, 'me zomaar te laten beledigen door deze man. Dat neem ik niet.'

'Een jongeman,' bulderde Monty, 'die hier werkt zonder referenties, zonder kwalificaties, zonder dat iemand ook maar íets van hem weet. In heel mijn academische carrière heb ik nog nóóit zo'n incompetentie meegemaakt, zo'n nonchalance, zo'n...'

'Hoe weet jij of die jongen het heeft gedaan? Wat voor bewijs heb je?' blafte Claire, maar ze scheen doodsbenauwd te zijn voor het antwoord.

'Nou, nou, alsjeblieft,' zei Jack met een gebaar naar Zora. 'We hebben een studente hier. Alsjeblieft. Me dunkt dat het passend is om...' Maar verstandig genoeg besloot Jack dit zijpad niet in te slaan en terug te keren naar het hoofdthema. 'Zora, dr. Malcolm en dr. Jegede hebben ons verteld dat jij bevriend bent met deze jongeman. Heb je hem toevallig gisteravond gezien?'

'Ja. Hij was op een feestje waar ik ook was.'

'Ah, mooi. En heb je misschien gezien hoe laat hij daar wegging?'

'We hadden een... we hadden min of meer ruzie en we zijn allebei... we zijn allebei vrij vroeg weggegaan. Apart.'

'Hoe láát?' vroeg Monty met een stem alsof hij God zelf was. 'Hoe laat ging de jongen weg?'

'Vroeg. Ik weet het niet precies.' Zora knipperde tweemaal met haar ogen. 'Halftien misschien?'

'En was dat feestje ver van hier?' vroeg Erskine.

'Nee, tien minuten.'

Nu ging Jack zitten. 'Dank je, Zora. En je hebt geen idee waar hij nu is?'

'Nee, meneer.'

'Dank je. Liddy laat je wel even uit.'

Monty bonsde met zijn vuist op Jacks bureau. 'Ho, één minuutje alsjeblieft!' dreunde hij. 'Is dat alles wat je haar gaat vragen? Neem me niet kwalijk, juffrouw Belsey, voor je ons weer gaat verlaten, kun je me misschien vertellen wat voor soort jongeman, naar jouw inschatting, deze Carl Thomas is? Kwam hij bijvoorbeeld op jou over als een dief?'

'Goeie god!' klaagde Claire. 'Wat walgelijk, zeg. Ik wil hier helemaal niets mee te maken hebben.'

Monty keek haar dreigend aan. 'Een rechtbank zou u als betrokkene bij deze zaak kunnen beschouwen, of u dat nu leuk vindt of niet, dr. Malcolm.'

'Is dit een dreigement?'

'Zora, zou je mijn vraag willen beantwoorden? Zou het onfair zijn om deze jongeman te beschrijven als "ontspoord"? Is het waarschijnlijk dat hij een strafblad heeft?'

Zora negeerde Claire Malcolms poging haar blik te vangen.

'Als u bedoelt of hij een jongen van de straat is, nou, dat is hij, uiteraard, dat zou hij zelf ook zeggen. Hij heeft het er wel eens over gehad dat hij... in de problemen zat, zeker. Maar de details daarvan weet ik niet.'

'Ik ben ervan overtuigd dat we daar gauw achter zullen komen,' zei Monty.

'Weet u,' zei Zora effen, 'als u hem echt wilt vinden, kunt u het beter aan

uw dochter vragen. Ik heb gehoord dat ze nogal wat knusse uurtjes met elkaar doorbrengen. Kan ik nu gaan?' vroeg ze aan Jack, terwijl Monty zich
staande hield aan zijn bureau.

'Liddy laat je wel uit,' herhaalde Jack zwakjes.

Een (bijna) leeg huis. Een heldere lentedag. Vogelzang. Eekhoorntjes. Alle
gordijnen en jaloezieën open behalve in Jeromes kamer, waar een beest met
een kater onder zijn dekbed ligt. Fris, fris, alles moet fris! Kiki begon niet
bewust aan een grote voorjaarsschoonmaak. Ze dacht alleen: Jerome is
hier, en in de berging onder ons heerlijke huis liggen dozen en dozen vol
spullen van hem te wachten op het besluit ze te bewaren of weg te gooien.
En dus zou ze al die dingen bekijken, de brieven, de rapporten, de foto-
albums, de dagboeken, de zelfgemaakte verjaardagskaarten, en ze zou tegen hem zeggen: *Jerome, hier is je verleden. Het is niet aan mij, je moeder, om
jouw verleden te vernietigen. Alleen jij kunt beslissen wat weg kan en wat bewaard moet blijven. Maar alsjeblieft, in 's hemelsnaam, gooi wat weg zodat ik wat
ruimte in de berging kan vrijmaken voor Levi's troep.*

Ze trok haar oudste joggingbroek aan en bond een bandana om haar
hoofd. Ze ging de berging in, met alleen een radio om haar gezelschap te
houden. Hier beneden was het een chaos van Belsey-herinneringen. Alleen
al om binnen te komen moest Kiki over vier zware plastic bakken klimmen
waarvan ze wist dat ze vol foto's zaten. Je zou tegenover zo'n massa verleden gemakkelijk in paniek kunnen raken, maar Kiki was wel wat gewend.
Vele jaren geleden had ze deze ruimte grofweg in stukken verdeeld, voor
elk van haar drie kinderen één. Zora's gedeelte, achterin, was het grootst,
simpelweg omdat Zora degene was die meer woorden op papier had gezet
dan de anderen, aan meer teams en genootschappen had deelgenomen,
meer certificaten had vergaard, meer bekers had gewonnen. Maar Jeromes
ruimte was ook niet onaanzienlijk. Hier lagen alle dingen die hij in de loop
der jaren had verzameld en gekoesterd, van fossielen tot exemplaren van
Time, van handtekeningenboeken tot een verzameling boeddha's en gede-
coreerde porseleinen eieren. Kiki ging in kleermakerszit tussen dit alles zitten en toog aan het werk. Ze scheidde volumineuze spullen van papierwerk
en kinderspullen van universiteitsspullen. De meeste tijd hield ze haar
hoofd naar beneden, maar als ze een keer opkeek werd ze getrakteerd op
het intiemste van alle uitzichten: de verspreide bezittingen van de drie

mensen die ze op de wereld had gezet. Verschillende kleine voorwerpen maakten haar aan het huilen: een piepklein wollen sokje, een gebroken beugel, een dasring van de scouting. Ze was niet Malcolm X' privé-secretaresse geworden. Ze had nooit een film geregisseerd of een gooi gedaan naar het senatorschap. Ze kon geen vliegtuig besturen. Maar hier was dít allemaal.

Twee uur later droeg Kiki een doos vol gesorteerde papieren van Jerome de gang in. Alle dagboeken, aantekeningen en verhalen die hij voor zijn zestiende had geschreven! Ze stond te kijken van het gewicht in haar armen. In haar hoofd was ze weer een speech aan het houden voor het Amerikaanse Zwarte-Moedersgilde: *Tja, je moet ze gewoon aanmoedigen en ze de juiste rolmodellen aanbieden, en je moet ze het besef meegeven dat ze rechten hebben. Mijn beide zonen voelen dat ze recht hebben op succes, en daarom presteren ze zo goed.* Kiki nam haar applaus van de menigte in ontvangst en keerde terug naar de rommel om twee tassen vol kleren van vóór Jeromes groeispurt te pakken. Deze zakken uit het verleden droeg ze op haar rug, een over elke schouder. Vorig jaar had ze niet gedacht dat ze in de lente nog in dit huis, bij deze man zou zijn. Maar hier was ze, hier was ze. Een scheur in de vuilniszak liet drie broeken en een trui ontsnappen. Kiki hurkte om ze op te rapen, en terwijl ze dat deed scheurde de tweede tas ook. Ze had ze te vol gestopt. De grootste leugen ooit over de liefde is dat die je vrij maakt.

Het liep tegen lunchtijd. Kiki was te zeer verdiept in haar werk om te stoppen. En terwijl de radio-dj's de zaken in het land op de spits dreven en de stemmen van blanke huisvrouwen haar aanmoedigden om te profiteren van de voorjaarsuitverkoop, maakte Kiki een stapel van alle fotonegatieven die ze tegenkwam. Ze lagen overal. Eerst hield ze ze één voor één tegen het licht en probeerde ze de omgekeerde bruine schaduwen van vroegere strandvakanties en Europese landschappen te duiden. Maar het waren er te veel. De waarheid was dat niemand ze ooit meer zou laten afdrukken of zou bekijken. Maar dat wilde nog niet zeggen dat je ze moest weggooien. Dat was de reden waarom je ruimte maakte – je maakte ruimte voor de vergetelheid.

'Hé mam,' zei Jerome slaperig, terwijl hij zijn hoofd in de deuropening stak. 'Wat is hier aan de hand?'

'Jij. Je gaat eruit, vriend. Dat zijn jouw spullen daar in de gang. Ik ben wat ruimte aan het vrijmaken zodat een deel van de troep in Levi's kamer hierheen kan.'

Jerome wreef zich in de ogen. 'Ach zo,' zei hij. 'Ouwe troep eruit, nieuwe erin.'

Kiki lachte. 'Zoiets. Hoe is het?'

'Kater.'

Kiki maakte een afkeurend geluid. 'Je had niet met de auto moeten gaan, weet je.'

'Ja, ik weet het...'

Kiki stak haar arm in een diepe doos en trok er een beschilderd maskertje uit, van het soort dat je draagt bij een gemaskerd bal. Ze glimlachte er vertederd naar en draaide het om. Wat glittertjes gaven af op haar handen. 'Venetië,' zei ze.

Jerome knikte kort. 'Die keer dat wij ook meegingen?'

'Hmm? O, nee, eerder. Voordat jullie waren geboren.'

'Een soort romantische vakantie,' zei Jerome. Hij klemde zijn hand nog vaster om de rand van de deur.

'Een zéér romantische.' Kiki glimlachte en schudde haar hoofd om een of andere heimelijke gedachte te verjagen. Ze legde het breekbare masker voorzichtig weg. Jerome deed een stap de opslagruimte in.

'Mam...'

Kiki glimlachte opnieuw met opgeheven gezicht naar haar zoon. Jerome keek weg.

'Heb je... heb je hulp nodig, mam?'

Kiki gaf hem een dankbare kus.

'Dank je, liefie. Dat zou fantastisch zijn. Help me even wat spullen uit Levi's kamer te halen. Het is een nachtmerrie daarbinnen. Ik kan het niet aan in m'n eentje.'

Jerome stak zijn handen naar Kiki uit en trok haar overeind. Samen liepen ze door de gang en duwden ze Levi's deur open, waarbij ze stapels kleding moesten wegschuiven die erachter lagen. In de kamer hing een doordringende jongensgeur van sokken en sperma.

'Leuk behangetje,' zei Jerome. De kamer was pas beplakt met posters van zwarte meisjes, vooral gevulde zwarte meisjes, vooral de bilpartijen van gevulde zwarte meisjes. Deze werden hier en daar afgewisseld met een paar patserige portretfoto's van rappers, van wie de meeste al overleden waren. Maar gevulde zwarte meisjes in bikini vormden het centrale thema van de wandversiering.

'In elk geval zijn ze niet half uitgehongerd,' zei Kiki en ze knielde om onder het bed te kijken. 'In elk geval hebben ze wat vlees op hun botten.

Oké, hieronder ligt allerhande troep. Pak jij even dat uiteinde en til het op.'

Jerome trok het bed aan zijn kant omhoog.

'Hoger,' zei Kiki. Plotseling gleed Kiki's rechterknie weg en ze zette haar hand op de vloer. 'O, mijn god,' fluisterde ze.

'Wat?'

'O, mijn god!'

'Wat? Ligt daar porno? Mijn arm begint moe te worden.' Jerome liet het bed een stukje zakken.

'NIET BEWEGEN!' schreeuwde Kiki.

Verschrikt tilde Jerome het bed hoger. Zijn moeder stond naar adem te snakken alsof ze een soort toeval kreeg.

'Mam, wat is er? Je maakt me bang, man. Wat is er?'

'Ik begrijp hier niks van. IK BEGRIJP HIER NIKS VAN.'

'Mam, ik houd het niet langer.'

'HOU VAST!'

Jerome zag hoe zijn moeder iets met twee handen vastpakte. Ze begon het onbestemde voorwerp langzaam onder het bed uit te trekken.

'Wat is...?' zei Jerome.

Kiki sleepte het schilderij tot het midden van de vloer en ging ernaast zitten, hyperventilerend. Jerome kwam achter haar staan en wilde haar aanraken om haar te kalmeren, maar ze sloeg zijn hand weg.

'Mam, ik begrijp niet wat er aan de hand is. Wat ís dat?'

Toen klonk het geluid van de voordeur, die met een klik openging. Kiki sprong overeind en liep de kamer uit, zodat Jerome achterbleef, starend naar de naakte bruine vrouw te midden van haar bontgekleurde bloemen en vruchten. Boven hoorde hij geschreeuw en gegil.

'O NEE? O NEE? NIETS AAN DE HAND?!'

'LAAT ME LOS!'

Ze kwamen de trap af, Kiki en Levi. Jerome ging naar de deur en zag hoe Kiki Levi een hardere draai om zijn oren gaf dan hij ooit had gezien.

'Naar binnen jij! Ga als de donder naar binnen!'

Levi viel tegen Jerome aan en met z'n tweeën landden ze bijna boven op het schilderij. Jerome hervond zijn evenwicht en trok Levi opzij.

Levi stond met zijn mond vol tanden. Zelfs zijn retorische talenten konden het bewijs, een anderhalve meter hoog olieverfschilderij verstopt onder zijn bed, niet verhelen.

'O, shit, man,' zei hij eenvoudig.

'Mam,' probeerde Jerome op kalme toon, 'doe even rustig.'

'Levi,' zei Kiki, en beide jongens voelden dat er een 'Florida-orkaan' in aantocht was, wat Kiki-terminologie was voor volledig door het lint gaan, 'ik wil nu een verklaring uit jouw mond horen, anders krijg je een ongenadig pak slaag van me. God is mijn getuige, dan ga je ervan lusten.'

'O, shit.'

'Ze hoorden de voordeur opnieuw opengaan en weer dichtslaan. Levi keek hoopvol die kant op, alsof een hogere macht hem kon redden, maar Kiki negeerde het en trok hem aan zijn sweatshirt tot vlak bij haar gezicht. 'Want ik wéét dat een zoon van mij NIET steelt, een kind dat ik heb grootgebracht haalt het niet in zijn hoofd om IETS VAN EEN ANDER te stelen. Levi, ik wacht op antwoord!'

'We hebben het niet gestolen!' wist Levi uit te brengen. 'Ik bedoel, we hebben het wel weggenomen, maar het was geen stelen.'

'Wé?'

'Die gast en ik, die... gozer.'

'Levi, geef me zijn naam voor ik je nek breek. Ik maak géén grappen nu, jongeman. Er worden géén grappen gemaakt vandaag.'

Levi kermde. Boven klonk geschreeuw.

'Wat is...' zei hij, maar die vlieger ging niet op.

'Maakt me niet uit wat er boven gebeurt. Maak jij je liever zorgen over wat hier beneden gebeurt. Levi, geef me de naam van die jongen, nu.'

'Man, ik... zeg maar... dat kan ik niet doen. Hij is... hij is een Haïtiaanse gozer en...' Levi haalde diep adem en begon heel snel te praten. 'Geloof me, je begrijpt er toch niets van, het is, zeg maar, oké, dit schilderij was sowieso al gestolen. Het ís niet eens van die vent, die Kipps, niet echt... het was, zeg maar, twintig jaar geleden ging hij gewoon naar Haïti en kreeg hij al die schilderijen in zijn bezit door arme mensen voor te liegen en ze voor een paar dollar van ze te kopen, en nu zijn ze zo veel geld waard en het is niet zíjn geld en we proberen alleen maar...'

Kiki gaf Levi een harde duw tegen zijn borst. 'Jij hebt dit gestólen uit meneer Kipps' kantoor omdat de een of andere gozer je allerlei lariekoek vertelt? Omdat de een of andere brother je een hele hoop samenzwerings-bullshit wijsmaakt? Ben jij soms niet goed bij je hóófd?'

'Nee! Ik ben wel goed bij m'n hoofd, en het is geen bullshit! Jij weet er niks van!'

'Natúúrlijk is het onzin. Toevallig ken ik dit schilderij, Levi. Het was eigendom van mevróuw Kipps. En zij heeft het zelf gekocht, nog voor haar huwelijk.'

Daar had Levi niet van terug.

'O, Levi,' zei Jerome.

'Maar daar gaat het niet eens om; het gaat erom dat jij hebt gestólen. Jij loopt gewoon maar achter zulke mensen met hun praatjes aan. Je loopt ze zó achterna de bak in. Alleen maar om stoer te zijn, de grote man uit te hangen tegenover een zootje nietsnutten van negers die niet eens...'

'ZO IS HET HELEMAAL NIET!'

'Zo is het helemaal wél. Het zijn die jongens met wie je de hele tijd rondhangt. Je kunt tegen mij niet liegen. Ik ben zo ontzettend kwaad op je. Ik ben ZO WOEDEND! Levi, ik probeer te begrijpen wat je denkt te bereiken door andermans eigendom te stelen. Waarom dóe je dat?'

'Je begrijpt er helemaal geen ene moer van,' zei Levi heel kalm.

'Wat? Sorry, hoor. WAT ZEI JE DAAR?'

'Die mensen in Haïti, die hebben HELEMAAL NIKS, JA? Wij buiten die mensen uit, man! Wij – wij – buiten ze uit! We zuigen ze leeg – we zijn net vampiers! Met jou is alles oké, ja, getrouwd met je blanke man in het land van overvloed, met jou is alles oké. Jíj hebt geen problemen. Je buit die mensen uit, man!'

Kiki hield een trillende vinger vlak voor zijn gezicht. 'Levi, je gaat te ver, nu. Ik weet niet waar je het over hebt, en jijzelf volgens mij ook niet. En ik zie werkelijk niet in wat dit allemaal te maken heeft met het feit dat jij een díef bent geworden.'

'Waarom lúister je dan niet waar ik het over heb. Dat schilderij is niet van hem! Of van zijn vrouw! Deze mensen over wie ik het heb, die weten nog hoe het eraan toe is gegaan, man, en moet je nou eens zien hoeveel het nu waard is. Maar dat geld behoort aan het Haïtiaanse volk, niet aan een of andere... een of andere *Kaukasische kunsthandelaar*,' zei Levi, zelfverzekerd nu hij zich Choo's zin herinnerde. 'Dat geld moet worden geredi... gedeeld.'

Even was Kiki te stomverbaasd om iets uit te brengen.

'Eh, zo werkt het niet in de wereld,' zei Jerome. 'Ik studeer economie en ik kan je vertellen dat het zo niet werkt in de wereld.'

'Zo werkt het wel dégelijk in de wereld! Ik weet best dat jullie allemaal denken dat ik een beetje getikt ben – maar dat ben ik niet. En ik lees dingen, ik kijk naar het nieuws, die shit is echt waar. Met dat geld van dat schilderij zou je een ziekenhuis kunnen bouwen in Haïti!'

'O, is dat wat je met het geld wilde gaan doen?' vroeg Jerome sarcastisch. 'Een ziekenhuis bouwen?'

Levi keek schaapachtig en uitdagend tegelijk. 'Nee, niet helemaal. We wilden het *redistribueren*,' zei Levi zonder haperen. 'De fondsen.'

'Ach zo. En hoe wilde je het gaan verkopen? Via Ebay?'

'Daar had Choo zijn mensen voor.'

Kiki hervond haar stem. 'Choo? Choo? WIE IS CHOO?'

Levi bedekte zijn gezicht met beide handen. 'O, shit.'

'Levi... Ik probeer te begrijpen wat je me vertelt,' zei Kiki langzaam, in een poging zichzelf te kalmeren. 'En ik... ik begrijp dat je je zorgen maakte om die mensen, maar lieverd, Jerome heeft gelijk, dit is niet de manier om sociale problemen op te lossen, dit is niet hoe je...'

'Hoe dan wel?' wilde Levi weten. 'Door mensen vier dollar per uur te betalen voor schoonmaakwerk? Zoveel betaal jij aan Monique, man! Vier dollar! Als ze Amerikaans was zou je haar geen vier dollar per uur betalen. Of wel dan? Of wel dan?'

Kiki stond perplex. 'Weet je, Levi,' zei ze met overslaande stem, bukkend om het schilderij aan één kant vast te pakken, 'ik wil niet meer met je praten.'

'Omdat je daar geen antwoord op hebt!'

'Omdat het enige wat er uit jouw mond komt, gelul is. Bewaar dat maar voor de politie als ze je komen halen!'

Levi snoof minachtend. 'Je hebt geen antwoord,' herhaalde hij.

'Jerome,' zei Kiki, 'pak de andere kant. Laten we zien of we het boven kunnen krijgen. Ik bel Monty en probeer het te regelen zonder een rechtszaak.'

Jerome ging aan de andere kant staan en trok het schilderij omhoog tot zijn knieën.

'Ik denk in de lengte. Levi, ga uit de weg, verdomme,' zei hij en samen maakten ze een draai van honderdtachtig graden. Terwijl ze deze manoeuvre voltooiden stond Jerome te trekken aan iets aan de achterkant van het schilderij.

Kiki slaakte een kreetje. 'Nee! Nee! Niet aan trekken! Wat doe je? Heb je het beschadigd? O, jezusmina – dit geloof je toch niet.'

'Nee, mam, nee...' zei Jerome onzeker. 'Er zit iets vast, hier... het is oké... we kunnen gewoon...' Jerome zette het schilderij rechtop en liet het tegen zijn moeder leunen. Hij trok opnieuw aan een wit kaartje dat in de lijst gestoken zat.

'Jerome! Wat doe je toch? Hou daarmee op!'

'Ik wil alleen even zien wat...'

'Niet kapot trekken,' gilde Kiki, die niet kon zien wat er gebeurde. 'Trek je het kapot? Laat dat!'

'O, godver...' fluisterde Jerome, die zijn eigen antivloekbeleid was vergeten. 'Mam? O, mijn god!'

'Wat doe je toch? Jerome! Waarom trek je het nog verder kapot?'

'Mam! O, shit, mam! Jouw naam staat hierop!'

'Wát?'

'O, man, dit is te bizar voor woorden...'

'Jerome! Wat dóe je?'

'Mam... kijk.' Jerome trok het kaartje los. 'Hier staat: *Voor Kiki. Geniet van dit schilderij. Het verdient de waardering van iemand als jij. Je vriendin, Carlene.*'

'Wát?'

'Ik lees het je voor! Het staat hier! En daaronder staat: *Het is goed schuilen bij elkaar.* Dit is echt bizar.'

Kiki zakte door haar benen, en alleen door tussenkomst van Levi, met zijn handen rond haar middel, kon worden voorkomen dat zowel Kiki als het schilderij tegen de grond ging.

Tien minuten eerder waren Zora en Howard tegelijkertijd thuisgekomen. Nadat Zora het grootste deel van de middag door Wellington had rondgereden om het een en ander te overdenken, had ze Howard opgemerkt die terug kwam lopen van de Greenman-bibliotheek. Ze gaf hem een lift. Hij was goedgeluimd na een middag lang stevig doorwerken aan zijn lezing, en hij ratelde zo door dat hij niet merkte dat zijn dochter niet reageerde. Pas toen ze door de voordeur kwamen, drong het tot Howard door dat er een onmiskenbaar koufront van Zora zijn kant op kwam. Ze liepen zwijgend de keuken in, waar Zora de autosleuteltjes met zo veel kracht op tafel smeet dat ze over het hele blad gleden en er aan de andere kant vanaf vielen.

'Zo te horen zit Levi in de problemen,' zei Howard met een knikje naar de kelder, waar geschreeuw klonk. 'Het zat eraan te komen. Ik kan niet zeggen dat het me verbaast. In die kamer liggen boterhammen die bijna uit zichzelf weglopen.'

'Ha,' zei Zora. 'En nog eens ha.'

'Sorry?'

'Ik bewonder je talent voor ironische grapjes, pap.'

Zuchtend ging Howard in de schommelstoel zitten. 'Zoor, ben je boos op me? Hoor eens, als het om dat laatste cijfer gaat, laten we het er dan even over hebben. Volgens mij was het redelijk, lieverd, daarom heb ik het gegeven. Het was gewoon een slecht gestructureerd essay. Qua ideeën was het prima, maar het ontbrak je aan... concentratie, ergens.'

'Dat is waar,' zei Zora. 'Ik ben er de laatste tijd niet met mijn gedachten bij geweest. Maar nu ben ik er weer helemaal.'

'Mooi!'

Zora leunde tegen de keukentafel. 'En ik heb zwaar geschut voor de volgende faculteitsvergadering.'

Howard zette zijn geïnteresseerde gezicht op, maar het was lente en hij wilde de tuin in en de bloemengeur opsnuiven en misschien voor de eerste keer dit jaar gaan zwemmen en met een handdoek om naar boven, en naakt op het echtelijke bed gaan liggen waar hij onlangs weer was toegelaten, en zijn vrouw met hem op dat bed trekken en met haar vrijen.

'Wat betreft de studenten van buiten,' zei Zora. Ze deed haar ogen halfdicht tegen het felle gereflecteerde zonlicht dat het huis binnenstroomde. Het bespikkelde de muren en riep de suggestie op dat het huis onder water lag. 'Ik denk dat dat verder geen probleem zal zijn.'

'O nee? Hoezo?'

'Nou... kennelijk *neukt* Monty Chantelle, een studente,' zei Zora, en ze sprak de krachtterm extra ordinair uit, 'een van die studenten van buiten waar hij vanaf wilde.'

'Néé.'

'Ja. Kun je het geloven? Een studente. Waarschijnlijk *neukte* hij haar zelfs al voor de dood van zijn vrouw.'

Howard sloeg triomfantelijk tegen de zijkanten van zijn stoel. 'God almáchtig, zeg. Wát een smeerlap. "Normen en waarden", ja ja. Nou, je hebt 'm bij zijn kladden. Mijn god! Je moet daar naar binnen wandelen en hem aan het spit rijgen. Vermorzelen!'

Zora drukte haar nepnagels, een overblijfsel van het feest, in de onderkant van het tafelblad. 'Is dat jouw advies?'

'O, absoluut. Het is gewoon té verleidelijk. Zijn hoofd ligt op een presenteerblaadje! Lever hem uit!'

Zora keek omhoog naar het plafond, en toen ze weer omlaag keek biggelde er een traan over haar gezicht. 'Het is toch niet waar, hè, pap?'

Howards gezicht bleef onveranderd. Het duurde een minuut. Het incident met Victoria was voor zijn gevoel zo prettig afgerond dat hij slechts met moeite kon bedenken dat dat nog niet betekende dat het geen waargebeurd incident was, iets wat ontdekt kon worden.

'Ik zag Victoria Kipps gisteravond. Páp?'

Howard hield zijn uitdrukking onder controle.

'En Jerome denkt...' bracht Zora met moeite uit, 'iemand zei iets en Jerome denkt...' Zora verborg haar natte gezicht achter haar elleboog. 'Het is niet waar, toch?'

Howard sloeg zijn hand voor zijn mond. Hij had zojuist de stap gezien die op deze stap volgde, en de stap daarna, helemaal tot het bittere einde. 'Ik... o, god, Zora... o, god... ik weet niet wat ik moet zeggen.'

Nu gebruikte Zora een oude Engelse krachtterm, heel hard.

Howard stond op en deed een stap in haar richting. Zora stak haar arm uit om hem tegen te houden.

'Ik heb je verdedigd,' zei Zora met wijd opengesperde ogen van verbazing, terwijl ze haar tranen de vrije loop liet. 'Verdédigd en verdédigd en verdédigd.'

'Alsjeblieft, Zoor...'

'Tegen mam! Ik trok partij voor jóu!'

Howard deed nog een stap naar voren. 'Ik sta hier voor je, en ik vraag je me te vergeven. Het is echte *genade* waar ik je om vraag. Ik weet dat je mijn excuses niet wilt horen,' zei Howard fluisterend. 'Ik weet dat je dat niet wilt.'

'Wanneer heb jij nou óóit,' zei Zora helder, terwijl ze nog een stap naar achteren deed, 'een fuck gegeven om wat een ander wil?'

'Dat is niet eerlijk. Ik hou van mijn gezin, Zoor.'

'O ja? Hou je van Jerome? Hoe kón je hem dit aandoen?'

Howard schudde stomweg zijn hoofd.

'Ze is van mijn leeftijd. Nee, ze is jonger dan ik. Je bent zévenenvijftig jaar, pap,' zei Zora met een ongelukkig lachje.

Howard begroef zijn gezicht in zijn handen.

'HET LIGT ZO VOOR DE HAND, PAP. HET IS ZÓ VOORSPELBAAR.'

Zora was nu boven aan de keldertrap gekomen. Howard smeekte haar om een beetje meer tijd. Er was geen tijd meer. Moeder en dochter riepen al naar elkaar, terwijl de een de trap op en de ander de trap af holde, ieder met haar eigen opzienbarende, bizarre nieuws.

13

'Wat? Wat is dit precies?'

Jerome wees zijn vader op de belangrijkste passage in de brief van de advocaat die voor hem lag. Howard zette zijn ellebogen aan weerszijden ervan en probeerde zich te concentreren. De airco in huize Belsey was nog steeds niet opgewassen tegen de zomer, dus de schuifdeuren en alle ramen stonden tegen elkaar open, maar er circuleerde slechts drukkend warme lucht. Zelfs van lezen brak het zweet je uit.

'Hier en hier moet je tekenen,' zei Jerome. 'Je moet dit even zelf doen. Ik ben al laat.' Een zware geur hing boven de tafel: een schaal rottende peren die in staat van ontbinding verkeerden. Twee weken eerder had Howard Monique, de schoonmaakster, opgezegd omdat hij, zo had hij meegedeeld, zich haar niet langer kon veroorloven. Toen kwam de hitte en alles begon te rotten en broeien en stinken. Zora ging ver van deze peren af zitten, in plaats van de schaal zelf weg te halen. Ze at het laatste restje cornflakes en schoof de lege doos naar haar vader.

'Ik zie nog steeds niet in wat de zin van gescheiden bankrekeningen is,' mopperde Howard met zijn pen boven het document. 'Het maakt alles alleen maar twee keer zo moeilijk.'

'Jullie zijn gescheiden,' stelde Zora vast. 'Dat is de zin ervan.'

'Tijdelijk,' zei Howard, maar hij schreef zijn naam op het stippellijntje. 'Waar ga je heen?' vroeg hij aan Jerome. 'Lift nodig?'

'De kerk, en nee,' antwoordde Jerome.

Howard stond op, liep door de keuken naar de tuindeuren en stapte het terras op, dat te heet was voor zijn blote voeten. Hij stapte terug op de keukentegels. Buiten rook het naar boomsappen en opgezwollen bruine appels, waarvan er misschien wel honderd verspreid over het gazon lagen. Zo was het al tien jaar jaar lang elke maand augustus, maar pas dit jaar realiseerde Howard zich dat er misschien iets aan die situatie gedaan kon worden. Appelbowl, appeltaart, geconfijte appeltjes, chocoladeappels, fruitsalades... Howard had zichzelf verbaasd. Er was nu niets meer wat hij niet wist over de verwerking van appels. Hij had een appelschotel voor elke dag van de week. Maar het hielp niet zoveel als hij had gehoopt. Ze bleven maar vallen. Dag in dag uit werkten de wormen zich erdoorheen. Wanneer ze zwart en vormeloos werden, kwamen de mieren aangekropen.

Het was nu ongeveer het tijdstip waarop de eekhoorn zich zou laten zien.

Howard leunde tegen de deurpost aan en wachtte. En daar kwam hij aangeraasd langs de schutting, uit op vernieling. Halverwege stopte hij om de acrobatische sprong naar het voederbakje voor de vogels te maken, dat Howard gistermiddag met kippengaas had versterkt om het juist tegen dit roofdier te beschermen. Geïnteresseerd keek hij naar de eekhoorn, die nu methodisch zijn vesting begon te slopen. Morgen zou hij beter voorbereid zijn. Howards noodgedwongen sabbatical had geleid tot nieuwe kennis over de levenscyclussen rond dit huis. Hij wist nu welke bloemen dichtgingen bij zonsondergang; hij kende het hoekje van de tuin dat lieveheersbeestjes aantrok en wist hoe vaak per dag Murdoch moest worden uitgelaten; hij had nauwkeurig vastgesteld in welke boom die schurk van een eekhoorn woonde en had overwogen hem te kappen. Hij wist zonder te kijken wie van zijn kinderen door een kamer liep – op grond van hun eigen geluiden, hun tred. Nu stak hij zijn arm uit naar Levi, die hij, terecht, vlak achter zich voelde.

'Jij daar. Jij komt voor je zakgeld. Niet?'

Levi, met zonnebril op, liet zich niet kennen. Hij had een meisje uitgenodigd om te gaan brunchen en naar een film te gaan, maar dat hoefde Howard niet te weten.

'Als je het me wilt geven,' zei hij omzichtig.

'Nou, heeft je moeder je al iets gegeven?'

'Geef hem gewoon het geld, pap,' riep Jerome.

Howard kwam terug de keuken in. 'Jerome, ik ben alleen maar geïnteresseerd hoe je moeder het voor elkaar krijgt om dat geheime "vrijgezellenoptrekje" te betalen én avond aan avond met haar vriendinnen uit te gaan én een rechtszaak te financieren en Levi ook nog eens om de andere dag twintig dollar toe te stoppen. Komt dat allemaal van het geld dat ze van mij aftroggelt? Ik ben gewoon geïnteresseerd hoe dat werkt.'

'Geef hem gewoon het geld,' herhaalde Jerome.

Verontwaardigd trok Howard het koord van zijn badjas strakker. 'Maar ja, natuurlijk troggelt Linda – dat is die lesbische, toch?' vroeg Howard, die het antwoord wel wist, 'ja, die lesbische – troggelt díe Mark nog steeds de helft van zijn geld af, vijf jaar na dato, wat mij toch wel een beetje gortig lijkt, aangezien hun kinderen al groot zijn en Linda een lesbiënne is... het huwelijk eigenlijk maar een korte uitglijer is geweest in haar lesbische carrière...'

'Heb jij enig idee hoe vaak je het woord "lesbisch" zegt op één dag?' vroeg Zora en ze zette de televisie aan.

Jerome lachte hier zachtjes om. Howard, blij dat hij, al was het maar voor een moment, zijn gezin amuseerde, glimlachte ook.

'Dus,' zei Howard in zijn handen klappend, 'geld. Als ze me wil laten leegbloeden: het zij zo.'

'Hoor eens, man, ik hoef je geld niet,' zei Levi gelaten. 'Hou het maar. Als ik dan tenminste niet naar je gezeur hoef te luisteren.'

Levi hield zijn sportschoen op, waarmee hij zijn vader verzocht om die speciale drievoudige knoop in de veters te leggen. Howard zette Levi's voet tegen zijn dijbeen en begon te strikken.

'Binnenkort,' zei Zora opgewekt, 'heeft ze jouw geld helemaal niet meer nodig, Howard. Als de rechtszaak eenmaal gewonnen is, kan ze het schilderij verkopen en een compleet eiland kopen.'

'Nee, nee, nee,' zei Jerome vol overtuiging, 'ze gaat dat schilderij niet verkopen. Als je dat denkt snap je er niets van. Je moet begrijpen hoe mams brein werkt. Ze had hém eruit kunnen gooien...' Howard keek verschrikt op bij deze naamloze karakterisering van hemzelf. 'Maar zij zegt: "Nee, breng jíj de kinderen maar groot, zorg jíj maar voor dit gezin." Mam gaat totaal tegen de draad in. Ze gaat niet de kant op die je zou verwachten. Ze heeft een ijzeren wil.'

Deze discussie, in verschillende varianten, voerden ze een paar keer per week.

'Geloof er maar niets van,' bracht Howard in, met exact dezelfde narrige intonatie als zijn vader. 'Waarschijnlijk verkoopt ze dit huis zó onder onze kont vandaan.'

'Dat hoop ik echt, Howard,' zei Zora sarcastisch. 'Ze verdient het helemaal.'

'Zora, moet je niet naar je werk?' vroeg Howard.

'Jullie weten er allemaal niks van,' zei Levi, op zijn andere voet huppend. 'Ze gaat dat schilderij verkopen, maar ze houdt het geld niet. Ik ben gisteren bij haar geweest en heb het er met haar over gehad. Het geld gaat naar de Haïtiaanse steungroep. Ze wil alleen niet dat Kipps het krijgt.'

'Ben je daar geweest... op het Kennedyplein?' informeerde Howard.

'Leuk geprobeerd,' zei Levi, want ze waren allemaal geïnstrueerd om Howard geen details te geven omtrent Kiki's precieze verblijfplaats. Levi zette beide voeten op de grond en trok de pijpen van zijn spijkerbroek recht. 'Hoe zie ik eruit?' vroeg hij.

Murdoch kwam, fris van een wandelingetje op korte pootjes door het hoge gras, de keuken in schuifelen. Hij werd bedolven onder aandacht van alle kanten: Zora rende op hem af om hem op te pakken, Levi speelde met zijn oren, Howard gaf hem een kommetje voer. Kiki had hem dolgraag mee willen nemen, maar haar appartement was niet hondvriendelijk. En nu was het 'lief zijn voor Murdoch' van de overgebleven Belseys op de een of andere manier bedoeld voor Kiki; de onuitgesproken, irrationele hoop bestond dat zij, hoewel ze niet bij hen in deze kamer was, toch op een of andere manier de genegenheid kon voelen waarmee ze haar geliefde hondje overlaadden, en dat deze positieve uitstraling... het was belachelijk. Ze deden dit omdat ze haar misten.

'Levi, als je wilt kan ik je een lift geven naar de stad, als je een minuutje kunt wachten,' zei Howard, bijzonder enthousiast om Murdoch het soort aandacht te geven dat hij vroeger nooit voor hem had opgebracht. 'Zoor, kom jij zo niet te laat?'

Zora verroerde zich niet.

'Ík ben al aangekleed, Howard,' zei ze, wijzend op het serveerstersuniform van haar zomerbaantje, een zwarte rok en een witte blouse. 'Het is jóuw grote dag. En jij bent degene zonder broek.'

Dat was waar. Howard pakte Murdoch op – hoewel de hond nauwelijks had geproefd van het vlees dat voor hem stond – en nam hem mee naar de slaapkamer boven. Hier stond Howard voor de kleerkast en bekeek welke mate van elegantie haalbaar was, gegeven de luchtvochtigheid. In de kast, waaruit alle echte kleding – alle kleurige zijde en kasjmier en satijn – was weggehaald, hing een eenzaam pak zachtjes te zwaaien boven een allegaartje van spijkerbroeken, hemden en korte broeken. Hij stak zijn hand uit naar het pak. Hij hing het terug. Als ze hem wilden, moesten ze hem maar nemen zoals hij werkelijk was. Hij haalde een zwarte spijkerbroek, een donkerblauw hemd met korte mouwen en sandalen uit de kast. Vandaag zouden er waarschijnlijk mensen van Pomona in het publiek aanwezig zijn, en van de Columbia-universiteit en van het Courtauld. Smith was opgewonden over alle drie deze mogelijkheden, en nu deed Howard zijn best om dat ook te zijn. *Dit is je kans*, had Smith vanmorgen gemaild, *Howard, het is tijd voor een vaste aanstelling. Als Wellington je die niet kan geven, ga je verder kijken. Het moet zo zijn. Tot halfelf!*

Smith had gelijk. Tien jaar op een en dezelfde plek, zonder vaste aanstelling, was een lange tijd. Zijn kinderen waren al groot. Ze zouden binnenkort uitvliegen. En dan zou het huis, als het zo bleef als het nu was, zonder Kiki, onverdraaglijk zijn. Al zijn resterende hoop moest hij nu op een universiteit vestigen. Universiteiten waren meer dan dertig jaar lang een thuis voor hem geweest. Hij had er nog maar één nodig: de finale, ruimhartige instelling die hem op zijn ouwe dag wilde opnemen en zich over hem wilde ontfermen.

Howard zette een honkbalpetje op zijn hoofd en haastte zich naar beneden, terwijl Murdoch achter hem aan kwam sukkelen. In de keuken stonden de kinderen hun diverse tassen en rugzakken om te hijsen.

'Wacht,' zei Howard, en hij liet zijn hand tastend over de lege keukenbar gaan. 'Waar zijn mijn autosleuteltjes?'

'Geen idee, Howard,' zei Zora bikkelhard.

'Jerome? Autosleutels!'

'Rustig aan.'

'Helemaal niet rustig aan, niemand gaat de deur uit voor ik ze heb gevonden.'

Op deze manier zorgde Howard ervoor dat iedereen te laat kwam. Het is vreemd hoe kinderen, zelfs als ze al groot zijn, de opdracht van een ouder uitvoeren. Gehoorzaam haalden ze de keuken overhoop op jacht naar wat Howard nodig had. Ze keken op alle waarschijnlijke plaatsen en daarna op onlogische, onwaarschijnlijke plaatsen, want wanneer iemand ook maar een momentje ophield met zoeken, werd Howard razend. De sleutels waren niet te vinden.

'O, man, ik heb het gehad, het is té heet, ik ben weg,' riep Levi, en hij liep het huis uit. Een minuut later kwam hij terug; hij had Howards autosleutels in het portier van zijn auto gevonden.

'Genie!' riep Howard, 'Oké, kom op, allemaal naar buiten, alarm aan, pak je sleutels allemaal, kom op, mensen.'

Buiten op de zonovergoten straat maakte Howard het portier van zijn kokendhete auto open door een punt van zijn hemd rond zijn hand te wikkelen. De leren bekleding was zo heet dat hij op zijn tas moest zitten.

'Ik kom niet, hoor,' zei Zora terwijl ze haar ogen met haar hand tegen de zon beschermde, 'voor het geval je dat verwachtte. Ik wilde mijn rooster niet verzetten.'

Howard glimlachte barmhartig naar zijn dochter. Het lag in haar aard om hoog van de toren te blazen en op dat bouwwerk te blijven zitten zolang het niet instortte. Momenteel voelde ze zich helemaal hoog boven alles verheven, want ze had zichzelf een nieuwe rol toebedeeld: die van engel der genade. Tenslotte had het in haar macht gelegen om zowel Monty als Howard te laten ontslaan. Howard had ze krachtig aanbevolen met sabbatical te gaan, een verlet dat hij dankbaar had aanvaard. Zora moest nog twee jaar op Wellington en in haar ogen was de universiteit niet langer groot genoeg voor hen allebei. Monty had zijn baan mogen houden, maar niet zijn principes. Hij verzette zich niet meer tegen de studenten van buitenaf, en die bleven, ofschoon Zora zelf afhaakte van de poëziewerkgroep. Deze heldendaden van onzelfzuchtigheid hadden Zora een werkelijk onbetwistbare morele superioriteit verleend, waar ze met volle teugen van genoot. Het enige wat aan haar geweten knaagde was Carl. Ze was weggegaan uit de werkgroep opdat hij kon blijven, maar in feite was hij nooit teruggekomen. Hij verdween helemaal van Wellington. Tegen de tijd dat Zora dapper genoeg was om zijn mobiele telefoon te bellen, was deze buiten werking. Ze riep Claire te hulp om hem op te sporen, ze vonden zijn adres in de betalingsafschriften, maar de brieven die ze stuurden bleven onbeantwoord. Toen Zora een bezoekje aandurfde, zei Carls moeder alleen dat hij het huis uit was, meer wilde ze niet loslaten. Ze liet Zora niet binnen en deed heel terughoudend, kennelijk ervan overtuigd dat deze lichtgekleurde vrouw die zo beschaafd praatte een sociaal werkster of een politieagente was, iemand die de familie Thomas problemen zou kunnen bezorgen. Vijf maanden later zag Zora nog steeds Carls vele dubbelgangers op straat, dag na dag – de capuchontrui, de wijde spijkerbroek, de Boxfresh-sportschoenen, de grote zwarte koptelefoon – en telkens wanneer haar blik op zo'n tweelingbroer van hem viel, voelde ze hoe zijn naam uit haar borst omhoog kroop naar haar keel. Soms liet ze hem uit haar mond komen. Maar de jongen liep altijd door.

'Iemand nog een lift naar de stad?' vroeg Howard. 'Ik wil jullie best afzetten waar je moet zijn.'

Twee minuten later liet Howard het raampje aan de andere kant zakken en toeterde naar zijn drie halfnaakte kinderen die de heuvel af liepen. Alledrie staken ze hun middelvinger naar hem op.

Howard reed door Wellington, en toen Wellington uit. Hij keek hoe de zinderende dag voor zijn voorruit trilde; hij hoorde de strijkerssectie van de krekels. Hij luisterde op zijn autoradio naar het 'Lacrimosa', en als een tiener zette hij het volume hoog en zijn raampjes open. *Zwoesj da dah, zwoesj da dah.* Toen de muziek vertraagde, nam hij ook gas terug; hij reed Boston binnen en belandde in het Big Dig-verkeerscomplex. Veertig minuten lang zat hij klem in een doolhof van stilstaande auto's. Nadat hij eindelijk te voorschijn kwam uit een tunnel waar geen einde aan leek te komen, ging zijn mobiele telefoon.

'Howard? Met Smith. Hoe gaat het, kerel?'

Dit was Smiths alles-onder-controlestem. In het verleden had die altijd gewerkt, maar de laatste tijd was Howard er beter in geworden zich af te stemmen op de realiteit van zijn situatie.

'Ik ben te laat, Smith. Ik ben nu veel te laat.'

'O, zo erg is dat niet. Je hebt nog de tijd. Je powerpoint staat al helemaal klaar voor gebruik. Waar zit je precies?'

Howard gaf zijn coördinaten door. Er volgde een verdachte stilte.

'Weet je wat ik doe?' zei Smith. 'Ik kondig je alvast even aan. En als je dan binnen ongeveer twintig minuten hier kunt zijn, dan komt het prima voor elkaar.'

Dertig minuten na dat telefoontje spuugde de Big Dig een tot op het bot getergde Howard uit, de stad in. Op zijn donkerblauwe hemd zaten twee enorme zweetplekken. In zijn paniek besloot Howard het eenrichtingssysteem te vermijden door vijf huizenblokken van zijn bestemming vandaan te parkeren. Hij smeet het portier dicht en begon te rennen, terwijl hij de auto over zijn schouder op slot deed met de afstandsbediening. Hij voelde het zweet in zijn bilspleet sijpelen en in zijn sandalen soppen; tegen de tijd dat hij bij de galerie aankwam zouden er gegarandeerd twee waterblaren op zijn wreven zitten. Kort na Kiki's vertrek was hij gestopt met roken, maar nu vervloekte hij die beslissing; zijn longen waren geenszins beter tegen deze inspanning opgewassen dan ze vijf maanden geleden waren geweest. Daarbij was hij tien kilo aangekomen.

'De eenzaamheid van de langeafstandsloper!' riep Smith toen hij hem wankelend de hoek om zag komen. 'Je hebt het gehaald, je hebt het gehaald – alles oké. Neem even de tijd, je hebt nog wel even.'

Howard leunde tegen Smith aan, niet in staat iets te zeggen.

'Het gaat goed,' zei Smith overtuigend. 'Het gaat prima.'

'Ik moet overgeven.'

'Nee, nee, Howard. Dat is het allerláátste wat je gaat doen. Kom op, laten we naar binnen gaan.'

Ze liepen het soort airco in waarin zweet direct bevriest. Smith voerde Howard aan zijn elleboog mee een hal door, en toen een andere hal. Hij parkeerde zijn vrachtje vlak bij een deur die op een kier stond. Door de spleet zag Howard een klein stukje van een katheder, een tafel en een kan water waarin twee schijfjes citroen dreven.

'Om de powerpoint aan te zetten klik je gewoon op het rode knopje – vlak naast je hand op de katheder. Telkens wanneer je op dat knopje drukt verschijnt er een nieuw schilderij, in de volgorde waarin ze voorkomen in je lezing.'

'Is iedereen er?' vroeg Howard.

'Iedereen die iets voorstelt,' antwoordde Smith en opende de deur.

Howard ging naar binnen. Beleefd maar vermoeid applaus begroette hem. Hij ging achter de katheder staan en verontschuldigde zich voor zijn late komst. Meteen ontdekte hij een stuk of zes medewerkers van de vakgroep Kunstgeschiedenis, evenals Claire, Erskine, Christian en Veronica, en verschillende studenten van hem uit heden en verleden. Jack French had zijn vrouw en kinderen meegenomen. Al die steun deed Howard iets. Ze hadden niet hoeven te komen. In Wellington-termen was hij al ten dode opgeschreven, zonder een boek dat binnen afzienbare tijd zou verschijnen, waarschijnlijk op weg naar een tumultueuze echtscheiding en bezig aan een sabbatical die verdacht veel weg had van de eerste stap op weg naar zijn pensioen. Maar ze waren gekomen. Nogmaals verontschuldigde hij zich dat hij zo laat was, en hij sprak vol zelfspot over zijn onervarenheid en onvermogen ten aanzien van de technologie waarvan hij gebruik zou maken.

Halverwege zijn inleidend praatje zag Howard haarscherp de gele map voor zich die nog lag waar hij hem had achtergelaten: op de achterbank van zijn auto, vijf huizenblokken van hier. Hij hield abrupt op met praten en bleef een minuut lang stil. Hij hoorde de mensen in hun stoelen verschuiven. Hij rook zijn eigen penetrante geur. Hoe zag hij eruit in de ogen van deze mensen? Hij drukte op het rode knopje. Het licht werd langzaam maar zeker gedimd, alsof Howard zijn toehoorders een romantische avond wilde bezorgen. Hij liet zijn blik over de menigte glijden op zoek naar de man die verantwoordelijk was voor dit effect en trof in plaats daarvan Kiki, zesde rij helemaal rechts, die vol interesse opkeek naar het beeld achter hem, dat zich steeds scherper aftekende in de groeiende duisternis. Ze droeg een scharlakenrood lint in haar vlecht, en haar schouders waren naakt en glanzend.

Howard drukte weer op het rode knopje. Een schilderij verscheen. Hij wachtte een minuut en drukte opnieuw. Een volgend schilderij. Hij bleef drukken. Er verschenen mensen: engelen en staalmeesters en kooplieden en chirurgijnen en studenten en schrijvers en boeren en koningen en de kunstenaar zelf. En de kunstenaar zelf. En de kunstenaar zelf. De man van Pomona begon instemmend te knikken. Howard drukte op het rode knopje. Hij hoorde hoe Jack French met zijn typische harde fluisterstem tegen zijn oudste zoon zei: *Zie je, Ralph, de volgorde is van belang.* Howard drukte op het rode knopje. Er gebeurde niets. Hij was aan het eind van de reeks gekomen. Hij keek de zaal in en zag Kiki, die met gebogen hoofd zat te glimlachen. De rest van zijn toehoorders zat met een lichte frons naar de achterwand te kijken. Howard draaide zich om en keek naar het schilderij achter hem.

'*Hendrickje badend*, 1654,' zei Howard schor; daarna zweeg hij.

Op de muur waadde een knappe, mollige Nederlandse vrouw in een eenvoudige witte kiel door water dat tot haar kuiten kwam. Howards publiek keek naar haar en toen naar Howard en toen weer naar de vrouw, wachtend op een toelichting. De vrouw van haar kant keek bedeesd weg in het water. Ze leek erover na te denken of ze dieper zou gaan. Het wateroppervlak was donker, spiegelend – een voorzichtige bader was er niet zeker van wat daaronder op de loer lag. Howard keek naar Kiki. In haar gezicht: zijn leven. Plotseling keek Kiki op naar Howard, niet onvriendelijk, dacht hij. Howard zei niets. Er verstreek weer een minuut in stilte. Het publiek begon verbaasd te murmelen. Howard maakte de afbeelding groter op de wand, zoals Smith hem had uitgelegd. De naakte aanwezigheid van de vrouw vulde de wand. Opnieuw keek hij het publiek in en zag alleen Kiki. Hij lachte naar haar. Ze glimlachte. Ze wendde haar blik af, maar ze glimlachte. Howard keek weer naar de vrouw op de wand, Rembrandts liefde, Hendrickje. Hoewel haar handen vage vlekken waren, lagen verf over elkaar, dooreengeroerd met de kwast, was de rest van haar huid voortreffelijk weergegeven in al haar variëteit – kalkachtige wit- en levendige rozetinten, het onderliggende blauw van haar aderen en het altijd aanwezige menselijke zweempje geel, een suggestie van wat komt.

Opmerkingen van de auteur

Hierbij bedank ik Saja Music Co. en Sony/ATV Music Publishing Ltd. voor hun toestemming om te citeren uit 'I Get Around' door Tupac Shakur. Ook een bedankje aan Faber and Faber voor hun toestemming om te citeren uit het gedicht 'Imperial' en om het gedicht 'On Beauty' in zijn geheel op te nemen. Beide gedichten zijn afkomstig uit de bloemlezing *To A Fault* door Nick Laird. Veel dank aan Nick zelf voor zijn toestemming om dat laatste gedicht op naam van Claire te zetten. Ook veel dank aan mijn broer Doc Brown voor een paar van de fictieve teksten van Carl Thomas.

In dit boek worden een aantal echte Rembrandts beschreven, waarvan de meeste te bezichtigen zijn voor het publiek. (Claire heeft gelijk wat betreft *Scheepsbouwer Jan Rijksen en zijn vrouw Griet Jans*, 1633. Als je dat wilt zien, zul je koningin Elisabeth om permissie moeten vragen.) De twee portretten die tot problemen leiden tussen Monty en Howard zijn *Zelfportret met kanten kraag*, 1629, Mauritshuis, Den Haag, en *Zelfportret*, 1629, Alte Pinakothek, München. Ze lijken niet zo sterk op elkaar als in het boek wordt gesuggereerd. Het schilderij dat Howard gebruikt voor zijn eerste college van het semester is *De anatomische les van Dr. Nicolaes Tulp*, 1632, Mauritshuis, Den Haag. Het schilderij dat Katie Brockes bestudeert is *Jacob worstelend met de engel*, 1658, Gemäldegalerie, Berlijn; de ets is *Naakte vrouw, zittend op een heuveltje*, circa 1631, Museum het Rembrandthuis, Amsterdam. Howard wordt aangestaard door *De waardijns van het lakengilde*, 1662, Rijksmuseum, Amsterdam. Mijn geschetste beschrijving is gebaseerd op de gedetailleerde beschrijving van de hermeneutische geschiedenis van de staalmeesters. Howard weet helemaal niets te zeggen over *Hendrickje badend*, 1655, National Gallery, Londen.

Het schilderij van Jean Hyppolite dat in Carlenes bezit is, bestaat eveneens echt en kan worden bekeken in het Centre d'Art, Haïti. Het schilderij waar Kiki in haar verbeelding doorheen loopt is *Road in Maine*, 1914, Whitney Museum of American Art, New York. Howard vindt dat Carl eruitziet als Rubens' *Negerkoppen*, omstreeks 1617, Musées Royaux des Beaux Arts, Brussel. Ik ben het niet met hem eens.

Woord van dank

Dank aan mijn proeflezers: Nick Laird, Jessica Frazier, Tamara Barnett-Herrin, Michal Shavit, David O'Rourke, Yvonne Bailey-Smith en Lee Klein. Hun aanmoediging, opmerkingen en adviezen hebben alles in gang gezet. Dank aan Harvey en Yvonne voor hun steun en aan mijn jongere broers Doc Brown en Luc Skyz, die me op de hoogte hebben gebracht van de dingen waarvoor ik te oud ben om ze te kunnen weten. Dank aan mijn ex-student Jacob Kramer voor zijn opmerkingen over het universiteitsleven en de mores aan de Oostkust. Dank aan India Knight en Elisabeth Merrim voor al het Frans. Dank aan Cassandra King en Alex Adamson voor alle bijzonderheden over literaire aangelegenheden.

Ik bedank Beatrice Monti voor de logeerpartijen in Santa Maddelena en al het goede dat daaruit is voortgekomen. Dank aan mijn Engelse en Amerikaanse redacteurs Simon Prosser en Anne Godoff, zonder wie dit boek dikker en slechter zou zijn geworden. Dank aan Donna Poppy, de beste bureauredacteur die een mens zich kan wensen. Dank aan Juliette Mitchell van Penguin voor al het werk dat ze voor mij heeft verzet. Zonder mijn agente Georgia Garrett zou ik dit werk niet kunnen doen. Bedankt, George. Je bent super.

Dank aan Simon Schama voor zijn fantastische boek *De ogen van Rembrandt*, een boek dat me heeft geleerd hoe ik naar schilderijen moet kijken. Dank aan Elaine Scarry voor haar prachtige essay *On Beauty and Being Just*, waaraan ik de titel en een hoofdstukkop heb ontleend, en waar ik veel inspiratie uit heb geput. Vanaf de eerste regel moge duidelijk zijn dat dit boek is geïnspireerd door mijn waardering voor E.M. Forster, aan wie ik op de een of andere manier al mijn romans te danken heb. Deze keer wilde ik die schuld inlossen met een eerbetoon aan hem.

Bovenal bedank ik mijn echtgenoot, wiens gedichten ik steel om mijn proza te verfraaien. Nick is iemand die weet dat 'tijd liefde is', en daarom is dit boek, evenals mijn leven, opgedragen aan hem.

Inhoud